Derecho y Cine
El Derecho visto por los géneros cinematográficos

Derecho y Cine
El Derecho visto por los géneros cinematográficos

JUAN ANTONIO GÓMEZ GARCÍA

Editor

tirant lo blanch
Valencia, 2008

Director de la Colección:
JAVIER DE LUCAS
Catedrático de Filosofía del Derecho

El presente libro se enmarca en y ha sido financiado en parte por
el Proyecto de Investigación titulado *Derecho, Cine y Literatura*,
SEJ2005-05469/JURI, cuyo Investigador Principal es Benjamín
Rivaya García.

© JUAN ANTONIO GÓMEZ GARCÍA
(Editor)

© TIRANT LO BLANCH
EDITA: TIRANT LO BLANCH
C/ Artes Gráficas, 14 - 46010 - Valencia
TELFS.: 96/361 00 48 - 50
FAX: 96/369 41 51
Email:tlb@tirant.com
http://www.tirant.com
Librería virtual: http://www.tirant.es
DEPOSITO LEGAL: V-4419-2008
I.S.B.N.: 978-84-9876-335-5
IMPRIME: PMc Media

Índice

Presentación

A día de la fecha, los estudios de *Derecho y Cine* no han contemplado aún el análisis sistemático del fenómeno jurídico, desde su perspectiva metodológica propia, a través de los géneros cinematográficos. A pesar de que estos estudios gozan de un auge y un predicamento académico cada vez más generalizado, todavía no había llegado el momento de abordar un trabajo de las características del que aquí se ofrece al público, tal vez porque los estudios de *Derecho y Cine* se encuentran aún en un estado ciertamente embrionario y no ha habido tiempo para entrar en temas como el que aquí se trata, y/o porque el propósito que aquí se ha pretendido materializar resulta de una dificultad notable teniendo en cuenta los extraordinarios problemas añadidos que plantea la propia teoría de los géneros cinematográficos; problemas derivados de la evanescencia y complejidad que entraña el mismo concepto de *género cinematográfico*, el cual es reflejo, en el fondo, de cuestiones de tan profundo calado filosófico y estético como las relaciones entre género y especie, entre unidad y pluralidad, entre lo universal y lo particular, etc...

Nuestra pretensión no es, ni puede ser por tanto, agotar teóricamente el tema. Evidentemente, en el reducido marco de este libro resulta inviable ofrecer un estudio que aborde con la máxima exhaustividad todo el tema; sin duda, como digo, uno de los más ambiciosos y problemáticos de cuantos pueden abordarse en el marco de los estudios de *Derecho y Cine*. Por lo tanto, a efectos meramente operativos, hemos propuesto un marco conceptual muy general que nos permita introducirnos con un mínimo fundamento epistemológico en la temática que nos interesa realmente. Nos hemos hecho eco de una conceptualización y de una tipología genérica más o menos convencional, sustentada sobre una teoría de los géneros simplemente referencial, con el fin de contextualizar con un mínimo de rigor teórico el objeto central de nuestro trabajo: la reflexión en torno a lo jurídico desde una determinada manera de contemplar lo cinematográfico, la perspectiva de los géneros. Se recoge así en esta *pequeña enciclopedia de géneros jurídicos* aquellos que hemos entendido que ofrecían más posibilidades de análisis y reflexión desde la metodología propia de los estudios de *Derecho y Cine* y, que a nuestro juicio, han sido los siguientes: la comedia, el melodrama, el western, el cine negro, el bélico, el cine de ciencia-ficción, el cine político y el documental. Como se ve, han quedado fuera géneros tan significativos como el musical, el cine de terror y el cine de aventuras. Desde luego, sería interesante abordar una aproximación a estos géneros desde los estudios de *Derecho y Cine*, pero al ser géneros menos (digámoslo así) *genuinamente jurídicos* que los trabajados aquí, hemos optado por no contemplarlos y dejarlos para un posible tratamiento en un futuro.

Finalmente quiero mostrar mi agradecimiento a todos los estudiosos que han colaborado en la elaboración de este libro por su interés, entusiasmo y paciencia desde el momento en que se gestó en el contexto de una reunión en la siempre amable y acogedora Universidad de Oviedo, con motivo de la puesta en marcha del proyecto de investigación sobre Derecho, cine y literatura dirigido por el profesor Benjamín Rivaya, a quien además me permito redoblar mi gratitud por su generosidad al acogerme en su ilusionante y novedoso proyecto, y por su extraordinario empeño en el impulso de esta publicación. Asimismo, deseo agradecer al profesor Javier de Lucas, director de la Colección *Cine y Derecho* de la editorial Tirant lo Blanch, su sensibilidad y disposición para que este libro viese la luz en las condiciones en que la alta calidad de sus trabajos lo merecen.

Derecho y Cine. El Derecho visto por los géneros cinematográficos

10

El Derecho y los géneros cinematográficos: Panorama general*

Los llamados estudios de Derecho y Cine adolecen de un análisis pormenorizado sobre lo jurídico y sus relaciones con el cine desde la perspectiva de la teoría de los géneros cinematográficos. Desde que a finales de la década de los ochenta del siglo pasado estos estudios comenzaron a desarrollarse en el ámbito anglosajón (en especial, en los Estados Unidos de América)[1], no existe un trabajo monográfico al respecto.

De sobra es sabido que la categoría de *género* ha sido y es de gran importancia en todas las facetas del medio cinematográfico. Para los teóricos del cine (historiadores, críticos, etc...) ha sido objeto de preocupación central la elaboración de una teoría de los géneros, hasta el punto de que, en muchas ocasiones, ésta ha sido la auténtica *piedra de*

* El presente trabajo se enmarca en el Proyecto de Investigación titulado *Derecho, Cine y Literatura*, SEJ2005-05469/JURI, cuyo Investigador Principal es Benjamín Rivaya.

[1] Allí ha surgido el *Law and Film Movement* (también llamado *Law and Cinema Movement)*, en el contexto de los *Cultural Legal Studies,* el cual se centra en el estudio de lo jurídico en las películas. Autores como John Denvir (*Legal Reelism. Movies and Legal Texts.* Urbana: University of Illinois Press, 1996), Paul Bergman y Michael Asimow (*Reel Justice. The Courtroom Goes to the Movies*. Kansas City: Andrews and McMeel, 1996), Norman Rosenberg ("Hollywood on Trials: Courts and Films. 1930-1960", en *Law and History Review*, nº 12, 1994, pp. 341-367), etc..., son buenos ejemplos al respecto. En el ámbito castellano-parlante se vienen desarrollando estudios de este tipo desde hace algún tiempo, en el marco académico de lo que Benjamín Rivaya y Pablo de Cima han denominado como *Sociología del Derecho en el Cine* y como *Pedagogía del Derecho* (RIVAYA, Benjamín; CIMA, Pablo de: *Derecho y Cine en 100 películas. Una guía básica.* Valencia: Tirant lo Blanch, 2004, p. 95). Resultado de ello es la colección de monografías de la editorial Tirant lo Blanch, titulada *Derecho y Cine* y dirigida por el profesor Javier de Lucas; la institucionalización de estos estudios en el proyecto de investigación, dirigido por el profesor Benjamín Rivaya y financiado por Ministerio de Educación y Ciencia, SEJ2005-05469, cuyos integrantes (varios de ellos

toque del rango epistemológico de una teoría cinematográfica. Para los profesionales de la industria cinematográfica (directores, guionistas, productores, actores, distribuidores, etc...), los géneros son una buena manera de manejar patrones estéticos para la elaboración de sus películas, y un vehículo comercial de gran eficacia para vender sus productos. Finalmente, para los espectadores representan en numerosos casos un elemento básico para conformar sus gustos y tomar decisiones de consumo fílmico.

Así pues, se justifica plenamente un estudio de lo jurídico desde la perspectiva de la teoría genérica, ya que ésta constituye una forma privilegiada de entendimiento, de comprensión crítica, de clasificación y de valoración del material cinematográfico en todas sus dimensiones (técnica, narrativa, social, cultural, etc...); y por ello, ofrece posibilidades extraordinarias para todo tipo de enfoque interdisciplinar, como es el propio de los estudios que aquí se pretende realizar.

1. Los estudios de *Derecho y Cine*

El presupuesto metodológico fundamental de este peculiar acercamiento a lo jurídico es la consideración del material cinematográfico en general, y de cada obra fílmica en particular,

participantes en el presente libro) vienen realizando diversos trabajos durante los últimos años; el foro de estudio y discusión constituido bajo el nombre *Fundación Cine y Derecho* en Internet (www.cineyderecho.org); y diversos trabajos esporádicos publicados por distintos autores, como por ejemplo: VV.AA.: *Abogados de cine. Leyes y juicios en la pantalla*. Madrid: Ilustre Colegio de Abogados, Castalia, 1996; el número monográfico de la revista de cine *Nosferatu* (nº 32, enero 2000); SAN MIGUEL PÉREZ, Enrique: *Historia, Derecho y Cine*. Madrid: Ed. Centro de Estudios Ramón Areces, 2003; SOTO NIETO, Francisco; FERNÁNDEZ, Francisco Javier: *Imágenes y Justicia. El derecho a través del cine*. Madrid: La Ley, 2004; ROMERO, Emilio G.: *Otros abogados y otros juicios en el cine español*. Barcelona: Laertes, 2006; RIVAYA GARCÍA, Benjamín; PRESNO LLINERA, Miguel Ángel: *Una introducción cinematográfica al Derecho*. Valencia: Tirant lo Blanch, 2006; y mis trabajos: *Valores jurídicos y derechos humanos en el Cine* y *Derecho y Cine*, ambos publicados en Madrid por la Universidad Nacional de Educación a Distancia, en 2002 y 2006 respectivamente.

como *texto jurídico*. El postulado fundamental es la condición significativa, la *lingüisticidad* propia de las películas, ya que éstas son manifestaciones de un lenguaje que constituye y preserva su significatividad por encima de cualquier circunstancia o momento concretos. Sin embargo, desde esta perspectiva no se condena a una película a un estatismo significativo absoluto, sino que su significatividad se actualiza permanentemente en virtud de su *interpretación*, de su *lexis* concreta, ya que la necesidad de contemplación por parte de alguien que, de suyo, conlleva la proyección de un filme, impone la particularización significativa de su generalidad, de su, valga la expresión, *objetividad*. De ahí que la *textualidad* del cine sea compleja, pluridimensional y tenga muchas implicaciones; y, por lo tanto, sea susceptible de múltiples posibilidades interpretativas y dé lugar a multitud de lexis particulares de muy diversa índole: sobre el cine puede ejercerse una perspectiva histórica, filosófica, sociológica, política, estética, económica... y jurídica.

En consecuencia, partimos aquí de una consideración de las películas, en tanto que son expresión de lo cinematográfico, como *textos*, ya que esta categoría constituye una unidad hermenéutica con la amplitud suficiente como para vincular todos los ejercicios interpretativos a que da o puede dar lugar un filme, privilegiando en este caso su lexis jurídica (como *textos jurídicos* concretos, pues). Desde la analogía *película-texto* nos ubicamos en un lugar común (*tópos*) lo suficientemente comprensivo como para ejercer una mediación que permita dar cuenta abierta y unitariamente de toda la riqueza hermenéutica del cine en relación con lo jurídico (y, por lo demás, con otras interpretaciones). *Comprendemos*, así, lo cinematográfico dentro de una tradición histórico-cultural en constante actualización, la cual conforma, a su vez, esta tradición en sus interpretaciones concretas, posibilitándose su entendimiento en razón de su discurso propio (estético, político, sociológico, económico, etc...), sin que quepa otorgar mayor peso a ninguno de los discursos sobre los demás, aun cuando por la propia naturaleza de la interpretación que pretendemos ejercer aquí, otorguemos preferencia a su interpretación *jurídica*.

No vamos a descubrir aquí la importancia histórica del cine en la actualidad. El fenómeno cinematográfico surge a finales del siglo XIX, marcando el *modus essendi* de la centuria siguiente y participando, pues, de la complejidad de todo fenómeno característico de la cultura contemporánea. El cine constituye un poderoso medio de comunicación social por su gran capacidad para transmitir eficazmente ideas y mensajes, e implantar modelos de comportamiento, susceptibles de llegar a gran cantidad de personas en todo el mundo[2] una industria económica de primer orden[3] y un extraordinario medio estético que permite gran cantidad de posibilidades artísticas en su ejecución[4], y que, como arte, es una fuente inagotable de placer y entretenimiento.

Que el cine sea una de las manifestaciones culturales más importantes del siglo XX y de lo que llevamos del XXI, impone necesariamente su considera-ción como objeto de estudio por parte del investigador en el ámbito de las Ciencias Humanas y Sociales desde su perspectiva científica propia; también, naturalmente, desde la perspectiva jurídica. Desde estos presupuestos, las relaciones entre Derecho y Cine se concretan fundamentalmente en dos aspectos. Por una parte, en la consideración del cine como objeto sobre el que se aplica el Derecho, como fenómeno socio-cultural susceptible de regulación jurídica por parte del Derecho positivo —el llamado *Derecho cinematográfico*—; en este sentido, el Derecho regula todo aquello que tiene que ver con las condiciones jurídicas para realizar, exhibir y explotar una obra cinematográfica, con las implicaciones jurídicas de la autoría de una película, con

[2] De las enormes potencialidades comunicativas del cine tomaron conciencia inmediatamente los grandes regímenes totalitarios del siglo pasado (fascismos y comunismos), los cuales se preocuparon muchísimo por crear y desarrollar industrias cinematográficas fuertes para propiciar la propagación de sus ideologías. Sin ir más lejos, la identidad cultural de los Estados Unidos de América se ha forjado, en gran medida, sobre su poderosa industria cinematográfica; la propia Iglesia católica no ha sido tampoco ajena a esta idea: la encíclica del papa Pío XI, *Vigilanti Cura* (1936), así lo atestigua.

[3] El negocio del cinematógrafo mueve una gran cantidad de recursos, hasta el punto de que es, tal vez, la industria del ocio que posee mayor importancia económica.

[4] Recuérdese el famoso tópico, lanzado por Ricciotto Canudo en su *Manifiesto de las Siete Artes* (1914), de *El Séptimo Arte* aplicado al Cine, como compendio y culminación de todos los demás (Vid. ROMAGUERA I RAMIÓ, Joaquim; ALSINA THEVENET, Homero: *Textos y Manifiestos del Cine*. Madrid: Cátedra, 1989, pp. 15 y sigs.).

la censura fílmica, etc... Por otra parte, el cine constituye un medio a través del cual se contempla el fenómeno jurídico en toda su extensión de una determinada manera, precisamente por la presencia permanente de lo jurídico en la vida humana y, por tanto, en las historias narradas por la inmensa mayoría de las películas. Se justifica, así, la exposición y el análisis del tratamiento que se ha dispensado en general al Derecho como producto humano en el medio cinematográfico[5].

En el presente libro nos interesa, sobre todo, el segundo de los aspectos, de ahí que se tematicen cuestiones como el tratamiento cinematográfico del Derecho como fenómeno social, de los modelos ético-jurídicos, político-jurídicos y de las concepciones jurídicas más importantes, de las instituciones jurídicas (civiles, penales, procesales, laborales, etc...) fundamentales, de los valores jurídicos, de los derechos humanos, etc... Se pretende así entender el modo en que son referidos en el medio cinematográfico, extraer conclusiones sobre las ideas y aportaciones al respecto (pautas generales, planteamientos y respuestas más comunes a estos problemas, etc...), y contemplar el fenómeno jurídico en su expresión institucional en el Derecho actual (español o no: depende del origen de la película o grupo de películas a considerar), en un medio estético de comunicación socialmente tan poderoso como es el cine.

Las consideraciones de tipo estético sobre las películas no es lo que nos preocupa esencialmente en este acercamiento. Sin embargo, esto no significa su total desterramiento en nuestro análisis, puesto que son elementos instrumentales de gran importancia para una más ajustada inteligibilidad del contenido jurídico de los filmes. Estas consideraciones nos permitirán ubicarnos así con mayor rigor en el ámbito en que ha de desarrollarse nuestra actividad crítica.

En definitiva, se trata de tematizar lo jurídico *a propósito de* las películas que aquí se toman en consideración; y este *a propósito de* viene mediado, en el ámbito metodológico de este libro, por esa particular manera

---

[5]   Entendemos aquí el término *Derecho* en el sentido más amplio y más abierto que quepa establecerse, con el propósito de que nuestra aproximación a lo jurídico resulte lo más integradora y abarcadora posible, con el fin de poder contemplar así las más diversas concepciones sobre lo jurídico.

de ordenar el vastísimo material fílmico que, a estas alturas del siglo XXI, constituye en el fondo la categoría teórico-estética que se ha venido a denominar convencionalmente como *género cinematográfico*. Esta categoría constituye un formidable instrumento de explicación crítica para determinar el valor general (estético, económico, social, ideológico, etc...) de una obra, o grupo de obras cinematográficas, de tal modo que una aproximación *genérica* a tan vastísimo material cinematográfico como el que existe, puede facilitar en gran medida su conocimiento y su manejo para el estudioso y el público en general interesado por el cine de temática jurídica.

Se pretende, pues, indagar y comprobar la forma en que tratan el Derecho determinados géneros cinematográficos, en qué medida cada uno de los géneros cinematográficos analizados comparte un enfoque también homogéneo en relación con lo jurídico, y si presentan peculiaridades temáticas y estéticas como tales que los hacen más propicios para tratar (de una forma u otra, mejor o peor,...) determinados temas jurídicos de una manera específica.

2. ¿Qué entendemos por *género cinematográfico*?

El concepto de *género cinematográfico* es un concepto extraordinariamente problemático. Las razones son múltiples y diversas: por la larga tradición, la gran importancia, y la enorme complejidad y polivalencia que acompañan al concepto de *género* en el ámbito de la reflexión estética, manifestados en sus múltiples y muy diferentes formulaciones históricas desde la Grecia clásica[6]; y, especialmente, porque esta noción compromete problemas de tan hondísimo calado filosófico como las relaciones entre materia y forma, entre lo particular y lo universal, entre género y especie, etc.

---

[6] Una buena y sintética exposición histórica de las distintas concepciones de *género*, desde la óptica de la teoría literaria —de cuyas categorizaciones, por lo demás, son herederas en gran medida las de la teoría cinematográfica—, puede encontrarse en: AGUIAR E SILVA, Vítor Manuel: *Teoría de la literatura*. Trad. de V. García Yebra. Madrid: Gredos, 1979, pp. 159-174.

Las dificultades para ofrecer una definición omnicomprensiva, cerrada y estable de *género* vienen derivadas de lo que se ha venido en llamar *la circularidad de la definición genérica*[7]. El crítico Edward Buscombe lo ha explicitado como sigue: "Si queremos saber qué es un western, debemos mirar hacia cierta clase de filmes. Pero, ¿cómo saber hacia qué filmes mirar sin saber previamente qué es un western?"[8]. El dilema plantea enormes dificultades epistemológicas y, desde luego, su solución depende de la perspectiva metódica que se adopte a la hora de ofrecer una teoría y una tipología concreta de géneros: bien una perspectiva de tipo deductivo, partiendo de la elaboración de un determinado modelo teórico en torno a los géneros que se aplique para comprender y explicar los textos concretos; bien una perspectiva inductiva, en sentido contrario: construyendo una teoría de los géneros a partir de los textos.

Nos encontramos, pues, ante una dialéctica entre la generalidad de las reglas del sistema genérico y la particularidad de cada texto concreto adscribible a ese sistema genérico. Se trata de reconocer así la existencia de un ámbito común que permita vincular ambos polos[9].

Tal vez una tentativa de solución se encuentre en el acercamiento al problema desde presupuestos hermenéuticos, al modo gadameriano, contemplando la categoría de género como un elemento pre-comprensivo de interpretación que contiene teórica e históricamente imbricados todos los elementos que pone en juego, en el contexto de la totalidad existencial en que se maneja la categoría, teniendo en cuenta que, en terminología hermenéutica, *comprender* lo que son las cosas (en este caso los géneros cinematográficos) requiere *explicarlas*; esto es, saber si, y cómo, pueden ser comprendidas; y viceversa, para *explicar*

---

[7] Vid., por ejemplo: WELLECK, René; WARREN, Austin: *Teoría literaria*. Trad. de J. M. Gimeno. 4ª ed. Madrid: Gredos, 1979, pp. 313-314; BUSCOMBE, Edward: "The Idea of Genre in the American Cinema", en GRANT, B. K. (ed.): *Film Genre*. Austin: Texas University Press, 1986; y TUDOR, Andrew: "Genre: Theory and Mispractise in Film Criticism", en *Screen*, vol. 11, nº 6, 1970.

[8] BUSCOMBE, E., *op. cit.*, p. 13.

[9] Este espacio común ha sido entendido de muy diversas maneras por parte de los estudiosos: como modelos culturales, como tópicos del pensamiento mítico de una comunidad determinada, como expresión de la ritualidad de una cultura, como lugares comunes de la cultura de masas, etc…

es preciso *comprender* previamente (*pre-comprender*) de algún modo las cosas. Así pues, ambos momentos (*explicación y comprensión*) son dos momentos inseparables y recíprocos[10]. No obstante, debe tenerse en cuenta que no es éste el momento y el lugar para emprender, con el rigor que merece, un estudio de tal complejidad teórica.

El comienzo del debate metodológico riguroso sobre los géneros cinematográficos tiene lugar a finales de la década de los cincuenta del siglo pasado, momento en que se empieza a producir un desbordamiento verdaderamente acusado de las categorías clasificadoras que se venían utilizando por la crítica cinematográfica hasta entonces, ante la proliferación de corrientes creativas que viene aconteciendo en Europa y América a partir de la segunda posguerra mundial (el llamado *cine de autor* y el *cine independiente* en todas sus vertientes posibles).

Hasta entonces, el concepto de *género* se maneja de manera automática, acrítica, sin atender a cuestiones en torno a su identidad, a su naturaleza epistemológica y a su validez, con el propósito de clasificar con ciertas garantías el abundante y heterogéneo material cinematográfico que se venía produciendo. Los teóricos *auteuristas* reivindican como auténtico cine artístico a estas nuevas tendencias frente al grueso de obras típicas de los modelos genéricos, reduciendo a estas últimas a meros productos estereotipados resultado de exigencias industriales y comerciales, y carentes, pues, de la impronta creativa y particular de sus autores.

Será casi a finales de los sesenta, en el ámbito anglosajón[11], cuando, desde más autónomos y rigurosos planteamientos estéticos, se plantee plena y concienzudamente una teoría específica de los géneros cinematográficos. Se parte de que el cine es una

---

[10] Con este modo de proceder hermenéutico, se toma en consideración también, con pleno derecho, lo singular, lo irrepetible, las experiencias particulares (lo propio de las tradicionalmente llamadas *Ciencias del Espíritu*), ante la impotencia teórica de los modelos generalistas, los cuales se limitan a reducir lo singular a patrones universales, perdiendo así potencia y riqueza explicativas ante, por ejemplo, un fenómeno humano tan importante como el arte (Vid. GADAMER, Hans-Georg: *Verdad y método. Fundamentos de una hermenéutica filosófica*. Trad. de A. Agud Aparicio y R. Agapito de la 4ª ed. alemana. Salamanca: Ed. Sígueme, 1988).

[11] Por ejemplo: RYALL, T.: "The Notion of Genre", en *Screen*, vol. 11, núm. 2, marzo-abril 1970; y BUSCOMBE, Edward: "The Idea of Genre..., *op. cit.*

forma de expresión colectiva, por encima del genio creativo de un individuo concreto, dirigida a una masa de receptores difícilmente reconducible a una sensibilidad homogénea. En este contexto, la categoría de género se erige como el instrumento teórico apropiado para comprender esta complejidad creativa y comunicacional bajo un patrón adecuado.

A pesar de todas estas dificultades, y en el marco (forzosamente reducido y superficial) de estas notas, voy a intentar esbozar una referencia conceptual y tipológica muy convencional sobre los géneros cinematográficos, que permita delimitar un panorama en que puedan verse reflejadas, de una manera o de otra, todas estas concepciones tan diversas y, lo que es más importante, que sirva de marco para los desarrollos particulares que constituyen cada uno de los trabajos de este libro sobre el Derecho en cada género cinematográfico en concreto. No se trata, por tanto, de plantear problemas y soluciones de carácter estético, sino más bien de establecer un marco convencional que permita estudiar lo jurídico en el medio cinematográfico, desde la óptica de la teoría de los géneros más comúnmente aceptada por parte de los teóricos sobre el tema.

2.1. Una aproximación fundamental al concepto de *género*: la relación *género-especie*

En un sentido filosófico, el concepto de *género* hay que entenderlo bajo la distinción lógica *género-especie*. Aquí el *género* (γενος, *genus*) se concibe como una forma de predicación, es decir, como el atributo esencial susceptible de ser aplicado a una pluralidad de cosas que difieren entre sí específicamente[12]; y la *especie* (ειδος, *species*) como una clase subordinada a un género definido y por encima de los individuos. Por lo tanto, la especie es al género lo que el sujeto es al predicado, constituyéndose aquélla, pues, cuando se añade al género la diferencia que la especifica[13].

---

[12] ARISTÓTELES: *Tópicos*, I, 5, 102 a 31.
[13] ARISTÓTELES: *Categorías*, 5, 2 b 19 y sigs. Cito por la traducción de A. García Suárez, L. M. Valdés Villanueva y J. Velarde Lombraña. Madrid: Tecnos, 1999, pp. 97 y sigs. Escribe Aristóteles: "...la especie hace de sujeto

Como dice Aristóteles, "...en las definiciones se da el nombre de género a la noción fundamental y esencial, cuyas cualidades son las diferencias". A su vez, la diferencia de género acontece cuando el sujeto primero es diferente: "...cuando las cosas no se resuelven la una en la otra —escribe Aristóteles—, ni tampoco ambas en la misma; así, la forma y la materia son heterogéneas, y también lo son los predicados que corresponden a diversas figuras de la predicación de *lo que es* (...). Y es que estos predicados no se resuelven, ni los unos en los otros, ni "todos ellos" en algo que sea uno"[14].

2.2. El *género* como categoría estética

En el ámbito del pensamiento estético, el marco del tema se encuentra en el famoso párrafo que da inicio a la *Poética* de Aristóteles: "Trataremos de la poesía en sí misma y de sus especies, de cuál es la potencia de cada una de ellas. Trataremos también de cuántas y cuáles son sus partes, así como de las otras cuestiones que también atañen a este mismo campo de investigación"[15]. Es, pues, el contexto interpretativo de la relación género-especie (entendiendo la poesía como *mímesis*, como género), de la teoría de los géneros, el que delimita el desarrollo de la reflexión estética aristotélica y, por ende, de la toda la estética clásica en Occidente.

A partir de aquí y de los propios estudios concretos que realiza Aristóteles en torno a los géneros poéticos de su tiempo, se desarrolla toda una reflexión estética sobre este tema, cuyos hitos son Horacio, el Renaci-

---

para el género, puesto que los géneros se predican de las especies, pero las especies no se predican, inversamente, de los géneros" (p. 97).

[14] ARISTÓTELES: *Metafísica*, V, 28, 1024 b 10-15. Cito por la traducción de T. Calvo Martínez. Madrid: Gredos, 1994, pp. 259-260. Esta definición de *género* está ampliamente desarrollada por el Estagirita en *Tópicos*, IV. Otras acepciones del término *género* son: 1) como "...generación ininterrumpida de los seres que tienen la misma especie"; 2) como "...el primero que inició el movimiento 'de la generación'"; y finalmente, 3) "... según la materia: en efecto, aquello a lo que corresponde la diferencia y cualidad es el sujeto, que nosotros denominamos materia" (V, 28, 1024 a 30-35, p. 258).

[15] ARISTÓTELES: *Poética*, I, 1447 a 8-14. Cito por la traducción de S. Mas. Madrid: Biblioteca Nueva, 2000, p. 63.

miento humanista del XVI (los italianos Minturno, Escalígero, Vida, Castelvetro), y los modernos neoclásicos (Corneille, Boileau, Tasso, Dryden, Pope), la cual se ha venido a considerar como la tradición teórica clásica al respecto. A partir de la célebre *regla de la unidad de tono* de Horacio, la tendencia dominante en la teoría de los géneros literarios[16] es la postulación de la *pureza esencial* de los géneros, repudiando cualquier posibilidad de *contaminación* entre sí. Esta concepción tiene su presupuesto en una consideración filosófica del género en el sentido escolástico medieval de *genus naturale*, es decir, como un universal con una naturaleza ontológica propia y, por tanto, con una cualificación esencial plena y particular: los géneros literarios difieren entre sí, tanto por su naturaleza como por su jerarquía, y deben mantenerse separados, sin mezcla entre ellos (doctrina del *genre tranché*).

He aquí un principio estético que implica la apelación, en la práctica creadora y en la valoración crítica de la obra, a una estricta unidad de tono, a una pureza estilística, a la concentración en una única emoción (terror, jocosidad, etc...) y en un único tema; así como la reivindicación de la especialización, ya que se concibe cada género como algo con unas potencialidades estéticas y sociológicas propias. Asimismo, se postula la jerarquía de los géneros literarios, en función de elementos como el rango y el grado de profundidad psicológica de los personajes y del estilo, de la duración, amplitud y seriedad del tono dramático de la obra, y del tipo de fruición estética que provocan en general en el público. En consecuencia, las tipologías de los géneros son muy cerradas y producto de su concepción en un sentido muy restrictivo.

Es en el Romanticismo literario decimonónico donde tiene su origen la tesis de la aceptación del hibridismo de los géneros[17], debido a su condena de la teoría clásica de los géneros debida al postulado romántico de la absoluta individualidad y autonomía de la obra literaria, imposible de reducir a ninguna clase de exigencia o tipificación genéricas. Como puso de relieve Victor

---

[16] La teoría estética cinematográfica es heredera en muchísimos aspectos de la teoría literaria: no olvidemos que la base temática y dramática de una película es su guión, una forma de obra literaria.

[17] La fundamentación teórica del hibridismo entre géneros se encuentra en el *Diálogo sobre la poesía* (1800) de Friedrich Schlegel.

Hugo en sus célebres prólogos a sus obras teatrales *Cromwell* (1827) y *Hernani* (1830), la vida y la realidad son contradictorias y, por tanto, difícilmente simplificables bajo estrictos criterios formales. Comienzan a quebrarse así las rígidas categorizaciones clásicas y adquieren carta de naturaleza de género nuevas formas de creación literaria (drama, melodrama, etc...).

Esta tendencia culminará con la célebre doctrina de Benedetto Croce en torno a la negación del género como categoría estética[18]. Según el autor italiano, cualquier intento de prescribir el código de un género resulta baldío por la propia naturaleza de la creación artística, la cual constituye para Croce una particular e irrepetible manifestación intuitiva del artista, y que, por tanto, no se deja de suyo encorsetar bajo ninguna clase de código. Es más, según Croce, el auténtico *leit-motiv* de la creación artística reside en la superación, e incluso subver-

sión, de los géneros tradicionales, de manera que cualquier intento de teorizar en torno a los géneros tiene forzosamente que ubicarse en el contexto de la dialéctica entre las categorías genéricas heredadas y los textos artísticos concretos.

Queda inaugurada aquí la principal línea teórica del siglo XX en torno a los géneros literarios: aquella que se mueve en el ámbito de la dialéctica entre teoría y praxis, entre estructura textual y expectativas particulares del receptor en torno a la estructura textual. Así por ejemplo, Tzvetan Todorov distingue entre géneros *teóricos* y géneros *históricos*, sobre la base de que los primeros son construcciones de una determinada teoría literaria, mientras que los segundos son el resultado de la observación de la fenomenología literaria en un momento histórico concreto[19]. El lector y sus circunstancias, el proceso particular de lectura, adquieren así un protagonismo central en la formulación de todo juicio en

---

[18] Escribe Croce: "Como cada obra de arte expresa un estado de alma, y el estado de alma es individual y siempre nuevo; la intuición supone intuiciones infinitas que no nos es posible encerrar en el casillero de los géneros, a menos de que esté compuesto de infinitas casillas de intuiciones y no de géneros" (CROCE, Benedetto: *Breviario de Estética. Cuatro lecciones seguidas de dos ensayos y un apéndice.* 9ª ed. Trad. de J. Sánchez Rojas. Madrid: Espasa-Calpe, 1985, pp. 53).

[19] Cfr. TODOROV, Tzvetan: *Introducción a la literatura fantástica.* Trad. de S. Delpy. Barcelona: Ediciones Buenos Aires, 1982.

torno al género de cualquier obra concreta. En el otro polo de la dialéctica es reseñable, por ejemplo, la concepción de Alastair Fowler, quien articula su tipología de géneros sobre una concepción esencialista de las estructuras textuales de las obras literarias[20].

2.3. Principales tendencias teóricas sobre los géneros cinematográficos

Como se indicó más arriba, la aparición de una reflexión más sosegada y rigurosa en torno a los géneros cinematográficos tuvo lugar durante la década de los sesenta del siglo pasado. En este momento surgen diversas teorías que pretenden dar cuenta de la compleja realidad cinematográfica desde la categoría de *género*. De manera extremadamente simplificadora, éstas son las más importantes:

A) Perspectivas estructuralistas

Coetáneamente y como desarrollo posterior de las teorías de Levi-Strauss y Greimas en torno a los mitos, a sus estructuras narrativas y a su significado, aparecen en el ámbito de la teoría fílmica diversos análisis inspirados en los planteamientos generales de estos autores para poner de manifiesto la naturaleza mítica que, en el fondo, según estas perspectivas, revisten los géneros cinematográficos. Así por ejemplo, en relación con el *western*, Wright y Kitses afirmaron sus raíces míticas explicitadas en la estructura profunda, la cual permanece inalterada[21], de

---

[20]   Vid. FOWLER, Alastair: *Kinds of Literature: An Introduction to the Theory of Genres and Modes*. Oxford: Clarendon Press, 1987.

[21]   Esta estructura se articula sobre un sistema de oposiciones binarias y sobre el significado paradigmático, acrónico, que manifiesta en el fondo (Cfr. KITSES, Jim: *Horizon West: Anthony Mann, Budd Boetticher, Sam Peckinpah: Studies of Authorship within the Western*. Bloomington: Indiana University Press, 1969; y WRIGHT, Will: *Six-guns and Society: A Structural Study of Western*. Berkeley: University of California Press, 1975). Otros autores que han trabajado en esta línea son: KAMINSKI, Stuart: *American Film Genres*. Dayton: Pfaum, 1974; SCHATZ, Thomas: *Hollywood Genre: Formulas, Filmmaking and the Studio System*. New York: Random

todas las películas adscribibles a este género (arquetipos míticos y referenciales). De esta manera, el género constituye un instrumento que permite transmitir mitos que permiten a los espectadores, *prima facie*, interpretar la histo-ria y el contexto en que se ubica el filme, ya que los patrones genéricos no hacen otra cosa sino concretar los deseos, las inquietudes, las pulsiones y los temores comunes de todos los hombres (*transhistoricidad* del género).

B) Perspectivas textualistas

Bajo esta tendencia, las diversas teorías de los géneros, desarrolladas sobre todo durante las décadas de los setenta y ochenta, tratan de buscarlos e identificarlos en los propios textos cinematográficos, en las películas mismas[22]. Para ello, se centran primordialmente en el desentrañamiento de la lógica narrativa sobre la que se articulan éstas, más que en la naturaleza *cultural* (ritual, mítica, etc...) de las configuraciones genéricas, buscando así poner de manifiesto sus peculiaridades narrativas y las cualidades de sus sistemas de representación, para obtener así inductivamente el conjunto de fórmulas y características narrativas comunes, recurrentes y convencionales que permitan afirmar la existencia de un género determinado. No obstante, no debe entenderse esto de manera estática, sino de forma abierta, dinámica, de tal modo que el marco categorial genérico no es algo inmutable y su desarrollo incorpora sin pausa elementos nuevos.

En este sentido, juega un papel fundamental la iconografía de las películas, su puesta en escena, la tipología de los personajes, las relaciones de causalidad que configuran las narraciones, la constancia de referentes diegéticos análogos, etc...

House, 1981; y McCONNEL, Frank D.: *Storytelling and Mithmaking. Images from Film and Literature*. New York: Oxford University Press, 1979.

[22] Por ejemplo: BORDWELL, David; THOMPSON, Kristin: *El arte cinematográfico. Una introducción*. Trad. de Y. Fontal Rueda. Barcelona: Paidós, 1995; COURSODON, Jean-Pierre: "La evolución de los géneros", en VV.AA.: *Historia general del Cine*. Vol. VIII: "Estados Unidos, 1932-1955". Madrid: Cátedra, 1996; y MIGUEL, Casilda de: *La Ciencia-ficción. Un agujero negro en el cine de género*. Bilbao: Universidad del País Vasco, 1988.

C) Perspectivas comunicativistas

Partiendo del reconocimiento del enorme potencial comunicativo que tiene el cine como medio de transmisión de ideas y mensajes hacia un número indeterminado de receptores, los géneros vendrían a ser una instancia cuya función se concretaría en facilitar lo máximo posible que los contenidos y sus significados circulen y sean inteligibles por parte de los espectadores. Los géneros serían, pues, claves de comprensión de la comunicación cinematográfica para el espectador; tanto a priori, antes de contemplar la película, como durante el visionado de la película, a través de la captación de la función significativa que cumplen los elementos genéricos.

D) Perspectivas socio-culturales

Según estas teorías, el cine es un producto cultural de importancia capital en las sociedades contemporáneas. En este sentido, los géneros cinematográficos son, ante todo, construcciones socio-culturales, modelos determinados por sus contextos históricos, que expresan las demandas de los espectadores cinematográficos, y que, con gran frecuencia, constituyen importantes mecanismos de reforzamiento de valores ideológicos, sociales y culturales.

E) Perspectivas comerciales

Incidiendo sobre todo en la dimensión industrial, económica, del cine, desde estas perspectivas los géneros no son otra cosa que simples recetas comerciales para facilitar el consumo de películas, es decir, para vender un producto y obtener beneficios, en el seno de una industria que se mueve bajo patrones fundamentalmente económicos. Estas perspectivas se dan especialmente en el ámbito del Hollywood clásico, anterior a la segunda posguerra mundial, y en la actualidad tienen en general connotaciones peyorativas.

F) Perspectivas artísticas

Desde una consideración del cine como arte, los géneros son categorías estéticas que posibilitan la comprensión artística de una película. En el contexto de estas teorías, los géneros cinematográficos revisten también una connotación generalmente peyorativa, puesto que las películas de género tienden a considerarse como un simple producto de consumo sin pretensiones artísticas al reproducir sin más esquemas dados previamente, lo cual se interpreta como una carencia de creatividad. Sin embargo, en los últimos tiempos esta tendencia está cambiando ante la revalorización crítica que están experimentando muchos filmes de género.

Como puede comprobarse, estas cuatro últimas perspectivas son expresión de su respectiva concepción en torno al cine en general, las cuales privilegian una dimensión del fenómeno cinematográfico sobre las demás. En consecuencia, constituyen planteamientos parcialistas de esa compleja realidad que son los géneros cinematográficos.

2.4. Un concepto de *género cinematográfico*

Vistas todas las concepciones anteriores, el *género cinematográfico* vendría a ser una manera de identificar los contenidos de una película, al caracterizar su temática, sus elementos narrativos y su estilo en relación con otros filmes que comparten sus mismas características. Constituye, pues, una forma estereotipada de tipificar la producción cinematográfica, resultado de una convención estética y comercial a lo largo de los años, más o menos explícita dependiendo de la tradición que tenga el género concreto a que nos refiramos[23] en el seno de la industria cinematográfica, entre la crítica y el público o entre el mismo público, la cual posibilita (valga la expresión) una *precomprensión* de las películas encuadradas bajo esa fórmula, según los parámetros temáticos, dramáticos y estilísticos que conforman cada uno de los géneros. De este modo, cada género tiene unas fórmulas narrativas

---

[23] Por ejemplo, es más fácilmente identificable y tiene mayor tradición e implantación como género cinematográfico el *western* que el *thriller político*.

dispuestas en un cierto orden (estilo) y unos elementos significativos (personajes, conflictos, comportamientos, escenarios, atmósferas, impulsos y orientaciones afectivas, etc...: una particular *Weltanschauung*) que, aun pudiendo ser muy diversos en las distintas películas del género, los hace, sin embargo, fácilmente reconocibles, permitiendo su reducción a una serie de categorías funcionales diferenciadas. Como dice R. Altman, "...para que un género exista, deben producirse un gran número de textos, que luego se distribuirán de manera generalizada, se exhibirán a un extenso número de espectadores y serán recibidos por éstos con cierta homogeneidad"[24].

Por lo general, esto posibilita al creador cinematográfico partir de unas expectativas iniciales sobre el carácter de la película que va a acometer y está realizando; al productor, distribuidor y exhibidor comerciales, una idea sobre el segmento de público al cual está dirigida y qué previsiones de explotación económica tiene; y al crítico y al espectador una más fácil e intensa inteligibilidad (e incluso, familiaridad) del producto que tiene frente a sí[25]. De la conjunción de todos estos factores surge la naturaleza de la *pre-comprensión* que constituye al género como tal concepto general y los diversos modos específicos pre-comprensivos en que se expresa cada uno de los distintos géneros concretos. El género es, en pocas palabras, una manera convencional, fácil y directa de, valga la expresión, *entenderse* en el medio cinematográfico[26].

Esta categorización tiene una naturaleza más o menos estable,

---

24   ALTMAN, Rick: *Los géneros cinematográficos*. Trad. de C. Roche Suárez. Barcelona: Paidós ediciones, 2000, p. 122.

25   Recuérdese el famoso ejemplo que suelen poner los grandes magnates de Hollywood para justificar las máximas garantías sobre la mejor y más amplia comprensión por parte del público de sus películas: el que éstas deban ser entendidas por un campesino chino. Hay cineastas especializados en determinados géneros, como por ejemplo John Ford en los *westerns*, Alfred Hitchcock en el cine de suspense, o Walt Disney en el cine de animación. Asimismo, muchos espectadores gustan especialmente de los *westerns*, otros odian el cine de terror; e incluso existen programas televisivos dedicados en exclusiva a un género cinematográfico concreto: el documental.

26   La historia del cine demuestra la extraordinaria fuerza expansiva de ciertos modelos (*western, thriller*, melodrama, etc...) que condicionan al cineasta, al mercado cinematográfico y al público como configuraciones estructurales perfectamente determinadas.

de tal modo que su invocación permite reconocer inicialmente, por parte del *creador* de la obra cinematográfica (en su sentido más amplio: productor, guionista, director, etc...), del intermediario comercial, del crítico y del espectador, el tipo de película a la que se aplica. Y decimos *estable*, en el sentido de que no se trata de una identificación completamente invariable, ya que se encuentra sometida a las circunstancias histórico-culturales en que surge y se ve la película[27]; sin embargo, la identificación genérica tiene, de suyo, una vocación de permanencia, de *transhistoricidad* (Altman[28]), que justifica su razón de ser y su funcionalidad.

En consecuencia, los géneros cinematográficos, al igual que los géneros estéticos en general (literarios, pictóricos, musicales, etc...), son formas culturales *institucionales* que median de manera general en todo el proceso de creación estética de una película y en su consideración como producto artístico y comercial una vez puesta a disposición del público[29]. En tanto que instituciones, implican una idea de orden fundada sobre un determinado criterio que actúa estructurando las películas y que se encuentra sometida a las circunstancias en las que surgen, se conciben y se contemplan aquéllas[30]; de ahí que la perspectiva a adoptar a la

---

[27] Por ejemplo, distinto cariz tiene una película *negra* de gángsters de los años treinta que una de los años noventa, ya que los perfiles criminalísticos de los delincuentes y las formas legales de combatir este tipo de delincuencia son muy diferentes en una época y otra. Son interesantes al respecto las aportaciones teóricas de Gyorgy Lukács; vid. su *Estética*. Parte 1: "La peculiaridad de lo estético", vol 1: "Cuestiones preliminares y de principio". Trad. de M. Sacristán. Barcelona: Grijalbo, 1966, pp. 300 y sigs.

[28] ALTMAN, R.: *op. cit.*, pp. 41-43. Algunas tendencias teóricas evolucionistas y biologicistas han intentado cohonestar la historicidad de las categorías genéricas con su status epistemológico de permanencia e invariabilidad, a través del recurso a paralelismos metafóricos entre los orígenes y evolución de los géneros a través del tiempo, y los seres vivos o los cuerpos orgánicos (Vid. por ejemplo: SCHATZ, Thomas: *Hollywood Genre: Formulas, Filmmaking, and the Studio System*. New York: Random House, 1981, pp. 38 y sigs., 189 y 223; FEUER, Jane: *The Hollywood Musical*. 2ª ed. Bloomington: Indiana University Press, 1993, p. 88; y TAVES, Brian: *The Romance of Adventure: The Genre of Historical Adventure Movies*. Jackson: University Press of Mississippi, 1993, pp. 55 y sigs.).

[29] Sobre la naturaleza institucional de los géneros estéticos, vid, por ejemplo: WELLEK, R.; WARREN, A., *op. cit.*, pp. 271 y sigs.

[30] Este criterio de orden que, de suyo, institucionaliza un determinado género como tal, no es, como acertadamente señala Rick Altman, una categoría de

hora de articular una teoría de los géneros sea eminentemente *formalista*[31], ya que es especialmente el conjunto de procedimientos constructivos (los *rasgos del género*), y no tanto los contenidos dramáticos particulares de cada película, el que constituye la base estructural que identifica a las obras encuadrables en un género concreto. La evolución de este género dependerá de la medida y el modo en que se dé un mayor o menor epigonismo creativo con respecto a sus caracteres o elementos esenciales en un contexto histórico-cultural determinado.

Por otra parte, hoy día resulta raro encontrar un guión cinematográfico que tenga una sola inclinación temática y estilística.

Por lo tanto, hoy sólo cabe defender de una manera realista una teoría de los géneros de naturaleza eminentemente descriptiva, que admita la *mezcla* de géneros para producir uno más específico, puesto que resultaría excesivamente reduccionista limitar el número y la naturaleza de los posibles géneros, y todavía más difícil, establecer una serie de reglas que pretendiesen gobernar la acción creadora de los autores. Así pues, los géneros cinematográficos tienen un carácter indicador, indiciario, orientativo de una determinada naturaleza temática y estética de una película, de ahí su carácter eminentemente instrumental como medios de comprensión de un determinado fenómeno artístico y comercial.

2.5. Una tipología convencional de géneros cinematográficos

Como consecuencia de esta diversidad de perspectivas teóricas, resulta extraordinariamente difícil establecer una tipología cerrada y definitiva de géneros cinematográficos. Los criterios

---

origen científico que actúa precondicionando a priori la configuración del modo de ser de cada género en particular. Lo importante para su institucionalización es el proceso circular de definición por la industria y el creador cinematográficos, y su reconocimiento como tal género por parte del público (Vid. ALTMAN, R, *op. cit.*, p. 37).

[31] Es la perspectiva propia de los teóricos formalistas rusos de la primera mitad del siglo pasado, en el ámbito de la teoría literaria (Eichenbaun, Tomashevski, Tinianov, Jakobson, Propp, Vinogradov, Schklovski, Brik). Vid. al respecto: TODOROV, Tzvetan (ed.): *Teoría de la literatura de los formalistas rusos*, 10ª ed. México DF: Siglo Veintiuno, 1999.

Derecho y Cine. El Derecho visto por los géneros cinematográficos

son múltiples y de distinta naturaleza[32], de ahí que a lo máximo que pueda aspirarse (más en un trabajo como éste) es a ofrecer una tipología muy convencional, que sirva de orientación ante el complejo panorama en el que nos encontramos. La tipología ofrecida por Sánchez Noriega puede ser útil a estos efectos.

Según el autor, pueden distinguirse tres categorías para clasificar el material fílmico: los *formatos cinematográficos*, lo que denomina como *categorías supragenéricas* y los *géneros cinematográficos* propiamente dichos[33].

La clasificación por *formatos* atiende a la naturaleza del material expresivo de las películas y su relación con la realidad: *cine mudo-cine sonoro, cine de animación-cine de referente real, cine figurativo-cine no figurativo* y *cine argumental-cine documental.*

Las *categorías supragenéricas* son aquellas que intervienen en el proceso de creación artística condicionando externamente el resultado estético del filme: su *duración*, su *finalidad o recepción*, su *proceso de producción*, el *origen del guión* y su *estructura*. Según Sánchez Noriega, pueden distinguirse las siguientes: 1.- Duración: cortometrajes, largometrajes, video-clips, cine comprimido, etc... 2.- Finalidad o recepción de la película: cine comercial, *exploitation*, cine publicitario, industrial, experimental, de arte y ensayo, infantil, pornográfico, *cult movies*, etc... 3.- Proceso de producción: cine comercial, serie B, cine independiente, institucional, cooperativo, etc... 4.- Origen del guión: adaptaciones novelísticas, teatrales, *remakes*, cine basado en historias reales, etc... 5.- Estructura: películas de episodios, historias paralelas, películas corales, etc...

Los *géneros cinematográficos propiamente dichos* están determinados por las expectativas que crean en el espectador, cuya homogeneidad permite relacionarlas en razón de sus semejanzas y aspectos comunes (temas,

---

[32] Según el soporte, el formato, la duración, la temática, el estilo, la calificación por edades de la película, el tipo de público al que se dirige, etc... En la gran mayoría de los estudios de historia del cine, los autores han optado por clasificar los géneros en razón de un determinado contexto histórico-cinematográfico; en especial, en el ámbito del cine clásico estadounidense.

[33] SÁNCHEZ NORIEGA, José Luis: *Historia del Cine. Teoría y géneros cinematográficos, fotografía y televisión*. Madrid: Alianza Editorial, 2002, pp. 97 y sigs.

iconografía, personajes y situaciones típicas, etc...) por parte del público y que les otorgan un cierto *aire de familia*[34]. Se dividen en tres grandes tipos:

A) Los *géneros canónicos* o *géneros mayores*. Son los típicos del cine clásico estadounidense: el drama, el *western*, la comedia, el musical, el cine de terror, el cine fantástico o de ciencia-ficción, el cine de aventuras o acción y el cine criminal. Éstos se subdividen en los siguientes tipos:

a) El drama: incluye el melodrama, el drama romántico, el histórico, el político, el social, el judicial, el de investigación, el biográfico y el religioso.

b) La comedia: burlesca o *slapstick*, la *screwball comedy*, la comedia romántica, la comedia de humor absurdo, de humor negro, intelectual y picaresca.

c) *Western*: histórico, psicológico, pro-indios, crepuscular y *spaghetti western*.

d) Musical: comedia musical, melodrama musical y cine con cantante y/o músico.

e) Terror: cine de vampiros, de licantropía, satánico, *gore* y cine sobre sucesos paranormales.

f) Fantástico: cine de fantasías históricas, de héroes y animales mitológicos, y de metáforas futuristas.

g) Aventuras y acción: cine de piratas y aventuras marinas, cine de acción espectacular, sobre leyendas medievales, cine de espadachines o *de capa y espada*, de espacios exóticos, de artes marciales y de aventuras futuristas.

h) Criminal: cine negro, de suspense o *thriller*, de gángsters y policíaco.

i) Bélico: drama bélico, cine pacifista, sobre misiones militares y la comedia militar.

Estos géneros, a su vez, tienen subtipos o subgéneros cuya naturaleza está determinada por su especificidad con respecto al género al que pertenecen, de ahí que carezcan de entidad suficiente como para constituir un género autónomo.

B) Los *géneros híbridos*. Son aquellos que participan simultáneamente de los caracteres de varios géneros canónicos y que han alcanzado una identidad propia. Pueden destacarse los si-

---

[34] Según las distintas perspectivas expuestas anteriormente, se trata de un concepto de género cinematográfico de tipo *comunicativista*.

guientes: la comedia dramática, la comedia musical, el *peplum* o cine de romanos (drama histórico de la Antigüedad y aventuras), cine de catástrofes (drama y aventuras), *colosal* (drama histórico, bíblico o actual y aventuras), ciencia-ficción (fantástico y aventuras o drama), esperpento (comedia y drama trágico), cine de propaganda (bélico, político o criminal y drama), etc...

C) Los *intergéneros* o *ciclos intergenéricos*. Al igual que los géneros híbridos, las películas adscribibles a esta categoría comparten caracteres de diversos géneros canónicos, sin embargo la diferencia reside en que su identidad como género no está determinada por su hibridismo, sino por cualesquiera otras, especialmente por tener en común un tema o estructura concretos. Es, pues, una categoría residual con respecto a los géneros híbridos. Ejemplos de *intergéneros* son: las *road movies*, el *cine dentro del cine*, cine erótico, cine de profesionales (médicos, abogados, periodistas, etc...), las *películas de mujeres*, el *cine gay*, etc...

Como puede comprobarse, se trata de una tipología extremadamente esquemática y sujeta, por tanto, a múltiples equívocos. En todo caso, como hemos dicho, tiene la virtud de ilustrar más o menos satisfactoriamente el enmarañado tema de la clasificación genérica.

3. ¿Puede hablarse del *cine jurídico* como género cinematográfico?

Ciertamente, de manera general entre muchos cinéfilos, inclusive en determinados sectores de la crítica especializada[35], se habla de un género cinematográfico específico, el *cine jurídico*, para hacer referencia a las películas que tienen como tema

---

[35] Vid., por ejemplo: GREENFIELD, Steve; OSBORN, Guy: "Pulped Fiction? Cinematic Parables of (In)justice", en *University of San Francisco Law Review*, vol. 30, nº 4, 1996, pp. 1181 y sigs. En España: ARMIÑÁN, Jaime de: "El cine de abogados es siempre fascinante", en VV.AA.: *Abogados de Cine. Leyes y juicios en la pantalla*. Madrid: Ilustre Colegio de Abogados de Madrid, Castalia, 1996, p. 23; MOLINA FOIX, Vicente: "El gran teatro de la ley", en *ibidem*, pp. 33 y sigs.; SAN MIGUEL, Enrique: "Justicia, derecho y cine. Una antología", en *ibidem*, pp. 137 y sigs.

central (o como uno de los temas más importantes[36]) de su trama dramática todo lo que tiene que ver con el Derecho en su sentido más amplio. Tal consideración responde a una concepción de *género cinematográfico* excesivamente laxa, puesto que, como hemos visto, calificar como género a una categoría que abarca a películas que se vinculan solamente en razón de su temática común, supone olvidar varias de las condiciones que también deben cumplir para constituir en puridad un género: aspectos dramáticos comunes, unidad de estilo, reconocimiento más o menos general de su identidad como tal género, etc...

Como se puede comprobar a lo largo de este libro, es tan acusada la heterogeneidad de las películas cuya temática es susceptible de una interpretación jurídica[37], que si las considerásemos a todas ellas bajo la categoría de *género*, quedaría desvirtuada la propia categoría. Si

acaso, pudiera hablarse de *cine jurídico* para hacer referencia a un tipo de filmes que, con independencia del género cinematográfico al que puedan adscribirse, compartirían constantes temáticas comunes que permitan vincularlas bajo aquella denominación desde la lectura de su temática desde una perspectiva jurídica (lo que, como hemos visto arriba, Sánchez Noriega considera un *intergénero* o *ciclo intergenérico*), pero en ningún caso puede hablarse de un género cinematográfico en sentido estricto.

En consecuencia, se trata de una categoría muy amplia, extraordinariamente abierta, que no responde a otra cosa que a la primacía del punto de vista a través del cual se contemplan las películas, por encima incluso de los patrones característicos de los géneros que ya se encuentran tradicional y convencionalmente institucionalizados en el mundo del cine.

---

[36] Como dicen B. Rivaya y P. De Cima, "... de la intensidad del dato [jurídico] dependería la pertenencia al género" (RIVAYA, B.; CIMA, P. de, *op. cit.*, p. 22).

[37] No entramos aquí a definir lo que pueda entenderse por *Derecho*; como es sabido, este es un problema fundamental de la Filosofía del Derecho aún no resuelto. Así pues, lo consideramos en el sentido más amplio que quepa establecerse.

3.1. La sala de vistas como *topos* de un subgénero del cine jurídico: el *cine de juicios*

Si se parte de esta consideración tan amplia de género cinematográfico, podría afirmarse que el *cine de juicios, o cine judicial* (lo que los anglosajones llaman *Courtroom Drama*) constituye un tipo específico, un *subgénero* del *cine jurídico,* ya que la propia especificidad de esta categoría permite comprender genéricamente las películas agrupables en ella por su mayor grado de homogeneidad. Se ha dicho hasta la saciedad que la sala de vistas bien podría ser un trasunto de la propia vida humana, de sus conflictos y pasiones, puesto que la propia teatralidad de la vista oral, del juicio, es un excelente vehículo dramático para escenificarlos visualmente. La representación del lugar donde aparecen de forma más directa los caracteres de los personajes y los conflictos dramáticos de sus historias, y del tribunal que ha de juzgar su condición huma-na, moral (como dice Jaime de Armiñan, "...el teatro donde las comedias o los dramas son de verdad")[38], ha sido siempre a lo largo de toda la historia del cine un recurso extraordinario para contar historias y para despertar el interés de los espectadores por ellas; todo el mundo sabe (o al menos tiene conciencia) de lo que es un juicio y de lo que representa, de ahí que el cine lo haya explotado dramáticamente con muchísima frecuencia, hasta el punto de convertirse, como digo, en una manera bastante habitual y convencional de contar muchas historias en la pantalla[39].

Aparte de una temática común (jurídica), el *cine de juicios* presenta una serie de constantes dramáticas que permite comprender estas películas bajo la categoría de subgénero: la sala de juicios es el escenario de los conflictos humanos donde además tiene lugar el clímax de

[38]   ARMIÑÁN, J. De, "El cine de abogados...", en VV.AA.: *Abogados de Cine, op. cit.*, p. 21.

[39]   Es, sobre todo, en el cine estadounidense donde se ha cultivado en mayor medida este *subgénero*. Una razón de peso estriba en la mayor *espectacularidad* de la vista oral en el Common Law, en cuyo Derecho procesal impera la *equity*, la equidad, por encima de la rígida regla procedimental, lo cual permite una mayor apertura y flexibilidad en el juicio que en los sistemas cerrados del Derecho continental.

los argumentos, los personajes principales son profesionales del Derecho, las narraciones se articulan en general sobre temas jurídico-penales donde hay un presunto culpable, etc...; asimismo, desde el punto de vista estilístico manifiestan también bastantes características identificadoras comunes, porque suelen tener un tratamiento semejante, tanto material como formalmente: una acentuada fuerza dramática con un tono interpretativo de los actores muy intenso, un ritmo narrativo vivo, carente de tiempos muertos y de retórica narrativa, una textura visual estructurada fundamentalmente sobre planos generales de la sala de juicios, planos medios y primeros planos de los protagonistas del juicio y del público a él asistente, donde queda visual y patentemente clara su identidad y su papel dramático (juez, fiscal, abogados, jurados, testigos, público asistente al juicio, etc...) por la disposición que tienen en la sala, etc...

De manera más concreta, el crítico cinematográfico José María Latorre describe este tipo de cine como sigue: "Todo film judicial está construido en dos bloques. El primero, como siempre, sirve para dar a conocer a los principales personajes: a los acusados y a los encargados de la acusación y de la defensa. Ese primer bloque está construido —en oposición al segundo bloque— procurando concentrar en poco tiempo la mayor información posible: hay que dar a conocer los hechos que se juzgan, pero también hay que dar a conocer el factor humano: acusados y leguleyos tienen que convertirse en personajes familiares para el espectador, quien de paso, deberá recibir la suficiente información para que pueda formarse una opinión sobre esos hechos. Así se pasa al segundo bloque, consistente en el desarrollo del juicio, que —en oposición al primer bloque— tiene un desarrollo más pausado, como corresponde a una presunta reflexión sobre los sucesos. Si para entonces el espectador ha sido *motivado*, el segundo bloque es el de más fácil resolución: basta con introducir entre las habituales frases ceremoniales unos diálogos ingeniosos y añadir dos o tres argucias legales y un par de golpes de efecto de cara a la galería para que el paquete de imágenes así servidas resulte atractivo. En cuanto a los posibles finales del film judicial hay dos principales: que, de acuerdo con un estricto sentido de la justicia, triunfe la razón, halagando así al espectador situado al lado de la verdad, o bien que el veredicto sea injusto y gane lo irracional, el mal, el enemigo, artimaña que sirve para que se hable de la amargura del mensaje —la relatividad de la justicia— y para que el espectador se encolerice con la conclusión"[40].

Se suelen plantear en general, en este prolífico tipo de películas, temas de deontología jurídica, con el fin de tematizar los modelos ético-jurídicos representados por el tipo de personajes que aparecen de manera habitual en ellas (jueces, abogados, fiscales, etc...) y la visión popular que existe de los profesionales del Derecho[41], sin olvidar tampoco, en especial en aquellos filmes que son singularmente rigurosos al respecto, temas de enorme importancia jurídica, como por ejemplo la naturaleza de la culpabilidad jurídica, los modos de la argumentación jurídica, las condiciones que influyen en la decisión jurídica, la naturaleza de instituciones como el jurado (sobre todo en el cine estadounidense), la prueba testifical en el proceso, etc...

Es quizás este *subgénero* el que más precisamente se ajuste a los rasgos que hemos descrito arriba para hablar con propiedad de un *(sub)género cinematográfico*, dentro del vastísimo cine de temática más directa o indirectamente jurídica. Como acertadamente afirma Emilio G. Romero, "...las *películas de abogados* o *de juicios* son cine jurídico, pero el cine jurídico no se agota en ellas"[42].

[40] Cit. en: MIRÓ, Pilar: "Dios salve a los Estados Unidos", en VV.AA.: *Abogados de Cine, op. cit.*, pp. 59-60. Sobre los tipos y funciones dramáticas que suelen desempeñar estos personajes, y sobre la estructura dramática de este tipo de *cine jurídico*, vid. también: ARMIÑÁN, J. de: "El cine de abogados...", en *ibidem*, pp. 21-23.

[41] Como indica Vicente Molina Foix, el atractivo de los profesionales jurídicos como personajes para el público cinematográfico en general, reside en que comúnmente son consideradas profesiones prestigiosas con una fuerte impronta de casta, de ahí su importante presencia en este tipo de películas (Vid. MOLINA FOIX, V.: "El gran teatro de la ley", en *ibidem*, p. 33).

[42] ROMERO, E.G., *op. cit.*, p. 15.

Derecho y comedia. Por una teoría cómica del Derecho*

1. Una hipótesis sobre las relaciones entre la comedia y el Derecho

A primera vista, dada la seriedad con la que se reviste todo lo jurídico, las películas en las que aparece el Derecho se ven como un mero entretenimiento sin mayor importancia. La dogmática jurídica, la sociología o la filosofía del Derecho nada podrían obtener de ese material tan intrascendente. Aparentemente, el Derecho combina mal con la diversión: algo de tanta importancia social tendría que ser tratado con el respeto que se merece y el cine, por tanto, no sería un vehículo adecuado para plantear cuestiones jurídicas o, en caso de que lo hiciera, para tenerlas en cuenta. Supongo que muchos juristas piensan así y, sin embargo, yo no puedo dejar de sorprenderme porque la enseñanza del Derecho no incluya precisamente el conocimiento del cine que trata del Derecho. Al igual que no me parece razonable que los alumnos de Medicina desconozcan el que podríamos llamar cine de la sanidad; los alumnos de Ciencias del trabajo, el cine laboralista; los alumnos de Historia, el cine histórico (y otros cines que interesan a la historia); los de Pedagogía y Magisterio, el cine de la enseñanza... Pero no, porque el documento cinematográfico se tiene por menor y ha de mantenerse alejado de la enseñanza superior; porque la utilización de aquél significaría una merma en la importancia de ésta. Da un poco de risa, pero no voy a hacer chistes ni contar experiencias.

Si a esto añadimos que no voy a tratar otra vez de la genérica cuestión de las relaciones entre el Derecho y el cine (Rivaya y De

* El presente trabajo se enmarca en el Proyecto de Investigación titulado *Derecho, Cine y Literatura*, SEJ2005-05469/JURI, cuyo Investigador Principal es Benjamín Rivaya.

Cima, 2004), sino entre aquél y la comedia cinematográfica, me imagino la burla, mayor aún, de la mentalidad jurídica dominante. Puestos a conceder, todavía el cine negro o el *western* contienen o pueden contener *tesis*, pero ¿para qué sirve la comedia si no para reírse? Probablemente cuando ha querido hacerse una crítica o una apología cinematográfica del Derecho se han utilizado dramas, pero ahora no nos interesan éstos sino las comedias, el uso que las comedias han hecho de los argumentos jurídicos. Quizás cualquier asunto pueda ser objeto de una película de risa (como se ve, doy por resuelta de una forma simple la cuestión de qué es una comedia, que por lo demás compete a los teóricos del cine), pero en todo caso el Derecho ha sido utilizado en muchas ocasiones como recurso cómico. Por qué esto es así es una pregunta menos intrascendente de lo que en un principio pudiera pensarse, y tiene que ver con una característica del Derecho de la que los juristas no suelen hablar (creo que porque interesa más a los sociólogos y a los antropólogos que a quienes se benefician de ella), pero que ya en *Las formas elementales de la vida religiosa* destacó magistralmente Durkheim refiriéndose al orden social en general, la de su sacralidad.

La sacralidad del Derecho se observa en todas sus fases, desde la legislativa a la judicial, aunque quizás se presenta de forma especialmente llamativa en esta última. Precisamente como se observa en muchas películas, es frecuente que los jueces y magistrados vistan largas togas, a veces usen pelucas, se adornen con condecoraciones, ocupen un lugar más alto que los justiciables y el resto del público que muchas veces asiste a las vistas, y que el proceso del juicio siga unas pautas a la hora de que las partes y sus representantes se manifiesten; se trata de todo un ritual que en ocasiones parece que tiene similitudes con algunas ceremonias religiosas. De hecho, a veces la sala está presidida por motivos religiosos, revistiéndose todavía de más autoridad el acto de impartir justicia: "qué mejor lugar, por tanto, para abrir un subgénero en la comedia y "violar" el sacrosanto lugar de tantas penas con un poco de humor" (Aldarondo). Este grave carácter ceremonial del Derecho, por otra parte imprescindible, sirve para persuadir a sus destinatarios de la necesidad de observar las normas; es decir, el Derecho, por medio de *palacios de justicia* y *sacerdotes de la ley*, pretende crear seguidores sumisos sin necesidad de recurrir a la fuerza, siempre más cara (Harris). Así, la comedia jurídica, que se ríe de tanta autoridad, resulta crítica en multitud de ocasiones, por más que esa crítica no necesariamente sea racional o razonable. Hay que advertir esto último porque el discurso cinematográfico no es un discurso filosófico ni científico, aunque también hay que advertir que no por eso carece de interés.

2. Hitos para una historia de la comedia jurídica

Evidentemente, no se puede ni se pretende realizar aquí una historia completa de la comedia jurídica. Sí es posible apuntar, en cambio, los —a mi juicio— principales hitos de ese tipo de comedia, para fijarnos entonces en los tópicos jurídico-humorísticos más repetidos y llegar, si es posible, a conclusiones.

Del tiempo del cine mudo seguramente existen gran cantidad de películas cómicas en cuyos argumentos el Derecho juega un papel destacado, aunque resulte difícil rastrearlas. Por poner un ejemplo, *Aparición de fantasmas*, de Harold Lloyd, versa sobre el testamento de un rico caballero que nombra heredera a su nieta, a condición de que viva con su marido en la mansión familiar durante un año. La muchacha, sin embargo, no tiene marido, y será precisamente un abogado ("su vida está llena de *habeas corpus* y grandes ideas", dice un cartel, señalando así el idealismo de la profesión) quien le ayude a conseguirlo. Pero al que no se puede dejar de citar es a Chaplin y a su personaje, Charlot. Podrían referirse muchísimas de sus películas en cuyas tramas el argumento jurídico está presente, como en *Charlot, licenciado de presidio (Police*, 1916), *Charlot en la calle de la paz (Easy Street*, 1917), *El aventurero (The Adventur*, 1919), *El chico (The Kid*, 1922), *Día de paga (Pay Day*, 1924), *El peregrino (The Pilgrim*, 1926), *Tiempos modernos (Modern Times*, 1936), *El gran dictador (The Great Dictator*, 1940) o *Monsieur Verdoux* (1947). Por quedarnos con un corto representativo, fijémonos en *Charlot en la calle de la paz*, que resulta interesante porque en él Charlot, al ver una oferta para trabajar como policía, la acepta. Realmente se necesitan policías porque hay una zona de la ciudad, la calle de la paz, demasiado conflictiva, y no hay agentes suficientes para mantener el orden allí. Charlot se enfrentará al problema y lo resolverá deteniendo al mayor camorrista. Lo curioso viene después, cuando Chaplin muestre claramente que se trata de un barrio marginal en el que, incluso, se pasa hambre. Una muchacha que carece de todo roba al tendero de la calle y Charlot, el policía, la para y se lo quita, pero ella comienza a llorar y Charlot se apiada de ella, con lo que le devuelve lo que había robado; es más, él mismo se apropia de más productos del tendero y se los entrega a la muchacha. Después, cuando conozca a otra familia que vive en la pobreza, su dedicación será la de tratar de ayudarla. Desde luego, el vagabundo ahora policía se dedica a restablecer el orden, pero no, o no sólo —parece que dice la película—, el orden legal, sino el (llamémosle así) orden natural que le sirve de fundamento. Porque queda claro, aunque eso no lo diga la ley, que la violencia surge en un contexto de pobreza y necesidad que hay que modificar.

Realmente de Chaplin, aparte de los argumentos que desarrollan sus películas, lo que interesa es la perspectiva que hace adoptar a Charlot ante el orden establecido y, por tanto, ante el Derecho. No deja de ser un va-

gabundo, por lo que su punto de vista no es ni el del policía ni el del criminal. No siente aprecio por la ley: cuando en *Tiempos modernos*, en una manifestación, un policía mate a un obrero, el cartel correspondiente dirá: "La ley se hace cargo de los huérfanos"; después, cuando Charlot sorprenda a unos obreros tratando de robar, éstos le dirán: "No somos ladrones; tenemos hambre". Pero tampoco es necesariamente un subversivo; o, de serlo, no es un militante. Desde luego, nada tiene de comunista, aunque sí posiblemente de anarquista: el orden no puede ser la desigualdad existente.

Coincidiendo con Chaplin, durante los años treinta, los mejores representantes del humor del absurdo, los hermanos Marx, rodaron varias películas en las que el Derecho se convertía en blanco de sus chistes y sus bromas: en *Sopa de ganso* (*Duck Soup*, Leo McCarey, 1933), *Una noche en la ópera* (*A Night at the Opera*, Sam Wood, 1935) y *Una tarde en el circo* (*At the Circus*, Edward Buzzell, 1939) se encuentra un humor jurídico desternillante que desmitifica sin piedad el Derecho. De *Sopa de ganso*, una película que trata de la República Democrática de Freedonia, que preside nada menos que Groucho, y de sus locas relaciones internacionales, hay que recordar el juicio oral que se sigue contra Chico. Se le juzga por un delito de alta traición, y preside la vista Groucho. Lo primero que le dice es: "Chicolini, te apuesto ocho contra uno a que te consideramos culpable". Llega el fiscal, que pide la pena de muerte, y poco después Chico reconoce *muerto de risa* que efectivamente robó algunos planos. "Ahora te apuesto veinte contra uno a que te consideramos culpable", le espeta el juez. Pero acto seguido se apiada de él y se convierte en su defensor. Al fin, dirigiéndose al jurado, Groucho ensaya un discurso: "Caballeros, como pueden ver, habla igual que un tonto, parece un tonto, pero no dejen que eso les engañe. Es realmente un idiota. Yo suplico que le sea devuelto a su padre y hermanos que le están esperando con los brazos abiertos en la penitenciaría". Entre protestas del fiscal y de todos los demás, aparece un correo que anuncia que la guerra ha comenzado, lo que hace que los allí presentes se olviden del juicio y marchen ufanos a la lucha. La razón de la risa que provoca la vista es clara: el juicio es una actividad pautada, en la que todos los papeles están perfectamente definidos, sin que puedan ser intercambiados. Aquí sin embargo resulta que se admiten apuestas, la pena de muerte *da*

risa y el juez se convierte cuando quiere en abogado defensor.

De *Una noche en la ópera* resulta inevitable traer aquí el diálogo, típicamente jurídico, que ya se ha hecho famoso, y que por una parte parece que muestra la especificidad del lenguaje jurídico y, por otra, la pedantería de los juristas:

– *Bueno, léame el contrato.*
– *Haga el favor de poner atención en la primera cláusula porque es muy importante. Dice que... La parte contratante de la primera parte será considerada como la parte contratante de la primera parte. ¿Qué tal? Está muy bien, ¿no?*
– *No, eso no está bien. Quisiera volver a escucharla.*
– *Dice que... La parte contratante de la primera parte será considerada como la parte contratante de la primera parte.*
– *Esta vez creo que suena mejor.*
– *Si quiere se lo leo otra vez.*
– *Tan solo la primera parte*
– *¿Sobre la parte contratante de la primera parte?*
– *No, sólo la parte de la parte contratante de la primera parte.*
– *Oiga, ¿por qué hemos de pelearnos por una tontería como esta? La cortamos.*

– *Sí, es demasiado larga. ¿Qué es lo que nos queda ahora?*

– *Ahora dice... La parte contratante de la segunda parte será considerada como la parte contratante de la segunda parte.*

– *Eso sí que no me gusta nada. Nunca segundas partes fueron buenas. Escuche: ¿por qué no hacemos que la primera parte de la segunda parte contratante sea la segunda parte de la primera parte?*

Me pararé algo más en *Una tarde en el circo* pues si bien trata del mundo circense, en ella Groucho hace de abogado y eso trae consigo multitud de referencias al Derecho, algunas especialmente interesantes. Léase la cita que pertenece a Chico: "Cuando se está en un apuro lo mejor es buscar un abogado que lo solucione. Entonces se tienen más apuros pero se tiene un abogado". Por lo demás, Chico llama al abogado *Sr. Triquiñuelas*, y cuando le preguntan si Groucho es su amigo, responderá: "Nada de eso, es abogado". Por su parte, la placa profesional que utiliza este abogado, dice: "Lince legal". Los operadores del Derecho, por tanto, aparecen (son vistos) como gentes interesadas en sus intereses, que emplean malas artes y que crean más pro-

blemas de los que resuelven; una visión popular (¿medio anarquista?) del fenómeno jurídico. En cambio los abogados tienen una alta valoración de sí mismos y de lo que hacen. Pero en *Una tarde en el circo* hay una escena famosa que sirve para criticar de forma inapelable el formalismo y el rigorismo jurídico, que pueden llevar al absurdo. El dueño del circo tiene problemas legales, por lo que pide a Chico que contrate a un abogado. Así lo hace y queda con el jurista en que se entreviste con el empresario en la estación de tren donde se halla el circo. Mientras tanto, en la estación, el dueño le dice a Chico que no deje subir al vagón donde él se encuentra a nadie que no lleve la correspondiente placa que lo identifique. Llega Groucho, y Chico no le deja subir a entrevistarse con su cliente. Éste le explica que es abogado y que fue contratado por él, pero Chico insiste en que carece de placa y, por tanto, no puede subir. Tratando de resolver el conflicto normativo, el mismo Chico le da una placa a Groucho pero luego, continuando con el despropósito, le impide subir por no estar actualizada. La tesis resulta obvia: la interpretación de las normas no pueden contradecir el sentido común, hasta el punto de que consiga volver absurda la vida social.

Con un humor muy distinto al de los hermanos Marx, en la década de los treinta aparecieron varias comedias de Frank Capra que, por su interés, tienen que ser apuntadas aquí. Habrá quien diga que nunca las comedias fueron tan mágicas; habrá quien piense que nunca el cine fue tan ideológico, tan falseador, tan manipulador. En sus películas es habitual que un hombre corriente, un *Juan Nadie* (*Meet John Doe*, 1942), consiga elevadísimos propósitos. En *El secreto de vivir* (*Mr. Deeds Goes to Town*, 1936), por lo demás una comedia de argumento plenamente jurídico, pues se trata de un joven sencillo (Gary Cooper) que, por sorpresa, hereda la fortuna de un tío al que casi no conocía, y decide entonces repartirla entre los necesitados, lo que trae que se le tenga por loco y que un familiar del causante demande judicialmente su incapacidad. Al fin, el juez decidirá no sólo que el muchacho no está loco, sino que es el único cuerdo que hay por allí. En *Vive como quieras* (*You Can't Take It with You*, 1938), cuyo título ya lo dice todo, se trata de una familia de gentes excéntricas que, efectivamente, viven como quieren. Hay un diálogo que explica el mensaje: el libertario abuelo del filme parece defender la objeción fiscal ante un inspector de Hacienda, pero acabará dejando claro que él no es un subversivo, que no proclama el incumplimiento de la ley. Quizás más interés tenga *Caballero sin espada* (*Mr. Smith Goes to Washington*, 1939), en la que a un joven interpretado por James Stewart lo nombran candidato al Senado. Jefferson Smith, que así se llama, es un idealista que cree que las que realmente merecen la pena son las causas perdidas; un humilde, ingenuo y honesto muchacho que pedirá "más sentido común y menos leyes". Evidentemente, chocará con los políticos profesionales. De este papel me interesan dos momentos: aquel en que diferencia entre la libertad y la libertad en los libros, como Roscoe Pound distinguió entre la ley en acción y la ley en los libros; y el discurso final al Senado, en el que expresa una ideología lockeana, la que se encuentran en el origen de los Estados Unidos: "...Y para asegurar esos derechos se establecen gobiernos entre los hombres. Viniendo sus poderes del consentimiento de los gobernados, cuando una forma de gobierno se convierte en destructiva, es derecho de esa gente alterar o abolir...".

La última película a la que quiero referirme de Frank Capra es *Arsénico por compasión* (*Arsenic and Old Lace*), de 1944. El argumento de esta (que creo bien definida si la llamamos) dulce comedia negra es el de dos hermanas viejecitas que, para aliviar los sufrimientos de otros ancianos, se dedican a matarlos, en el entendimiento de que se trata de actos de "misericordia", de "caridad", como ellas dicen. El único pasaje de la película al que quiero referirme es aquél en el que su sobrino, interpretado genialmente por Cary Grant, tras poner en fuga a una nueva posible víctima, después de encontrar un cadáver en el arcón de la casa y de enterarse de que en el sótano hay doce más, les explica pedagógicamente a sus tías que aquello va contra la ley natural: "Escuchad: no podéis hacer estas cosas. Yo no sé cómo puedo explicároslo para que lo entendáis. Es que no solamente va contra la ley, es que está mal. No está bien hacer eso. La gente no lo entendería. Él no lo entendería. Lo que quiero decir es que esto ya se está convirtiendo en una mala costumbre". Curiosamente, la gracia que tiene el mensaje al declamarlo Cary Grant, le otorga mayor convicción.

De esas fechas, de principios de los cuarenta, también es *El asunto del día* (*The Talk of the Town*, George Stevens, 1942), una deliciosa comedia eminentemente jurídica en la que uno de los protagonistas es nada menos que el Decano de una prestigiosa Facultad de Derecho de los Estados Unidos (Ronald Colman), mientras que otro, interpretado por Cary Grant, es un perseguido por la Justicia por un crimen que no ha cometido. Es fácil de imaginar que los puntos de vista que adoptan ante la ley son no sólo distintos sino contradictorios. Siguiendo la discriminación teórica que popularizó Hart en la teoría del Derecho, uno adopta un punto de vista interno, el otro lo ve desde una perspectiva externa (Hart). Para el jurista, el "Derecho es la suma de la experiencia del hombre civilizado, signo de que la humanidad ha superado la vida en la selva". Para el perseguido, en cambio, el Derecho es una "pistola apuntando a la cabeza de alguien", y dependiendo de en qué lado se encuentre el que lo juzga, será justo o no. La película, a todas luces recomendable para un jurista o para un estudiante de Derecho, abunda en diálogos filosófico-jurídicos, para acabar con una gran alabanza de la ley: lo más valioso que posee un país, lo que hace libres a los hombres.

Pero la comedia jurídica más famosa aún estaba por llegar. Aunque George Cukor no sea un típico director de *cine jurídico*, a él se debe la comedia jurídica más conocida de la historia, *La costilla de Adán* (*Adam´s Rib*,

1949), un comedia clásica de juicios en la que se plantea el también clásico tema de la lucha de sexos, para lo que el relato se vale de un matrimonio de juristas, el formado por Adam y Amanda Bonner, quienes se enfrentan, tanto ante los tribunales como en su vida personal, al actuar uno como defensor y otro como acusador en un caso de intento de homicidio. La acusada, que es una mujer, al encontrar a su marido con la amante, disparó contra ellos, hiriéndole a él. El hecho de que haya sido una mujer la autora de los hechos es el que da pie a una divertida reflexión sobre el papel de las mujeres en la sociedad norteamericana de aquellos años, así como a la consideración que el Derecho otorga a la condición femenina, posibilitando una primera teoría feminista del Derecho. El breve diálogo que surge entre Adam y Amanda cuando ésta se queja de que las mujeres no puedan realizar lo que a los hombres sí se les permite, resulta significativo de un estado de cosas:

– *El crimen debe ser castigado.*
– *Si lo comete una mujer, claro.*
– *Si lo comete quien sea!*, concluye él.

Ese va a ser el desarrollo argumental de uno y otro en el juicio. Mientras Adam se ciñe a los hechos, Amanda trata (con éxito) de convertir el proceso en un juicio sobre el machismo vigente entonces. Lo que ocurre es que, visto desde nuestros días, el feminismo que defiende Amanda resultará anticuado a muchos. Porque Amanda defiende las tesis del feminismo de la igualdad, el que predica que hombres y mujeres son iguales y de igual forma deben ser tratados por la ley. De hecho, ella recusa a aquellos aspirantes a jurados que no aceptan la tesis básica de la igualdad de derechos. Pero la tesis de la igualdad se muestra de forma expresa en otras escenas: cuando Amanda, en su despacho, como si fuera un hombre, pone los pies en alto, sobre la mesa; o cuando lleva a la vista a varias mujeres que vendrían a demostrar la igualdad de hecho entre los sexos: una afamada investigadora, ¡pero también una mujer forzuda! Pero la tesis parece que se falsea cuando, en plena bronca matrimonial, Amanda le espeta a Adam que él también posee "la típica e instintiva brutalidad masculina", y más aún poco después cuando, tras darle una patada, le grita: "¡Hay que ser varonil!"; con lo que resultaría que ni los hombres y las mujeres son iguales ni tampoco deben serlo.

En el fondo, es curioso, el feminismo de Amanda es un feminismo muy respetuoso con el orden social, y más en concreto con el orden matrimonial y familiar, establecido; un feminismo que sin duda hoy día sería repudiado por las actuales feministas, que también verían la película como un típico producto machista. Probablemente éste es el dilema que el intérprete de la cinta ha de plantearse, si el mensaje de la narración es machista o feminista. Lo que ocurre es que la interpretación no puede ser correcta si no se tiene en cuenta el año de la película, 1949, cuando la revolución de la mujer quizás podía preverse pero aún no había estallado. En este sentido, el feminismo de *La costilla de Adán* tiene un carácter reformista y no plantea tanto la subversión del orden sexual cuanto su mejora por medio de la conversión en reales de las que sólo son, o eran, pautas jurídicas ideales. Las constantes apelaciones que Adam hace al cumplimiento de la ley, por tanto, se volverían en su contra si con ella únicamente trataba que las cosas siguieran como hasta entonces. Más allá del caso juzgado, lo que Amanda pretendía era que, efectivamente, la ley se cumpliera, que los hombres y las mujeres fueran tratados igual, sencillamente porque las mujeres se habían ganado ese derecho, y la propia Amanda era

el argumento más convincente de sus tesis.

Si la comedia jurídica existe, otro cineasta al que hay que referirse necesariamente aquí es Billy Wilder, cuya carrera había comenzado en la década de los treinta y cuya filmografía ya incluía argumentos típicamente jurídicos, como ocurría en *Perdición* (*Double Indemnity*, 1944). Pero será ahora, avanzados los cincuenta, cuando presente la que aunque haya quien la califique de drama judicial, *Testigo de cargo* (*Witness for the Prosecution*, 1957), tiene un innegable carácter cómico gracias a la genial actuación de Charles Laughton. Curiosamente, Sir Wilfrid vale como contrapunto de otro genial representante de la abogacía, Gingrich, uno de los protagonistas de *En bandeja de plata* (*The Fortune Cookie*, 1966), el picapleitos que, ajeno a cualquier moralidad que no sea la de beneficiarse a sí mismo, trata de obtener una suma millonaria de la casa de seguros que tiene que asumir la indemnización de la lesión que ha sufrido Harry Hinkle, su cuñado. Si Sir Wilfrid, aunque provisto de una fina y culta ironía, era serio y responsable hasta el punto de entregarse por encima de todo, incluso de su salud, a la defensa de sus clientes, Gingrich será el prototipo del picapleitos, del abogado charlatán y desprovisto de escrúpulos, que hará lo que sea por ganar dinero. Aquél es un gentleman victoriano, éste un caradura. En *En bandeja de plata* hay una escena memorable en la que Hinkle, quien finge una lesión que no tiene, se halla viendo precisamente el pasaje de una película en el que Lincoln exclama la famosa frase que hizo famosa: "Es cierto que se puede engañar a todos en alguna ocasión. Incluso se puede engañar a alguno siempre. Pero no se puede engañar siempre a todos". En ese momento aparece su cuñado y, viendo el gesto de angustia de Hinkle al *sentirse* descubierto, exclama: "¿Lincoln? Un gran presidente, pero un pésimo abogado". Mayor incorrección política no cabe.

Decía que Sir Wilfrid, el abogado de *Testigo de cargo*, se caracteriza tanto por su profesionalidad como por sus irónicos comentarios. Refiriéndose al garantismo del Derecho inglés, hay dos que interesa:

– *Pero si yo no he hecho nada. ¿Por qué me van a detener? Estamos en Inglaterra. No se detiene ni se condena a alguien por algo que no ha hecho*, dice Vole.

– *Procuramos no tomarlo por costumbre*, le asegura Sir Wilfrid con el puro en la boca.

Y más tarde:

– *Recuerdo el caso de... ¿Cómo se llamaba? Adolph [...] Llevaba ocho años en la cárcel cuando de pronto se averiguó que el culpable era otro. El había sido siempre inocente*, dice el acusado.

– *Lamentable, pero el mal fue reparado. Recibió el perdón total, una pensión de la Corona y se reintegró a su vida normal*, le calma Sir Wilfrid.

– *Sí, todo eso está muy bien, pero ¿y si le condenan a muerte? ¿Si hubiera sido ahorcado? No podrían restituirle entonces a la vida normal, ¿eh?*

– *Señor Vole, no adopte un punto de vista tan morboso*, le pide el abogado.

Anteriores a esta última película son *El apartamento* (*The Apartament*, 1960) e *Irma la dulce* (*Irma la Douce*, 1963), comedias que, si bien no se pueden llamar jurídicas, contienen muchas referencias al Derecho. El caso de *El apartamento*, esa conmovedora película, es claro, pues, que versa sobre una situación que hoy día denominaríamos de *mobbing*, de acoso laboral: un empleado de una gran empresa les deja la vivienda a sus jefes para que se encuentren en ella con sus amantes y, cuando empiece a mostrar reticencias, le insinúan que así no prosperará. El caso de *Irma la dulce* también, pero no porque verse sobre la prostitución (que pierde su sordidez al tratarse en clave de comedia) sino porque el protagonista, interpretado otra vez por Jack Lemmon, mientras es policía demuestra un celo en la aplicación de la ley que es propio de doctrinas jurídicas formalistas y rigoristas. En París, en la calle Casanova, se ejerce la prostitución callejera. La policía hace redadas de vez en cuando, pero sólo para "salvar el expediente", hasta que un día aparece por allí un nuevo policía, honrado e ingenuo, tan ingenuo que al principio ni siquiera se da cuenta de que aquellas mujeres son prostitutas. Una vez que lo descubre, sin embargo, afirma que es ilegal y, en consecuencia, organiza una redada que llevará a comisaría a muchas personas, entre ellas un jefe de la policía que expulsará del cuerpo a aquel inocente que se había definido a sí mismo como un "policía incorruptible". No hay que tomarse tan a pecho la letra de la ley, le diríamos.

La otra película de Wilder que hay que citar es *Primera plana* (*The Front Page*, 1973), con una trama que ya había sido llevada al cine y que volvería a llevarse posteriormente en: *Un gran reportaje* (*The Front Page*, Lewis Milestone, 1931), *Luna nueva* (*His Girl Friday*, Howard Hawks, 1940) e *Interferencias* (*Switching Channels*, Ted Kotcheff, 1988). El argumento gira en torno a la ejecución de una pena de muerte. De hecho la película comienza con la preparación del patíbulo en el que se colgará al asesino de un policía y las gradas para el público, gradas que presentan semejante acto como un espectáculo. Con un ritmo trepidante se narran las peripecias de los periodistas que seguirán la ejecución, interesados en una noticia que sin duda tendrá muchos lectores. Son los periodistas, sin embargo, los que destapan las causas de la condena en un diálogo que se produce entre el sheriff y un tumulto de reporteros:

– *La muerte de ese policía forma parte de una conspiración anarco-bolchevique que pretende socavar nuestras instituciones democráticas*, dice el sheriff.

– *Tonterías. Williams no es comunista. Es un infeliz que ha tenido la mala suerte de matar a un policía de color en un año electoral*, le contesta Hildy, el protagonista (otra vez Jack Lemmon).

- *La soga reformará a los rojos*, insiste el policía.
- *No sea usted pesado*, responde una voz anónima.

Por otra parte, interesa una escena en la que un médico reconoce al reo. Se trata de establecer hechos, una cuestión fundamental a la hora de aplicar el Derecho. El médico se interesa sobre todo por las prácticas masturbatorias del condenado, y hace una loca lectura psicoanalítica del suceso: la pistola del policía era un símbolo fálico, etc. Y entonces el propio condenado replicará: "¡Está loco!". En fin, la determinación y la interpretación de los hechos no pueden dejarse en manos de cualquiera.

En este momento conviene hacer referencia a la comedia jurídica española pues si, aun con avances y retrocesos, seguimos un criterio cronológico, para mi que la mejor representación de este cine español es de 1963, *El verdugo*, de Luis García Berlanga. Una comedia evidentemente negra, de un humor muy español, sobre la pena de muerte, dado que los protagonistas son dos verdugos, nada menos. El que interpreta Pepe Isbert, el *verdugo vocacional*, es un personaje encantador, entrañable, que no tiene coraje —dice— para dejar de fumar. El verdugo a la fuerza, el que interpreta Nino Manfredi, el que tiene que aceptar ese trabajo para poder hacerse con un piso y así tener una vivienda donde vivir con su familia, también es entrañable, pero porque no quiere ser verdugo, no quiere matar a nadie (él piensa —nos dice— que la gente debería morir en su cama), y resulta que las circunstancias, implacables, le cercan y le llevan a utilizar el garrote. Uno se ríe, pero bien pensado dan ganas de llorar, viendo una de las últimas escenas en la que un cortejo formado por el director de la prisión, el cura y los funcionarios llevan al reo al patíbulo, adonde un segundo cortejo lleva también al verdugo, que más parece otro reo que el verdugo. De los muchos pasajes que se podrían destacar de la película, referirse únicamente al discurso de Amadeo, *el verdugo verdugo*, cuando defiende la humanidad del garrote frente a otros procedimientos foráneos, como la guillotina o la silla eléctrica.

De aquellos años, algo antes, también cabría destacar *El pisito* (Marco Ferreri e Isidoro M. Ferry, 1958), otra magnífica, impresionante comedia negra, o por lo menos muy oscura, en la que se narra un caso de fraude a la ley. Rodolfo, José Luis López Vázquez, y su insoportable novia Petrita, Mary Carrillo, quieren casarse pero no tienen casa ni posibilidades de adquirirla. El novio le cuenta sus penas al jefe y le pide un aumento de sueldo, pero éste le contesta que "qué tendrá que ver el sueldo con el lío de la vivienda". Entonces deciden adquirirla de la única manera que la ley les *permite*, casándose Rodolfo con su casera, Doña Martina, una anciana que es arrendataria de una vivienda que a la vez subarrienda a varias personas, a la que probablemente le quede poco tiempo de vida, con lo que, cuando fallezca, su viudo seguirá disfrutando del arrendamiento. Así lo hacen. La arrendataria tarda en fallecer, por lo que Petrita se arrepiente por no haberse casado con su Rodolfo, pero llega el día, y mientras agoniza en su cama Doña Martina, la novia exclama: "¡Ya tenemos piso!". En efecto, en breve lo tendrán.

En este apartado referido al cine español, tampoco pueden dejar de citarse otras dos películas, curiosamente de los mismos años, *La vida por delante* (1958) y *La vida alrededor* (1959), de Fernando Fernán-Gómez. Los títulos provienen de una gracia triste de Antonio Redondo, el protagonista también interpretado por Fernán-Gómez, que en la primera película, harto ya de que todo el mundo le diga que tiene la vida por delante, y más teniendo "la carrera de abogado", responde que preferiría te-

nerla alrededor. *La vida por delante* comienza con los últimos años de la carrera de Derecho que está cursando Antonio, su rápido noviazgo con Josefina, una chica bandera que pronto se licenciará en Medicina, el matrimonio, los imperantes roles machistas, el problema del trabajo, de la vivienda... Lo primero que hace esta comedia es reírse de los estudios de Derecho, únicamente memorísticos, que no capacitan para la práctica jurídica: "Yo estudiaba Derecho porque es una carrera para la que no se necesita talento. Se puede resolver todo a base de memoria. Bueno, esto de la memoria... Para estudiar, mientras se está en la Facultad [...]", dice el protagonista, que tras acabar en ésta trabajará de casi todo, hasta que por fin pueda ejercer la abogacía. Entonces se observará la complejidad del ejercicio del Derecho, y su desconexión de aquel aprendizaje memorístico. Su primer pleito versará sobre el accidente que, con el nuevo automóvil, tuvo su mujer, y quizás sea este momento de la película el que más nos interese. Todos los implicados en el suceso tienen su propia versión de los hechos, de tal manera que la escena de las declaraciones parece una especie de *Rashomon* español. Pero lo mejor es que el único testigo, interpretado por Pepe

Isbert, que no quiere serlo pero la policía le prendió y no pudo zafarse, es tartamudo, como su testimonio ("con imágenes entrecortadas, que se repiten y avanzan a trompicones como sus palabras", dice Ricardo Aldarondo), y al final resulta que no vio nada. Antonio prepara el caso y se imagina, cual caballero andante del Derecho, salvando a su amada. Pero la realidad resulta otra, y únicamente consigue que a su mujer la condenen a una indemnización de 8000 pesetas, cuando el abogado de la otra parte sólo pedía 5000. "Todos hemos perdido nuestro primer pleito", le dirá el abogado del despacho donde oficia de pasante.

La vida alrededor seguirá narrando las vidas de Antonio y Josefina, dedicados ahora al hijo que llega. Por un azar, Antonio se ve convertido en abogado criminalista, lo que dará lugar a comentarios del todo subversivos, como que —dice Antonio— no ganará dinero hasta que no defienda "delitos de la gente honrada", o que el dinero de lo criminal se ha trasladado a lo mercantil. Pero me interesan más dos momentos en los que se muestran esenciales aspectos del Derecho. En una ocasión, Antonio se entrevista con dos ladronzuelos que le dicen que ellos trabajan "con el código en la mano", por lo que le consultan cuál es la mejor forma de llevar a cabo un robo en un chalet: si es mejor entrar por la ventana o por la puerta, con armas o sin ellas, en grupo o uno solo, etc. Con lo que se observa una visión realista y rompedora del Derecho. Por lo demás, resulta que Antonio llega hipnotizado a su juicio más importante (un juicio contra Ceferino López, *el Agujetas*, que antes se dedicaba al crimen y ahora ha decidido dar el salto a la empresa, con lo que le acusan de fuga de divisas, fraude a la Hacienda Pública, incumplimiento de la ley de tasas y falsedad en documento público), y la hipnosis hace que diga la verdad, toda la verdad y nada más que la verdad. Ya antes se había visto que la prescripción de la verdad, llevada hasta sus últimas consecuencias, era contradictoria con la vida social; ahora vemos que hace absurdo el juicio. Antonio dice —como digo— la verdad, como que el testigo que lleva preparado "trabaja de testigo" y nada sabe del caso que se juzga, como que él cree en *el Agujetas*, pero con esos antecedentes poco hay que hacer, como que el Ministerio Fiscal tiene muchísima razón, etc. Al final, sin embargo, volverá a sus cabales y reconducirá la defensa hasta ganar el juicio. Un magnífico trabajo el de Fernán-

Gómez, que a veces hacía recordar a Groucho, a veces a Woody Allen, y que resultaba sin duda un adelantado para su tiempo.

De la década de los sesenta cabría hacer referencia a otras comedias interesantes. Europeas, por ejemplo, *Divorcio a la italiana* (*Divorzio all'italiana*, Pietro Germi, 1961) y *Matrimonio a la italiana* (*Matrimonio all'italiana*, Vittorio de Sica, 1963), protagonizadas ambas por Marcello Mastronianni, buena representación las dos de la comedia italiana de estos años, en las que se pueden observa multitud de instituciones y sus normas: el matrimonio y la unión de hecho, las causas de disolución del matrimonio, el parricidio, la filiación matrimonial y la extramatrimonial... De Norteamérica hay que citar *Adivina quién viene esta noche* (*Guess Who's Coming to Dinner*, Stanley Kramer, 1967), pongo por caso, sobre la discriminación racial. Pero el final de esta década, en Estados Unidos, tiene importancia porque comenzaba su carrera un cineasta que iba a gozar de gran predicamento y que no puede dejar de citarse en un estudio sobre la comedia, Woody Allen. Sin embargo, visto desde aquí, como regla general las comedias de Allen no parece que se interesen por el Derecho, sino por la psicología, las rela-

ciones personales, la religión o el sexo. Así todo, algunas de sus últimas películas plantean conflictos morales, como *Delitos y faltas* (*Crimes and Misdemeanors*, 1989), *Match Point* (2005) o *Cassandra's Dream* (2007), mientras que algunas de las primeras interesan especialmente a una teoría cómica del Derecho, sobre todo su *opera prima*, *Toma el dinero y corre* (*Take the Money and Run*, 1969), y de la misma época, *Bananas* (1971).

Toma el dinero y corre es la película más jurídica de Allen, en el sentido de que se ocupa con el problema de la delincuencia, a la vez que se ríe de la criminología crítica, nada menos. En ella narra las andanzas de Virgil Starkwell, criminal que desde chico vivió en un barrio marginal y comenzó a delinquir a edad muy temprana. Se utiliza con gracia la técnica del documental (voz en *off*, entrevistas, etc.), y con ella va describiéndose la personalidad de Virgil y las condiciones que determinaron su existencia criminal: una maestra de su infancia recuerda que robó una pluma estilográfica; otra, que no hay nada bueno que decir de él; el narrador nos cuenta que nunca gozó del cariño de sus padres y, en efecto, a lo largo de toda la película éstos son entrevistados bastantes veces (por cierto, que aparecen disfrazados de Groucho Marx, dada la vergüenza que les produce su hijo), declarando el padre en repetidas ocasiones que Virgil es un desastre, un granuja, un burro, un ateo; parecido a lo que declarará un agente del FBI, a quien parece que nada menos que Hoover le confesó que el protagonista era un ateo y un revolucionario; el psiquiatra de la prisión le atribuirá un conflicto que se manifestaba en el hecho de que Virgil tocará el violonchelo, símbolo fálico (como una mujer gorda a la que se frota con un arco, dice), etc. Con esos antecedentes, la película se convierte por momentos en una comedia judicial (por ejemplo: le condenan a ochocientos años, pero el abogado le hace saber que por buena conducta puede llegar a reducir esa condena a la mitad), por momentos en una comedia carcelaria, parodia del cine serio de prisiones (por ejemplo: en una prisión de máxima seguridad, las celdas de castigo llevan incorporadas un vendedor de seguros). Al final, Virgil no se arrepentirá del trabajo que escogió: trabajas las horas que quieres, eres tu propio jefe, viajas mucho, conoces gente...

En cuanto a *Bananas*, en ella Woody Allen mantuvo una tesis, demostró con humor que las normas absurdas, dadas por un gobernante enloquecido, no son normas ni son nada. Cuando la guerrilla toma el poder en San Marcos, un pequeño e imaginario país latinoamericano, el comandante en jefe advierte que ahora él es la ley y, tras fusilar a todos los dirigentes del anterior gobierno, comienza a dictar nuevas normas:

– [...] *a partir de hoy el idioma oficial de San Marcos será el sueco.*
– [...] *todos los ciudadanos de San Marcos deberán cambiarse la ropa interior cada hora y media. La ropa interior deberá llevarse por fuera para que podamos comprobarlo.*
– [...] *todos los niños menores de dieciséis años tienen ahora dieciséis años.*

Lo que precisamente viene a demostrar Woody Allen es que el humor del absurdo tiene mucho que ver con las normas, pues si éstas son atribuciones de sentido, hay ocasiones en que no atribuyen ninguno. Como dice Alexy, un orden social (por llamarlo de alguna forma) en el que un conjunto de individuos es gobernado de tal manera que no se puede llegar a saber cuáles son los objetivos del gobierno y, a la vez, tampoco esos individuos pueden perseguir sus fines, no es un orden jurídico. Como señaló Kelsen, el absurdo se produce claramente cuando se ordena lo imposible o se prohíbe lo necesario (el caso de la norma que prohíbe morirse, por ejemplo), pero no sólo. Precisamente Alexy ofrece buenos argumentos para rodar comedias de estos otros tipos de absurdo: el caso de que el primer artículo de una Constitución declare solemnemente que "X es una república, soberana, federal e injusta", o el de un juez que dicte una sentencia en la que condene al acusado a prisión perpetua "en virtud de una falsa interpretación del Derecho vigente".

Para cuando se hizo *Bananas*, los conocidos y británicos Monty Pithon ya estaban trabajando. Si bien comenzaron su labor en la televisión, a partir de los años setenta pasaron a dedicarse al cine, consiguiendo comedias que hoy día ya tenemos por clásicas. Para nuestros propósitos, me gustaría fijarme en tres: *La vida de Brian* (*Monty Phyton´s Life of Brian*, 1979), *El sentido de la vida* (*Monty Phyton´s The Meaning of Life*, 1983) y, de una parte del grupo, *Un pez llamado Wanda* (*A Fish Called Wanda*, 1988). De esta trilogía sólo la última tiene una trama propiamente jurídica, dado que trata de un robo, por una parte, y por otra uno de los papeles protagonistas corresponde a un abogado; un abogado interpretado por John Cleese,

ingenuo y bonachón, perteneciente a la alta sociedad británica y absolutamente respetuoso con las normas sociales, hasta el punto de aguantar estoicamente a su insoportable mujer, de tal forma que cuando se decide a cometer adulterio se consigue alguna de las escenas más divertidas de la película. Pero son los otros dos filmes citados los que ofrecen materiales para algún tipo de reflexión sobre el Derecho. *La vida de Brian* es una de las películas de risa de más éxito, quizás debido a su carácter irreverente, puesto que trata de la vida de un niño que nació al mismo tiempo que Jesucristo, con cuya vida se observan ciertos paralelismos (de risa). Yo me fijaría en tres mensajes/ reflexiones del filme. El primero, el que propicia una divertida escena en la que Brian y su madre van a ver una lapidación y, de paso, a participar en ella. Para hacerlo, ella se pone una barba postiza, a la vez que Brian le pregunta que por qué las mujeres no pueden ir a las lapidaciones. Evidentemente sí van (hay otra muchas allí) y tiran piedras, pero ocultan su condición femenina tras una larga barba. Con muestras de asombro por la obviedad de la respuesta, la madre le contesta que porque es lo que prescribe la ley, con lo que se constata la distancia entre la realidad y la norma, entre la validez y la eficacia, entre lo que ocurre realmente y lo que la regla dice que debe ocurrir y, sobre todo, la graciosa extrañeza que siente el espectador al comprobar que la norma se mantiene, cuando es obvio que lo habitual no es su cumplimiento sino su infracción. El segundo momento que debe tenerse en cuenta es el hilarante discurso sobre los derechos humanos que elaboran los miembros de un grupo subversivo, el Frente Popular de Judea. ¡Se ríen de lo más sagrado! Uno de aquéllos, un varón, pide que se reconozca su derecho a gestar y parir hijos. Como es evidente que no puede hacerlo, será otra la que diga que entonces se le debe reconocer "el derecho a desear la gestación":

– *¿De qué sirve defender su derecho si no puede gestar?*, pregunta uno.

– *Como símbolo contra la opresión*, le contesta otro.

– *De su lucha para aceptar la realidad*, concluye un tercero.

Y así los derechos humanos aparecen como la más idealista de las ideologías idealistas. Por pedir, que no quede, podríamos decir. El tercer mensaje de la película es el repudio de la crueldad, por medio de varias escenas en las que se hacen bromas con prácticas a todas luces crueles e inhumanas. En la cárcel, un viejo que está siendo torturado le dice a Brian que es un privilegiado, que a él sólo lo van a crucificar. Otro anciano, cuando es advertido de que podrían crucificarle por haber cobijado a Brian, responde al centurión que podría ser peor, por ejemplo si lo lapidasen. El centurión le contesta que se equivoca, que la crucifixión es lenta y dolorosa. "Pero al aire libre" le responde veloz el sospechoso. De nuevo en la cárcel, un soldado muy amable va indicando a los reos por dónde tienen que dirigirse para que los crucifiquen. Al final, cuando muchas personas están siendo crucificadas, una de ellas canta una canción que lleva por título "Mira siempre el lado luminoso de la vida", y todos los que se hallan en la misma tesitura se ponen a cantarla. Todos esos *sketchs* nos hacen gracia, claro, porque se trata de bromas, pues la crueldad no es tolerable.

El sentido de la vida, por fin, es otra película de risa, pero habrá quien piense que nada tiene que ver con el Derecho. Mas creo que no es así. Se trata de historias absurdas y, al mismo tiempo y por eso, graciosas. Por ejemplo: Los ancianos trabajadores de un banco se sublevan contra la dirección y se hacen con el poder de la empresa, cuya sede pasa a convertirse en un barco pirata que se dedica a asaltar otras entidades financieras. En la pecera de un restaurante, unos peces se dedican a charlar, hasta que alguien avisa de que se van a comer a Howard. En efecto, la cámara nos enseña que un camarero está sirviendo un pescado a un cliente. En el paritorio, una mujer da a luz, mientras que a los médicos que la atienden lo único que parece interesarles es la maquinaria de la sala y la grabación del parto, "en Betamax, VHS y Super ocho". En Yorkshire, un obrero es despedido, con lo que decide vender a su hijos como conejillos de indias, a la vez que explica que es católico y que, como no puede usar métodos anticonceptivos, por eso tiene tantos hijos. El estribillo de la canción que alegre canta la familia dice: "La ira de Dios se siente / si una gota de semen se pierde". Lo curioso es que un matrimonio de protestantes observa la escena desde la ventana y el marido se queja por la irresponsabilidad de quienes tienen tantos hijos. "Cada vez que hacen el acto sexual les nace un hijo", dice. A lo que la mujer le comenta que a ellos les ocurre lo mismo: "Tenemos dos hijos y hemos hecho el amor dos veces". Lo mejor es la respuesta de él: "¿Y qué? Podríamos haber he-cho el amor cuanto hubiésemos querido". En un clásico colegio británico se desarrolla una clase de educación sexual en la que el profesor llama a su mujer para enseñar a sus alumnos cómo se practica sexo, aunque parece que no logra vencer la indiferencia de éstos. Un partido de rugby entre dos equipos, el de los estudiantes mayores y el de los alumnos pequeños; y aquéllos ejercen una violencia brutal sobre éstos. A un donante de órganos le extraen el hígado en vida, a la vez que le advierten que no debe preocuparse, que nadie sobrevive a aquellas extracciones. Una persona excepcionalmente obesa llega a cenar a un restaurante y allí, después de vomitar, encarga una cena pantagruélica que le llevará, al fin, a explotar. La muerte va a visitar a una familia, pero allí la confunden con un segador, etc.

El sentido de la vida interesa a la teoría del Derecho en la medida en que se ocupa con una dicotomía conceptual que sí afecta, y de manera fundamental, al fenómeno jurídico, la de *sentido / absurdo*. En el mismo título de la obra ya aparece el primer término, y el humor que se cultiva en ella es, precisamente, el del absurdo. Por otra parte, la cuestión del sentido de la vida es típicamente filosófica, aunque también pueda ser pedante y motivo de risa. Al fin y al cabo es la que se pregunta no tanto por las causas de la existencia cuanto por las razones de la misma: no por qué se vive, sino por qué se debe vivir. Si la película es una *tesis filosófica*, supuesto que lo sea, no deja de estar conectada con la pregunta típicamente ius-filosófica por el sentido del Derecho. Pero analicemos el *texto* partiendo del concepto de *absurdo*. Básicamente, lo que muestra la película de Monty Python son situaciones absurdas. El absurdo, la falta de sentido, puede ser fáctico o normativo. Es un absurdo fáctico que los peces hablen. No queremos decir que no haya algún tipo de comunicación entre ellos, sino que no parece posible que mantengan una charla como la que pueden mantener los humanos, y si eso llega a ocurrir habría que plantearse si realmente se trata de peces. Que suceda lo que no puede suceder es sencillamente absurdo. Referido al ámbito jurídico, eso significa que si el Derecho no pretende ser absurdo no puede mandar lo imposible ni prohibir lo necesario. Como bien explicó Kelsen al comienzo de su obra más acabada, la segunda edición de la *Teoría pura del Derecho*, el Derecho no puede prohibir que los hombres se mueran porque, conforme a una ley natural, los hombres han de morir necesariamente. El reino jurídico sería el que se extiende entre lo imposible y lo necesario o, en otros términos, el ámbito propio del Derecho sería el de la posibilidad.

Además también hay absurdos normativos. Las instituciones humanas parece que llevan implícita una interna normatividad, y ciertas vulneraciones de ésta convierten las convierten en absurdas. En la película se observan dos casos claramente: el de la medicina y el del lenguaje. Por lo que se refiere a la medicina, es evidente que su objetivo es preservar y restituir la salud, un objetivo realmente serio para cualquier sociedad. Por eso la medicina no se puede tomar a broma y los médicos que atienden los partos tienen que lograr que éstos se produzcan de la mejor manera posible, y no andar ocupados con la grabación de la película del parto o asesinar al bebé cuando nazca (en *El sentido de la vida* uno de los médicos, gastando una broma, parece que mata al recién nacido con un cuchillo de carnicero). El sentido de la medicina es la protección de la vida y, por tanto, una medicina que se dedicara a su destrucción difícilmente se podría llamar de tal forma. El otro ejemplo de la película de Terry Jones es el del lenguaje. En un *gag* que se produce en la escena en que varios soldados del ejército inglés persiguen a un tigre que parece que amputó de un mordisco la pierna de un oficial, resulta que el tigre no es tal, sino el disfraz que se han puesto otros dos soldados. La conversación que se produce entre los perseguidores y los perseguidos resulta hilarante precisamente por su falta de sentido. Los interrogados responden a cada pregunta lo que les viene en gana, de tal forma que se contradicen constantemente. No se contradicen unas cuantas veces sino que cada respuesta es contradictoria con la pregunta anterior, y así sucesivamente. Se demuestra a las claras que el lenguaje no tiene sentido si no se reconoce una norma, implícita en la institución del habla, que prescribe decir verdad. Decir mentira en una o varias ocasiones no plantea problemas al lenguaje en cuanto tal, lo que sí los plantearía sería que se mintiera siempre o, mejor dicho, que se permitiera decir verdad o mentira, pues entonces el lenguaje y la sociedad misma se destruirían. ¿Qué sentido tendría el lenguaje si se pudiera decir verdad o mentira indistintamente? Carecería de él; sería absurdo, dado que el sentido del lenguaje es la comunicación y no cabe comunicación de tipo alguno si no es obligatorio, como regla general, decir

la verdad. De esta forma vemos que la que parecía una simple película de humor, y nada más que de humor, se puede convertir en una reflexión sobre los mecanismos del humor, que en este caso son los del absurdo, y por tanto sobre la naturaleza de la sociedad y del Derecho. Si los *gags* de *El sentido de la vida* tienen gracia y nos hacen reír es porque todo el mundo sabe que los médicos deben dedicarse a curar a los enfermos o a evitar que en los partos se produzcan complicaciones, y no a matar a sus pacientes o a grabar películas de cómo nacen los niños y a gastar bromas (de esto último se ocupan los payasos y los humoristas, pues ése es el sentido de estas profesiones), o porque todo el mundo sabe que no cabe conversación con alguien que se contradice constantemente.

Pero la película también muestra que los casos concretos de absurdo son particulares; no universales, queremos decir. Hay un ejemplo claro: los protestantes se ríen de los católicos porque tienen muchos hijos, pero probablemente los católicos se reirían de los protestantes porque practican muy poco el sexo (¡!). Lo que para unos es absurdo resulta con sentido para los otros y viceversa. Esto no es nada nuevo, pues resulta una evidencia antropológica que lo que para unos pueblos y unas culturas es normal, a los ojos de otros pueblos y otras culturas es aberrante o, simplemente, incomprensible, absurdo. Así, ya en el campo del Derecho, prácticas e instituciones jurídicas que para unos tienen sentido, carecen de él para otros. La norma que exige matar a la mujer adúltera en algunos países musulmanes es absurda en los países europeos, etc. Entonces, la cuestión que cabría plantear sería la de la posible existencia de absurdos universales. ¿Hay conductas que a cualquier sociedad le resultarían absurdas? El interrogante afecta al Derecho, pues si la respuesta es positiva, las conductas universalmente absurdas también afectarían a la normatividad jurídica, que tendría que reconocerlas como lo que son, como absurdas. En otros términos, si el Derecho tiene algún sentido, éste ha de determinar, de alguna forma, su contenido, con lo que el axioma defendido por algunos positivistas, que el Derecho puede tener cualquier contenido, sería falso. Como dejó claro Hart en *El concepto de Derecho*, el Derecho es un conjunto de medidas para la existencia continuada y la sociedad no es un *club de suicidas*, de donde se sigue que ciertas normas son necesarias en toda vida

social: no matarás, no robarás, no mentiras, etc.

La década de los noventa se inicia con una comedia romántica eminentemente jurídica, *Matrimonio de conveniencia* (*Green Card*, 1990), de Peter Weir. No se plantean en ella grandes cuestiones relativas al Derecho, pero el argumento resulta un caso claro de fraude a la ley: chica estadounidense se casa con chico francés con el propósito (ella) de conseguir un piso y (él) de obtener permiso de residencia. Al final todo se descubre y Gérard Depardieu tendrá que retornar a su Francia natal. Años más tarde, Peter Weir rodará *El show de Truman* (*The Truman Show*, 1998), otra comedia que si bien no versa directamente sobre el Derecho, interesa mucho a la teoría jurídica, al menos en la interpretación que a mi me parece más ajustada, pues sirve para analizar el concepto de norma. En este filme, que alcanzó gran éxito aunque tuviera críticas ambivalentes, el protagonista, Truman, sin saberlo, vive su vida en el marco de una serie televisiva, con lo que el resto de los que aparecen resulta que son actores que representan sus correspondientes papeles cinematográficos. En la medida en que esos guiones se confunden con los papeles sociales que encarnan los actores, resulta que las normas sociales, de las que también forman parte las jurídicas, no son más que los guiones de conducta que rigen en una colectividad. Las quebrantamos si improvisamos, como nos viene a decir Truman cuando comienza a conducir de forma extraña, de tal manera que las reglas resultan ser los guiones de conducta que seguimos habitualmente, es decir, cuando no improvisamos. Por eso se llaman actores sociales a los miembros de una sociedad, porque aunque a veces improvisen, normalmente siguen los guiones que escribe esa sociedad.

De la década de los noventa también interesa especialmente *Mi primo Vinny* (*My Cousin Vinny*, Jonathan Lynn, 1992), con la que Marisa Tomei obtuvo el *Óscar* de aquel año a la mejor actriz secundaria. Aunque a primera vista sencilla y sin pretensiones, esta comedia que consigue momentos hilarantes realiza una crítica demoledora del funcionamiento del sistema judicial norteamericano, ampliable a la práctica del Derecho en general. El inicio de la trama parte de una confusión: dos estudiantes entran a comprar a una tienda y uno de ellos, teniendo las manos ocupadas, coge una lata de atún y la mete en su bolso, con lo que, sin darse cuenta, se irá de

allí sin pagarla. Acto seguido los detienen y el muchacho confiesa el *crimen*, ignorando que la policía no le está preguntando por una lata de conservas sino por la muerte violenta del tendero, a quien sabemos que mataron después de que ellos salieran del negocio. A partir de aquí les imputarán el asesinato, por el que el fiscal solicitará la pena de muerte. La confusión hará otra vez de detonante de la risa cuando ingresen en prisión, una prisión ante la que se manifiestan los grupos abolicionistas de la pena capital. Evidentemente son dos presos neófitos, con lo que nada saben del mundo carcelario, pero uno le comenta al otro que allí, para conseguir protección, hay que convertirse en esclavo sexual de algún recluso. Cuando llegue el abogado, el primo Vinny, a entrevistarse con ellos, su familiar estará durmiendo y el otro creerá hallarse ante un violador. Ante las reticencias del muchacho, el abogado le dirá: "Si estuviera en tu lugar, querría terminar con este asunto lo más rápido y menos dolorosamente posible", lo que sólo consigue que aumente el temor de quien cree que va a ser violado. A partir de aquí, sin embargo, no será la confusión la que cause gracia sino la incorrección en la que constantemente incurre el abogado, pues Vinny tardó muchísimo en acabar sus estudios, sólo lleva seis meses ejerciendo el Derecho y por supuesto nunca defendió a nadie acusado de asesinato y para quien se solicita la pena de muerte; es más, es que ni siquiera llegó a actuar ante los tribunales y desconoce las normas de comportamiento más elementales en sede judicial, como demuestra el que se presente en camiseta o trate de forma confianzuda al juez, al que incluso llama "tronco". En fin, un desastre que provoca risa. Además, sus primeras actuaciones atentan contra el sentido común (no quiere hacer preguntas a los testigos que incriminan a sus clientes, por ejemplo) y consigue el enfado del juez, hasta el punto de que lo acuse de desacato. Por lo demás, resulta gracioso el uso que esta comedia hace de recursos tópicos de los dramas judiciales: el abogado cree poder desacreditar a un testigo que usa gafas pero que no las llevaba en el momento en que dice haber visto a los imputados, mas resulta que son gafas para leer. Al final, sin embargo, Vinny consigue contradecir los argumentos que se utilizan contra sus defendidos y que se retiren los cargos que pesan contra ellos. No se trata de una comedia negra, pero el argumento bien valiera para una de éstas, pues *Mi primo Vinny* se ríe precisamente de los errores, de la pena de muerte y de los malos abogados, garantía casi segura de que se aplicara la pena más grave, como sabe el sentido común y la experiencia diaria.

Ahora hay que dejar a un lado el cine estadounidense para referirse a una película colombiana (con lo que se representa así en este trabajo el cine latinoamericano, por desgracia tan desconocido), *La estrategia del caracol* (Sergio Cabrera, 1993), que sirve no sólo para reírse sino para ejemplificar toda una concepción del Derecho. Se trata del desalojo, decidido por los tribunales ("la injusticia de la justicia"), de una casa de pisos alquilados, la Casa Uribe, en Bogotá. Ante esa resolución, uno de los inquilinos, Romero, abogado en ejercicio, asume la defensa y utiliza todos los trucos legales a su alcance. Romero representa la perspectiva del jurista, "yo creo en la ley", dice, y asegura que las viviendas se han adquirido por prescripción, pero como sabe que ese argumento no va a triunfar, echa mano de otras argucias para retrasar el lanzamiento. Don Jacinto, en cambio, un anarquista español exiliado (tiene un retrato de Durruti en su habitación), no cree en ella, "un papel de mierda", e idea una estrategia para evitar el desalojo, llevársela como el caracol lleva la casa a cuestas. Al final, los vecinos vuelan el edificio. La película de Cabrera sirve como introducción al concepto de Derecho (aparece el lenguaje legal, las distintas profesiones jurídicas, distintas argumentaciones...), pero a un concepto pesimista del Derecho, que lo presenta como la herramienta que los ricos utilizan para defender sus intereses. A los pobres sólo les queda valerse de las argucias que el orden jurídico les deja para aplazar, en la medida de lo posible, las decisiones que les perjudican. Genial.

Por lo demás, durante los últimos años del siglo XX y los primeros del XXI han aparecido bastantes comedias en cuyas tramas el Derecho jugaba un papel relevante. Pienso en *La maté porque era mía* (*Tango*, Patrice Leconte, 1993), sobre la violencia de género, lo que demuestra que se pueden hacer risas hasta con lo más triste; *Full Monty* (*The Full Monty*, Peter Cattaneo, 1997), película laboralista que versa también sobre la triste circunstancia del paro; *In & Out* (Frank Oz, 1997), sobre la difamación; *Crueldad intolerable* (*Intolerable Cruelty*, 2003), de uno de los hermanos Coen, Joel, sobre el régimen económico matrimonial (una película muy recomendable, por cierto, para explicar esos aspectos económicos

del matrimonio); o *Hasta que la ley nos separe* (*Laws of Atraction*, Peter Howitt, 2004), una comedia romántica sobre dos abogados matrimonialistas. También habría que destacar dos películas de Sydney Lumet, el director a quien debemos la joya de la primera versión cinematográfica de *Doce hombres sin piedad* (*12 Angry Men*, 1957). Ya muy mayor rodó *En estado crítico* (*Critical Care*, 1997), una rara comedia sobre la eutanasia que problematiza lo que en muchos dramas parece no plantear problemas, y por fin (hasta ahora) con ochenta y dos años hizo *Declaradme culpable* (*Find Me Guilty*, 2006), que se presentó como una comedia judicial. Pero de estos últimos años yo destacaría una película que —creo— pasó casi desapercibida, aunque desarrolla una trama interesantísima para nuestros propósitos, *Un crimen en el Paraíso* (*Un crime au paradis*, Jean Becker, 2000).

Se trata esta comedia francesa de la película que mejor ha mostrado lo que es una concepción realista del Derecho y de la actuación de los tribunales de justicia. La película narra en clave de comedia las desavenencias de Jojo y Lulú, un matrimonio mal avenido hasta extremos lamentables: no sólo se hacen imposible la vida cotidiana sino que, sobre todo ella, destruye todo lo que ama su pareja. Cada uno de ellos piensa en matar al otro. No secretamente, porque Jojo se lo comenta a su amiga y antigua profesora, que le advierte que un crimen semejante se paga con la guillotina y, que, por lo que pudiera pasar, no ande comentando esas cosas por ahí. En una ocasión Jojo ve en la televisión una entrevista que los periodistas hacen a un prestigioso abogado, quien en ese momento defiende a alguien que mató a su cuñada, crimen por el que el fiscal pide la pena de muerte. Ante nuevas y terribles agresiones de su mujer (a estas alturas ya no hace falta decir que no se trata precisamente de una comedia dulce), ni corto ni perezoso Jojo decide acudir al abogado Jacquard y plantearle directamente qué le ocurriría si acabara con la vida de su mujer. Se presenta en su bufete y le confiesa que ha matada a su esposa el día anterior (lo que no es cierto, todavía no lo es). El letrado le formula las preguntas pertinentes para hacerse una composición de lugar y comienza a elaborar el relato de los hechos, un relato que sea favorable a los intereses del que parece que va a ser su cliente. Jojo va conociendo las circunstancias que llegado el caso le beneficiarían: mejor producir la muerte con un cuchillo que con

veneno, pues éste indicaría premeditación; mejor matarla de frente que por la espalda, pues esto indicaría alevosía; mejor dramatizar los aspectos calamitosos de su existencia, etc. Con estos conocimientos, Jojo planea mentalmente el parricidio.

Para ese entonces, Lulú ya había comprado veneno con el propósito de acabar con su marido, de tal manera que cuando se encuentran en el comedor de su casa, los dos piensan en matar al otro. Así todo, los hechos se suceden rápidamente, y es ella la que toma el cuchillo para clavárselo, pero él consigue detener su mano y, en el forcejeo, se clava en el cuerpo de ella y le causa la muerte. Jojo es detenido. A la comisaría llega el abogado Jacquard, que abronca a su cliente, lo que a éste, en su ingenuidad, no le parece razonable dado que ha seguido —le dice— todas sus instrucciones. De esta forma, el Derecho se nos presenta como un conjunto de predicciones, de profecías —conforme a las palabras del juez Holmes—, acerca de lo que harán los tribunales ante un caso concreto. Si se pretende cometer un crimen, por tanto, lo mejor es acudir antes al abogado para saber qué castigo le corresponde y para conocer las circunstancias que pueden atenuar la responsabilidad y, por tanto, actuar en consecuencia. Lo siguiente es la vista.

En la vista, el juicio oral, el imputado se ganará la simpatía tanto del juez como del jurado. Para empezar, muchos vecinos se presentan allí para testimoniar su afecto, que están de parte de Jojo. Todos los testigos declaran a su favor. El abogado también hace un buen papel y logra que el auditorio que es el jurado se ponga de su parte. Pero es el mismo Jojo quien con su ingenuidad se gana a todos: reconoce que declaró que sentía celos porque el abogado y él pensaron que eso le beneficiaría; o se gana el afecto del juez porque ambos son coleccionistas de sellos e intercambian experiencias durante el acto. Así, cuando en su alegato final el fiscal pide la pena capital para "ese monstruo", nadie le escuchará. Le condenan a cuatro años que, entre pitos y flautas, le informa el abogado, se quedarán en año y medio.

El Derecho, ahora en funcionamiento (ya no se trata de profecías sino de actuaciones), se desdramatiza, pierde su seriedad y su pedantería. En el proceso, más que los tecnicismos jurídicos y los recovecos de los hechos —parece que nos dice la película—, importa lograr la confianza de quien ha de emitir el juicio, del juez y del jurado. No extraña que el ministerio público acuse a Jojo dc comediante. En efecto, lo es, como el propio fiscal y todos los intervinientes que tratan de mover a los jurados a su favor. Otra vez una visión muy poco idealista del Derecho, que ya no es un conjunto de grandes principios, de valiosos valores y de incomprensibles normas, sino actuación humana y, por tanto, movida por las emociones, los afectos y los desafectos. Si la buena o la mala digestión de un juez pueden hacer que falle en uno u otro sentido, más aún influirá el sentir del juez hacia el imputado.

3. ¿Por una teoría cómica del Derecho?

Evidentemente, los cineastas que se han reído del Derecho en sus comedias no las hacían para juristas. Lo dijo Billy Wilder al referirse a los chistes que causaban gracia al público: "Tengo una idea muy razonable de la gente con la que tratamos, y sé que no estamos haciendo una película para la Facultad de

Derecho de Harvard, sino para gente de clase media, la gente que se ve en el metro o en un restaurante" (Crowe). Y así Wilder no sólo nos informa de que los juristas que salen de Harvard no pertenecen a la clase media ni viajan en metro ni frecuentan (ciertos) restaurantes, sino que además advierte que el objetivo de sus películas no era elaborar una teoría del Derecho sino hacer reír. Resulta obvio y, sin embargo, qué risa, me pregunto qué pueden aportar a la comprensión del Derecho los tópicos que utilizan las comedias jurídicas, lo que supongo que —me concederán los juristas— no deja de ser gracioso. A mi juicio, en las comedias se pueden observar tesis interesantes tanto sobre la naturaleza como sobre el funcionamiento del Derecho, tesis que suelen ser menos idealistas que las que aparecen en otros géneros (Strickland):

1. El Derecho puede ser analizado desde distintos puntos de vista. Según que se utilice uno u otro, se tratará de realidades en gran medida distintas. Véase el caso de Charlot, que utiliza una perspectiva que no es la del policía pero tampoco la del revolucionario. Ese perspectivismo se observa también en *El asunto del día*, en la que el Derecho se presenta, por un lado, como una construcción de la razón, y por otro, como un instrumento de la voluntad más despótica, de la opresión. O en *La estrategia del caracol*, aunque al final concluya que el Derecho no tiene nada de razón y sólo es voluntad, la voluntad de los poderosos. Distintos y variados puntos de vista también aparecen en *La vida por delante* y *La vida alrededor*, donde se distingue entre el Derecho observado por el estudiante y el Derecho observado por el práctico; entre el Derecho visto por la *gente de bien* y por los *maleantes*; el visto por abogados y jueces, y el visto por el pueblo llano.

2. Así todo, hay normas que son evidentes, cuya desconocimiento nadie comprendería y, en este sentido, podemos llamarlas naturales, aunque Cary Grant no utilice este último término en *Arsénico por compasión*.

3. El hiperformalismo y el rigorismo mueven a la risa, pues confunden lo que debe ser el Derecho, un instrumento para resolver problemas sociales, con lo que no debe ser, un medio para crear más problemas. Aplicar únicamente la letra de la ley y olvidar su espíritu conduce, en muchas ocasiones, al absurdo. Recuérdese lo ya visto en *Una tarde en el circo* o en *Irma la Dulce*.

4. De hecho, hay múltiples formas de burlar la ley, pero la mejor es cumpliéndola a rajatabla, como ocurre en *El pisito*;

aunque hay que advertir que no siempre sale bien, que quien se case con el sólo fin de obtener un permiso de residencia, puede ser expulsado del país de que se trate, como en *Matrimonio de conveniencia*.

5. Característica del Derecho es un lenguaje específico, a veces altamente tecnificado, lo que trae consigo que los juristas lo puedan utilizar para embaucar a los demás, además de caer en la pedantería. De nuevo algunas obras de los hermanos Marx, como *Una noche en la ópera*, sirven para probarlo.

6. El proceso es una actividad pautada, en la que a todos los actores les corresponde un papel definido y, por tanto, pierde su sentido cuando esos guiones se intercambian o no se interpretan correctamente, como ocurría en *Sopa de ganso*: cuando el abogado defensor acusa a su defendido, o cuando el juez es parte o se convierte en parte al mismo tiempo.

7. El proceso es argumentación; el Derecho es argumentación, de ahí que si resulta que la argumentación es no ya poco convincente sino a todas luces carente de sentido, estamos ante un proceso o un Derecho de comedia. Esto ocurre tanto en la fase de creación del Derecho (véase *Bananas*) como en la también creativa fase de aplica-

ción. Además, es fácil deducir de lo dicho que los buenos abogados son quienes argumentan bien y consiguen convencer a los jueces. Valga como ejemplo *Mi primo Vinny*.

8. Por cierto, dedicarse al Derecho exige cierto idealismo, creer en él, pensar que vale para algo, que es un instrumento que puede servir para resolver problemas sociales; de lo contrario, resulta insoportable. Como decía el abogado de *La estrategia del caracol*, "yo creo en la ley". También las comedias de Capra sirven para mostrar este punto de vista.

9. El Derecho está inevitablemente teñido por las ideologías sociales. Un caso claro es el de las ideologías de género, que hacen que el Derecho se estudie o se aplique en un marco machista, con los imaginables efectos. Recuérdese *La costilla de Adán*.

10. El Derecho también es ideológico en otro sentido, en el de que puede servir de pantalla para ocultar una realidad. Así ocurre cuando hay una gran distancia entre la norma y su eficacia. Lo mismo sucede, en muchas ocasiones, con los derechos humanos, cuyos altos ideales encubren, precisamente, su vulneración. De ambas tesis hay ejemplos en *La vida de Brian*.

11. El Derecho que realmente vale, el que interesa, el que

mantiene o transforma la realidad no es el Derecho en los libros, el de los grandes ideales y las bellas palabras, sino el Derecho en acción, el que se practica realmente. Así, si alguien quiere cometer un crimen lo que ha de hacer es enterarse antes no de cómo castiga la ley ese delito, sino de cómo lo hacen los jueces y qué circunstancias tienen en cuenta para agravar o atenuar la responsabilidad. En este sentido, el comportamiento del protagonista de *Un crimen en el paraíso* es modélico.

12. Las causas del crimen son muy complejas. Véase *Toma el dinero y corre*.

13. La pena de muerte es un castigo demasiado grave para que se siga utilizando, quedando en manos de uno o varios hombres su imposición y eje-cución. Además, los que tienen que imponerla pueden estar influidos por los medios o por los políticos, y nunca nadie, ningún juez, puede afirmar a ciencia cierta que no ha errado. Dada la falibilidad de las decisiones humanas, resulta demasiado definitiva, como de distinta forma se dice en dos películas muy distintas: en *Testigo de cargo* y en *Mi primo Vinny*. Además, exige que haya quien la ejecute, y ése es otro argumento contra ella, que alguien tenga que convertirse en un asesino profesional, en un funcionario del crimen, en *El verdugo*. Por fin, resulta a todas luces una medida cruel, por más que quepa imaginar mayor o menor crueldad, como otra vez nos recordaron los Monty Phiton con sus chistes en *La vida de Brian*.

4. Bibliografía

ALDARONDO, Ricardo: "Perdiendo el juicio: la comedia frente a la ley", *Nosferatu. Revista de Cine, Cine y Derecho*, 32, 2000, p. 21-25.

ALEXY, Robert: *El concepto y la validez del Derecho*. Barcelona: Gedisa, 1994, 208 p.

CROWE, Cameron: *Conversaciones con Billy Wilder*. Madrid: Alianza Editorial, 2005, 378 p.

DURKHEIM, Emile: *Las formas elementales de la vida religiosa: el sistema totémico en Australia*. Madrid: Akal, 1992, 423 p.

HARRIS, Marvin: *Introducción a la antropología general*. Madrid: Alianza Editorial, 1992, 691 p.

HART, H. L. A.: *El concepto de Derecho*. Buenos Aires: Abeledo Perrot, 1977, 332 p.

KELSEN, Hans: *Teoría pura del Derecho*. México: Porrúa y UNAM, 1991, 364 p.

LLOPIS, Silvia: *La comedia en 100 películas*. Madrid: Alianza Editorial, 1998, 288 p.

MENA, José Luis, y CUESTA, Javier: *Las 100 mejores comedias de la historia del cine*. Cacitel y Wezen, 2002, 223 p.

RIVAYA, Benjamín y DE CIMA, Pablo: *Derecho y Cine en 100 películas. Una guía básica*. Valencia: Tirant lo Blanch, 2004, 502 p.

STRICKLAND, Rennard: "The Cinematic Lawyer: The Magic Mirror and the Silver Screen", *Oklahoma City University Law Review* 22, 1, 1997, p. 13-23.

TEJERO, Juan, ed.: *Diccionario de películas. La comedia*. Madrid: T & B editores, 2006, 512 p.

Derecho y Cine. El Derecho visto por los géneros cinematográficos

68

Sociedad, Poder y Derecho en el melodrama cinematográfico*

Pocos géneros cinematográficos presentan tantos problemas de definición como el melodrama. Las razones son diversas. En primer lugar, se trata de una categoría genérica de gran tradición en la historia del cine y, por tanto, de un género muy profusamente cultivado. El melodrama pretende, ante todo, apelar directa e intensamente al *pathos* del espectador, y para ello recurre a situaciones, sentimientos y emociones que cualquier persona ha podido experimentar en algún momento de su vida; de ahí que el registro melodramático constituya prácticamente uno de los primeros y más importantes modos narrativos de que se han servido y sirven los cineastas desde siempre para contar sus historias. Su gran *tamaño* lo hace así extraordinariamente difícil de abarcar en cualquier estudio medianamente serio al respecto, debiendo desterrarse toda pretensión de exhaustividad si se quiere dar cuenta con cierta precisión de la amplísima filmografía potencialmente adscribirse al mismo.

En segundo lugar, el melodrama es una categoría que plantea gran cantidad de dificultades conceptuales como género cinematográfico en sí[1]. No

---

* El presente trabajo se enmarca en el Proyecto de Investigación titulado *Derecho, Cine y Literatura*, SEJ2005-05469/JURI, cuyo Investigador Principal es Benjamín Rivaya.

[1] En muchos casos, el término *melodrama* tiene un sentido peyorativo. El mismo Diccionario de la Real Academia Española de la Lengua lo define, en su acepción sexta, de la siguiente manera: "Obra teatral, cinematográfica o literaria en que se exageran toscamente los aspectos sentimentales y patéticos, y en la que se suele acentuar la división de los personajes en moralmente buenos y malvados, para satisfacer la sensiblería vulgar" (21ª ed. Madrid, 1992). Ello ha motivado que se trate de un género frecuentemente desprestigiado y poco (y desigualmente) estudiado por la crítica cinematográfica. Después de ser ignorado, incluso despreciado, durante décadas, fue a principios de los setenta cuando la crítica europea comenzó a tomárselo en serio y a estudiarlo con cierto rigor; sobre todo, fue la figura de Douglas Sirk la que impulsó

sólo por los enormes problemas que plantea su definición, concretados sobre todo en su delimitación frente a un género tan cercano conceptualmente y de tan arraigada tradición como el *drama* (con mucha frecuencia se consideran directamente como sinónimos), sino también porque es una categoría que se da, como ninguna otra, a la hibridación con otros géneros, ya que sus elementos aparecen, e incluso atraviesan, a muchos de ellos.

Películas que, a primera vista, serían etiquetadas genéricamente sin mayores problemas, tienen elementos melodramáticos que se confunden con gran facilidad con los elementos típicos del género al que inicialmente parecen pertenecer, lo cual, en muchos casos, hace muy complicado determinar su consideración clara como tal género. Muchos estudiosos hablan directamente del melodrama como de *tipo de género narrativo*, más que de

esta tendencia crítica, más que nada porque se empezó a vindicar a este cineasta como un *auteur*. Apareció así la recopilación de diversos textos en torno al cineasta que publicó el Festival de Cine de Edimburgo en 1972 (MULVEY, Laura; HALLIDAY, Jon (eds): *Douglas Sirk,.* Edinburgh: Edinburgh Film Festival '72, 1972), que recogía ensayos originalmente publicados en la revista inglesa *Screen* (trabajos de autores como Jon Halliday, Fred Camper, Thomas Elsaesser y Paul Willemen) y algunos más, como el famoso artículo-homenaje de Fassbinder sobre el cineasta publicado en *Fernsehen* un año antes, otros publicados en la francesa *Positif* (de Jean-Loup Bourget) y en la alemana *Fernsehen und Film*, así como la entrevista al cineasta de Jon Halliday (*Douglas Sirk por Douglas Sirk*. Barcelona: Paidós, 2002). Ya en torno al melodrama, los primeros y más relevantes trabajos son el monográfico que Pierre Roura editó en 1971, titulado "Dossier sur le mélo au cinéma", en *Les Cahiers de la Cinémathèque de Toulouse*; el trabajo de John Kobal titulado *Romance and the Cinema*. London: Studio Vista, 1973; y el volumen publicado por la Filmoteca de Toulouse y coordinado por Maurice Roelens, "Pour une histoire du mélodrame au cinema", en sus *Cahiers de la Cinémathèque de Toulouse*, num. 28, 1979. En España se ha estudiado también, tanto al melodrama en general como a Douglas Sirk en particular, en varias monografías, como por ejemplo: PÉREZ RUBIO, Pablo: *El cine melodramático*. Barcelona: Paidós, 2004; BALMORI, Guillermo: *El melodrama*. Madrid: JC ed., 2005; DROVE, Antonio: *Tiempo de vivir, tiempo de revivir: conversaciones con Douglas Sirk*. Murcia: Filmoteca de Murcia, 1994; y GONZÁLEZ REQUENA, Jesús: *Douglas Sirk: la metáfora del espejo*. Madrid: Cátedra, 2007; en el monográfico dedicado a John M. Stahl, otro de los grandes cineastas melodramáticos (CIOMPI, Valeria; MARÍAS, Miguel (eds.lits.): *John M. Stahl*. San Sebastián: Festival Internacional de Cine, 1999); y en diversos artículos publicados en las revistas *Contracampo* y *Dirigido Por*.

género cinematográfico propiamente dicho, constituyendo una categoría comprensiva de otros géneros más concretos[2]. Se habla así, con frecuencia, de *comedia melodramática, thriller melodramático, melodrama musical,* etc... El melodrama es, pues, una categoría genérica extraordinariamente pluridimensional y, por tanto, muy difícil de delimitar en sí misma y en relación con otras.

Ciertamente, el acercamiento que aquí se va a realizar al género melodramático (esto es, desde el punto de vista de los estudios de *Derecho y Cine*: desde el tratamiento que el melodrama cinematográfico ha efectuado del fenómeno jurídico) condiciona en gran medida su consideración, ya que no se trata de ofrecer una relación que agote el número de películas del género, sino de poner de manifiesto las más significativas a los efectos de la perspectiva propia de estos estudios. Y es que el melodrama de temática jurídica es un subgénero cinematográfico muy cultivado, puesto que el mundo del Derecho (así al menos lo ve en general la gente no experta en Derecho: la gran mayoría del público cinematográfico) está estrechamente ligado al *pathos,* al mundo del conflicto, de la venganza, de las desgracias personales, de la *lágrima*...[3], de todo aquello que suele generar en el espectador emociones *melodramáticas*. Singularmente relevante, en este sentido, es el *melodrama judicial,* el cual constituye un subgénero del melodrama con acentuada entidad propia.

Además, como veremos a lo largo del trabajo, una de las constantes típicas de muchos melodramas es su preocupación por lo social. Aunque su centro de atención primordial sea el sentimiento individual, se trata de un género donde tiene un protagonismo muy grande todo aquello que atañe al aspecto social de la vida humana, en tanto que constituye un elemento muy importante en la generación de la emoción melodramática. En gran cantidad de historias y argumentos melodramáticos, las instituciones políticas, sociales y jurídicas juegan un papel esencial. En palabras de J. L. Bourget, "...el fatum melodramático es siempre político o social más que verdaderamente metafísico. El melodrama es, en cualquier

---

[2] Vid., por ejemplo, SOBCHAK, Thomas; SOBCHAK, Vivian: *An Introduction to Film.* Boston: Little Brown, 1980, p. 235.

[3] No en vano los norteamericanos han llamado también a los melodramas con el expresivo nombre de *tearjerkers.*

forma, una tragedia que sería consciente de la existencia de la sociedad"[4]. Y es que el propio género es un producto cultural que tiene su origen y se desarrolla en un momento histórico muy concreto (desde finales del siglo XVIII y el siglo XIX, sobre todo) y, por lo tanto, responde a una *Weltanschauung* muy particular (la burguesa moderna) a la está muy ligada nuestra mentalidad político-jurídica actual. Como afirma R. Borde[5], la razón de que el melodrama no se haya cultivado en el cine bolchevique estriba precisamente en que es un producto típicamente burgués, y su concepción socio-política, postuladora de la división social en clases, choca de frente con los planteamientos igualitaristas del comunismo. En consecuencia, se puede afirmar sin ambages que el melodrama es, en muchos casos, un *género social*, es *cine social* concebido bajo una concreta mentalidad y sobre una determinada clase social, la burguesía, y como tal reviste gran interés para el tipo de análisis que aquí llevamos a cabo.

1. Una definición y breve panorámica histórica del melodrama

Ya he adelantado que el melodrama es un género cinematográfico abundantemente cultivado, tal vez el que más, junto a la comedia, el otro de los dos grandes *megagéneros*. Desde los inicios del cine, el melodrama es uno de los géneros por excelencia; de hecho, en el ámbito del cine estadounidense, desde la obra de Griffith (la cual es casi en su totalidad melodramática) hasta la llegada del cine sonoro, el melodrama y la comedia son prácticamente los únicos géneros que están delimitados nítidamente[6], de tal modo

---

[4] BOURGET, Jean-Loup: *Le melodrama hollywoodien*. Paris: Stock, 1985, p. 11.

[5] Vid. BORDE, Raymond: "¿Por qué el melodrama?", en CIOMPI, Valeria; MARÍAS, Miguel (eds.): *John M. Stahl*. Trad. de J. Oliver. San Sebastián, Madrid: Festival Internacional de Cine de San Sebastián, Filmoteca Española, 1999, p. 119.

[6] Incluso en las comedias (el otro gran género cinematográfico por antonomasia) es muy frecuente, como vengo diciendo, encontrar elementos melodramáticos, y viceversa.

que todos los demás no son otra cosa que subgéneros suyos.

Precisamente por ser un género tan amplio, complejo y conceptualmente confuso, en el caso del melodrama se plantea, como en ningún otro, la cuestión que Jacques Derrida ha denominado como *la ley del género*[7]. Si se parte del hecho de que la identidad de un género se configura a partir de la repetición de los textos que entendemos como pertenecientes a él sobre la base de sus caracteres genéricos, y que la propia repetición, cuanto mayor es, da lugar a un mayor grado de impurezas, de corrupción, de *degeneración*, de la categorización erigida como tal género, es claro que el concepto de género es un concepto de suyo abierto, excesivo en cuanto a sus propios límites y, por lo tanto, naturalmente tendente a su disolución. En consecuencia, cada texto *no puede pertenecer* exclusivamente a un solo género, sino que, por el contrario, participa de varios a la vez por el propio *modus essendi* del concepto de *género* y

de su categorización genérica particular: esto es lo que Derrida entiende como *el axioma de no-clausura* como condición de posibilidad de las clasificaciones genéricas.

Teniendo en cuenta este elemento pre-comprensivo, quizás el método de comprensión más ajustado (y en el fondo el más funcional) para abordar un estudio desde una perspectiva *genérica* (máxime, insisto, en un género tan problemático como el melodrama) sea, pues, aquel que constata inicialmente las dificultades prácticas derivadas de la imposibilidad material de fijar los límites precisos del género tomado en consideración, de establecer de manera cerrada los sentidos en que se ha desarrollado históricamente, y de entender los caracteres particulares de los textos fílmicos considerados como referentes corroborativos de los caracteres generales que conforman apriorísticamente el sistema genérico[8]. Este es el método que voy a intentar ejercer aquí[9].

---

[7] DERRIDA, Jacques: "The Law of Genre", en *Critical Inquiry*, vol. 7, núm. 1, otoño 1980.

[8] Me remito a lo dicho en el *capítulo introductorio* de este libro en torno a las insuficiencias teóricas de la aplicación del modelo clásico, cerrado y apriorístico, sobre la naturaleza de los géneros cinematográficos.

[9] En sentido parecido lo ha intentado, también con respecto al melodrama: MARZAL, José Javier: *Melodrama y géneros cinematográficos. Reconocimiento, identidad y diferencia*. Valencia: Ediciones Episteme, 1996.

Reconociendo desde el principio que se trata de una categoría evanescente y poco dada a conceptualizaciones cerradas por su capacidad para adoptar múltiples formas, Sánchez Noriega ha definido el *drama* (y, por tanto, también en gran medida el *melodrama* en tanto que la especie más importante cuantitativa y cualitativamente de drama) como un *género canónico* que se caracteriza por "...abordar conflictos personales y sociales con un talante y una resolución realistas"[10]. Tal laxitud en la definición lo hace un concepto extraordinariamente abierto, hasta el punto de que, más que de género cinematográfico propiamente dicho, haya que considerarlo un modo narrativo, una forma general de aproximación narrativa de múltiples dimensiones[11]

a temas como los sentimientos, el amor, el dolor, la muerte, la enfermedad, etc..., caracterizada por una especial implicación emocional y apasionada del narrador con el propósito de provocar ante todo en el espectador un acentuado efecto emotivo, incluso lacrimógeno.

Si se toma en consideración la relación entre drama y melodrama, ambas categorías vienen a ser en general, como hemos dicho, prácticamente lo mismo; de hecho, etimológicamente *melodrama* (de la conjunción de los términos helenos μέλος y δράμα) es un tipo específico de —dice el Diccionario de la Real Academia Española de la Lengua— "...drama que se representaba acompañado de música instrumental en algunos de sus pasajes". Más en concreto, el melodrama es una clase de drama con una

---

[10] SÁNCHEZ NORIEGA, José Luis: *Historia del Cine. Teoría y géneros cinematográficos, fotografía y televisión*. Madrid: Alianza Editorial, 2002, p. 138.

[11] Así, para referirse a lo que aquí denominamos como *lo melodramático*, se han empleado diversas expresiones como por ejemplo *visión trágica* (Lucien Godmann), *imaginación melodramática* (Peter Brook), etc...; y términos como *actitud, experiencia, inspiración, situación, espíritu*, etc... *melodramáticos*. Por otra parte, el término *melodrama* no ha sido utilizado con el mismo significado a lo largo de la Historia del cine: se ha empleado como sinónimo de las llamadas *woman´s pictures* (películas protagonizadas por una mujer que lucha, se sacrifica y sufre por algo o alguien), de los *melodramas familiares*, de los *melodramas de época*, etc..., y se ha aplicado a muy distintos tipos de películas dependiendo de la época y del lugar geográfico a que nos refiramos (Un panorama descriptivo de esta problemática se encuentra en: ALTMAN, Rick: *Los géneros cinematográficos*. Trad. de C. Roche Suárez. Barcelona: Paidós, 2000, pp. 105 y sigs.).

intriga inverosímil y estereotipada, incluso previsible, con el que se pretende provocar, un efecto acentuadamente exacerbante de las emociones y de los sentimientos del público, a través de una dialéctica narrativa basada en la acción y el *pathos*, en aras de un sentimentalismo hipertrofiado. Si se quiere, el melodrama vendría a representar sociológicamente la versión más populista del drama, la cual, a base de cultivarse profusamente en la pantalla, se ha erigido en una exitosa forma particular, específica, temática y estilísticamente, de aquél.

En general, son típicas de los melodramas estrategias argumentales, narrativas y estilísticas tales como:

a) La concurrencia de fuerzas (sobrenaturales, naturales, sociales,...) que trascienden los sentimientos y acciones de los personajes, y los determinan narrativamente. El destino, la fatalidad, el azar, etc.... son, a menudo, elementos esenciales de la acción y del perfil dramático de los protagonistas.

b) El carácter marcadamente tipificado de los personajes. Debido a la preponderancia del estereotipo folletinesco, los personajes responden a tipos muy rígidos que los hacen, *prima facie*, fácilmente reconocibles por el público con el fin de propiciar su identificación y empatía rápidas. Son habituales personajes patéticos como la mujer (frecuentemente madre) víctima de un amor fracasado o de circunstancias sociales adversas, que sufre y que se sacrifica por una causa sentimental, el hijo ilegítimo, el personaje rechazado socialmente que, a pesar de todo, se empeña en ir contracorriente, etc...

c) La exageración del *patetismo* en la concepción y construcción dramática de los personajes. Se pretende, ante todo, representar el sentimiento, generalmente en lo que éste tiene de sufriente, aunque también tienen cabida, a veces, la felicidad y el goce pleno. Es muy común el tema del deseo (de poder, erótico, etc...) que choca con las circunstancias personales y sociales del individuo en cuestión; el motivo de la culpa y la posterior redención de los personajes a través del sentimiento, la renuncia y el sacrificio, a causa de algún acto que cometieron y que les marca toda su vida: por ejemplo, el tema del secreto en el sentido de que alguien sabe algo que no desvela —filiación, identidad real, doble vida, etc...— por motivos poderosos, y que, si lo sacase a la luz, destruiría la base del drama), el procedimiento dramatúrgico de la identidad consistente en un vínculo de parentesco cuya existencia se ignora por los personajes y que, de repente, se descubre, un amor no correspondido que se mantiene en secreto, el dolor y la soledad irreparables por una pérdida, etc...

d) Las relaciones humanas tormentosas, generalmente en un contexto social explícita o implícitamente burgués.

e) Un cierto *irrealismo* de la historia derivado de una estructura narrativa basada en continuos golpes de efecto y giros súbitos en la narración, con el propósito de ir directamente al núcleo pasional del personaje y del espectador. Este irrealismo en lo que respecta al planteamiento, desarrollo y desenlace de las historias narradas se presenta en el melodrama, empero, con una vocación radicalmente realista, de manera que resulten verosímiles, creíbles para el espectador.

f) Un punto de vista acusadamente moralista con respecto a la historia y los personajes, basado en una permanente confrontación entre el bien y el mal.

g) Una potente visualización de los conflictos dramáticos y una frecuente estructura circular en la narración.

En definitiva, en acertadas y concluyentes palabras de C. Viviani, "...es en el difícil equilibrio entre una forma de complejidad barroca y un contenido de desarmante simplicidad donde el melodrama encuentra su éxito"[12].

Originariamente, el melodrama era un espectáculo teatral en el cual se alternaban los pasajes

---

[12] VIVIANI, Christian: "¿Quién está libre de pecado? (El melodrama maternal en el cine americano de los años 1930-1939)", en CIOMPI, Valeria; MARÍAS, Miguel (eds.), *op.cit.*, p. 129. Publicado originalmente en: ROELENS, Maurice (coord.): "Pour une histoire du mélodrame au cinema", *op. cit.*

dialogados con los musicales. Durante la segunda mitad del siglo XVIII comenzó a perfilarse un nuevo género teatral intermedio entre la tragedia y la comedia, distinto a la barroca *tragicomedia*, denominado *genre larmoyant* (*género lacrimógeno*) por parte de sus detractores (los conservadores) y *drame* por sus partidarios (Beaumarchais, Diderot, Mercier, etc...). Fue en 1770 cuando Jean-Jacques Rousseau emplea por vez primera el término *melodrame*, como sinónimo del italiano *opera*, para designar su obra *Pygmalion*. Como género popular y teatral, surge, en concreto, bajo la Revolución Francesa, con la obra de autores como Pixérécourt (vid., por ejemplo, sus obras: *Coelina ou l'Enfant du mystère* —1800—, y *Le Chien de Montargis ou la Fôret de Bondy* —1814—) y, más tarde, D´Ennery (*Don César de Bazan* —1844— y *Les Deux Orphelines* —1874—). El melodrama nacía como una forma de expresión artística que ejemplificaba, en el ámbito de la poética literaria, la reacción burguesa revolucionaria frente al antiguo orden aristocrático.

Más tarde, el término *melodrama* amplió su campo semántico, pasando de aplicarse a obras donde la música jugaba un papel más o menos central a otro tipo de representaciones caracterizadas por su efectismo dramático, como las obras teatrales románticas o las de terror, escenificadas por los autores del *Teatro del Grand Guignol*. En el siglo XIX será el género novelístico y teatral más extendido, comprensivo de los tópicos clásicos de la literatura popular, desde el folletín hasta la *novela rosa*, pasando por la gran novela naturalista de autores como Balzac, Hugo, las hermanas Brontë, Dickens, Zola, Galdós o Tolstoi. Desde aquí, se convertiría en uno de los referentes más importantes para los posteriores géneros cinematográficos. El melodrama se revela, así, como una de las mejores formas de la literatura para describir la sociedad burguesa decimonónica.

La conjunción de estas dos tendencias (la gran literatura y la literatura popular) motivó que el cine, sobre todo durante sus primeros años y a lo largo de prácticamente toda su época silente, se nutriese en sus historias de esta tradición decimonónica, llevándose a cabo por parte de los primeros cineastas gran cantidad de adaptaciones de este tipo de novelas y obras de teatro. Como indica T.S. Eliot en 1927, el melodrama cinematográfico vendría a ser, en el siglo XX, el

Derecho y Cine. El Derecho visto por los géneros cinematográficos

equivalente al melodrama teatral durante el siglo XIX[13].

Estas versiones cinematográficas de los clásicos tuvieron mucho éxito entre los espectadores y se sucedieron una tras otra[14]. Fueron David Wark Griffith y Cecil B. De Mille quienes cultivaron por vez primera el género en los Estados Unidos de América con un cierto rigor, mientras que en Europa tuvo su origen en las películas del prolífico Louis Feuillade en Francia, en los dramas trágicos de Stiller y Sjöstrom en Suecia, y en las *canzoni sincronizzate* italianas, canciones populares napolitanas que contaban la historia de una mujer *pecadora*, y que fueron llevadas a la pantalla por los primeros cineastas italianos.

El melodrama adopta múltiples versiones dependiendo del ámbito geográfico y cultural en que se cultiva; así por ejemplo, el *masala film* hindú, donde se combina el melodrama y el musical; el *merodorama* japonés, caracterizado por historias sentimentalistas con un final infeliz; o el melodrama mexicano de la década de los cuarenta, en el cual el personaje protagonista es generalmente una mujer de tormentosa vida amorosa, y que sería germen de lo que años más tarde serían las telenovelas latinoamericanas.

Como he dicho, teniendo en cuenta la amplitud y complejidad del melodrama como categoría genérica, y los concretos condicionantes de tiempo y espacio impuestos por el carácter forzosamente limitado del presente trabajo, se impone una consideración meramente sumaria del tratamiento del fenómeno jurídico en el melodrama. Se consideran, pues, las películas más significativas al respecto, atendiendo a los principales y más próximos ámbitos fílmicos a nuestro espacio cinematográfico y cultural. Se trata de una aproximación muy superficial que a lo máximo que puede aspirar es a arrojar alguna luz sobre este panorama tan com-

---

[13]   Cit. por BOURGET, J-L., *op. cit.*, p. 11.

[14]   Así por ejemplo, de *Ana Karenina*, de Tolstoi, se produjeron nueve versiones mudas: dos en Rusia (1910 y 1914), dos en Alemania (1910 y 1919), una en Francia (1911), dos en Estados Unidos (1915 y 1927), una en Italia (1917) y una en Hungría (1920); y de *La dama de las camelias*, de Alejandro Dumas, tuvieron lugar numerosas adaptaciones: una en Dinamarca (1907), tres en Italia (1909 y dos en 1915), una en Francia (1912), una en Alemania (1917), una en Suecia (1925) y seis en Estados Unidos (1912, 1915, 1917, 1921, 1924 y 1927).

plejo, aspirando a ofrecer una pequeña muestra del tema a través de los más típicos y señeros *melodramas jurídicos* del cine occidental, y, en consecuencia, a constituir una primera toma en consideración de las relaciones entre el Derecho y el Cine a través del género melodramático en el contexto de los estudios de *Derecho y Cine*, la cual pueda resultar útil a ulteriores investigaciones.

Desde un punto de vista metodológico, el trabajo se articula sobre varios criterios. Por una parte, como he indicado, la consideración de la producción fílmica melodramática en razón del ámbito cinematográfico occidental, en especial en los Estados Unidos de América, por su indiscutible importancia industrial y su papel determinante en la configuración del género, dejando en un segundo plano la producción europea, si bien deteniéndome muy sucintamente en la producción española. Las cinematografías latinoamericanas se dejan de lado por estimar que, por la impronta esencial del melodrama en la conformación de su personalidad fílmica, merecen un tratamiento de por sí tan profundo que, en el limitado marco de este estudio, resultaría inaceptablemente superficial. Por otra parte, se va a seguir un criterio histórico basado en la distinción convencional entre cine mudo y cine sonoro, y dentro de ella, desde la exposición temática, con arreglo a un procedimiento más o menos cronológico, de los filmes reseñados.

2. Sociedad, Poder y Derecho en el melodrama mudo

Durante sus primeros años de existencia, el cine era una diversión eminentemente popular, de manera que, como el resto de espectáculos dirigidos al gran público, participaba de los gustos generales de éste. Son la comedia y el melodrama los géneros predominantes, más acordes con las preferencias de los espectadores, si bien debe tenerse en cuenta que el *cine de género* es una categoría que aparece propiamente con la implantación del sonoro, en particular con la consolidación del llamado *sistema de estudios* durante la década de los treinta en el cine norteamericano. Durante el período silente, había un menor número de géneros (no existían, por razones obvias, la comedia musical, el negro, etc...) y estaban menos delimitados entre sí (salvo, quizás, el western).

El registro melodramático constituía uno de los modos predilectos de narración y representación de una gran masa de espectadores que buscaban la distracción fácil y la empatía plena y directa con el mundo de sentimientos que se les ofrecía en la pantalla cinematográfica.

Me interesa destacar, a los efectos del presente estudio, en el ámbito del cine estadounidense, la producción de David Wark

Griffith, y algunas películas concretas de Charles Chaplin, Frank Borzage y King Vidor, y en del cine europeo a Carl Theodor Dreyer y Abel Gance. En España no hay melodramas jurídicos mudos, puesto que prácticamente no existe industria cinematográfica y la poca producción que se realiza no tiene a lo jurídico como elemento importante[15]; no obstante es de destacar por su interés histórico el filme de Florián Rey, *La aldea maldita* (1929).

1.1. Nacimiento del melodrama cinematográfico (y jurídico): el cine de David Wark Griffith

David Wark Griffith está considerado como el gran forjador del relato cinematográfico maduro, como el padre del cine como medio de expresión y transmisión de ideas. Con anterioridad a su famosísima *El nacimiento de una nación* (*The Birth of a Nation*, 1915), monu-

mental filme (considerado la primera gran película de ficción de la historia) sobre la Guerra de Secesión contada desde el enfrentamiento —en clave melodramática— entre dos familias (símbolo de la división social del país) y sobre el nacimiento del Ku-Klux Klan como reacción

---

[15] Como indica Emilio G. Romero, tanto el Derecho como las profesiones jurídicas aparecen muy aisladamente en el cine mudo español. Un ejemplo al respecto es *Víctima del odio* (José Buchs, 1921), donde se muestra un juicio, aunque el papel que éste cumple en la trama es muy accidental. Emilio G. Romero da noticias de un proyecto frustrado de adaptación de la obra teatral de José Zorrilla, *A buen juez, mejor testigo*, impulsado por el abogado bilbaíno Federico Deán Sánchez, y encomendado al cineasta Ricardo de Baños, que bien pudiera haber sido, de haberse llevado a cabo, la gran *película jurídica* del cine silente español (Vid. ROMERO, Emilio G.: *Otros abogados y otros juicios en el cine español*. Barcelona: Laertes, 2006, p. 19).

frente a la amenaza del *black power* (y, desde luego, interesante a los efectos del presente estudio por su recreación tan veraz de aquel suceso histórico y de los valores sociales, políticos y jurídicos entonces imperantes), Griffith realizó multitud de pequeñas películas donde comienza a esbozar los principios básicos de una incipiente gramática cinematográfica y aprende a explotar las posibilidades técnicas del medio.

Gran conocedor del melodrama teatral, prácticamente toda su obra importante se inscribe dentro del género melodramático. Un año después realiza *Intolerancia. Love´s Struggle Through the Ages* (*Intolerance. La lucha del amor a través de los tiempos*, David Wark Griffith, 1916), su gran obra maestra. La película pretende ser un auténtico tratado sobre la injusticia y la intolerancia a lo largo de la historia de la humanidad[16]. Cuenta, simultáneamente, cuatro relatos sobre la intolerancia en el mundo, los cuales transcurren en distintos períodos históricos y lugares: la invasión y caída de la antigua Babilonia bajo el ataque del rey persa Ciro alrededor del año 539 a. de C., la Palestina de los años en que predicó y fue crucificado Cristo, la masacre de los hugonotes ordenada por Catalina de Médicis, en la tristemente célebre *noche de San Bartolomé* (la del 23 de agosto de 1572) durante la Francia de las guerras de religión bajo el reinado de Carlos IX, y una ciudad del profundo Estados Unidos contemporánea a la filmación de la película[17]. El mensaje de la película se plantea desde la dialéctica, común a las cuatro historias, entre tolerancia e intolerancia, entre justicia e injusticia. El filme muestra, se dice al principio, "cómo el odio y la intolerancia han combatido siempre contra el amor y la caridad". El lado de la intolerancia está representado en todas ellas, bajo sus contextos histórico-culturales particulares, por la clase o casta social,

---

[16] Sobre las circunstancias en que se gestó y rodearon el rodaje del filme, vid. FEÁS COSTILLA, Luis: "Intolerancia. Arte y compromiso moral en el cine de David W. Griffith", en RIVAYA, Benjamín (Coord.): *Cine y pena de muerte. Diez análisis desde el derecho y la moral*. Valencia: Tirant lo Blanch, 2003, pp. 26-28.

[17] Ante el estrepitoso fracaso comercial que supuso la película, Griffith intentó paliarlo separando este episodio de los demás, bajo el título *La madre y la ley*. Ello facilitó su proyección en muchas salas, puesto que se recortaba sensiblemente la, por aquellos años, larguísima duración de la película completa.

Derecho y Cine. El Derecho visto por los géneros cinematográficos

81

institucional, de los moralistas: los sacerdotes que traicionan al rey babilonio; los judíos fariseos que promueven la crucifixión de Jesús; Catalina de Medicis y sus conspiradores, instigadores de la masacre de los hugonotes; y, por último, el grupo de *damas caritativas* de la pequeña ciudad norteamericana bajo la férula de la señora Jenkins. Por otra parte, el polo opuesto está personificado por personajes sencillos, víctimas propicias del poder injusto de la casta intolerante: la lozana y aguerrida *Hija de las montañas* en la historia de Babilonia, el propio Jesucristo, la dulce *Brown Eyes* en la Francia moderna, y el joven matrimonio víctima de la persecución de las moralistas y de la acusación de asesinato.

La más claramente melodramática de las cuatro historias (también la que tiene mayor desarrollo narrativo), es la contextualizada en los Estados Unidos. La pertenencia a la clase social trabajadora y el carácter de víctimas sociales de los protagonistas principales (vgr. la huelga de la fábrica en la que trabajan por la bajada de salarios para financiar las campañas de los mora-

listas, reprimida salvajemente, y que motiva su situación de desempleados); la chica sufrida y virtuosa que se sacrifica por el cuidado de su anciano padre; la historia de amor entre los dos jóvenes protagonistas, que redime social y moralmente al joven de su pasado delictivo; el fatalismo que acompaña a la vida de la pareja: el ingreso en la cárcel[18] y la acusación injusta de asesinato hacia el protagonista con la consiguiente condena a muerte, la sustracción del bebé de la pareja por parte de los moralistas[19] como consecuencia de un hecho fortuito, la amante despechada que causa el infortunio de los protagonistas, la febril combinación final de la acción más trepidante con el drama de un hombre que va a ser injustamente ejecutado por un crimen que no cometió, etc… así lo demuestra. Estamos, pues, ante un *melodrama familiar* con una fuerte carga de crítica social, hasta el punto de que plantea abiertamente varios temas clásicos de este tipo de melodramas: la lucha de los protagonistas contra un medio social hostil, la práctica imposibilidad de reinserción de los antiguos delincuentes bajo estas

---

[18] "La —a veces— casa de la intolerancia", dice uno de los intertítulos del filme.

[19] "Investigan niño-padre criminal", dice otro de los intertítulos.

condiciones, etc... En este sentido, *Intolerancia* constituye, en gran medida, el punto de partida del melodrama social de la década de los treinta en el cine norteamericano —la *trilogía social* de Fritz Lang, etc...—. Igualmente, en esta historia se presentan temas jurídicos concretos de gran interés; por ejemplo, el problema del poder como medio de imposición de las leyes[20,] el de la pena de muerte en relación con una condena debida a un error judicial, el de las condiciones de legitimidad para la privación de la patria potestad, etc...

Estamos, pues, ante una de las primeras películas de la historia del cinematógrafo que tienen como eje temático central el problema fundamental del Derecho: la naturaleza de la justicia y de los valores jurídicos en general, como problema constante durante toda la historia de la humanidad[21].

1.2. Hitos del melodrama jurídico mudo norteamericano: Charles Chaplin, Frank Borzage, King Vidor

Intentar ocuparse con ánimo de exhaustividad del melodrama mudo de temática socio-jurídica es una empresa condenada de antemano al fracaso en un espacio tan limitado como el del presente trabajo. Por lo tanto, es más realista otorgar prioridad a los ejemplos indiscutiblemente claros. A mi juicio, son Charles Chaplin, Frank Borzage y King Vidor los más indicados.

La primera gran película de Charles Chaplin, *El chico* (*The Kid*, 1921) constituye una señera muestra de conjunción de los dos grandes géneros del cine mudo, y por ello es una de las más hermosas y sugestivas películas de la historia del cine. La

---

[20] Sobre este aspecto se sustenta todo el programa reformista de los moralistas: la prohibición de la prostitución, del consumo de bebidas alcohólicas, etc...

[21] La película es tan intencionadamente jurídica que representa, en la historia de Babilonia, al primer tribunal de la historia de la humanidad y alude expresamente al Código de Hammurabi, del que dice en un rótulo: "pretende proteger al débil frente al fuerte". Asimismo, por su espíritu liberal-cristiano, identifica abiertamente la justicia y la tolerancia con la doctrina cristiana: esta es la función narrativa que cumple la historia de Cristo en el filme.

narración comienza presentando a una mujer que tiene un hijo extramatrimonial que es abandonada por el padre de la criatura. Agobiada por ello, decide dejarlo a su suerte, y tras diversas peripecias, cae en manos de Charlot, un personaje que vive en condiciones infrahumanas en un barrio marginal de la ciudad. Éste se hace cargo del niño (Jackie Coogan) y lo cría. Pasan los años y el chico crece en compañía de su *padre adoptivo*, sobreviviendo como pícaros bajo unas duras condiciones materiales de vida, hasta que, en un momento dado en que el chico enferma, el médico que lo atiende, pone en conocimiento de la autoridad los hechos cuando se entera de que Charlot no es su padre natural. Los responsables del orfanato van a por el niño y, tras diversos episodios en los que los dos personajes los esquivan y se refugian en albergues para vagabundos, uno de los dueños de estos centros lo denuncia a cambio de una recompensa que ha ofrecido la madre (la cual, mientras tanto, ha mejorado su fortuna y su posición social considerablemente) a quien le dé pistas sobre su hijo. El niño es así localizado y entregado a la policía y a su madre.

A pesar de los elementos cómicos que, inevitablemente, caracterizan a las películas de Charlot, *El chico* es un melodrama típico. Así por ejemplo, el motivo de la mujer sola que tiene un hijo ilegítimo, al que tiene que abandonar a su pesar, empujada por sus circunstancias personales y sociales (la típicamente melodramática *madre sufriente*); la adscripción a la clase burguesa de esta mujer; su fulgurante ascensión profesional y social que, de alguna manera, le permite redimirse de su *culpa*; el recurso del error inicial en torno a las identidades de los personajes que, con el paso del tiempo, acaba desvelándose, como motor fundamental del desarrollo narrativo y dramático de la historia; el papel central del destino y del azar como elementos importancia dramática central; el carácter sentimentalista y lacrimógeno de la película, etc..., son algunos de sus ingredientes inequívocamente melodramáticos. En la película de Chaplin, estos elementos juegan además un papel muy significativo en la consideración del melodrama como *género social*, puesto que el filme denuncia permanentemente las profundas diferencias sociales entre la clase burguesa y la clase proletaria (más en concreto, los sectores socialmente más marginados), actuando aquí como un elemento crítico de gran presencia. La hipocresía social de las clases económicamente pudientes es, en el fondo, la causa principal de todo lo que nos cuenta la película. En este sentido, *El chico* no disimula su inspiración dickensiana, tan característica de la inmensa mayoría de las películas del cineasta.

En consonancia con el resto de la filmografía de Chaplin, la figura de la autoridad pública, representada casi siempre por la policía, aparece en *El chico* con una connotación negativa, como una entidad represora de la libertad y la espontaneidad naturales del sujeto. Ciertamente, ello se explica por las especiales características que reviste el personaje de Charlot, cuya condición de vagabundo, su individualismo y su desafección social le hacen ser un personaje marginal, ajeno a las convenciones e instituciones sociales (no digamos ya jurídicas). En la película, intervienen además las autoridades responsables de la beneficencia y de la educación de los huérfanos y, desde luego, comparten con la policía su carácter represor y antipático[22:] se llevan al niño por la fuerza, incluso con violencia, a pesar de sus llantos, sus súplicas y la oposición de Charlot. El

Estado y, por ende, el Derecho, se nos presentan a priori como elementos limitadores, incluso castradores, de la libertad y la felicidad de los individuos.

Como indican B. Rivaya y P. de Cima[23], la película plantea también un tema de gran interés jurídico: la dialéctica entre lo establecido de manera general por el Derecho y las situaciones de hecho, en concreto a propósito de la institución de la adopción. El filme nos muestra una adopción de hecho (Charlot ejerce de *padre* del niño y, desde su peculiar *modus vivendi*, lo alimenta y lo educa) y plantea la tensión entre esta particular adopción, y lo que está social y jurídicamente establecido al respecto. En el fondo, se trata del clásico tema de las relaciones entre la realidad social y las instituciones jurídicas. En la película, la adopción de derecho se nos presenta como una construcción propia del derecho burgués, criticando en el fondo la eficacia y la finalidad presuntamente *benefactora* de esta institución en una realidad social que no se ajusta a los presupuestos y parámetros abstractos de la misma. En este

---

22   Como luego veremos, la película de Chaplin comparte esta perspectiva sobre las autoridades de beneficencia, con una tan lejana en el tiempo, y aparentemente tan distinta, como *Ladybird, ladybird* (Ken Loach, 1994).

23   RIVAYA, Benjamín; CIMA, Pablo de: *Derecho y Cine en 100 películas. Una guía básica*. Valencia: Tirant lo Blanch, 2004, pp. 124-125.

panorama (no podía ser de otra manera), Chaplin aboga, finalmente, por la autonomía individual del sujeto y su bienestar personal, por encima de lo que prescriben la sociedad y sus leyes. Sin embargo, el hermoso e inspiradísimo final de la película (la famosa secuencia en que el alborozado niño invita a Charlot a entrar en la lujosa mansión de su madre, y los vemos entrando y cerrándose la puerta ante los títulos de crédito finales[24]) deja abierta la posibilidad de integración, de encuentro, entre estos dos mundos claramente contrapuestos a lo largo de todo el metraje.

El séptimo cielo (*Seventh Heaven*, Frank Borzage, 1927)[25] es la obra maestra del gran Frank Borzage y uno de los melodramas más característicos del cine norteamericano de los últimos años del cine mudo. La película se sitúa en un París de intensas resonancias dickensianas, y cuenta la romántica historia de amor entre un sencillo y vehemente muchacho que trabaja como limpiador de alcantarillas (Charles Farell), y una joven raterilla huérfana (Janet Gaynor) que malvive con su hermana prostituta y alcohólica. La pareja habrá de enfrentarse a la sórdida realidad que les rodea y a la separación física a que les obliga el reclutamiento de él para participar en la guerra y su supuesta muerte. Una vez más aparece en esta película uno de los motivos más característicos del tipo de melodramas mudos más relevantes a los efectos de este estudio: su carácter de género *social* donde se confrontan, como telón de fondo y con cierta vocación crítica, el rutilante mundo de los burgueses y el mísero mundo de los desheredados. Por otra parte, el filme presenta también la terrible crueldad que acompaña a las guerras (la ausencia del Derecho) y sus consecuencias dramáticas para la gente corriente.

En esta desaforada historia de *amour fou*, de amor en su expresión más literalmente *absoluta*, no es de extrañar el tratamiento totalmente mediado por este sentimiento de que son objeto las instituciones sociales y jurídicas, las cuales quedan despo-

---

[24] Esta secuencia es, treinta y cinco años antes, un precedente claro de la mítica secuencia final de *Centauros del desierto* (*The Searchers*, John Ford, 1956).

[25] De esta película se han hecho versiones posteriores. Henry King dirigió en 1937 un *remake* considerablemente más flojo que el filme de Borzage. Curiosamente fue en China y Japón donde obtuvo un gran éxito y, por ello, se hicieron varios *remakes*.

jadas de su naturaleza objetiva, para presentarse bajo los patrones subjetivos de los personajes pasando a convertirse así en meros referentes cuasi-nominales de las psiques y los sentimientos de aquéllos. Resulta significativa, a modo de ejemplo, una curiosa escena de la película: la del *matrimonio* entre los dos protagonistas, donde sin mediación de instancia terrenal alguna (sacerdote, juez, etc...) la pareja se autoproclama ante Dios como marido y mujer justo antes de la partida del joven hacia el frente: "Monsieur Bon Dieu —exclama Chico, el protagonista—, si hay algo de verdad en la idea que tenemos de ti, haz que este matrimonio sea auténtico". No existe institución humana (por supuesto, ni la Iglesia, ni la sociedad, ni el Derecho) que esté por encima del amor que se profesa la pareja, únicamente Dios.

Y el mundo marcha (*The Crowd*, King Vidor, 1928) es uno de los primeros melodramas sociológicos (casi *neorrealistas*) del cine sobre lo que ha venido en llamarse el *hombre de la calle*. Narra la vida de John Sims (James Murria), un norteamericano medio[26,] desde su nacimiento

hasta su madurez, centrándose sobre todo en esta última etapa: "A los veintiún años —reza un intertítulo del filme— es de esa clase de hombres que creen que todo el mundo depende de ellos". Empleado como oficinista en una gran empresa neoyorkina, el protagonista muestra un gran entusiasmo e ilusión por triunfar en la vida. Conoce entonces a una muchacha (Eleanor Boardman) con la que se casará después y que marcará el resto de sus días hasta el final del metraje: la rutina matrimonial, las dificultades económicas, los problemas conyugales por las asperezas en la convivencia, la cotidianidad doméstica, los hijos y la trágica muerte de uno de ellos, los problemas de desempleo, el abandono de su esposa y su posterior reconciliación con ella.

Esta hermosa y elegantísima película constituye una aguda reflexión en torno a las relaciones entre individuo y sociedad, entre el hombre y el medio en que ha de desenvolverse su existencia. La contraposición entre sujeto y sociedad late constantemente durante todo el filme. Ya desde el comienzo, lo deja

---

[26] King Vidor califica al protagonista en su autobiografía con el ilustrativo apodo de *Señor Cualquiera* (VIDOR, King: *Un árbol es un árbol. Una autobiografía*. Trad. de F. López Martín. Barcelona: Paidós, 2003, p. 144).

claro: una muchedumbre (eso es lo que significa en castellano el título original de la película: *the crowd*) entra y sale del gran edificio de oficinas donde trabaja el protagonista y en un movimiento ascendente de cámara se va mostrando un espacio dividido por decenas de ventanas dando la idea de las dimensiones del bloque, hasta que se detiene en un piso y se acerca a una ventana donde se puede distinguir a una multitud de escritorios y empleados. La cámara penetra y se para frente a uno de ellos, el protagonista, enseñándonos su monótona tarea. En todo caso, la sociedad, en *Y el mundo marcha...*, aparece ya como *masa*, como *hombre-masa*, tal y como proclamaba Ortega, como lugar de la despersonalización, la mediocridad y la indiferencia personal, y no como lugar más o menos idílico y necesario para el desarrollo individual, que es como lo siente inicialmente el protagonista. Esta dialéctica entre individualismo y comunitarismo se resuelve finalmente de manera aparentemente tranquilizadora, aunque no exenta de escepticismo, amargura y cierta dosis de crueldad: al individuo medio no le queda otra salida que su anónima confusión en la masa con sus semejantes. El optimismo antropológico liberal, propio del *american way of life*, no es más que una fábula sedante para el sujeto que habita las grandes ciudades norteamericanas del siglo XX.

En este planteamiento tiene un enorme peso una de las instituciones sociales y jurídicas fundamentales: el matrimonio. Vidor muestra con tal verismo y con tal poder de convicción la vida conyugal de los protagonistas que la película representa un rico sutilísimo análisis en torno a esta institución en su práctica bajo las variables condiciones existenciales que les rodean.

1.3. El *melo-epic* europeo: Abel Gance y Carl Theodor Dreyer

En Europa, especialmente en Francia y en Italia, se desarrolla un tipo de melodrama realista con una acusada tendencia social que pretende reflejar la vida en los barrios populares de las ciudades, los suburbios, las chabolas y los problemas de la clase obrera. En Francia son Jacques Feyder, Jean Epstein y Julien Duvivier los principales representantes de esta tendencia, mientras que en Italia es el llamado *cine napolitano* el que se ocupa, con gran verismo (muchas veces sus historias se basaban en hechos reales) de estos problemas desde un registro claramente melodramático[27].

Sin embargo, aquí me voy a detener, por su especial interés temático y por la indiscutible calidad de los filmes, en dos *biopics* melodramáticos claves en la historia del cine, que tratan sobre dos figuras de gran relevancia política: *Napoleón* (*Napoleon*, Abel Gance, 1927) y *La pasión de Juana de Arco* (*La passion de Jeanne d´Arc*, Carl Theodor Dreyer, 1928). Son buenos ejemplos de lo que podría denominarse como *melo-epic*, un *biopic* melodramático que narra la biografía de un gran personaje histórico.

Napoleón es una colosal película sobre el emperador francés que, desde un registro básicamente melodramático, pretende ensalzar históricamente su figura presentando su biografía desde su infancia hasta su muerte. Se nos presenta a un Napoleón Bonaparte (Albert Dieudonné) romántico y legendario, si bien con una intensa textura humana, como un personaje contradictorio y atípico, reflejado todo ello a través de su simbolismo político; un hombre sometido constantemente a la dialéctica entre el idealismo de los principios revolucionarios que inspiran su programa político y la praxis de una tozuda realidad que se resiste a someterse a aquéllos; en conclusión, entre el individuo y el jefe de Estado. Ahí surge el carisma epopéyico del personaje, en el momento en que, en esta tesitura, se ve obligado a realizar los principios revolucionarios actuando como su garante y su límite, poniendo de manifiesto la complejidad que supone el gobierno práctico de los abstractos principios político-jurídicos. Melodrama y épica quedan entrelazados en una fórmula en la que el primero actúa como resorte, como *plot* narrativo y dramático de la segunda para, juntos, apelar al *pathos* popular.

La pasión de Juana de Arco, obra maestra absoluta de la cinematografía mundial filmada por uno de los más grandes cineastas de la historia, es un intenso melodrama histórico y judicial en torno al proceso a Juana de Arco a finales de mayo de 1431 en la ciudad de Rouen durante la ocupación inglesa. Basándose en los documentos

---

[27] Ejemplos al respecto son: *Sperduti nel buio* (Nino Martoglio, 1915), filme perdido durante la Segunda Guerra Mundial, y *Assunta Spina* (Gustavo Serena, 1915).

originales del proceso, y lejos de la iconografía grandilocuente que ha acompañado tradicionalmente a la protagonista en la épica nacional francesa, Dreyer narra pormenorizadamente el juicio por blasfemia (Juana era una joven campesina que se tenía por una enviada de Dios) y por vestir como un varón, a que fue sometida la mártir (Marie Falconetti) por parte de un tribunal de teólogos y juristas. Discurren ante nuestros ojos las preguntas (la mayor parte de ellas capciosas) de los miembros del tribunal y las angustiadas, sencillas pero firmes respuestas de la muchacha, que se resiste a reconocer la imputación que se le atribuye, a pesar de todas las argucias, engaños e incluso torturas físicas que ha de padecer. Finalmente es condenada a la hoguera y ejecutada en la plaza pública de la ciudad provocando la indignación y la revuelta del pueblo, reprimida con gran violencia por el ejército inglés. El terrible tormento que hubo de soportar Juana es retratado por Dreyer con enorme belleza y eficacia, combinando abstracción y realismo, induciendo así al espectador a reflexionar sobre la intolerancia religiosa y política,

la injusticia, la opresión y el poder. La película tiene, además, un valor histórico-jurídico incuestionable: aparte del extraordinario rigor histórico en la recreación del proceso, constituye un espléndido documento fílmico para ilustrar el ideario y los procedimientos propios del proceso penal del siglo XV, el cual era considerado, más que como un medio de garantía de los derechos del reo, como un modo de *legitimar* su culpabilidad, ya presupuesta desde el inicio del procedimiento. En este sentido, el filme de Dreyer ilustra con gran rigor cómo era el Derecho penal y el Derecho procesal de entonces en contraposición con el actual, de ascendencia moderna e ilustrada[28].

Como he dicho más arriba, el cine silente español es prácticamente inexistente, y el poco que hay bastante irrelevante. Una de las primeras grandes películas del cine mudo español es *La aldea maldita* (Florián Rey, 1929). El filme muestra con gran precisión la lamentable situación de los campesinos castellanos en los pueblos que se ven obligados a dejar sus tierras huyendo del hambre y la miseria, como trasfondo de una historia conyugal

---

[28]   Un análisis detallado del filme puede encontrarse en mi libro: *Carl Theodor Dreyer*. Madrid: Fundamentos, 1997, pp. 117-131.

de ecos decimonónicos. En 1942 el mismo director realizó una nueva versión de la película con prácticamente el mismo argumento y personajes y, por lo tanto, me remito al comentario que más adelante allí se ofrece sobre su temática jurídica.

2. Sociedad, Poder y Derecho en el melodrama sonoro

Con el advenimiento del sonido se produce, como dije antes, la irrupción de la categoría del *cine de género*. Fue, sobre todo, el desarrollo de un sistema de producción dirigido hacia la abundancia y, consecuentemente, estandarización de los productos (el *sistema de los Estudios*) la causa de esto. De hecho, es a partir de la crisis del sistema de los Estudios, durante la década de los cincuenta, cuando acontece simultáneamente el hibridismo genérico y la degradación de los géneros. Esto no quiere decir, como hemos visto, que durante el período silente no pueda hablarse de géneros cinematográficos; lo que sí es cierto, sin embargo, es que la mayor cantidad y variedad de posibilidades expresivas que permite el sonido repercute, funcionalmente, en una mayor diversificación y variedad de productos, y por lo tanto, de clasificaciones tipificadoras de esos productos (en parte eso es un género, un criterio de ordenación del material cinematográfico) que permitan hacerlos más fácilmente inteligibles y manejables. Este apogeo del cine de género se mantendrá hasta la década de los sesenta, momento en que entra en crisis, aparte de por la propia decadencia del *sistema de los Estudios*, por la irrupción del *cine de autor*, modelo reivindicador de la libertad creadora del cineasta por encima de cualquier corsé de ningún tipo. En concreto, el melodrama se verá relegado al ámbito del medio televisivo, lugar por excelencia del *espectador-masa* y, a partir de entonces, será objeto de constante hibridación con otros géneros.

Especial importancia reviste también un hecho determinante en el modo de entender los géneros y en su decurso histórico en el cine estadounidense: la aprobación en 1930 de un código de producción (el *Código Hays*) por parte de la Motion Picture Producers and Distributors of America (MPPDA) que ejercía de autocensura en los grandes Estudios a la hora de realizar películas en el sentido de que no debían contravenir la moral ni las leyes. Se establecía así una serie de prohibiciones de obligatoria observancia para los cineastas que condicionaron en gran medida la cosmovisión de cada género en particular y, desde luego, también del melodrama[29].

2.1. Sociología política y jurídica melodramática

Venimos diciendo que el melodrama es, entre otras cosas, *cine social*; por tanto, un tipo de cine que tiene a lo social como un elemento fundamental en su temática e, indirectamente, en su poética. Antes de entrar a analizar los temas tópicos que suelen abordarse en los estudios de *Derecho y Cine* (los juicios, las instituciones jurídicas, las profesiones jurídicas, etc...) de manera concreta, conviene detenerse, como presupuesto de análisis, en la naturaleza y los caracteres que son propios del universo sociológico y moral del género en sus principales modalidades, a través de la consideración de algunas de sus más significativas películas.

Adiós a las armas (*A Farewell to Arms,* Frank Borzage, 1932),

basada en la novela homónima de Ernest Hemingway, narra la historia de un soldado (Gary Cooper) que deserta del frente en el norte de Italia durante la Primera Guerra Mundial, porque quiere encontrarse con su amada (Helen Hayes), una enfermera inglesa de la Cruz Roja que está de servicio en la zona. Se trata de un melodrama romántico que se articula sobre la contraposición permanente entre guerra y amor: la primera como símbolo de la degeneración en el ámbito humano, en el plano de lo contingente; el segundo como expresión de lo eterno, de lo absoluto y lo sobrenatural, de lo cuasi-divino. El protagonista comete un delito (la deserción del frente) movido por este amor, de

---

[29] Sus principios generales eran los siguientes: "1. No se debe producir una película que pretenda rebajar los cánones morales de quienes la ven. De ahí que las simpatías de la audiencia nunca deban estar del lado del crimen, el delito, el mal o el pecado. 2. Deben presentarse unas formas de vida correctas, sujetas sólo a los requisitos del drama y el entretenimiento. 3. La ley, natural o humana, no debe ser ridiculizada, ni se debe crear simpatía por su violación" (Reproducido en: VV.AA.: *Historia general del Cine.* Vol. VIII: "Estados Unidos (1932-1955)". Madrid: Cátedra, 1996, pp. 188-189).

manera que el código de honor propio de su condición militar, la normatividad jurídica y las instituciones quedan supeditadas a esta pasión absoluta. El amor se presenta así como algo sublime, que está por encima de todo lo terrenal, un rasgo muy característico de ciertos amores melodramáticos.

Uno de los filmes más famosos de la historia de la cine, *Lo que el viento se llevó* (*Gone with the Wind*, Victor Fleming, 1939) constituye también un buen ejemplo de este tipo de melodrama romántico, aun cuando la historia de amor de los protagonistas carezca de las dimensiones borzagianas de la película anterior. Basada en la célebre novela homónima de Margaret Mitchell, narra la historia de Scarlett O'Hara (Vivien Leigh) una joven sureña y rica que está enamorada de Ashley Wilkes (Leslie Howard), comprometido, a su vez, en matrimonio con su prima, Melanie Hamilton (Olivia de Havilland). Nos encontramos en los días previos al comienzo de la Guerra de Secesión norteamericana y los jóvenes sureños se muestran dispuestos para entrar en combate. No es el caso de Rhett Butler (Clark Gable), un hombre atractivo cuyo principal interés es su propio beneficio. Butler siente atracción por Scarlett, pero ella sigue enamorada de Ashley, que anuncia su compromiso con Melanie. Despechada, Scarlett acepta la propuesta de matrimonio de Charles (Rand Brooks), hermano de Melanie y persona a la que desprecia profundamente. Tras la guerra, Scarlett enviuda, deja su pueblo y se instala en Atlanta, donde Melanie espera noticias de Ashley. A lo largo de los años, el espectador asiste a la evolución vital de la protagonista, una lucha permanente por sobrevivir ella y su familia, empleando todo tipo de medios, y debatiéndose al mismo tiempo sobre cuáles son sus verdaderos sentimientos hacia Butler. La película es una rigurosa reconstrucción histórica del clima social existente durante aquellos convulsos años, incidiendo con gran detalle en las diferencias socio-económicas y jurídicas existentes entre el Norte y el Sur del país. La contraposición entre la rígida estructura social y los valores del Sur, más apegado a la tradición y a una concepción aristocrática de la sociedad, y las ideas representadas por el Norte, caldo de cultivo del constitucionalismo norteamericano y directamente deudoras del liberalismo, aparece con gran protagonismo en esta historia de amor imposible. Instituciones como la esclavitud, la expropiación de las propiedades de los grandes terratenientes sureños, el matrimonio, etc... determinan el devenir de la trama y condicionan decisivamente el modo de ser y las vidas de los protagonistas. *Lo que el viento se llevó* constituye un excelente ejemplo para confrontar estos dos órdenes sociopolíticos, y para entender, en concreto, un episodio histórico tan importante como la Guerra de Secesión.

Una institución social de gran peso en el cine melodramático es la familia. En torno a ella se ha filmado tal número de melodramas que casi se puede hablar de un subgénero: los melodramas de sagas familiares. Estas películas tienen como punto de partida la aparente estabilidad de la institución familiar en su concepción burguesa, pero que, en el fondo, no lo es tanto por sustentarse sobre bases muy débiles o utópicas, lo cual viene a ser un pretexto para realizar una crítica, más o menos velada, al universo burgués. Sus protagonistas suelen tener bastante poder en un ámbito local, generalmente provinciano o rural, los cuales actúan como microcosmos sociales con una moral oculta. Este entorno social hermético y conservador está dominado generalmente por el poder patriarcal del cabeza de familia frente a los hijos, a los que pre-

tende imponer su moral y su ideología sobre la estirpe, y frente a la mujer, a la que reprime y acaba anulando. Se relega a lo femenino a un papel pasivo, al espacio oculto de reclusión en el ámbito familiar (sus papeles tradicionales son los de hija, esposa y madre); mientras que lo masculino representa lo público y el referente del poder. Asistimos, por tanto, a una configuración de orden patriarcal, capitalista y burgués, basado en la institución de la propiedad privada y de la herencia como prolongación de ésta. Sin embargo, en muchos de estos filmes suele haber un personaje que quiebra este equilibrio introduciendo un tabú: la homosexualidad, el adulterio, el incesto, una relación prematrimonial femenina, etc..., que pone en jaque a toda la rígida estructura anterior y termina, en muchos casos, por destrozarla. Estos melodramas, muy abundantes durante los años cincuenta en el cine estadounidense, se contextualizan en un momento de crisis de la institución familiar tradicional burguesa en los Estados Unidos, a causa de la liberación social de la mujer, la cual empieza a acceder al mercado de trabajo, de la incipiente proliferación de familias unipersonales formadas sólo por mujeres, etc.... La familia, pues, como eje social en decadencia.

Por poner algunos ejemplos de este tipo de melodramas, pueden citarse: *Gigante* (*Giant*, George Stevens, 1956), una epopéyica historia de luchas entre dos familias, y de enfrentamientos internos entre los miembros de una de ellas, en el marco del negocio de la explotación petrolífera en un pueblo de Texas; *Escrito sobre el viento* (*Written on the wind*, Douglas Sirk, 1957), también ambientado en el sur de Estados Unidos en el ámbito de la industria petrolífera, que narra las turbulentas relaciones de los miembros de una familia encabezada por un magnate del petróleo; y *Con él llegó el escándalo* (*Home from the Hill*, Vincente Minnelli, 1960), la cual cuenta la historia de un hombre rico y muy poderoso en un pueblo de Texas, casado con una mujer que le rechaza en el ámbito doméstico por su carácter mujeriego, y que tiene un hijo, hiperprotegido por su madre, al que se empeñará en educar según su mentalidad machista y sus rudas costumbres a medida que se va haciendo adulto.

Esta manera de presentar a la familia burguesa norteamericana y de denunciar su crisis como institución social tiene su culminación, unos veinte años después, en la exitosa *Kramer contra Kramer* (*Kramer versus Kramer*, Robert Benton, 1979),

donde aparece ya declaradamente en decadencia. Un ejecutivo de publicidad (Dustin Hoffman) es abandonado por su mujer (Meryl Streep) y queda a cargo del hijo común. A partir de entonces, tiene que conquistar el afecto del niño, y hacer de padre y madre a la vez, en una relación que acaba conmoviendo a la mujer hasta el punto de cederle finalmente la tutela. He aquí la contrafigura de los anteriores melodramas familiares: el padre debe adoptar los atributos tradicionales propios de la madre, y la esposa es quien da el paso de abandonar al marido. En consecuencia, se nos presenta ahora un nuevo modelo de padre y madre, basado en la inversión de los roles de la familia burguesa típica norteamericana. Por otra parte, la película narra con gran detalle la historia del divorcio de esta pareja, reflexionando en torno a las consecuencias sociales, económicas y jurídicas (en especial en lo referente a instituciones del Derecho de familia como el matrimonio, la filiación, etc...) de ello derivadas. La desintegración de la familia burguesa ha llegado aquí ya a su término.

Una de las cumbres de la cinematografía europea moderna es *Europa 51* (Roberto Rossellini, 1952), melodrama neorrealista[30] ambientado en la Roma de la segunda posguerra mundial, que retrata fielmente las duras condiciones económicas y sociales del momento, orbitando también sobre la familia como institución, si bien, como he indicado, en el contexto europeo. Un rico matrimonio burgués estadounidense, que lleva en Roma una vida despreocupada, se tiene que enfrentar al suicidio inesperado de su hijo. La madre (Ingrid Bergman) queda hondamente traumatizada y con un fuerte sentimiento de culpa por no haberlo atendido más y mejor desde la infancia. Ello la lleva a intentar redimirse ayudando a la gente más necesitada en los barrios más humildes de la ciudad, lo cual causa una enorme inquietud en su familia y en la policía. La película es un típico melodrama burgués cuando se desarrolla en el ámbito de la familia de la protagonista, y un típico melodrama social cuando se centra en los ambientes marginales. El filme es un retrato social sustentado sobre una dialéctica permanente entre la clase social burguesa, y el proletariado y las clases marginales, de tal modo que, a través del personaje de la protagonista, la película oscila entre los dos mundos (totalmente separados entre sí). Muestra el mundo burgués, con sus usos y convenciones sociales; y con el realismo propio del cine italiano neorrealista de la época, muestra también los suburbios y los duros modos de vida del proletariado romano de entonces. Plantea, pues, los problemas de la carencia de derechos sociales del proletariado (frecuentes huelgas, desempleo, duras condiciones de trabajo en las fábricas, alienación de los trabajadores, etc...) y de la marginalidad social como nido de delincuencia ("¿Qué quieres ser de mayor?", pregunta la protagonista a un niño abandonado; "Delincuente", responde éste).

Ante esta dialéctica existen dos personajes que vinculan, cada uno a su manera, ambos mundos herméticos. Por una parte, el personaje de Andrea, periodista y típico intelectual de izquierdas, en alguna medida un esteta, primo de la protagonista, quien desde la privilegiada atalaya que le otorga su distancia intelectual frente a la realidad, la introduce en el mundo marginal del proletariado romano. No deja de ser un *comunista de salón* que habla

---

[30]   Más adelante hablo del neorrealismo como cine social, por lo que me remito allí para completar este comentario a la película de Rossellini.

permanentemente de crear *conciencia social* en el proletariado para provocar su movilización ante la injusta situación en que vive. Por otra parte, el personaje de Irene, la protagonista, es el puente que permite pasar de un mundo a otro durante toda la película, y que, tratando de dotar de sentido a su vida, adopta una postura religiosa cristiana, basada en la caridad entendida en sentido radical, ante el terrible mundo que se le presenta a sus ojos y que antes, encerrada en la burbuja de su arrogancia burguesa, ignoraba. Ante lo que ve, experimenta una especie de conversión mística que la lleva al más puro ascetismo, y que la convierte finalmente en un personaje marginal, tanto para el mundo burgués de su familia, como para el mundo proletario de los personajes que ha ayudado: es incapacitada jurídicamente por parte de su familia en un proceso por demencia.

La contraposición de ambos mundos, y la resolución adoptada al final, manifiestan que, según Rossellini, la ideología izquierdista y la acción obrera no son más que otros productos políticos coyunturales, que no vienen a resolver los auténticos problemas derivados de la ausencia de derechos sociales, puesto que se enfrentan a la situación desde el mismo plano, el de la normatividad social, aceptando, pues, en el fondo, las mismas reglas del juego. Parece ser el amor fraterno y la caridad religiosa las únicas maneras de afrontar la situación para el sujeto comprometido con cierta coherencia, si bien la propia estructura social lo acaba expulsando del sistema bajo la etiqueta de *loco*. Se postula, pues, una concepción de lo político, lo social y lo jurídico en la línea del cristianismo más radical, el cual separa tajantemente lo divino de lo humano, y considera que la sociedad y el Derecho no son más que construcciones que forman parte de los parámetros de lo temporal, sin la autenticidad del mundo sobrenatural, el verdadero mundo de amor sin límites, propio de lo divino.

Desde el punto de vista jurídico, como he dicho, aparece un proceso de incapacitación por locura promovido por la familia de la protagonista en la que el juez decreta su internamiento en un sanatorio mental ("Debemos defender la normalidad, con sus leyes y reglas", dice el juez en un momento dado). El matrimonio no se disuelve para que el divorcio no cause escándalo, ya que el marido es un importante directivo de una multinacional norteamericana en Italia. El anterior proceso de incapacitación se debe a que la protagonista ha ayudado a huir a un niño proletario que ha cometido un crimen en un atraco ("¡Recapacita!", le dice al huir) y se la acusa de complicidad.

Otro tema sociológico de gran importancia en el melodrama es el de las relaciones y confrontación entre el típico perfil psicológico de burgués o burguesa y el medio social en que vive. El modo en que se producen y el tipo de conflictos individuales y sociales que ello origina, son fuente de muchos melodramas. Aquí voy a destacar *Sólo el cielo lo sabe* (*All that Heaven allows*, Douglas Sirk, 1955), uno de los más estilizados melodramas estadounidenses de la década de los cincuenta. Cuenta la historia de Cary Scott (Jane Wyman), una burguesa, viuda y madura, que vive en una pequeña ciudad de los Estados Unidos, y que trata de paliar su tedio vital con el ritual de tomar el té todas las tardes con sus amigas. En uno de estos encuentros fallidos, traba conversación con su joven y apuesto jardinero, Ron Kirby (Rock Hudson), sobre las plantas y las flores de su jardín. A éste le sucederán varios encuentros en los que la inicial amistad va deviniendo amor recíproco. Sin embargo, los hijos de Cary, la presión social y sus prejuicios sobre la diferencia de edad acabarán impidiendo el desarrollo

de la relación. Un grave accidente de Kirby motivará que la protagonista recapacite y decida romper con todo y lanzarse a vivir su amor con su amado. El conflicto vital en que vive Cary es expresión de la contraposición constante entre el mundo cerrado y mezquino de la rancia burguesía y la vida abierta e inocente encarnada por la bonhomía de Ron. Vive en una angustiosa tensión entre el mundo urbano, burgués, formalista y civilizado —el lugar de la normatividad social, moral y jurídica—, sentido como decadente (de alguna manera el *infierno en la Tierra*) y el mundo rural, materialista, en armonía con la naturaleza y *salvaje*, percibido como idílico (el *paraíso en la Tierra*), representado por su amado. La protagonista ha de luchar contra los obstáculos que le vienen impuestos a su libertad por los prejuicios familiares y sociales en torno a la diferencia de edad, la clase social inferior del joven, el hecho de contraer un segundo matrimonio por parte de una viuda, la hipocresía moral de la comunidad, etc... En realidad, el amor hacia su jardinero le ha hecho desdoblarse, abrirse, cruzar el umbral entre la oscuridad burguesa y la luminosidad rural para encontrar así el auténtico sentido de su existencia en un final prácticamente salvífico.

El sutil y elegante filme de Sirk constituye un espléndido retrato psicológico de uno de los personajes melodramáticos por excelencia, la dama burguesa norteamericana, y uno de los productos más indicados para conocer y reflexionar sobre el universo sociológico del melodrama clásico.

Rainer Werner Fassbinder fue un cineasta que siempre estuvo fascinado por este tipo de melodrama clásico norteamericano. Fue un gran admirador y uno de los primeros valedores del cine de Douglas Sirk, quien siempre estuvo presente más o menos explícitamente en cada una de sus películas; de hecho, en alguno de sus filmes, como *Todos nos llamamos Alí* (*Angst essen seelen auf*, 1973), le rindió un declarado y emotivo homenaje a propósito de la película antes comentada. De esta influencia participa también *La ley del más fuerte* (*Faustrecht der Freiheit*, 1975), tal vez la película más abiertamente *social* del malogrado cineasta alemán. Un joven homosexual (el propio Fassbinder), que se mueve por ambientes proletarios marginales, se queda sin empleo y consigue ganar una gran suma de dinero merced a un premio en la lotería nacional. Tras conocer a un joven empresario burgués también homosexual (Peter Chatel), entablan una relación amorosa y su vida cambia radicalmente al introducirse en el mundo de aquél. Su incapacidad de adaptación a su nueva vida y la progresiva explotación económica que sufrirá por parte de su amante, le conducirán a un final desgraciado.

La reflexión central del filme se articula sobre la tesis marxista de la imposibilidad de relacionarse, de amarse, bajo las profundas condiciones de diferenciación social existentes entre un burgués y un proletario, incluso en un caso tan especial (estamos a mediados de la década de los setenta en Alemania) como una relación amorosa homosexual. La relación aquí no puede ser más que de desequilibrio, de dominación del burgués hacia el proletario. Ello se sustenta sobre elementos *superestructurales* (diría un marxista) como la formación cultural, la educación, las costumbres, los gustos estéticos, los modales en las relaciones sociales, etc... La película, además, mantiene una postura marxista más radical si cabe, ya que la diferencia social es tan profunda, que sobrepasa la mera diferencia basada en la dominación económica, material (es el proletario quien tiene el dinero, el más poderoso económicamente, frente al arruinado burgués) y llega hasta la más genuina y directa de las relaciones humanas, la relación amorosa, la cual se convierte en marco de explotación y de poder siempre a favor del burgués, quien, por otra parte, aparece retratado en la película como símbolo de una burguesía decadente (su empresa familiar está en quiebra económica y su familia admite a regañadientes su relación con el proletario simplemente por el dinero que éste tiene) y pretenciosa frente al inocente, desinteresado y noble proletario. Y es que el burgués, como una suerte de Pigmalión interesado y oblicuo, es víctima también, de alguna manera, de su propia condición burguesa (ahí estriba la sutileza y la profundidad de la reflexión de Fassbinder), quien impone sus patrones, modos de vida, gustos y decisiones al complaciente y, en ocasiones, humillado proletario. Es, sin duda, *la ley del más fuerte* (como indica el título de la película) la que acaba imponiéndose en esta relación *ab initio* desigual.

En este contexto, el Derecho se presenta como un elemento superestructural más de la cultura burguesa. Particularmente significativa al respecto es la escena en la que el joven proletario firma un contrato de préstamo de una alta suma de dinero a la empresa de su amante para paliar su situación de quiebra. En la escena aparece el encope-

tado abogado de la familia, ante ésta y los dos protagonistas, leyendo con una exagerada solemnidad, rayana en la impostura, sus términos y claúsulas ante la confusión del aturdido joven, el cual acaba firmándolo sin llegar a tener muy claro su contenido y consecuencias. He aquí una vinculación explícita de lo jurídico con la cultura burguesa desde la óptica marxista que, de fondo, subyace en toda la película.

La ley del más fuerte constituye, pues, una interesante *vuelta de tuerca* a los planteamientos clásicos del melodrama norteamericano de los cuarenta y cincuenta al introducir inteligente y desinhibidamente motivos temáticos y argumentales específicos desde una óptica ideológica distinta, lo que lo hace muy sugestivo como muestra del carácter socio-político del melodrama como género cinematográfico.

Un ejemplo de melodrama más reciente e igualmente interesante para pulsar el espacio sociológico melodramático es la espléndida *La edad de la inocencia* (*The Age of Innocence*, Martin Scorsese, 1993). Ambientada en el Nueva York de finales del siglo XIX y principios del XX, la película (basada en la novela homónima de Edith Wharton, ganadora del Premio Pulitzer en 1920) cuenta la historia de Newland Archer (Daniel Day-Lewis), un prestigioso abogado de la alta sociedad neoyorkina, prometido con May Welland (Winona Ryder), una modosa joven de su misma clase social, cuyos sentimientos se verán perturbados con la llegada de la prima de ésta, la condesa Olenska (Michelle Pfeiffer), una mujer poco convencional separada de un aristócrata europeo. Los esfuerzos del protagonista por defender la posición de la condesa ante la hermética *high society* de la ciudad, desembocarán en un amor arrebatador que tendrá que reprimir durante toda su vida por respeto a su esposa, a su familia y a su entorno social. Sentido del deber frente a pasión amorosa; razón frente a sentimiento, un tema muy recurrente en el cine de Scorsese. El protagonista es un personaje demediado, atormentado durante casi toda su vida, por esta tensa dialéctica donde la libertad se asimila a la pasión y la moralidad se identifica con el sentido del deber. Se trata de un motivo típicamente melodramático en la tradición del calvinismo anglosajón de cierto idealismo romántico decimonónico, de cuya cosmovisión y contexto es plenamente deudora la película. Las reglas y convenciones sociales (qué decir de las normas jurídicas) representan una especie de cerco que asfixia la individualidad del su-

jeto imponiendo tiránicamente sus códigos de comportamiento y castigando con la proscripción a quien se sale de ellos. Este es el dilema que atraviesa todo el filme y sobre el que gira la vida y decisiones del protagonista, el cual, además, es un personaje muy estereotipado: viene de una familia muy importante en la alta sociedad neoyorkina, tiene una profesión (abogado) que, en el contexto histórico-social de la película, reviste un simbolismo especial como profesional de la normatividad jurídica, y una moral conservadora, plenamente acorde con la moralidad social. Sirva de muestra que, en un momento de la película, aconseja a la condesa que no se divorcie porque, dice él, "aun estando permitido el divorcio legalmente, no lo está socialmente". No obstante, la irrupción en su vida de ésta desata en Archer un liberalismo reprimido que actúa como revulsivo también de sus ideas políticas y sociales. Y es que Archer es un hombre, en cierto sentido, abierto, moderno, prototipo de un liberalismo ilustrado en una ciudad como la Nueva York de finales del siglo XIX que se mostraba como un lugar dinámico, innovador y lleno de posibilidades frente a la decadente Europa. El amor que acaba sintiendo por la condesa no es otra cosa que expresión de esta tendencia ideológica del personaje, ya que ella encarna a la nueva mujer con personalidad propia, independiente, activa y dueña de su vida, por encima de los roles que socialmente pudiera asignarle su condición femenina y su status social; frente a esto, Archer, como digo, sigue siendo un hombre respetuoso con el ideario de familia y amor socialmente vigentes en su entorno, donde aquél constituye ante todo un medio de perpetuar ordenadamente la posición y riqueza de la estirpe; en definitiva, con lo que representa May, su esposa. La elección vital que adopta finalmente es, pues, una decisión (no podía ser de otra manera) moral, de acuerdo con su sentido del deber, con la moralidad social.

Por último, por su gran importancia en el cine de los últimos años y por constituir un emotivo homenaje al melodrama clásico norteamericano, me detendré en un interesante y curioso melodrama familiar, tributo al Douglas Sirk de *Sólo el cielo lo sabe*, que trata con gran rigor la situación social de la *profunda Norteamérica* durante los años de transición entre el maccartismo y la revolución social que tuvo lugar durante la década posterior: *Lejos del cielo* (*Far from Heaven*, Todd Haynes, 2002). Durante el otoño y el invierno

de 1957 y 1958, en una pequeña comunidad de Connecticut, vive plácidamente un acomodado matrimonio burgués y sus dos hijos: el marido (Dennis Quaid) es un alto ejecutivo de una empresa de televisores y la esposa (Julianne Moore) es una típica ama de casa. El *american way of life* en su más pura expresión. Este mundo se verá totalmente alterado cuando la protagonista descubre la homosexualidad de su marido y entabla una relación amistosa (después amorosa) con su jardinero (Dennis Haysbert), un negro viudo que padece la segregación racial imperante entonces en el país.

El matrimonio protagonista sólo tiene realmente en común su angustia personal, motivada por la dialéctica entre su entorno y status sociales, y sus deseos y pulsiones individuales, los cuales, obviamente, no se ajustan en absoluto entre sí. Ante esta diatriba no cabe más que la afirmación de una postura *moral*, puesto que es ahí, en el ámbito de las *mores*, de lo que debe hacerse en aras del bien social e individual, donde se ha de resolver el conflicto. La salida que les aguarda es la marginalidad: el esposo decide dejarse llevar por su homosexualidad (en un mundo donde ésta se considera expresamente como una *enfermedad* que ha de tratarse médicamente) y relacionarse con un joven con el que tiene un romance, y la esposa da el paso de aceptar su enamoramiento hacia su jardinero sin lograr finalmente su objetivo de que su amistad se convierta en relación amorosa. El resultado de estas decisiones radicales es incierto. La desolación que proyecta ese matrimonio roto constituye la metáfora perfecta del auténtico estado de decadencia en que, por aquel entonces, se encontraba el modelo de familia americana por ellos representado. En el filme se ejemplifica con gran verosimilitud el peso de los prejuicios, la hipocresía, el cinismo y el rigor sociales, propias, en la práctica, de la clase media burguesa de la *Norteamérica profunda* de los años cincuenta, como fuente de infelicidad para los sujetos que los padecen; así como las terribles consecuencias que el racismo, la intolerancia y la marginalidad social provocan cuando pasan a considerarse socialmente como estigmas de las personas. Y es que estamos en los años previos a la extraordinaria revolución social que tuvo lugar durante los sesenta en los Estados Unidos de América; son los convulsos años de la lucha de la población negra por sus derechos civiles y políticos, de la liberación sexual de los jóvenes y la proliferación de las drogas, de la emancipación de la mujer, de la guerra del Vietnam, etc... Todo ello tiene un peso fundamental para entender la situación social y las auténticas motivaciones de los protagonistas del filme. El melodrama, una vez más, como *cine social*, y en el caso de la historicista *Lejos del cielo*, en una de las más sugestivas expresiones de los últimos años en la cinematografía norteamericana.

2.2. Denuncia social melodramática

La llegada del cine sonoro coincidió con la época de la *Depresión* posterior a la terrible crisis económica de 1929. A su llegada a la presidencia del país el 4 de marzo de 1932, Franklin D. Rooselvelt arbitró una serie de medidas económicas y sociales para hacer frente a la profundísima situación de crisis, conocidas bajo el nombre de *New Deal*[31]. Las fuertes tensiones sociales, el

---

[31] En el momento en que toma posesión el presidente Rooselvelt habían quebrado en todo el país unas cinco mil entidades bancarias y había unos doce

alto nivel de desempleo, la gran inseguridad ciudadana motivada por un elevado índice de criminalidad, y el bajo nivel de vida material de la población fueron los difíciles problemas que el presidente hubo de afrontar. En este panorama surgió un tipo de cine de denuncia social (el cine negro de entonces fue el principal y más prolífico género al respecto) que mostraba con gran realismo y sentido crítico la situación de la castigada sociedad norteamericana. El desamparo y la ruina económica de la gran mayoría de la población, el hambre, el alto nivel de paro, las profundas diferencias y tensiones sociales, la alarmante delincuencia, el elevado índice de criminalidad y la inseguridad ciudadana, etc… pasan a constituir los temas centrales de muchos filmes producidos entonces[32,] y desde luego también de numerosos melodramas.

Auténtico prototipo de *women´s picture*, *La usurpadora* (*Back Street*, John M. Stahl, 1932) es un excelente ejemplo de melodrama de denuncia social. Ray Schmidt (Irene Dunne), una mujer con fama de *fácil* por su coqueteo constante con los clientes del negocio familiar (rechaza la oferta de matrimonio de uno de ellos, Kurt —George Meeker—), aunque todavía *virtuosa*, conoce al banquero Walter Saxel (John Boles) y se enamoran a pesar de que éste ya está prometido. El deber de ayudar a su hermana impide a Ray citarse en un momento dado con la madre de Walter para darle a conocer sus sentimientos. Cinco años después los dos enamorados se encuentran en Nueva York, pero Walter se ha casado y tiene dos hijos. Éste instala a Ray en un apartamento para mantener una doble vida, pero su trabajo y un viaje de negocios con su familia deja a la protagonista sin ingresos en una situación de desamparo económico ("una mujer no puede ser feliz en los callejones

---

millones de desempleados. Un año después, el gobierno demócrata de Rooselvelt había promulgado más de una docena de leyes para impulsar social y económicamente el país; las más importantes fueron la *Ley Bancaria de Emergencia* de 9 de marzo de 1933, que permitió la reapertura de bancos y la emisión de moneda en cantidades suficientes, la *Ley de Ajuste Agrícola* de 12 de mayo de 1933, para replantear la situación en el ámbito rural, y la *Ley sobre la Recuperación de la Industria Nacional* de 16 de junio de 1933, que prohibió el trabajo infantil e impuso unos horarios y salarios de trabajo mínimos obligatorios.

[32] Uno de los grandes Estudios, la Warner, se especializó en este tipo de cine bajo el impulso de Darryl Zanuck.

traseros de la vida de un hombre", le espeta una vecina en un momento de angustia a Ray). El destino la lleva a reencontrarse con Kurt, convertido ahora en un próspero fabricante de automóviles y ahora acepta su ofrecimiento de matrimonio. Aun así vuelve a encontrarse con Walter y vuelve a la situación anterior de doble vida, ahora de ambos. Se traslada a París siguiendo a la familia de Walter y vive en otro apartamento distinto al de su amado. Un hijo de éste, conocedor de la situación, insta enérgicamente a Ray a que deje de ver a su padre. La posterior muerte de Walter y el olvido de Ray en su testamento inducen al hijo a ofrecerse para mantenerla. La pena que le produce la muerte de su amado la lleva a fantasear sobre qué hubiera sucedido si hubiera podido acudir aquel día a la cita con la madre de Walter. En su desesperación por reunirse con éste, Ray muere.

Este arquetípico argumento melodramático, realizado por uno de los más prolíficos e interesantes melodramatistas del Hollywood clásico (John M. Stahl), cuenta con todos los elementos tópicos del género: la protagonista es una mujer soltera que mantiene relaciones amorosas ocultas con un hombre casado (aún no estaba vigente el Código Hays en su período de mayor rigor: a partir de 1934) que se sacrifica por amor y que se encuentra permanentemente en manos de los caprichos de un destino fatalista, viéndose obligada así a soportar la soledad, el desprecio y la reprobación social. Ray es una muchacha de extracción social inferior a su amado y es víctima de la doble moral que practica aquél, un burgués acomodado y exitoso socialmente que la reduce al triste papel de *mantenida* para preservar públicamente su matrimonio. El personaje femenino adopta una actitud pasiva, conformista, con tal de no perder a su amado; he aquí un rol social reaccionario, repugnante para cualquier planteamiento feminista. Su valor como denuncia social reside, pues, en su crítica contra el cinismo de una clase social privilegiada, opulenta y frívola: la burguesía; representada aquí además por un banquero que sobrevive displicentemente a la terrible crisis económica en que está sumido el país durante aquellos años (repárese en el título que se dio a la película en España, complaciente con esta moral burguesa). De manera subrepticia hay también una crítica innegable a la institución del matrimonio tal y como se vive en el seno de esa burguesía, la cual ha perdido el sentido entre los cónyuges, pero que se mantiene aparente y formalmente por no perder los privilegios sociales que ello les confiere. A qué otros valores si no responde, por ejemplo, la resistencia de Walter a tener hijos con Ray cuando ya tiene dos hijos *legítimos*, de su esposa legal, además de a un sentido de *la propiedad* típicamente burgués.

También a tener en cuenta en relación con esta tendencia, aunque desde un punto de vista diverso en el tipo de denuncia de la situación social de los Estados Unidos de la *Depresión*, es la llamada *trilogía social* de Fritz Lang, filmada por el gran cineasta vienés a su llegada al país huyendo de los nazis en Europa: *Furia* (*Fury*, 1936), *Sólo se vive una vez* (*You Only Live Once*, 1937), y *You and me* (1938). La más claramente melodramática de las tres, *Sólo se vive una vez*, narra la historia de Eddie Taylor (Henry Fonda), un ratero que, tras haber cometido diversos delitos de escasa importancia y cumplido condena por ellos, sale de la cárcel bajo la amenaza de que una reincidencia más le llevaría a la silla eléctrica. Tras casarse con su novia (Silvia Sidney), decide rehacer su vida; sin embargo, por las adversas circunstancias sociales en que ha de vivir, no lo consigue y además se ve acusado de un atraco a un banco que no ha cometido. Ello

le lleva nuevamente a la cárcel para ser ejecutado. Taylor planea escaparse y durante la huída dispara contra el sacerdote de la prisión, en el momento exacto en que el director de la misma recibe un teletipo que exculpa a Taylor del delito que se le imputaba. Los acontecimientos se complican y, junto a su esposa, ambos huyen intentando evitar la acción de la justicia. Cerca de la frontera son abatidos por la policía. El fracaso de las políticas penales de reinserción en un contexto social intolerante, mezquino y hostil, la irresponsabilidad de los jueces y la ineptitud de la administración de justicia, la corrupción social de la que participan los propios representantes de la ley, la perversión moral de la prensa, etc..., constituyen, en esta hermosa y desencantada película, potentes y ácidos elementos de crítica de una sociedad como la norteamericana, tan alejada entonces en la práctica de los clásicos ideales políticos, jurídicos y morales del liberalismo democrático que la instituyeron.

La otra cara de la moneda, si bien en el contexto de postración socio-económica de la segunda posguerra mundial, viene representada por *¡Qué bello es vivir!* (*It´s a Wonderful Life*, Frank Capra, 1946). Este delicioso clásico del cine es un inmenso flash-

Sociedad, Poder y Derecho en el melodrama cinematográfico

Derecho y Cine. El Derecho visto por los géneros cinematográficos

back de la vida de George Bailey (James Stewart), un norteamericano medio que reside en un pequeño pueblo (Bedford Falls) y que, desesperado por un problema de deudas y abrumado por la desaparición de una importante cantidad de dinero en el banco donde trabaja, decide suicidarse para que su familia pueda pagarlas con el seguro de vida. La decisión la toma el día de Nochebuena y Dios le envía a Clarence (Henry Travers), su ángel de la guarda, para que deponga su decisión mostrándole su bondad personal y el valor que ha tenido su vida para la comunidad a pesar de todos los contratiempos que ha debido sufrir (especialmente el acoso de su antagonista, el pérfido Potter —Lionel Barrymore—). Para ello, el ángel le hace ver lo que hubiera sucedido si George no hubiese vivido. Finalmente, el protagonista recapacita y recupera la alegría de vivir. Ejemplo perfecto del optimismo liberal que ha caracterizado siempre al cine de Capra, la película aboga decididamente por valores como la solidaridad y el altruismo desde la afirmación de la capacidad del individuo como motor del progreso social. Es, por lo tanto, una lección moral mediada por una concepción cristiana de los valores (caridad, sacrificio, rectitud, etc...), la propia del liberalismo democristiano, la que tiñe ideológicamente todo el filme. El mensaje es claro: ser bueno en la vida personal, es lo mejor desde el punto de vista social. Este aspecto del *american way of life* se erige en auténtica postulación ideológica en una sociedad, como la estadounidense, que se sigue contemplando todavía como un lugar en el fondo idílico. Más que ante cine de denuncia social, estamos ante cine de reivindicación de una sociedad concreta.

Es por estos años cuando en Europa surge un movimiento cinematográfico de gran influencia, como uno de los puntos de engarce entre el clasicismo y la modernidad cinematográfica: el neorrealismo italiano. Su punto de partida es una consideración de tipo ético: el compromiso del cineasta con la realidad que tiene ante sus ojos, aprehendiéndola y reflexionando sobre ella para transformarla. Su captación directa, inmediata, implica, simultáneamente, una toma de postura estética: la postergación de la técnica y los procedimientos estéticos de creación de la obra fílmica a ese postulado ético fundamental. Se trata, pues, de *cine comprometido socialmente* y, en cierto sentido, de *cine-documento* de la situación social del momento. De la vasta (y muy interesante) producción neorrealista melodramática, me voy a detener en tres ejemplos significativos: *Arroz amargo* (*Riso amaro*, Giuseppe de Santis, 1948), *Rocco y sus hermanos* (*Rocco e i suoi fratelli*, Luchino Visconti, 1960) y *Dos mujeres* (*La Ciociara*, Vittorio de Sica, 1960).

Arroz amargo es un conmovedor melodrama sobre las pésimas condiciones laborales de las mujeres que trabajan en la recolección de arroz en el valle del bajo Po. De Santis, el más combativo políticamente de los cineastas neorrealistas, nos las muestra trabajando de sol a sol, con las piernas hundidas en el cieno del río y bajo la estricta vigilancia de los capataces. De noche duermen en lóbregos barracones, en mugrientos colchones de paja y con los armarios repletos de chinches. Este marco de trabajo inhumano, y de miseria material y moral constituye una cartografía de sentimientos que van desde el odio, la ambición, la venganza y los celos, al amor y la solidaridad. La terrible explotación a que se ven sometidas las mujeres por parte del patrón y los intermediarios, y la rivalidad que se da entre ellas mismas por su diferente situación jurídico-laboral (unas son, diríamos hoy, "legales", pues son trabajadoras llegadas de todo el país con un contrato supervisa-

do por los sindicatos y el Estado; y otras, "ilegales", sin contrato, con peores condiciones laborales y un sueldo mucho más bajo, de ahí que deban esforzarse más y trabajar a un ritmo mucho mayor que aquéllas) a la hora de trabajar son los motivos dramáticos que actúan en este popular melodrama de denuncia ensalzador de la unidad obrera.

En la misma línea de denuncia social, con un aliento que roza lo epopéyico, *Rocco y sus hermanos* es un melodrama familiar que narra la historia de una familia del sur de Italia que llega a Milán en busca de trabajo. Allí se encuentra con un modo de vida muy distinto al suyo, lo cual causa multitud de problemas que desembocarán en la desintegración de la estructura familiar a pesar de los esfuerzos de la madre por mantenerla unida. Norte industrial y próspero frente a sur rural y deprimido, espacios sociales distintos, y mentalidades y costumbres diferentes son causas de desarraigo, marginación, delincuencia y desesperanza existencial para los miembros de esta desafortunada familia.

A diferencia de las dos anteriores, *Dos mujeres* transcurre durante la Segunda Guerra Mundial. Este maravilloso melodrama familiar del gran De Sica, basado en la novela homónima de Alberto Moravia, cuenta la historia de Cesira (Sofia Loren), una joven campesina viuda que vive en Roma con su hija de 13 años (Eleonora Brown), durante los últimos coletazos de la guerra. Los constantes bombardeos a que se ve sometida la capital italiana las obligan a abandonarla y refugiarse en el pueblo natal de la madre, donde conviven con los horrores cotidianos de la guerra. Al final de la contienda, deciden regresar nuevamente a Roma y durante el viaje son salvajemente violadas por un grupo de soldados turcos en una iglesia, lo cual marcará su existencia en adelante. Tenemos, pues, el típico personaje melodramático de la mujer activa que se rebela frente al mundo hostil que la rodea con un objetivo vital claro: proteger por encima de todo a su hija de este contexto adverso. Se trata de una luchadora vehemente, materialista, incluso primaria, que no duda en ir incluso contracorriente con tal de salvaguardar su felicidad propia y la de su amada hija. Esta última se nos presenta como un personaje ingenuo, por momentos mojigato y ñoño, sobreprotegido en su pureza física y espiritual por su madre. He aquí uno de los temas importantes del filme: la maternidad como *leit-motiv* central en una cultura latina como la italiana, que marca la existencia de las mujeres. Todo esto se halla salpicado con una historia de amor (fuertemente erótico) de la madre con un viril carbonero romano y otra historia (frustrada) de amor con un muchacho culto de ideas demócratas y progresistas, narrados con una cierta tendencia al exceso. Todo ello está contado con la sutileza y maestría de De Sica desde un registro narrativo que podríamos denominar como *neorrealismo rural*. Se nos muestran las enormes penalidades que sufren los personajes para sobrevivir en un contexto vital tan desfavorable como una guerra, donde impera una economía de subsistencia, y donde el Derecho y las leyes quedan relegados a jugar un papel completamente irrelevante bajo las terribles condiciones derivadas de la dura lucha cotidiana por la supervivencia más elemental. De Sica pone en evidencia la degeneración moral de una sociedad como ésta, en la cual la mentira, el pillaje, el robo, el asesinato y la violencia se encuentran a la orden del día; una sociedad totalmente desmembrada política y jurídicamente, reducida si acaso a la familia como núcleo básico y más abstracto posible de fraternidad social, como máxima expresión de la *polis*. De Sica incide con gran ironía en lo absurdo que comporta, social e individualmente, una situación de guerra: la escena en que madre e hija son violadas se produce por parte del bando vencedor (supuestamente el de ellas) y en el interior de una iglesia destrozada por los bombardeos, lugar sagrado por antonomasia en una cultura como la italiana de entonces. Queda contrapuesta así, con gran autenticidad, la guerra en abstracto, como instrumento político, frente a la guerra en concreto, como fenómeno sociocultural que atañe a la gente *de carne y hueso* que, por desgracia, ha de sobrevivir en esta lamentable y extrema situación vital, donde se impone como principal consecuencia, desde el punto de vista político-jurídico, la ausencia de Derecho y el retorno a la *ley de la selva*, acaso la auténtica ley natural.

Otro tipo de melodrama de denuncia social es aquel que se centra en problemas que provocan conflictividad social y que son tratados con indiferencia, o directamente olvidados, por los poderes públicos. Un ejemplo es *Rebelde sin causa* (*Rebel without a Cause*, Nicholas Ray, 1955). Tres jóvenes coinciden en una comisaría de policía por distintos motivos: Jim Stark (James Dean), un chico nuevo en la ciudad, desencantado y con problemas de convivencia con sus padres, se ha emborrachado y es

recogido por los agentes, Platón (Sal Mineo) ha matado a tiros a unos cachorros de perro y Judy (Natalie Wood) se ha escapado de casa huyendo de su padre. En el instituto Jim no consigue adaptarse y, a pesar de rehuir la pelea, acaba metido en una trifulca con el jefecillo de la banda de la que forma parte Judy; asimismo, se ve envuelto en un juego en el que, al volante de coches robados, dos rivales conducen a toda velocidad hasta el borde de un precipicio, de modo que el primero en saltar del vehículo será calificado de "gallina". El líder de la banda se engancha con la manga en la puerta del coche, no logra liberarse y se mata. Esto afecta mucho a Jim, quien, ante la indiferencia de su padre, va al encuentro de Judy acompañado de Platón y acaban en una mansión abandonada. Allí son seguidos por la banda, cuyos miembros descubren a Platón dormido en solitario quien reacciona hiriendo a uno de ellos con una pistola. Ante el aviso a la policía, Platón se esconde en el Planetario y persuadido por Jim depone su actitud. Al salir, Platón realiza un gesto mal interpretado por la policía, disparándole y causándole la muerte ante la tristeza de Jim y Judy.

La película aborda dos temas fundamentales. Por una parte, pone de manifiesto la crisis del modelo de familia burguesa media norteamericana de la época desde tres perspectivas (los tres jóvenes aparecen al principio de la película en la comisaría del pueblo porque han cometido algún delito y no se les castiga porque son menores): 1) representada por el personaje de Jim Stark, un joven víctima de la opresión psicológica derivada de un familia que no lo entiende y, por tanto, lo ignora; 2) representada por el personaje de Judy, una adolescente en constante conflicto generacional con su padre; y 3) representada por Platón, un púber que se siente abandonado porque su familia se ha descompuesto al divorciarse sus padres y desentenderse de él. Con esta crítica queda desmitificada la institución familiar en los términos en que los concibe el *american way of life*. Metáfora muy hermosa de la decadencia de ese modelo (he aquí el siempre sugerente lirismo de Ray) es la escena de la vieja mansión abandonada donde se refugian los tres jóvenes, en la que se nos representa simbólicamente un tiempo que ya pasó, el de la familia burguesa de principios de siglo.

Por otra parte, el filme indaga en las causas de la delincuencia juvenil en el ámbito de la juventud blanca burguesa de los Estados Unidos de los años cincuenta. Se nos presenta una juventud nihilista, incluso angustiada en su carencia de referentes ("¡Ayúdame!", suplica el desesperado Jim a su indiferente padre cuando se ha dado cuenta de la gravedad de lo que ha hecho, ante la muerte de su rival en la carrera de coches), que se mete permanentemente en problemas con la ley sin razón aparente, tan solo por su necesidad de buscar alicientes a su existencia vacía; se emborracha, se involucra en reyertas y retos peligrosos (v.gr. la prueba de los coches en el acantilado), es víctima de una profunda inestabilidad psíquica, etc... El fenómeno de esta delincuencia no obedece a carencias materiales (pobreza, paro, etc...) que empujen a ello, sino al puro vacío existencial ("¿Por qué hacemos esto?", pregunta Jim a su rival en el reto de la carrera de coches en el acantilado; "Algo tendremos que hacer, ¿no crees?", responde el otro). Aparece el delincuente, pues, como *un* individuo existencialmente insatisfecho que actúa antijurídicamente por razones estrictamente personales, psico-existenciales. La policía y las autoridades (en concreto el fiscal de menores) se presentan como sujetos falsamente paternalistas, presas de un cierto desconcierto y perplejidad ante lo que les está pasando a sus adolescentes.

En la línea de temas sociales cuyos protagonistas son los jóvenes, se encuentra un cierto tipo de melodrama romántico, de inspiración más o menos feminista, que proliferó en el cine estadounidense a principios de la década de los setenta al socaire de las proclamaciones y los modos de vida de la juventud que protagonizó los movimientos de rebelión y liberación social de los sesenta. Los dos melodramas más conocidos son *Love Story* (Arthur Hiller, 1970) y *Tal como éramos* (*The way we were*, Sidney Pollack, 1973).

El primero de ellos cuenta la desgarradora historia de amor entre dos universitarios de Harvard, Oliver Barratt IV (Ryan O´Neal) y Jenny Cavilleri (Ali McGraw). Él es un acomodado estudiante de Derecho, hijo de un poderoso banquero (Ray Milland) y ella es una estudiante de música, hija de una humilde familia obrera italo-americana. El padre de Oliver rechaza tajantemente el matrimonio posterior y retira la asignación económica a su hijo. A pesar de sus dificultades financieras, la pareja vive sumamente feliz hasta que a Jenny le diagnostican una leucemia y fallece. De nuevo las diferencias sociales y, por tanto, las diferencias de mundos (a ello hay que añadir la diferente confesión religioso de uno y otro);

si bien ahora hay un lugar que los vincula, la universidad, que pone de manifiesto que algo ha cambiado con respecto al clásico personaje femenino de los melodramas: la mujer se ha liberado de los estrechos y limitados roles sociales que le imponía el melodrama clásico y ahora ha adoptado un papel social e individualmente mucho más activo que antes (ella le da sustento económico a él hasta que se licencia en la universidad). Asimismo, la oposición de la pareja a las pretensiones del padre del protagonista es también algo propio de una juventud que se resiste, aun a costa de perder sus privilegios sociales y económicos, a perder su libertad; algo en general mucho más traumático bajo los esquemas del melodrama anterior.

Tal como éramos constituye el recorrido por la vida de una pareja desde los años treinta hasta finales de los sesenta confrontándola con la simultánea situación política y social que vive el país. Los dos protagonistas se conocen en la universidad en los treinta. Katie (Barbra Streisand) es una muchacha entusiasta y con un profundo idealismo que la mueve a defender causas que entiende que son políticamente justas; Habel (Robert Redford) es un chico individualista y carismático al que atrae la vitalidad de ella. Durante los años posteriores asistimos a diversos episodios de la vida de la pareja: ella se afilia al partido comunista, él trabaja como guionista en Hollywood, se casan, son felices y tienen un hijo y se separan por un conflicto entre ellos motivado por razones políticas (defensa de la libertad de expresión durante el maccartismo). Finalmente, durante los sesenta, ambos se reencuentran en Nueva York, cada uno casado por su cuenta y llegan a la conclusión de que nunca dejaron de amarse. Estamos ante una película representativa de un feminismo progresista muy característico de los años en que se rodó. Desde luego, el personaje femenino resulta prototípico de la mujer activista, políticamente comprometida de izquierdas, que antepone su condición de sujeto político a su amor y a los roles sociales que tiene convencionalmente atribuidos como fémina.

Por último, un melodrama de denuncia actual, con la particularidad de que lo hace desde planteamientos ideológicos declaradamente izquierdistas: *Ladybird, ladybird* (Ken Loach, 1994). Maggie (Crissy Rock) es una mujer emocionalmente inestable, marcada por una infancia dura y una vida difícil. La relación con su última pareja ha sido muy tormentosa y arrastra cuatro hijos de relaciones anteriores. La violencia que ha presidido esta última relación indujo a los servicios sociales del Estado a retirarle la custodia de sus hijos. Es entonces cuando conoce a Jorge (Vladimir Vega), un refugiado paraguayo en Inglaterra, del que se enamora y con el que sueña alcanzar la felicidad que siempre tanto ha deseado. Sin embargo, su pasado continúa atormentándola y la burocracia, una vez puesta en marcha, resulta implacable. La, en sentido casi literal, *kafkiana* historia de Maggie (recuerda en muchos aspectos a *El proceso*, la novela del escritor checo) sirve al inquieto y reivindicativo Loach para denunciar los excesos burocráticos de un Estado fiscalizador hasta la asfixia de la vida de los ciudadanos, hasta el punto de llegar a afectar a derechos fundamentales tan personales como los que acompañan a las relaciones paterno-filiales. Se podría decir que los llamados *Servicios Asistenciales* devienen, valga la expresión, *Servicios Angustiosos*. En esta película han perdido su función original asistencial por mor de la rígida e inflexible burocracia, carente de la sensibilidad necesaria en estos casos tan delicados. El modelo legal de familia (de espíritu conservador burgués) se revela aquí como una imposición descarna-

Derecho y Cine. El Derecho visto por los géneros cinematográficos

da a unas personas cuya situación social y existencial nada tiene que ver con los patrones de aquél. En definitiva, asuntos como los términos y los límites en que el Estado ha de ejercer la protección del menor y de la familia, el respeto al derecho fundamental a custodiar y educar a los hijos, así como el modo en que jurídicamente debe plasmarse la intervención estatal en estos ámbitos son temas que se abordan sin tapujos en este filme desde una perspectiva crítica con el poder político establecido poco común en el cine contemporáneo.

2.3. Juicios y juristas melodramáticos

La sala de vistas constituye un escenario privilegiado para dar rienda suelta a todo el arsenal emocional y sentimental melodramático. Ello explica el elevado número de películas que se han producido en torno a este motivo, hasta el punto de que existe un subgénero del melodrama que ha adquirido una entidad propia, incluso como subgénero del cine jurídico: el *melodrama judicial*.

Se caracterizan los melodramas judiciales por tener como protagonistas principales a los profesionales del Derecho: al abogado, el cual, generalmente defensor, trata de ingeniárselas para obtener la absolución de su cliente; al acusado (inocente o culpable); al fiscal, generalmente acusador implacable, quien trata de demostrar la culpabilidad del reo, y al juez, con frecuencia presentado como un personaje imparcial y en un discreto segundo plano con respecto a la acción, que acaba ofreciendo la solución (y la tesis del filme) que entiende justa en relación con el caso. Otros personajes típicos (secundarios) son el jurado, los testigos, los miembros del tribunal, el fiscal, etc...

Los precedentes más claros de este subgénero son una serie de melodramas filmados en Francia durante los años treinta, muy populares entonces, que, desde un registro realista y una visión simplista y efectista del Derecho y las profesiones jurídicas, presentaban a sus protagonistas envueltos en distintas vicisitudes sentimentales entre sí y con sus clientes. Películas como *Le Bonheur* (Marcel L´Herbier, 1935), *Nuits de feu* (Marcel L´Herbier, 1937) y *Le Coupable* (Raymond Bernard, 1937) destacan por su interés y además gozaron de gran éxito.

En el cine norteamericano existen numerosos ejemplos de melodramas judiciales; no obstante, por razones de tiempo y espacio, me voy a detener en los más significativos. *El proceso Paradine* (*The Paradine Case*, 1947), uno de los filmes menos logrados del maestro Alfred Hitchcock, aborda la historia (ambientada en el Londres de aquellos años: se basa en una novela inspirada en un escándalo real que tuvo lugar en los círculos jurídicos londinenses) de una hermosa y enigmática mujer extranjera, Maddalena Paradine (Alida Valli), acusada de haber envenenado a su marido, un rico millonario ciego. Un abogado prestigioso de mediana edad, Anthony Keane (Gregory Peck), muy conocido y respetado en los tribunales, accede a defenderla. Él cree en su inocencia y, pese a estar felizmente casado, se enamora ciegamente de ella. Cuando descubre la relación existente entre la señora Paradine y su criado, Keane se vuelve celoso e intenta culpar del asesinato a éste. El tema central de la película es el proceso de degradación moral que experimenta el abogado como consecuencia del tenso conflicto existente entre sus sentimientos y su ética profesional; en el caso de esta película, el abogado se sirve de su condición jurídica y de sus artes profesionales para llevar a cabo un acto antijurídico e inmoral: conseguir intencionadamente la condena de una persona inocente por un crimen que no ha cometido. Plantea, pues, con bastante rigor, la problemática deontológica de la profesión de abogado y, de manera más tangencial, la del juez.

El fastuoso escenario londinense de la sala de vistas de Old Bailey es el marco para reflexionar también sobre la naturaleza de la actividad judicial entendida como un proceso objetivo, frío, de decisión, como condición del ejercicio de lo justo (he aquí el clásico *juez recto* de los melodramas judiciales, encarnación de la conciencia moral y jurídica del espectador sobre los hechos que se le presentan en el filme), aun cuando el siempre irónico Hitchcock nos ofrezca finalmente un toque personal desmitificador: en la penúltima escena de la película, cuando el juez y su esposa conversan en torno a la ejecución de la condenada, después de afirmar que la procesada será ejecutada en un par de semanas ante su conmiserada esposa, el impasible juez se limpia la dentadura con un mondadientes como si se tratase de lo más normal.

Un clásico del cine jurídico de siempre y una de las películas más hermosas de la historia del cine es *Matar un ruiseñor* (*To Kill a Mockingbird*, Robert Mulligan, 1962). Basada en la novela homónima de Harper Lee, supuso la elevación a auténtico icono de su protagonista, el abogado sureño Atticus Finch, espléndidamente interpretado por Gregory Peck. A través de la mirada infantil de la hija de Finch, Scout (Mary Badham), y ambientado en los años de la *Depresión*, el filme narra el proceso jurídico abierto contra un joven negro, acusado falsamente de violación por una adolescente blanca en un pequeño pueblo del sur de los Estados Unidos y defendido por el protagonista; y la consiguiente atmósfera de tensión social que se crea en la comunidad a raíz de estos hechos, bajo el racismo, la segregación social de los negros y la hipocresía allí imperantes.

El abogado Atticus Finch se presenta como un ejemplo de altura moral y como un paradigma de deontología profesional. Es un abogado de carácter tranquilo, austero y firme, de aguda inteligencia, que mantiene con sus hijos una relación de aparente distanciamiento, pero de gran respeto y cariño, y de una exquisita modestia. Las escenas en las que Atticus charla con sus hijos revelan un paternalismo especial, sin estridencias, lleno de ternura, y de gran rigor moral.

Paralelamente a la relación con sus hijos, Atticus ha de enfrentarse a la defensa de un joven de raza negra acusado de violación por una joven que forma parte de una familia de muy baja reputación en el pueblo. Movido por sus inquebrantables principios morales, acepta su defensa exponiéndose a sí mismo y a sus hijos a la hostilidad del pueblo, fuertemente racista frente a los negros. La aceptación de este caso y su defensa ha pasado a la historia del cine jurídico como modelo de deontología profesional de la profesión de abogado: su carácter tranquilo, austero, equilibrado y firme, exquisitamente modesto, y su aguda inteligencia y rigor ético quedan por encima del posibilismo moral que conlleva una actitud de pasividad frente a la injusticia a la que ha de enfrentarse, aun cuando ello suponga ganarse la hostilidad, el rechazo y la violencia de la comunidad. El abogado, pues, como ejemplo moral, y Atticus Finch como excepcional muestra de cómo se funden en un abogado su actividad profesional y su compromiso moral.

Asimismo, la película muestra muy convincentemente hasta qué punto pueden influir en una decisión judicial elementos extra-normativos tales como la presión, el ambiente y los prejuicios individuales y sociales. En este sentido, el filme constituye uno de los más emotivos alegatos jamás realizados en contra del racismo como causa de injusticia y como caldo de cultivo de la violencia y la irracionalidad. Merced a esta película, el personaje recreado por Gregory Peck se ha convertido en un personaje jurídico-cinematográfico de referencia: a raíz del estreno de la película, muchos jóvenes norteamericanos que la vieron decidieron estudiar Derecho.

Finalmente, sobre la profesión de abogado, me voy a detener en *La caja de música* (*The Music Box*, Costa-Gavras, 1989), una exitosa película que, desde el compromiso característico del cine de denuncia de su director, narra la historia de la relación entre un anciano emigrante húngaro (Armin Mueller-Stahl) en los Estados Unidos, y su hija (Jessica Lange), una hábil abogada, a propósito del proceso judicial que se abre contra aquél, acusándolo de haber formado parte de la terrible organización nazi *Cruz Flechada* y de haber cometido una serie de odiosos crímenes de guerra contra la población civil (torturas, violaciones y asesinatos, sobre todo de judíos y gitanos) durante la ocupación de Hungría en la Segunda Guerra Mundial. Convencida de la inocencia de su padre, la hija se encarga de su defensa jurídica, aunque a medida que transcurre el proceso judicial, ve tambalearse paulatinamente su convicción inicial.

La película responde a un planteamiento típico de los melodramas familiares: el error de uno de los protagonistas en torno al pasado y a la verdadera identidad de un familiar al que se encuentra especialmente unido sentimentalmente, y que de desvelarse el error, variaría completamente la situación. Aquí se trata de la relación entre padre e hija e, indirectamente, también entre abuelo y nieto (el hijo de ella). Este error se desvela debido a la apertura del proceso judicial, el cual actúa como elemento (y pretexto) narrativo y dramático que encauza el desarrollo de los acontecimientos. Es el amor paterno-filial el motivo sentimental sobre el que gira la historia. Asimismo, constituye también un importante motivo melodramático en el filme el descubrimiento clave del pasado desconocido de uno de los protagonistas.

Se trata de un melodrama judicial típico y, por tanto, el detalle con que muestra las estrategias procesales de los abogados, el papel de los testigos en la determinación de los hechos, la función del juez como director del juicio, etc... resulta determinante para el perfil y desarrollo psíquico y emocional

Derecho y Cine. El Derecho visto por los géneros cinematográficos

de los personajes. En este sentido, la película comparte con la gran mayoría del cine de juicios el planteamiento del tema de la vista oral como *representación* (como otro modo de presentación) de la realidad, abundando en la analogía entre juicio y representación teatral y la naturaleza argumentativa del proceso jurídico.

Como en los anteriores, uno de los temas jurídicos más importantes del filme es el de las implicaciones éticas y deontológicas de la profesión de abogado. En este caso, además, se plantea en un supuesto extremo: cuando existe una vinculación emocional tan intensa, y de parentesco tan próximo, entre abogado y cliente; de tal modo que la objetividad que idealmente debe acompañar a toda profesión jurídica se ve puesta permanentemente en solfa por esta relación tan estrecha. En la película, la abogada es una buena profesional, no exenta además de un cierto sentido de lo justo, lo cual choca constantemente con el profundo sentimiento amoroso que la une a su padre. Estamos, pues, ante un complejo dilema moral que es, en el fondo, el que

articula toda la película y que viene a poner de manifiesto que lo moral y lo jurídico se encuentran íntimamente imbricados, máxime a propósito del caso que plantea la película: el contexto de las aberraciones nazis durante la Segunda Guerra Mundial.

Ya he descrito antes el papel que, generalmente, suele jugar el juez en la mayoría de estos melodramas, de ahí que me centre en dos películas que se desvinculan de la visión del juzgador como sujeto omnisciente e imparcial en su decisión y ofrecen, por tanto, una imagen de él mucho más interesante: *El rito* (*Riten*, Ingmar Bergman, 1968) y *Borrachera de poder* (*L´ivresse du pouvoir*, Claude Chabrol, 2006).

El rito[33], película injustamente considerada como *menor* en la extensa filmografía del gran Bergman, narra la historia de un proceso judicial abierto contra tres actores famosos internacionalmente —Hans (Gunnar Björnstrand) y Thea Winkelmann (Ingrid Thulin), y Sebastian Fischer (Anders Ek)—, miembros de una pequeña compañía teatral conocida con el nombre de *Les Riens*, denunciados por obscenidad con motivo de un número teatral re-

---

[33] Un análisis pormenorizado del filme, realizado por mí, desde la perspectiva de los estudios de *Derecho y Cine,* se encuentra en: "Derecho y Cine: *El rito,* o el Derecho y el juez según el realismo jurídico escandinavo", en *RDUNED. Revista de la Facultad de Derecho de la UNED,* núm. 3, 2008.

presentado por ellos, llamado *El rito*. Son requeridos a varios interrogatorios por parte de un juez, Ernst Abrahamsson (Erik Hell), encargado de instruir el proceso. Thea Winkelmann estuvo casada con otro miembro de la compañía. Este murió en una pelea con Sebastian y Thea se ha vuelto a casar con Hans. En la sala de interrogatorios el juez se encuentra primero con los tres y luego interroga sucesivamente a Sebastian, Hans y Thea. Entre estas escenas tienen lugar encuentros de dos en dos —Sebastian y Thea, el juez con su confesor (recreado por el propio Bergman, en el único papel que interpretó como actor para el cine), Thea y Hans Winkelman, y este último y Sebastian—. La tensión crece progresivamente durante el proceso, profundizándose cada vez con más virulencia en los conflictos internos y externos de los personajes, en una lucha dialéctica sin cuartel. En la última escena, los tres actores representan el número denunciado ante el juez a modo de venganza ante sus presiones psicológicas. El juez muere de un ataque al corazón por la impresión que le produce la escenificación.

La acción está organizada narrativamente en nueve actos, como si de una obra de teatro se tratara (repárese en el argumento, tan recurrente en el cine, de que el proceso constituye una transposición de la representación teatral), donde el primero y el último funcionan a modo de prólogo y epílogo respectivamente; y sobre esta estructura se nos muestra la textura psicológica del juez en contraposición con la de los actores (también la de ellos entre sí) desde una consideración de su relación básicamente como una relación de poder, derivada de la naturaleza institucional que tiene la función jurisdiccional. El punto de vista de Bergman al respecto es claramente psicologista, en la más pura tradición de la doctrina del realismo jurídico escandinavo (Lundstedt, Olivecrona, Ross), incidiendo en el peso determinante que tiene la conformación psíquica del juez en todo proceso de decisión jurídica. Constituye, pues, un valioso tratado cinematográfico sobre la doctrina *realista* escandinava sobre la figura del juzgador. Otros temas jurídicos de importancia en el filme son la naturaleza y alcance de la libertad de expresión y de creación artística, la institución del matrimonio ante situaciones de profundo desequilibrio emotivo, la licitud de determinadas formas de presión en el proceso, etc…

El interesante filme de Claude Chabrol *Borrachera de po-*

der (*L'ivresse du pouvoir*, 2006) constituye también una aguda reflexión sobre la función judicial. La jueza parisina Jeanne Charmant Killman (Isabelle Huppert) se encarga de instruir un escándalo de malversación de fondos y de prácticas ilícitas contra el presidente de un importante holding de empresas. A medida que el proceso avanza va conociendo en profundidad los entresijos del caso a través de las investigaciones y los interrogatorios, y dándose cuenta de que su poder va creciendo. Simultáneamente, la absorción del trabajo y el stress que le ocasiona la instrucción del proceso repercuten en el deterioro de su vida privada, sobre todo en sus relaciones conyugales. La diatriba entre ambas facetas de su vida se verá resuelta finalmente de manera inesperada.

Si bien en el irónico e intelectualista cine de Chabrol resulta muy aventurado hablar de géneros cinematográficos en sentido estricto, esta película comparte muchos elementos del paradigma genérico melodramático aun cuando sea para subvertirlos. La película se enmarca en un contexto burgués actual (no podía ser de otra forma tratándose del último Chabrol) y la protagonista es una mujer extraordinariamente orgullosa de su feminidad, fría, calculadora e implacable en sus actuaciones, que desempeña una profesión tradicionalmente masculina, que explota hábilmente su papel de juez consciente de la teatralidad de las vistas judiciales[34], con un enorme poder al ostentar un importante puesto en el alta judicatura parisina, y que, además, se mueve con gran soltura en un mundo de hombres; de ahí que sea una especie de contrafigura de la típica heroína melodramática, una nueva *vuelta de tuerca* a los planteamientos del melodrama clásico. Esta faceta pública de su vida se muestra en interacción permanente con la privada, en especial con su vida familiar; uno de los ejes fundamentales de la película es la contraposición entre ambos espacios, mostrando su influencia recíproca, para sondear hasta qué punto son inescindibles. Desde luego, a la vista de esto, el ejercicio de la función judicial no se puede entender al modo en que lo entiende la

---

[34] La película tiene la estructura narrativa típica del cine jurídico, tan expresiva de la naturaleza teatral de los juicios, ya que contrapone constantemente las acciones y los espacios dramáticos públicos y privados: las vistas judiciales constituyen son el lugar de las acciones, y los tratos entre los políticos y los especuladores, el lugar donde se comentan aquéllas.

cultura jurídica iuspositivista, es decir, como una aséptica operación lógico-subsuntiva; la película la contempla ante todo desde una perspectiva más acorde con los planteamientos *realistas*, que conciben esta función como algo dependiente de variables de tipo personal o psíquico en relación con la persona del juez.

En el filme, además, esta visión realista está mediada por un fuerte componente de tipo político, ya que es la sensación de cada vez mayor poder lo que va determinando el devenir del ejercicio de la función judicial y el propio desenvolvimiento del carácter de la jueza. Porque la película es una buena reflexión en torno a la naturaleza del poder, su incidencia en el espíritu de las personas y sus límites. La protagonista comienza con la honesta pretensión de hacer justicia, pero el poder que representa y del que va siendo progresivamente autoconsciente la acaban embriagando. En un momento dado, afirma con gran satisfacción que un juez de instrucción es la persona más poderosa de Francia. La conclusión chabroliana es clara: la sensación de poder es voluble y causa algo parecido a la esquizofrenia, ya que el ansia de poder es siempre ilimitada, y sin embargo el poder que realmente se posee no lo es, puesto que, de suyo, está invariablemente limitado por otro poder mayor y permea todos los tejidos de las sociedades humanas, de manera que hay un desequilibrio, un desajuste entre la autopercepción del poder que uno tiene y el que en realidad ostenta. Esta situación es la que viene a ilustrar, en definitiva, el título de la película, la situación de *borrachera de poder*, y ahí juez y procesado terminan identificándose plenamente como víctimas. Estamos, pues, ante una reactualización del viejo problema teológico medieval de la naturaleza de la omnipotencia divina, tan importante para comprender adecuadamente toda la filosofía política y jurídica moderna y contemporánea[35].

A la vista de estos dos jueces melodramáticos (Abrahamson y Charmant Killman) no cabe pensar otra cosa que, cuando los sentimientos, el *pathos* personal de un juez, es el centro de un melodrama, su perfil teórico no puede ser otro que el de un juez *realista*.

---

[35] Este tema está estudiado magistralmente por André de Muralt en su obra: *La apuesta de la filosofía medieval. Estudios tomistas, ockhamistas, escotistas y gregorianos*. Traducción de Juan Antonio Gómez García y José Carlos Muinelo Cobo. Madrid: Marcial Pons, Colección *Politopías*, 2008.

2.4. Cárceles y ejecuciones melodramáticas

Un tópico habitual en el cine jurídico es el cine carcelario y el cine sobre la pena de muerte. Su tratamiento en el melodrama está mediado por una acusada focalización del conflicto dramático (las condiciones de vida de las cárceles y la legitimidad o no de la pena capital) en la subjetividad del personaje que ha de padecer tan lamentable situación. Se trata de uno de los temas más abordados en el cine jurídico (y en la literatura científica sobre ese tema[36]), de ahí que me limite a exponer aquí una pequeña muestra en el cine melodramático, bajo el rótulo de *melodramas carcelarios*.

¡Quiero vivir! (*I Want to Live!*, Robert Wise, 1958) trata sobre un caso real que tuvo una gran repercusión mediática en su momento (década de los cincuenta) y fue objeto de un auténtico juicio paralelo por parte de la prensa y de la opinión pública estadounidense: Barbara Graham (Susan Hayward) es una mujer de vida disipada que ha sido detenida y condenada varias veces por pequeños delitos. Conoce a dos sujetos que llevan a cabo el asesinato de una anciana y cuando los atrapa la policía, piensan que Barbara les ha delatado. Como venganza confiesan a la policía que ella es la asesina. Es juzgada y condenada a la pena de muerte.

Barbara es un personaje melodramático típico: es una mujer solitaria y rechazada socialmente, de alguna manera víctima de su procedencia marginal y de las circunstancias que la han rodeado durante toda su vida, que decide, en la medida de sus posibilidades, ir contracorriente y mantener su dignidad y personalidad. Tiene un bebé de manera accidental, al cual esas mismas circunstancias vitales le impiden educar y, además, es condenada por un crimen que no ha cometido. El tema del error judicial como *leit-motiv* melodramático.

Al igual que la desvalida madre que abandona a su hijo al no poder hacerse cargo de él en *El chico*, de Charles Chaplin, cuando, en un momento dado, su condena a pena de muerte se antoja irreversible, y ante la desaparición del padre de la criatura, se plantea la necesidad

---

[36] Vid, por ejemplo, el conjunto de estudios recogidos en el libro coordinado por Benjamín Rivaya, *Cine y pena de muerte, op. cit.*

de adopción del bebé por parte de alguna familia. Barbara es despojada por razones ajenas a su voluntad de lo más preciado para ella, apareciendo así la institución jurídica de la adopción aparejada a la privación de la patria potestad de la madre al no poder cumplir con el conjunto de derechos y obligaciones que ésta comporta.

Se ha puesto de relieve la simbología feminista de la protagonista[37], máxime cuando raramente se condenaba a muerte a una mujer en el contexto histórico-jurídico en que se desarrollaron los hechos. Señalar, por último, un hábil recurso narrativo y estilístico, propio de un gran cineasta como Robert Wise: el registro melodramático que articula dramáticamente toda la película se transforma con crudeza en un duro docudrama durante los minutos finales del metraje, cuando Wise muestra con gran detalle y sin reparar en mediaciones sentimentaloides (en uno de los más duros alegatos contra la pena de muerte jamás filmados), los preparativos para la ejecución de la protagonista en la cámara de gas, mientras que todos esperan (esperamos) an-

gustiosamente, hasta el último momento, su posible indulto.

Otro éxito importante en esta línea temática fue el lacrimógeno melodrama *Pena de muerte* (*Dead Man walking*, Tim Robbins, 1995). El argumento del filme, también está basado en un hecho real novelado por una de sus protagonistas, la monja católica Helen Prejean (interpretada en la película por Susan Sarandon), quien ejerció de confidente espiritual del reo condenado a muerte Matthew Poncelet (Sean Penn) durante los últimos días de su vida en la cárcel, antes de ser condenado a la pena capital. A diferencia de *¡Quiero vivir!*, donde la ejecutada es víctima lamentable de un error judicial, en *Pena de muerte* no hay duda sobre la autoría criminal del asesinato y, además, se ofrece el testimonio directo (en conversaciones directas con la monja) de los familiares de las víctimas asesinadas por el odioso criminal. Así pues, se nos ofrece una rigurosa cartografía social, moral y jurídica de toda la problemática penológica que acompaña a la pena de muerte con el objetivo final (no puede ser de otra manera tratándose

---

[37] Vid. el excelente trabajo de María José García Salgado: "*¡Quiero vivir!* Realidad construida, construcción *procesada*: género, prensa y trampas policiales en la determinación del castigo penal", en RIVAYA, Benjamín (coord.): *Cine y pena de muerte, op. cit.*, pp. 98 y sigs.

de una barbaridad tan execrable) de articular un alegato en contra de ella, que termina por igualar éticamente al criminal que mata y al Estado que condena y ejecuta el castigo[38].

La *Norteamérica profunda* es uno de los pretextos argumentales más importantes en el último cine de Lars von Trier, cine melodramático en una de sus versiones más excesivas. Tal circunstancia responde a una obsesiva fijación crítica del cineasta danés contra aquel país y contra el *american way of life*. Partiendo de ahí, von Trier pretende poner al descubierto las carencias del ideario estadounidense ambientando sus historias en aquel país (ciertamente, Estados Unidos mantiene vigente la pena capital y su aplicación, especialmente en las últimas décadas no es inhabitual). En *Bailar en la oscuridad* (*Dancer in the Dark*, Lars von Trier, 2000)[39] nos narra la historia de Selma, una joven inmigrante checa y madre soltera, que trabaja en una fábrica de un pequeño pueblo de los Estados Unidos en condicio-

nes económicas muy modestas. Su única vía de escape frente a tan antipática realidad es su pasión por los musicales clásicos de Hollywood. Selma esconde también un triste secreto: está perdiendo la vista por una enfermedad degenerativa y su hijo sufrirá el mismo mal si ella no puede conseguir el suficiente dinero para pagarle una costosísima operación que evitaría tal desenlace. Ahorra tenazmente todo el dinero que puede para ello; no obstante, el ambiente de mezquindad moral y de corrupción social en que vive, le impide llevar a buen puerto su objetivo al ser acusada de un homicidio que comete en defensa propia cuando un vecino, sabedor de sus circunstancias e intentando abusar de su desamparo, le roba el dinero ahorrado e intenta violarla. Finalmente, el sistema judicial se mostrará impiadoso y la condenará finalmente a la horca.

En esta curiosa actualización del melodrama musical, von Trier denuncia las verdaderas condiciones de explota-

---

[38] Un excelente análisis del filme desde la perspectiva de los estudios de *Derecho y Cine* es el efectuado por Benjamín Rivaya en: *"Dead Man walking*. Contra la pena de muerte"*, en *Cine y pena de muerte, op. cit.*, pp. 193-213.

[39] Los otros filmes a los que me refiero son los que conforman su *trilogía norteamericana*. De los tres, hay ya dos rodados, *Dogville* (Lars von Trier, 2003) y *Manderlay* (Lars von Trier, 2005); todavía, a día de la fecha, no se ha filmado el tercero, *Washington*.

ción socio-económica en que realmente vive gran parte de la población estadounidense, el paraíso del capitalismo y la opulencia, y sobre todo, la ruindad moral que ha traído consigo su modelo socio-político cuando el individualismo del sistema norteamericano no es otra cosa en la práctica que egoísmo y vileza.

Ahí, según el cineasta, el sistema jurídico y la administración de justicia actúan como cómplices de esta infame situación y no hacen otra cosa que respaldar institucionalmente la miseria moral en que vive esta sociedad con el peor castigo que se puede imponer a una víctima de ella: la pena de muerte.

2.5. El melodrama jurídico español

Ya apunté con anterioridad que en el cine mudo español apenas hubo cine jurídico. La única película que podría calificarse como tal, fue *La aldea maldita*, de la cual su mismo director, Florián Rey, volvió a rodar otra versión en 1942. Esta última reproduce prácticamente idéntico argumento que la de 1929: en Luján, una mísera aldea castellana de principios del siglo pasado, malvive el labrador Juan Castilla (Julio Rey de las Heras) y su familia. La vida allí es muy dura después de dos largos años de sequía y la pérdida de casi todas las cosechas (se piensa que la aldea está *maldita*), lo cual provoca que la gran mayoría de sus habitantes se vean obligados a emigrar a la ciudad en busca de un mejor futuro. Un enfrentamiento entre Juan y el cacique local provoca que el labrador sea encarcelado. Su mujer, Acacia

(Alicia Romay), abandona la aldea y tiene que trabajar en diversos empleos no demasiado recomendables. Años después, Juan encuentra a su esposa con otro hombre en el reservado de una taberna y la obliga, sin dejar de reprobarla moralmente, a volver al hogar y mantener las apariencias hasta que fallezca el abuelo, ya enfermo. Al final se produce la reconciliación de la pareja.

La aldea maldita constituye (además de una muy apreciable película) un melodrama excelente para mostrar el código de valores de la España franquista de la posguerra civil. Parte de un eje temático muy común a todo el cine melodramático español de temática socio-jurídica: la contraposición entre campo y ciudad, en la que esta última es considerada como un lugar de disipación frente a la autenticidad moral de aquél, refugio de las verdaderas virtudes morales. Esta dialéctica responde a uno de los mensajes fundamentales del filme: la afirmación del espacio rural frente al éxodo de inmigración que se produce hacia las ciudades en situaciones de crisis material grave. En este sentido, la película es un relevante melodrama social.

La familia está sustentada socialmente sobre un modelo fuertemente patriarcal, donde el *paterfamilias* es la viva representación de las virtudes morales y, por tanto, de la autoridad máxima, mientras que la esposa tiene un papel totalmente abnegado, pasivo, sin la menor iniciativa y personalidad propias, absolutamente sometida al esposo, a la concepción del honor y de los valores impuestos por el marido. Sin duda, este patrón familiar es el propio de la concepción tradicionalista, propia de los vencedores en la Guerra Civil, entonces vigente, donde también la religión reviste un peso esencial conformando los modos de vida, los valores, e incluso, en el caso de esta película, el propio desarrollo narrativo y dramático del filme: es una procesión invocando a Dios lo que determina una buena cosecha de trigo y la

vuelta a los auténticos valores morales representados por lo rural; y la película está filmada estéticamente según los modelos iconográficos y de representación religiosos imperantes (me remito, por ejemplo, a la escena final, donde se recoge explícitamente la parábola evangélica del hijo pródigo para justificar moralmente la vuelta de la esposa al hogar). Todo, incluso lo jurídico, está profundamente sometido a esta rígida cosmovisión nacional-católica.

En este sentido, resulta concluyente el retrato que muestra la película de la protagonista, la quintaesencia hispánica de una mujer melodramática: una desventurada que, por mor de sus circunstancias y de los acontecimientos sociales y personales en que se ve envuelta (de marcado tinte folletinesco), se ve abocada a la marginalidad social y que finalmente, tras un sacrificio extremo, se ve redimida de su culpa y de su error anterior (incluso de su feminidad), a través del perdón (nada menos que bíblico) de su esposo[40]. Una mujer que, política y jurídicamente, tiene una presencia social no mucho más relevante que cualquier elemento decorativo.

---

[40]   ¿No les recuerda a la típica heroína de las películas de Lars von Trier? Curiosa concomitancia...

Dos años más tarde, en 1944, Rafael Gil rodó *El clavo*. Este melodrama cuenta la historia de amor, iniciada casualmente en el curso de un viaje en diligencia, entre el juez José Zarco (Rafael Durán) y Blanca (Amparo Rivelles), una hermosa y misteriosa joven. Tras la desaparición de ésta durante unos días de ausencia del juez, éste, profundamente afectado, renuncia a su ascenso a magistrado de la Audiencia provincial y se recluye en un simple juzgado de primera instancia provinciano. Allí descubre incidentalmente un cadáver con un clavo en su frente y se hace cargo del caso. Las pesquisas le llevan a Gabriela, una dama que rechazó la propuesta de matrimonio del fallecido, la cual es procesada y juzgada por Zarco. En un momento de la vista oral, el juez reconoce a la acusada como su amada de antaño. Es condenada a muerte, aunque la intervención de Zarco consigue su indulto y su conmutación por la cadena perpetua.

Esta historia romántica, preñada de fatalismo, muestra un amor desdichado por las circunstancias vitales que rodean a los protagonistas y su destino fatídico, empleando ciertos efectismos típicos del melodrama, como el secreto en torno a la identidad y la vida de los personajes, la seducción como elemento sentimental esencial en la trama (se consuma la unión sexual entre los protagonistas la primera noche de conocerse —se muestra fuera de campo—: dato inaudito en el cine español de los cuarenta), el amor silencioso por causas personales y sociales de uno de los protagonistas (la mujer), un contexto social burgués, casualidades narrativas y argumentales inverosímiles (*deus ex machina*), etc... Todo ello bajo un punto de vista social, político y jurídico (los hechos narrados se ubican durante la segunda mitad del siglo XIX) donde religión, ley y justicia son distintas caras de la misma moneda. La presentación a la sala de vistas para celebrar el juicio a la protagonista se inicia con la asimilación visual, a través de una simbolista sobreimpresión en la pantalla, de la balanza de la justicia, la ley y un crucifijo, de acuerdo con la concepción jurídica de la época de la filmación de la película en España.

En relación con esto, llama la atención la actitud adoptada por el juez al condenar a la protagonista a muerte en su sentencia y, posteriormente, reclamar el indulto y la conmutación de la pena. Ello constituye un buen aprovechamiento dramático de la tesis clásica iuspositivista que entiende la función judicial como un aséptico proceso intelectual meramente lógico-subsuntivo, cuasi-automático, sin la menor interferencia valorativa o de otro tipo por parte de la persona del decisor: "Ha decidido la ley, no el hombre", sentencia el secretario judicial a la protagonista, la cual espera la ejecución de la sentencia en su celda. He aquí un buen indicio para comprender mejor la verdadera mentalidad jurídica subyacente al régimen franquista, a pesar de su declarada tendencia iusnaturalista, porque, como afirma también el secretario cuando el juez solicita el indulto para la condenada: "El indulto es también ley de Dios", en clara identificación entre ley divina y ley positiva, y por tanto, a Dios como principal fuente del Derecho.

Finalmente, la película es un raro ejemplo de inmediatez y frescura en el modo en que se muestra el juzgado del que es titular el protagonista. Éste aparece como un lugar desordenado y lleno de farragosos expedientes que se amontonan por doquier, pero amable y cálido por el ambiente que se respira entre los que allí trabajan, los cuales tienen una sensibilidad artística que trasciende su condición de meros funcionarios judiciales: uno de ellos es poeta y dramaturgo, y realiza afirmaciones del tipo "en este mundo [aludiendo al mundo del Derecho] no nos

comprendería nadie", y "el juzgado no es mi sitio". Asimismo, el secretario judicial alude en una escena concreta a la necesidad de organizar la documentación jurídica por materias, y durante el curso de la instrucción del proceso se muestran directamente en pantalla los papeles (autos, providencias judiciales, etc...) como recurso narrativo, para que los lea el espectador, de tal modo que los propios documentos jurídicos originales adquieren un protagonismo narrativo inusitado en el cine jurídico, poco común en un cine donde siempre se suele transmitir los contenidos jurídicos de forma indirecta, a través de la narración y de los personajes, y no mostrando directamente los documentos.

Surcos (José Antonio Nieves Conde, 1951) está considerada como una de las mejores películas de la historia del cine español. Narra, en la línea del más clásico y esmerado neorrealismo italiano, la historia de una humilde familia de agricultores que emigra a la ciudad (Madrid) a finales de los años cuarenta, buscando una vida mejor al socaire de la incipiente industrialización durante el régimen franquista. La inadaptación a la vida urbana de los emigrantes, la formación de los suburbios urbanos a causa de la incapacidad de la ciudad para absorber a esta ingente masa de personas y la consiguiente marginalidad social generada, la confrontación entre la mentalidad urbana y rural, y, sobre todo, las dificultades de adaptación de los emigrantes a las nuevas formas y condiciones laborales, constituyen los principales puntos de crítica de esta formidable cinta.

Se trata de un melodrama familiar, con una fuerte carga de invectiva social, donde la ciudad aparece como una jungla repleta de peligros para sus habitantes, en la que la delincuencia, la picaresca, el estraperlo y el engaño campan a sus anchas, constituyéndose en un medio social hostil para los ingenuos emigrantes que pretenden huir de la miseria y del hambre del campo. Un grandilocuente rótulo nos lo indica al comienzo de la película: "Recibiendo de la urbe tentaciones, sin preparación para resistirlas y conducirlas, estos campesinos, que han perdido el campo y no han ganado la muy difícil civilización, son árboles sin raíces, astillas de suburbio que la vida destroza y corrompe". Los emigrantes como sujetos sin entidad pública (y, por supuesto, político-jurídica), como *carne de cañón* de la cultura urbana.

La economía de subsistencia que impera en la ciudad bajo unas condiciones tan precarias, y la arbitrariedad, corrupción y escasa presencia social de las instituciones sociales encargadas de velar por el orden, la justicia y la seguridad ofrecen una imagen del Derecho y de la Justicia como algo ajeno a lo que realmente está ocurriendo en la vida de la gente corriente: no son las instituciones jurídicas el principal medio de prevención y de resolución de los conflictos sociales, sino la propia *ley de la calle*, sustentada sobre criterios tan primarios como la venganza privada y la autotutela jurídica. Su acerado realismo y la verosimilitud en la recreación de los personajes y las situaciones hacen de *Surcos* un interesantísimo fresco sociológico de la España de la posguerra, deprimida económicamente y, en buena medida, moralmente mezquina.

En un punto de vista argumentalmente opuesto a *Surcos*, al centrarse en la burguesía franquista y en su naturaleza moral, se encuentra *Muerte de un ciclista* (Juan Antonio Bardem, 1954). La historia de este amargo melodrama es la siguiente: María José (Lucía Bosé), una joven burguesa madrileña, y su amante, Juan (Alberto Closas), un profesor universitario, atropellan accidentalmente a un ciclista. Tras comprobar su estado, deciden abandonarlo a su suerte a

Derecho y Cine. El Derecho visto por los géneros cinematográficos

instancias de ella. Desde entonces, vivirán atormentados por el remordimiento y por el miedo a que se desvele su secreto hasta que descubren que nadie sabe nada de lo sucedido. Al mismo tiempo, la protagonista es asediada por un crítico de arte que parece conocer lo ocurrido y que le hace temer por su reputación social. Por su parte, Juan, angustiado por su sentimiento de culpa, se esfuerza por mantener sus actividades con normalidad; sin embargo, un incidente en una clase con una alumna a la que está examinando le ocasiona un problema con sus superiores y el enfrentamiento con los alumnos. Tras avisar a María José, decide dejarlo todo y entregarse a la policía. Ella no quiere, sin embargo, sacrificar su posición social, y para evitarlo, atropella deliberadamente a Juan en la misma carretera donde fue atropellado el ciclista. Mientras regresa a su casa, se le cruza otro ciclista, y por evitarlo, da un giro brusco con el coche, se precipita por un puente, y muere. El ciclista da aviso a la policía del accidente, al contrario de lo que hicieron ellos en un primer momento.

El fariseísmo y la hipocresía de la burguesía de entonces, carente hasta tal grado de escrúpulos morales que no duda incluso en sacrificar al prójimo con tal de mantener su privilegiada posición social a cualquier precio (en un hecho tan grave como el homicidio accidental de una persona), son sometidos a una crítica feroz en esta espléndida cinta. Asimismo, el filme constituye un fresco muy veraz de la sociedad de la época, al mostrar fenómenos como la corrupción y el tráfico de influencias, así como los mediocres y mezquinos modos de comportamiento social de la burguesía vigentes en la práctica, como elementos cotidianos en la vida de las personas. El Derecho no escapa tampoco a este cinismo y pasa a ser, en la práctica, un producto retórico de la clase social interesada y ventajista que tiene el poder para conformarlo y aplicarlo diariamente; el Derecho, pues, visto desde el punto de vista ético en la práctica social cotidiana de las élites franquistas.

Ya durante los primeros años de la democracia, y en una clave dramática y formal totalmente distinta, está *"¿Qué he hecho yo para merecer esto?* (Pedro Almodóvar, 1984). Bajo este título tan típicamente melodramático, deudor retórico de los legendarios títulos de los melodramas de Stahl y Sirk, Almodóvar se acerca a la realidad social de la España de la *transición* con el peculiar e incisivo retrato de un ama de casa en el seno de una familia obrera urbana de principios de los ochenta. El estrafalario argumento es, más o menos, como sigue: Gloria (Carmen Maura) y Antonio (Ángel de Andrés) son un matrimonio que vive con la madre de éste (Chus Lampreave) y sus dos hijos en un barrio suburbial y deprimido de Madrid. Ella trabaja como limpiadora y él, tras volver de Alemania como emigrante, como taxista. Gloria toma tranquilizantes para sobrellevar las penurias económicas y sus carencias sentimentales, la abuela está obsesionada con volver a su pueblo, el hijo mayor trapichea con la heroína y el menor es un muchacho homosexual de tortuosa vida sentimental. Aparece también una curiosa vecina que ejerce la prostitución, Cristal, que desea triunfar como cabaretera en Las Vegas; un matrimonio de escritores, Lucas y Patricia (que además es cleptómana) para el que trabaja Gloria y que proponen a Antonio la falsificación de unas memorias de Hitler, etc... De manera accidental, Gloria mata de un golpe certero con un hueso de jamón a su esposo, sin que la policía consiga averiguar la verdad. Al final, la abuela y el hijo mayor se van al pueblo y Gloria se queda con su hijo menor en su casa familiar.

En esta historia folletinesca y estrambótica, recreación postmoderna de los viejos melodramas familiares hollywoodienses, Almodóvar combina el realismo más descarnado con ciertos toques de humor, situaciones extravagantes y patéticas, y diálogos tragicómicos; y, en una línea temática análoga a la de *Surcos*, logra reflejar con gran eficacia el *modus vivendi* de la clase obrera emigrante desde los pueblos españoles a algunos países europeos durante los años finales del desarrollismo franquista y la década de los setenta, y que después regresó para instalarse en los suburbios de las grandes ciudades. Una clase desarraigada e insatisfecha que se ve obligada a sobrevivir, tanto material como psíquicamente, rozando la marginalidad social (prostitución, droga, raterismo, etc...) y cuyos miembros han sido despojados en la práctica de su condición de sujetos de derechos en un contexto social donde estos últimos han quedado relegados a su puro, retórico y simple reconocimiento formal.

En un registro estilístico muy distinto se desenvuelve uno de los mejores ejemplos del peculiar estilo *neo-clásico* característico del cine de José Luis Garci: *El abuelo* (1998). Basada en la novela homónima de Pérez Galdós, cuenta la historia del Conde de Albrit, un aristócrata indiano que, en su vejez, regresa a su pueblo natal en Asturias, donde viven su nuera y sus nietas, con el propósito de descubrir cuál de las dos es la hija legítima de su hijo fallecido (por tanto, su verdadera nieta). Melodrama familiar deudor de la tradición literaria en la que se inspira, trata sobre el frecuente tema melodramático de la contraposición entre dos órdenes vitales distintos; uno basado en un sentido tradicionalista de la persona y del *honor*, propio de una aristocracia que se resiste a perder su identidad social y política, y el otro sustentado sobre un sentido pequeño-burgués de la persona, más acorde con la mentalidad liberal de fines del siglo XIX, y que adquiere relevancia social, política y jurídica a partir de entonces en España.

La institución de la propiedad privada adopta un papel central en este cuadro sociológico, ya que es concebida de distinta manera por unos y otros, lo cual es indicativo de la transición entre estos dos mundos. También participan de esto otras instituciones sociales y jurídicas como el matrimonio, la familia, la parentela, la filiación, etc...; todo ello bajo las constantes típicas del melodrama clásico: la existencia de un fuerte conflicto de intereses basado en prejuicios de clase y enfrentamientos (de orden existencial, cultural) entre clases sociales, secretos familia-

res, identidades desconocidas, distintas maneras de entender el honor, la hipocresía social como presencia inevitable, y una notable carga de sentimentalismo en la concepción y el modo de ser de los personajes, los cuales actúan movidos por el orgullo, el resentimiento, la importancia del perdón, el instinto (basado en un sentido muy cerrado del parentesco, en la *sangre)*, etc...

La estructura dialéctica de ambos órdenes vitales viene a ilustrar, en definitiva, la diferencia entre estas dos maneras de entender y existir en un mundo como el de finales del siglo XIX en España, momento en que se da la total decadencia del orden anterior (la pérdida de las colonias americanas, la Generación del 98, etc...), abocado ya social, política y jurídicamente a su absoluta desintegración.

Por último, dos ejemplos recientes de cine español de inspiración ideológicamente izquierdista, en el estilo (salvando, claro está, las distancias de contexto) de Ken Loach: *Flores de otro mundo* (Iciar Bollain, 1999) y *Los lunes al sol* (Fernando León de Aranoa, 2002). El primero es un ejemplo claro de cine socialmente comprometido, concebido desde un registro narrativo melodramático. Relata la historia de la llegada de un autobús de mujeres, muchas de ellas inmigrantes, a un pequeño pueblo de Castilla, a iniciativa de los lugareños, con el propósito de crear relaciones afectivas entre aquéllas y los solteros del lugar, y de los vínculos de pareja y matrimoniales que de allí surgen. Con gran sensibilidad y desde un punto de vista intimista aunque sin renunciar a la crítica social, la película toca temas como la intolerancia frente a la diversidad ideológica y cultural, el machismo, y la inmigración y el trabajo de los inmigrantes en relación con la dignidad y los derechos fundamentales de las personas en la España actual.

Los lunes al sol, una de las mejores películas del cine español contemporáneo, pone de relieve muy críticamente la situación de desamparo social y personal en que quedan un grupo de desempleados con motivo de las últimas reconversiones industriales en los astilleros del norte del país. Ante los nuevos tiempos de globalización, y segmentación y flexibilización del trabajo, los derechos sociales (y el Derecho laboral, su principal expresión normativa) están quedando relegados a un papel meramente retórico.

De todo el panorama anterior, ciertamente superficial y testimonial, se desprende que el melodrama de temática sociológica y jurídica en España es, sobre todo, cine de denuncia social, naturalmente, condicionado en su mensaje por el contexto socio-político en que ha sido realizado.

3. Consideraciones finales

De acuerdo con el espíritu liberal-burgués decimonónico, romántico, en general de carácter políticamente conservador, en que tuvo origen y que inspira al melodrama como género literario y cinematográfico, la concepción jurídica que suelen mostrar los melodramas (salvo los de clara denuncia social de tendencia izquierdista) es una concepción liberal-burguesa del Derecho, deudora la cosmovisión decimonónica en que surgió como género literario. Desde el punto de vista individual, instituciones como la propiedad privada, la herencia como medio de perpetuación de la estirpe, la familia patriarcal, y valores como la libertad radical del individuo, constituyen el universo axiológico-jurídico sobre el que se sustentan las grandes historias melodramáticas. Socialmente, una moralidad pública extremadamente rígida y exigente, un sistema hermético, impermeable, de estructuración social, basado en una concepción severamente jerárquica en la forma de relacionarse entre sí las distintas clases sociales, desde el criterio de su poder económico (no olvidemos que el sistema capitalista es el medio por excelencia de afirmación y desenvolvimiento del burgués) es la que determina el imaginario sociológico del género. En este sentido, hemos visto que, por ejemplo, en ciertos melodramas románticos, la diferencia de status social se presenta como algo estático y constituye un obstáculo para la felicidad de la pareja. También funciona así en muchos casos la diferencia de edad, donde lo habitual es que el personaje masculino sea el más viejo y la mujer, con frecuencia en el papel de víctima, se presente como inferior socio-económicamente. Cuando la felicidad sonríe a los amantes suele ser porque la pareja ha sabido renunciar a estos valores de riqueza y de rango social.

En este marco, el Derecho se contempla como algo que socio-políticamente conforma y forma parte, a la vez, del *statu quo*, y por tanto como un elemento que crea concordia más que discordia, que resuelve positivamente problemas más que provocarlos. En efecto, el Derecho suele aparecer en este tipo de melodrama cuando se da abiertamente un conflicto que precisa de una resolución que se entiende deseable, buena, y no como un elemento que genera conflictos. En general, el jurista es presentado como un burgués de vida feliz y acomodada, en un contexto social burgués, el cual es, por otra parte, el marco típico de la gran mayoría de las historias melodramáticas.

Esta concepción liberal del Derecho se sustenta sobre un presupuesto filosófico fundamental: la separación teórica entre *fuero interno* y *fuero externo* en la concepción antropológica racionalista moderna del hombre. Como es de sobra sabido, a partir de la Modernidad se produce una distinción neta entre *hombre público* y *hombre privado*. Ello da lugar a la separación tajante entre Derecho y Moral, e incluso a la distinción entre una moral pública y una moral privada. He aquí el caldo de cultivo del tema, tan recurrente en el melodrama, de la apariencia, de la *doble vida*, de la doble moral burguesa y de la hipocresía. En el aspecto moral, el melodrama clásico suele oponer habitualmente las dimensiones pública y privada de los protagonistas asimilando apariencia externa con éxito económico y social, e infelicidad personal con miseria moral. Ello responde a una concepción de la normatividad social (y jurídica) meramente formalista, donde la pura adecuación externa de la conducta con la norma es suficiente para *vivir bien* socialmente y ser *un buen ciudadano*. Se trata, en el fondo, de una visión de la norma social (y jurídica) como algo completamente distinto a la norma moral; una visión liberal de la normatividad social de inspiración kantiana, tan importante en la conformación de la cosmovisión sociológica melodramática. Así se explica, por ejemplo, el gusto por el ritualismo, por la solemnidad de la apariencia, tan característico del género.

Sirva para ilustrar esto la manera en que se suele presentar la institución del matrimonio en muchos melodramas. En una sociedad donde el matrimonio pertenece al ámbito público y el amor al dominio privado, resulta bastante normal que los amantes sean separados y se reencuentren tan a menudo como ocurre en el género melodramático, ya que la conjunción entre sus vicisitudes sociales e individuales determinan (y suele imponerse el mandato de lo público salvo, como he dicho, consciente re-

belión en contra) su forma de vida en pareja, es decir, que estén casados o no y más o menos enamorados en función de su estado civil. En este sentido, los motivos argumentales del hijo ilegítimo y de la amante oculta fuera del matrimonio, típicos de esta clase de melodramas, constituyen una manifestación de fractura social, puesto que un hijo nacido, y una relación amorosa y sexual, al margen de las coordenadas normativas sociales, morales y jurídicas burguesas (un hijo *ilegítimo* y una concubina) ponen de manifiesto en último término una quiebra de estas coordenadas, y un pretexto para criticar el orden burgués. El Derecho se entiende aquí, pues, como un producto que atañe a la dimensión pública del sujeto y, por tanto, juega siempre en el ámbito social de los personajes.

Por otra parte, hemos visto también en función del momento histórico de que se trate, que existe una importante tendencia del melodrama a la crítica social, al denunciar las injusticias que conllevan las desigualdades sociales y la carencia de derechos (también sociales) por parte de los sectores menos favorecidos. He aquí la otra cara del melodrama burgués anteriormente descrito, donde los ambientes y los personajes protagonistas, desde los presupuestos dramáticos y estilísticos característicos del género melodramático, son los pobres, los desempleados, los marginados, etc... En este esquema, los miembros de las clases sociales inferiores suelen representar el papel de víctimas sociales, y su estrategia ideológica suele consistir en subrayar la oposición entre riqueza y pobreza identificándolos respectivamente con felicidad e infelicidad, con el fin de plantear la crítica a la desigualdad real en la sociedad y la inmoralidad de la perpetuación de este escenario. Se trata de melodramas de ideología izquierdista, marxista, reivindicativos de los clásicos derechos sociales (trabajo, educación pública, seguridad social, etc...), que buscan la simpatía mayoritaria de un público que vive en parecida situación a la descrita por ellos. Aquí el Derecho burgués suele ser objeto de reprobación como producto (diría un marxista) *superestructural* de la cultura en la que ha nacido y que contribuye a perpetuar mediante su regulación tendenciosa de la vida social.

En la medida en que un gran número de melodramas tiene como personajes protagonistas a mujeres, y que su propia configuración genérica debe mucho al público femenino por ser éste en muchos casos el principal receptor de las historias melodra-

máticas (recuérdese, por ejemplo, el importante subgénero de las *women´s pictures*), es interesante reparar en el modo en que se relaciona la condición femenina de estos personajes con su condición socio-jurídica. Hemos dicho que el melodrama es un género típicamente burgués y, desde luego, esta circunstancia no es ajena al modo en que se entiende socio-jurídicamente la condición sexual del individuo a lo largo de todo el género melodramático. La mujer se presenta como un sujeto sin entidad social propia, como un personaje estrechamente estereotipado bajo los roles sociales de *novia, esposa, madre, amante*, etc... Son las instituciones burguesas del matrimonio y de la familia patriarcal las que determinan sus pulsiones e impulsos personales, y las que clausuran su horizonte vital bajo sus rígidos patrones, quedando relegadas en muchos casos al papel de mero objeto estético. El varón, aun estando también bastante constreñido por los distintos roles sociales que está llamado a desempeñar, goza de un ámbito de libertad, y consecuentemente de entidad y de identidad sociales, mucho más amplio que la mujer. Incluso cuando la pulsión romántica preside las acciones de una mujer, esta pulsión se encuentra condicionada por su ansiada meta de convertirse en *esposa* del hombre amado, de tal manera que cuando esta pulsión desaparece, la mujer se encuentra en un auténtico callejón sin salida. Así pues, en la gran mayoría de los melodramas resulta inconcebible una mujer independiente y sexualmente activa fuera de la institución del matrimonio, esto es, una mera reproductora biológica cuya función sea garantizar *ad futurum* el orden social establecido. Así por ejemplo, los escasos personajes femeninos solteros y sexualmente activos de algunos melodramas (por ejemplo, las protagonistas de *La usurpadora* —John M. Stahl, 1932—, de *El clavo* —Rafael Gil, 1944—, y de *¡Quiero vivir!* —Robert Wise, 1958—) suelen vivir en la marginación social y acabar trágicamente como consecuencia de su consideración acusadamente machista en la cosmovisión melodramática.

Y es que, como vengo diciendo desde el principio, el melodrama es *cine social*; un género que, pese a sus aparentes excesos y a su frecuente tendencia hacia la exageración sentimentalista, ostenta una innegable dimensión *social*. La causa no es otra que la de ser, junto a la comedia, el género popular por excelencia; un tipo de cine que pretende, ante todo, obtener la máxima audiencia por parte de la mayor cantidad de público posible tocando una de sus fibras más sensibles.

La cara oculta del delito. El cine negro o la última tragedia*

Condensar un género cinematográfico y referirlo al mundo jurídico es labor compleja. La complicación aumenta si, como es nuestro caso, los límites del género están sujetos a discusión. Porque, en efecto, así como el cine de ciencia ficción o la comedia no admiten demasiadas porfías en lo que toca a su definición como género —el futuro y la risa los perfilan—, el cine negro está sometido a fuertes controversias. Fundamentalmente se debate acerca de su incardinación como género, en sentido estricto, o movimiento; esto es, se discute sobre si el cine negro posee unas características formales que posibilitan que podamos hablar de él como de una categoría transhistórica —es el caso de F. Guerif— o bien se encuentra restringido a una determinada época —así lo entienden, por ejemplo, Silver y Ward—. La cuestión, más allá de la disputa erudita y un tanto pedante que se suscita ante estos temas clasificatorios, carecería en lo absoluto de relevancia si no fuese porque, precisamente, sus características diferenciales respecto a géneros aledaños son las que nos indican la concepción jurídico-moral que se mantiene en el cine negro, que es la cuestión que nos ocupa. Convenimos por ello con la opción "historicista" sobre todo porque, como señala J. Comas, al extender las fronteras del cine negro éste se acaba perdiendo en la periferia y, al cabo, se confunde con el llamado cine policíaco. El asunto de su incardinación como género más o menos inespecífico o movimiento autónomo, decíamos, no pasaría de la simple bachillería doctrinal; sin embargo, al asentarse la identidad del cine negro precisamente en su enfrentamiento consciente a los cánones tradicionales del cine policíaco e incluso al de gángsters, conviene entrar en materia

* El presente trabajo se enmarca en el Proyecto de Investigación titulado *Derecho, Cine y Literatura*, SEJ2005-05469/JURI, cuyo Investigador Principal es Benjamín Rivaya.

Derecho y Cine. El Derecho visto por los géneros cinematográficos

de taxones. Así pues, aquí vamos a sostener que, en contra de las notas que caracterizan a la ficción criminal en general, son dos los elementos que especifican al cine negro: en primer lugar su faceta subversiva en tanto que crítica con el derecho, la administración de justicia y los valores morales dominantes; y, en segundo lugar, su carácter trágico —lo que representa una concepción de la culpabilidad extraña a la de géneros afines—.

La delincuencia y el bandidaje son fenómenos que han existido en todos los países y que, diríamos que sin excepción, siempre han despertado una extraordinaria fascinación. W. Benjamin llevó a cabo una distinción acerca de la violencia especialmente esclarecedora. Existe, por un lado, una *violencia fundadora*, que es aquélla que instaura un nuevo orden desafiando toda legalidad precedente; por otro, existe una *violencia conservadora* que, muy al contrario, propende a perpetuar el orden establecido. Del derecho fundador se pide la acreditación en la victoria y del derecho conservador que se someta a la limitación de no fijar fines distintos de los propuestos en la ley que conserva. La violencia como medio es siempre, bien fundadora de derecho, bien conservadora de derecho. En caso de no reivindicar ninguno de estos predicados, renuncia a toda validez; en caso de reivindicar ambos títulos —tal hace con frecuencia la policía— la violencia equivale a la ignominia más monstruosa. El Estado teme la violencia fundadora capaz de justificar, de legitimar y de transformar relaciones de derecho. Por eso, el monopolio de la fuerza que ostenta el Estado no sólo pretende conservar el orden, sino —y sobre todo— frustrar otras fuerzas fundadoras. Pues bien, el secreto embrujo que siempre ha suscitado la figura del "gran criminal" no se explica ni por la admiración de cualidad personal alguna, ni por la concreta acción que realiza, sino porque se atreve a desafiar abiertamente a la Ley apelando a la violencia fundadora. En palabras de W. Benjamin, con el desafío a la legitimidad del Estado irrumpe esa misma violencia que el derecho intenta sustraer del comportamiento del individuo en todos los ámbitos y que todavía provoca una simpatía subyacente de la multitud. Tendemos a identificarnos con el gran criminal porque se atreve a realizar lo que nosotros, por cobardía socializadora, rehuimos. Lleva razón N. Elias cuando —retomando la vieja idea de Freud en *El malestar de la cultura*— explica el proceso de civilización como una continua represión de las propias pasiones, como una inhibición del impulso de atacar físicamente al otro cuando se opone a nuestros intereses. La civilización comienza cuando se consigue excluir la violencia privada e indiscriminada. Y esto se logra de dos modos: con normas externas que garanticen el monopolio de la fuerza física por parte del Estado y con normas internas que, mediante un autodominio consciente, logren contener regularmente las manifestaciones instintivas y emocionales. Naturalmente, esta presión y auto-represión originan conflictos inevitables en el psiquismo humano que tienden a canalizarse por vía de enfrentamiento normativo. El Hombre siempre ha deseado transgredir las normas mediante las cuales es domesticado desde su infancia. La socialización no es sino la imposición de una concreta atribución de sentido de la realidad. Y la locura, el sueño y la delincuencia son los modos en los que el Hombre da rienda suelta a su rebeldía frente a esa realidad que le ha sido impuesta. Es éste el sentido en el que decía Nietzsche que muy pocas veces está el criminal a la altura de su delito. Por decirlo en terminología freudiana, el Ello —los impulsos, los deseos, la parte apetitiva y primitiva del Hombre dirigida por

el principio de placer— pugna por zafarse del corsé creado por el super-yo —la expresión interna del individuo forjada por la moral de la sociedad—.

Ahora bien, si ese sentimiento es universal, no lo es el modo en el que se manifiesta. Se pudiera decir que las épocas son catalogables según el tipo de afecto que sientan por sus delincuentes, por sus monstruos. Así, por ejemplo, el helenismo mediterráneo estaba presidido por Zeus, un bergante que encarnaba aspectos monstruosos para cometer todo tipo de tropelías aprovechando el temor y la codicia de sus presas. Comprensible parece, pues, el consejo que Aristófanes pone en boca de Esquilo —no criéis en el Estado cachorros de león; pero, una vez hecho, someteos a sus maneras—. Alcibíades es buena muestra de la percepción realista, en casi todos los sentidos de la palabra, que los griegos aplicaban a la gran delincuencia. El siglo XIX, por espigar otro modelo, fue una época de atracción animal por el delincuente. El asesino era visto como una alimaña que despertaba repulsión a la par que curiosidad. Del mismo modo que en la tradición judeo-cristiana el salvaje despierta una secreta admiración por sus atributos viriles, aquí el delincuente fascina por su fuerza desbordante, por su maldad en permanente ebullición. Basta con leer *Frankenstein* de Shelley o *Drácula* de Stoker para percatarnos de lo que decimos. Pues bien, la Norteamérica de principios del siglo XX, que vive primero el desarrollo de una civilización eminentemente urbana e interracial y que experimenta después la organización del crimen a escala nacional, tiene una visión escindida del delincuente. Por una parte, existe repulsa y terror ante la oleada de crímenes sangrientos que asolan el país, pero, por otra, el gángster adquiere una imagen heroica en una época de crisis. La masa inmensa de desheredados que produce la desastrosa situación económica tras la catástrofe de 1929 ve en el gángster un espejo no poco grato en el que mirarse. Lo dicho por Eteocles en *Las fenicias* sería corroborado por el grueso de la población estadounidense del momento: "Ya que hay que pecar, lo más hermoso es pecar por el poder. En todo lo demás seamos justos". Incluso desde el punto de vista moral el gángster encuentra una cierta justificación. El crimen perfecto —que es tema favorito en este tipo de cine— no parece una salida indigna para un mundo podrido. Cuando una sociedad ofrece bienes y plantea fines que no son satisfechos luego por las condiciones reales del sistema, aparece como secuencia necesaria la delincuencia. Como bien ha visto Merton —y desconocen nuestros progresistas, de brillantes y hueras consignas—, no existe una relación directa entre la pobreza y la delincuencia. Esto sólo sucede en los casos en los que los fines propuestos por la sociedad están abiertos al común de los ciudadanos; esto es, sólo acontece en sociedades con una estratificación social basada en el logro, y no en la adscripción. La desigualdad económica unida a la igualdad jurídico-social es una auténtica bomba de relojería. Esto es lo que ocurrió en Estados Unidos y es lo que explica que el gángster, nacido siempre en ambientes miserables y triunfante luego —si bien momentáneamente— gracias a su arrojo y valía personal, fuera considerado como una especie de aventurero moderno. El delito no se concibe como una transgresión, sino como un atajo para conseguir objetivos que la sociedad avala y promociona. En este punto de celebridad resulta normal que el gángster ingresase en el universo cinematográfico reflejando exactamente esta doble consideración de admiración y condena que estamos comentando.

El cine de gángsters constituye en cierta medida un eslabón más en la cadena del relato

Derecho y Cine. El Derecho visto por los géneros cinematográficos

142

policíaco y el cine de intriga. Los relatos policíacos y su cine adyacente se habían construido hasta el momento sobre las deducciones elegantes, finas y sutiles de un personaje central, siempre de exquisito proceder (pensemos en Allan Poe o Conan Doyle). La investigación tradicional, a cargo de un ser olímpico y raciocinante que desenmascara al asesino con la sola ayuda de su discurrir, da paso ahora a un realismo sórdido que se desenvuelve en una atmósfera turbia y comienza a subrayar, si bien tímidamente, los aspectos más corruptos de la administración de justicia. En *La ley del hampa* (*Underworld*, J. von Sternberg, 1927) se alude ya, aunque sea de forma embrionaria, al fenómeno del gangsterismo. Más tarde, títulos como *Hampa dorada* (*Little Caesar*, Mervin LeRoy, 1930), *El enemigo público* (*The Public Enemy*, W. A. Wellman, 1931) o *Scarface, el terror del hampa* (*Scarface*, H. Hawks, 1932) sirven para cristalizar las características del género. Se trata de los primeros antecedentes de un movimiento nacido casi al mismo tiempo en que el cinematógrafo se convierte en un espectáculo de masas para una sociedad que empieza a disfrutar de tiempos de ocio. No existe una reflexión sobre la delincuencia o sobre los motivos que llevan a delinquir que vayan más allá de la búsqueda de lucro fácil e inmediato o de la simple patología criminal. En cualquier caso, los personajes son completamente esquemáticos y dibujados con trazo grueso. Los delincuentes son casi siempre de dos tipos. Está el profesional brutal y despiadado, presentado como un individuo impenetrable y carente de emociones y, al lado, encontramos al delincuente ocasional, al gángster de circunstancias —frecuentemente víctima del primero— que, aquí sí, es comprendido como el producto de una sociedad corrupta. Se repiten esquemas y estereotipos del cine detectivesco —fechoría producida por un malvado que necesariamente encuentra su castigo por causa de una implacable indagación policial, triunfo del bien sobre el mal...— pero se incorpora un cambio en la temática. El cine de gángsters se adentra en un submundo marginal, sórdido y oscuro que nada tiene que ver con el ambiente atildado y manierista que recreaban las tradicionales ficciones detectivescas. La entrada en vigor de la ley Volstad que prohibía la fabricación, venta y distribución de bebidas alcohólicas con más de 0'5 por ciento de alcohol y el surgimiento correlativo de una delincuencia organizada en su dintorno, proporcionó un material de primera a una sociedad burguesa que se escandalizaba y al tiempo se fascinaba —ya decíamos que estos dos sentimientos se acompañan entre sí y, de paso, al Hombre, desde el alba de los tiempos— ante el soberbio espectáculo de la violencia desaforada. Valga como ejemplo la matanza del día de san Valentín, seguida como si fuera un folletín por la prensa del momento. Ese escándalo y esa fascinación explican que esos años sean conocidos, en principio paradójicamente, como los años "felices" —es como si los palestinos llamasen a los años 70 *la década prodigiosa*—. Pero la paradoja se resuelve si tenemos en cuenta que en la cultura norteamericana existe una propensión a identificar la libertad individual con la actuación autónoma al margen de la ley, de tal forma que no es de extrañar que unos personajes que se hacían a sí mismos y se enfrentaban a los cánones dominantes produjesen cierto hechizo en el espectador. Con frenesí adánico, aparece la ingenua identificación de la felicidad con la transgresión, con el disfrute de lo prohibido. Si a eso le añadimos el triunfo social y económico de los hampones en una época de gravísima depresión económica, la fascinación ha de resultar evidente. Por eso se entiende que estando la Ley

—así, en general— en el centro nodular de esas películas sea, sin embargo, una figura ausente en la narración. Lo mismo acontece, así lo apunta A. Santamarina, con las fuerzas del orden encargadas de mantenerla y con los especialistas en derecho (jueces, abogados, fiscales...). Todos ellos carecen de espacio argumental y aparecen como convidados de piedra, ejerciendo ancilarmente un papel que nadie le requiere (y cuando lo hacen actúan generalmente al servicio de las organizaciones mafiosas). La Ley bien es un estorbo que impide la consecución del ansiado ascenso social, bien un señuelo en provecho del poderoso. En suma, a pesar de que, por supuesto, en estas películas al gángster le alcanza siempre su castigo, existe, por un lado, una visión un tanto catastrofista de la sociedad y de sus instituciones y, por otro, la ya comentada ponderación indirecta del gángster. Al contrario que en el *Galileo* de Brecht, en el que el autor pretendía denostar a Galileo y el público, sistemáticamente, empatizaba con el protagonista, aquí se pretende condenar en última instancia al malhechor, pero, el público —contumaz e irredento—, no se deja guiar por las indicaciones del director.

Claro está, este enfoque no satisface a los sectores más conservadores de la sociedad norteamericana. El éxito triunfal de público de *Scarface* (1932) hizo que recapacitasen sobre los valores que se estaban proponiendo a los ciudadanos desde Hollywood; y no olvidemos que el cine, sobre todo en esos primeros años de andadura, era considerado como un potente instrumento de educación y adoctrinamiento. Fruto de esa preocupación es el llamado código Hays de 1934 —un catálogo de normas y restricciones morales que debían respetar las producciones cinematográficas—. Baste la transcripción de sus principios generales para darnos cuenta de la pacatería imperante: 1.- No se producirán películas que puedan rebajar la moralidad de los espectadores. La simpatía del público nunca irá encaminada hacia el vicio, el pecado o la maldad 2.- Se mostrará un modo de vida decente caracterizado por la intriga y la diversión 3.- No se ridiculizará la ley, natural o humana, y no se despertará simpatía por los que la violen. No es de extrañar que una corriente de igual temática pero de signo contrario comience a desarrollarse para contrarrestar los efectos disolventes de la visión romántica del gángster. Este cine exaltaba los valores norteamericanos, muy concretamente los de la clase adinera-

da. Como decía Will Hays, el a la sazón *zar del cine* y autor del mencionado código, había que orientar la industria norteamericana del cine hacia la consigna de "mostrar la vida de las clases superiores". La libertad ficticia, el entretenimiento, la evasión... ese era el estilo de vida expuesto y presto para la mímesis. Ahora se pretende, repitiendo las palabras con las que C. B. De Mille condensó su propia actitud, "exaltar el idealismo puro de la juventud americana". Por ello comienza una saga de películas en las que, de manera zafia y propagandística —lo primero en tanto que lo segundo—, se ensalzan los valores medios de la sociedad y se patrocina una imagen de armonía, orden y normalidad en el funcionamiento de las instituciones. El criminal es abyecto y deplorable, sin rastro de su primitiva grandeza. Otro de los elementos más subversivos del cine negro, el de la mujer fatal, también resulta rebanado. Aunque una interpretación inmediata del papel femenino en las películas de cine negro nos llevaría a pensar que la mujer, confirmando el prejuicio judeocristiano, aparece en ellas como un personaje perverso, diabólico y en íntima conexión con el pecado, con la perdición y con la caída, hay buenas razones para creer que acontece una cosa muy otra. La percepción que ve a la mujer como una bestia tentadora cede ante la visión de un buen número de personajes poderosos y seductores que proporcionan una alternativa a la violencia viril. Por eso la crítica feminista actual ha visto en la potencia de la mujer fatal y en su uso de la sexualidad un antídoto contra el sexismo de un universo dominado por los hombres. Electra, Medea y Fedra son personajes extremadamente persuasivos. Las *vamp* del cine negro también. En el cine policíaco español —que nos perdone E. Medina pero no existe cine negro español—, en cambio, la mujer desempeña un papel completamente pasivo: es objeto de deseo, pero nunca es sujeto agente de los acontecimientos —no trama nunca plan ni fechoría alguna—. En el cine negro la mujer alcanza un protagonismo insólito en una sociedad marcada por el sexismo. Por todo ello, en las nuevas películas que proyectan una restitución del ideal norteamericano, la mujer vuelve a desempeñar el papel de fiel esposa y abnegada compañera.

También es el momento de rehabilitar a una policía que, sin gloria pero con valor, lucha denodada y limpiamente contra el crimen... *Contra el imperio del crimen* (*G-Men*, W. Keighley, 1935), es posiblemente la película —de encargo gubernamental, por cierto— en la que con más claridad se aprecia este visaje propagandístico y pedagógico que comentamos. La ideología del orden siempre está atenta y reacciona con prontitud cuando toman corporeidad los soplos de la impugnación y del cambio —algo que hoy es perfectamente visible en las producciones para la televisión, que es el más moderno medio de masas *auténticas*—. En cualquier caso, sea en su faceta más desgarrada, sea en su perfil más apologético, el derecho está tratado de una manera abstracta, idealista, como si fuera una institución homogénea y compacta. Habrá que esperar al cine negro para encontrar una visión más matizada y sinuosa de los senderos de la Ley.

Porque, y esta es una marca de identidad del género que nos ocupa, el cine negro incorpora una dimensión realmente crítica y con frecuencia lacerante acerca de la sociedad y del derecho que produce y del que se vale. Pero ¿qué es lo que explica este giro que representa el cine negro, y en dónde radica ese plus crítico que aporta respecto del género gangsteril?

En lo que respecta a lo primero, a los motivos que causan el giro crítico del cine negro, la explicación es dúplice: por una parte, nos tropezamos con una causa externa, la segunda guerra mundial, que, sobre todo a su término, vendrá a agravar la situación social en todo el país. Como señaló en su momento A. Polonsky, guionista y director de cine, "fue una guerra extraordinaria, horrible. Campos de concentración, asesinatos, bombas atómicas, muertes en vano. Cualquiera se vuelve pesimista ante todo eso". La guerra trivializa la muerte y posibilita una cierta impasibilidad ante el crimen cotidiano. En palabras de E. Von Stroheim, no es posible reunir impunemente a millones y millones de hombres, inculcarles una mentalidad asesina, entrenarlos física y moralmente en los métodos más modernos y refinados de supresión del prójimo, enviarlos a probar la excelencia de esas técnicas en los países más remotos y pedirles que pierdan bruscamente las buenas costumbres adquiridas con tanto esfuerzo.

Por otra parte, encontramos que la violencia y la corrupción internas se asientan hasta formar parte íntima del sistema. La desconfianza ante las instituciones, antes puntual, se instala en la actitud cotidiana del estadounidense medio. Autoridad y Mentira parecen ir siempre juntas —este es el mensaje del *Galileo* de Brecht que parece presidir a esta época—. En efecto, Estados Unidos estaba enfangado en la corrupción. En la época de entreguerras, tras la *Depresión* y en buena medida, como ya comentamos, debido a la *ley seca* que hizo prosperar todo tipo de negocios turbios, la complicidad entre la delincuencia organizada y los poderes públicos dominó la vida del país. Los norteamericanos se acostumbraron a vivir bajo el signo de la doble moral y el discurso cínico. Asociaciones tales como la Liga Antitaberna y la Unión Femenina de Abstinencia Cristiana —dios las confunda— convivían perfectamente con la normalización del contrabando de alcohol. De este modo, amplios sectores de la sociedad norteamericana se convierten en delincuentes casi habituales que consumen bebidas alcohólicas en bares clandestinos cuyos propietarios, que no pueden recurrir a la policía para su defensa —en el mejor de los casos, porque en el peor sí pueden acudir a una policía metida hasta el corvejón en este sucio entramado— son extorsionados por las bandas de gángsters, que, además, controlan la venta y distribución de este tipo de bebidas. Como expone Hans Magnus Enzensberger en su *Política y delito* "el primer decenio de la prohibición arrojó el balance siguiente: medio millón de detenciones; penas de prisión por un total de treinta y tres mil años; dos mil muertos en la guerra del aguardiente de los gángsters; y treinta y cinco mil víctimas de intoxicación por alcohol". La respetabilísima sociedad burguesa se fundía y se confundía con delincuentes de la peor estofa. Resulta esclarecedor que Harding, a la sazón presidente de los Estados Unidos, tuviera un proveedor permanente de licor o que el congresista que redactó la Decimoctava enmienda —la que inició la *ley seca*— fuera detenido por poseer un negocio clandestino de venta de alcohol... Los propios ministros del gobierno participaban de la corrupción —en 1925 los secretarios de marina e interior se vieron envueltos en un notable escándalo al descubrirse su participación en una trama de sobornos—. Como señalaba un periodista de la época, "Hoy día el crimen es un asunto de alianza y de afiliación que coloca a los agentes represivos en una situación extremadamente difícil, dadas las enfermedades que aquejan a la mayoría de policías locales y que poseen nombres: corrupción incapacidad, falta de dinero influencias políticas". Por otro lado, el derrumbe del sistema financiero que provoca el crack de 1929 acaba con la creencia infantil de un crecimiento económico ininterrum-

pido y lleva a la sociedad norteamericana a una crisis social, económica y de valores sin precedentes. A lo largo de los años veinte, como señala H. Polo, veinticinco mil trabajadores morían anualmente víctimas de accidentes laborales y decenas de miles quedaban inválidos. Los ghettos urbanos acogían a millones de obreros. Las manifestaciones de parados, organizadas por un incipiente partido comunista, se sucedieron por las ciudades industriales. La nación se ve inmersa en una situación pesimista de la que no logrará escapar hasta mediados de los cincuenta. En esos años los empresarios recurrieron al terrorismo con la aquiescencia de las fuerzas de orden público llegando a secuestrar sindicalistas y a perseguir a dirigentes comunistas. No era infrecuente que las huelgas —recordemos Chicago en 1937: diez obreros muertos entre los piquetes— acabasen en carnicerías dignas de una filmación de Eisenstein.

Violencia estructural, depresión económica, represión política, corrupción institucionalizada... cualquier manifestación artística había de quedar impregnada de este ambiente fétido. Como decía Broch, las épocas caracterizadas por una pérdida definitiva de valores se apoyan en el mal, en la angustia del mal y un arte que quiera ser expresión adecuada de las mismas también ha de ser expresión del mal que en ellas existe. Ese fue el caso de la novela negra que es, sin duda, la fuente directa de la que bebe el movimiento cinematográfico que nos ocupa —muchas de sus películas desarrollan guiones extraídos de la novela negra, otros son elaborados directamente por escritores *negros* (Hammett, Chandler, Burnett...)—. En efecto, el cine negro se inspira en los *pulp magazines* —*Black Mask*, principalmente— de los años treinta que con su estilo seco, rápido y brevilocuente subvirtieron los principios temáticos y narrativos heredados de la novela decimonónica. El crimen, que antes era relegado a suceso marginal, a resultado accidental de una intriga sustantiva, adquiere ahora un protagonismo y una entidad insospechados. Como sentenció R. Chandler, uno de los escritores de novela negra más influyentes, la historia del cine negro comienza cuando el asesinato desaparece de los salones con jarrones venecianos y se introduce sin contemplaciones en callejones de mala muerte y ambientes sórdidos. No parecía mala idea, concluía el escritor, alejar el crimen todo lo posible de las concepciones pequeño burguesas de las jovencitas de buena

sociedad que mordisquean alitas de pollo. Los escritores de novela negra se despreocuparon del psicologismo propio de la literatura de intriga y comenzaron a narrar exclusivamente los comportamientos externos de los personajes —es el llamado estilo *behaviorista*, que bebe del realismo documental y que tan bien se adapta a la textura cinematográfica (de hecho, libros como *El halcón maltés* están estructurados como un guión)—. En sus textos, más que de capítulos, podemos hablar de escenas o de secuencias. Se utilizan técnicas de montaje en la ilación narrativa y el protagonista de la novela suele ocupar el lugar de la cámara. Por otra parte, los diálogos incisivos y, sobre todo, la prosa poética y escueta —un lirismo brutal y espasmódico— se ajustaban perfectamente a la nueva estética expresionista. El cine negro depende en lo absoluto del sonido, tanto por los diálogos electrizantes como por esa narración lánguida, fatalista y crepuscular de la voz en *off* que añade subjetividad y convierte la narración en sustancia poética.

Y si bien la fuente inmediata del cine negro es la novela negra, como reconocen R. Borde y E. Chaumeton —autores del pionero y hoy clásico trabajo *Panorama del cine negro americano*—, no es menos cierto que D. Hammett es el auténtico creador de esta nueva corriente literaria. A partir de sus escritos existe un antes y un después en lo tocante al estilo, a la ambientación y a la creación de ciertos arquetipos que adquieren carácter de mito fundacional. El mismo Hammett era consciente de ese signo innovador. Sus primeros escritos aparecieron a nombre de Peter Collinson. "Ser un Peter Collins" equivalía a "ser un menos que nada", con lo que, añadiendo "on", Hammett daba a su seudónimo la significación literal de "hijo de nadie", sugiriendo así que no era heredero de nadie en el género literario que practicaba. Como pone de manifiesto H. Polo, Hammett, utilizando los materiales de derribo de una literatura de evasión iba a desnudar los mecanismos internos del capitalismo norteamericano. Las revistillas *pulp* eran un instrumento de alienación de quienes soportaban la peor parte de la vida norteamericana; un género donde el crimen era algo ajeno al capitalismo, apenas un hijo espurio de una sociedad que aparecía gobernada de forma justa y donde los criminales cometían sus fechorías. Hammett revoluciona este panorama y pone al descubierto el verdadero rostro de la sociedad en la que vive. La extorsión, el abuso, la corrupción, el crimen, la hi-

pocresía... todo eso, lejos de ser una consecuencia accidental de unos tiempos confusos, pasa a convertirse en la verdadera esencia del sistema y en el principio rector de la vida estadounidense. Los conflictos y la criminalidad vienen determinados por un contexto social, no meramente psicopatológico y dan paso a una denuncia social que pone de relieve el agravamiento de las desigualdades, de la injusticia y de la intolerancia que provocó la Depresión del 29. Fritz Lang será el director que recogerá el testigo de esta tendencia sobre todo con dos películas: *Furia* (*Fury*, 1936) y *Sólo se vive una vez* (*You Only Live Once*, 1937), donde se analizan las causas que empujan a la delincuencia a dos seres inocentes.

La denuncia de la corrupción de la policía y de la descomposición interna de las instituciones, es cierto, forma parte de la cultura norteamericana, pero, desde luego, el tenor de esa denuncia no ha sido siempre el mismo. Hammett, al mostrarnos con impúdica desnudez sus causas, da una vuelta de tuerca más a esta tradición. Los policías, jueces y gobernadores son elegidos localmente gracias al apoyo de redes financieras, alianzas de todo tipo y recursos ocultos. No son nombrados por el gobierno central ni están bajo su directa tutela por lo que, para ser reelegidos, no se privan de negociar bajo cuerda con el fin de afianzar su poder. El gangsterismo de los años veinte, como recuerda Simsolo, generaliza la corrupción, con lo que el dinero se convierte en un valor primordial para la mayoría de los ciudadanos. El soborno pasa a formar parte de las costumbres en todas las capas de la sociedad. Para obtener el poder y, sobre todo, para conservarlo, se precisa de la extorsión, la corruptela y la prevaricación. Es aquí donde se dan la mano los políticos y los delincuentes. De la misma manera que en la Europa medieval el clero y el poder laico alternaron la complicidad y el antagonismo —pues se necesitaban y al tiempo competían por el mismo trofeo: la dirección de la sociedad— aquí asistimos a idéntico despliegue de amistades, conveniencias y recelos entre los facinerosos y los representantes del poder legítimo. Ante esto, lo más frecuente es encontrar críticas absolutamente ingenuas, no exentas de pretensiones apologéticas, que si bien se ensañan con la podredumbre de ciertos elementos del sistema, encomian al sistema mismo en tanto en cuanto siempre acaba depurando a esos elementos tan indeseables como anómalos. Menos usual es hallar críticas que apunten a las

causas del problema y revelen la cara oscura del capitalismo y la brutalidad de sus métodos. Este es el caso de Hammett y, por ende, del cine negro, una de cuyas claves es la exposición y crítica de una sociedad esencialmente descompuesta. Así pues, la literatura moralista y bien pensante cede ante una literatura y un cine cargados de crítica y de pesimismo —los guiones de Chandler reflejan bien este mundo profundamente corrompido, complejo, mediante estructuras laberínticas en las que nunca se sabe a ciencia cierta de qué lado están los personajes—. Porque, si bien es cierto que el cine negro muestra de manera crítica cómo la corrupción y el crimen han arraigado en la sociedad norteamericana, posiblemente el rasgo fundamental sea la denuncia de la transformación de valores que sacude a un país que ha sido sorprendido tanto por una rápida evolución hacia el desarrollo industrial como por el esfuerzo bélico que implicó su participación en la segunda guerra mundial. El cine negro americano muestra un país en crisis, lo que permite realizar la denuncia de la falta de ética reinante en el momento en que se realiza. "Hay algo podrido en el corazón de nuestro sistema", decía Cecil B. De Mille.

Sabemos ya de las causas de la crítica, veamos ahora en qué consiste la crítica misma. Fundamentalmente se manifiesta en tres inversiones de otros tantos lugares comunes que el cine de gángsters manejaba sobre el derecho y la justicia.

En primer lugar, la justicia aparece ahora no como el telón de fondo en el que se desarrolla una trama delictiva, sino que se afirma en un primer plano y se humaniza —deja de verse como una institución inmaculada y se apunta su carácter falible, imperfecto, susceptible de corrupción, en suma, humano—. La dialéctica que se nos ofrece ya no es la de una intriga en la que un investigador lucha contra el crimen (bien sea en un escenario típicamente burgués, como en las novelas de Doyle, Christie o Simenon, bien en un ambiente suburbial, como en las películas de gángsters). Con el cine negro la corrupción imperante en el sistema y las críticas contra la administración de justicia se sitúan como ejes centrales de la narración. Los jueces aparecen implicados en los casos que juzgan, los fiscales y policías utilizan procedimientos similares a los de los delincuentes y los abogados participan y se benefician de la podredumbre de sus defendidos. La sociedad norteamericana de entreguerras vive un clima enrarecido y el cine negro traslada a su visión del derecho este ambiente de desasosiego.

En segundo lugar, la ley ya no es un orden benéfico que se transgrede por malhechores, sino que deviene producto degradado de un sistema igualmente degenerado. Conviene insistir en este punto. En las películas de gángsters el mal funcionamiento de la legalidad se veía como una disfunción esporádica y marginal dentro de un marco de referencia bienquisto. Siguiendo los esquemas característicos de la interpretación funcionalista propios de la época —el auge del funcionalismo, con Parsons a la cabeza, coincide exactamente en el tiempo con estas películas—, se ven los defectos de la administración de justicia como acontecimientos anómalos y subsanables insertos en un gran sistema que funciona correctamente y que dispone de los medios necesarios para enmendar sus errores. Por el contrario, en el cine negro, las disfunciones del procedimiento jurídico se perciben como un defecto estructural del sistema y, en cierta medida, constitutivo del mismo. En una obra canónica del género, *La jungla de asfalto* (*The Asphalt Jungle*, J. Huston, 1950) se muestra cómo parte de la policía está conchabada con los delincuentes —algo que también acontecía en algunas películas de gángsters— pero, al tiempo, nos muestra también cómo sus superiores —que son, no lo olvidemos, los héroes ejemplarizantes en la película— asumen pacíficamente el hecho al ser sabedores de sus andanzas y permanecer inactivos al respecto. La cuestión es tal que el jefe de policía, el hombre intachable de la película, le exige a su subordinado corrupto que actúe más allá de sus atribuciones coaccionando a un testigo para que reconozca al delincuente que lo había atracado; esto es, dentro de la normalidad policial —la de los policías *buenos*— se incluyen comportamientos irregulares. De hecho, parece que, invirtiendo el patrón funcionalista antes comentado, lo normal sea presuponer que la aplicación correcta de la ley se muestre como la excepción. Como comenta de modo lapidario uno de los protagonistas, "la experiencia enseña a no fiarse de un policía. Cuando menos te lo esperas se pone del lado de la ley...".

El cine negro representó un momento dinámico —intuición del mundo como algo dominado por constantes antagonismos— y, por eso, los conceptos con los que teje su trama son la lucha y la voluntad. Frente a esto, el momento estático que significó el cine de gángsters —tanto en su vertiente heroica como en la versión demonizadora del gángster— el mundo se intuía como algo dotado de un orden permanente. Aquí los conceptos de construcción son la paz y la razón. Los dos momentos tratan de la justicia, pero mientras que para el cine negro la justicia es un proceso que tiene que ver con el poder, para el cine de gángsters la justicia está más próxima al inescrutable designio divino. Al contrario que en las películas de gángsters, en las que la justicia parece cerrar un ciclo cósmico orden-ruptura del orden-restauración del orden, que sacia el apetito de tranquilidad tan caro a la pequeña burguesía, las películas de cine negro postulan la justicia como un proceso marcado por altibajos y constituido por las mismas miserias que también forman parte del Hombre. Aquí no hay fractura de un orden finalmente restituido, sino desorden parcialmente ajustado.

En tercer lugar, encontramos en el cine negro una auténtica novedad, cual es la inversión valorativa en la percepción del crimen. En las películas de gángsters aparece el asesinato considerado desde afuera, desde el punto de vista de los agentes del orden; el cine negro lo considera desde el interior, desde el punto de vista de los criminales.

Existe cine negro cuando se le devuelve el crimen a su verdadero autor, al delincuente. La glorificación de la policía nunca ha sido el objeto del cine negro —sí, en cambio, del cine policíaco—. Esto representa una visión absolutamente iconoclasta, revolucionaria en cierta medida y, desde luego, valiente. Acusar a la policía y a las fuerzas del orden —jueces, fiscales, funcionarios...— era un asunto delicado en Estados Unidos no sólo por la vigencia del código Hays, sino por la delirante *caza de brujas* que se produjo a partir de 1944. La HUAC (*House Un-American Activities Comitee*), fue creada en 1938 pero la guerra contra el nazismo la había dejado inactiva. El fantasma del comunismo aparece poco antes del final de la guerra, en los años cuarenta, y el comité, doctrina Truman mediante, se reactiva debido a las presiones de los sectores conservadores. Entre 1947 y 1949 las actividades del HUAC se centran en la investigación de los medios cinematográficos de Hollywood y la emprende contra los trabajadores del cine con "tendencias marxistas". El paulatino crecimiento del Partido Comunista (CPUSA) y la influencia que alcanzaron algunos de sus dirigentes en medios sindicales convirtieron al CPUSA en una organización de referencia para los trabajadores. En marzo del 47 Truman impulsó un programa llamado de "lealtad de los funcionarios" por el que se investigaban las ideas de los trabajadores de los organismos gubernamentales. En ese mismo año la ley *Taft-Hartley*, conculcando claramente las leyes federales, obliga a todos los representantes sindicales a demostrar que no son miembros del partido comunista, ni creen en el derrocamiento del gobierno por la fuerza. También la *Smith Act*, aprobada en 1940, se utilizó para detener y procesar a centenares de comunistas acusados de poseer libros de Marx, Engels y Lenin —activistas que defendían el uso de la violencia para derrocar gobiernos democráticos...—. Como señala Guerif, "al entrar en guerra los Estados Unidos a finales del 1941, el cine americano debió interrumpir la denuncia de toda crisis de valores morales". O eso, o una acusación de antiamericanismo. Y la cuestión no era baladí. Hammett, Lardner, Trumbo o Dmytryk sufrieron prisión por ello. La época dorada del cine negro llegaría hasta 1953. La coincidencia entre esta fecha y el final de la purga da que pensar. Pareciera que el feroz anticomunismo hubiera exterminado junto a la izquierda radical del país a uno de sus productos: el cine negro.

La persecución se ensañó con autores y directores relacionados con el cine negro precisamente porque, por su potencial crítico, no era un género amable. Por eso siempre ha tenido enemigos. Desde sus inicios se advirtió su potencial subversivo y, en Estados Unidos, enseguida se descalificaron sus tendencias "homicidas", "lujuriosas" y "criminales". Para las grandes compañías — Warner, Paramount, Twentieth Century-Fox, Metro Goldwin Mayer— era un cine de segunda, sin presupuesto y difícilmente aceptaban películas negras con fondo reivindicativo —y cuando lo hacían, añadían prestas elementos correctores que enervaban la fuerza de la denuncia, como el final de *La jungla de asfalto*—. Por supuesto, existen excepciones como *El halcón maltés* (*The Maltese Falcon*, J. Huston, 1951) (Warner), *Perdición* (*Double Indemnity*, B. Wilder, 1944) (Paramount), *Laura* (*Laura*, O. Preminger, 1944) (Twentieth Century Fox) o *La jungla de asfalto* (MGM), pero la regla era relegar la llamada "serie criminal" a unidades de bajo presupuesto. En el resto de los países el género se recibió con idéntico recelo, en el mejor de los casos y con desprecio, en el peor. Y ello independientemente

de si el gobierno era una dictadura —en España el cine negro era "moralmente ilícito", "negativo para el espectador", "generador de delincuencia" "truculento y patológico"...— o una democracia —y en este caso la oposición venía dada fundamentalmente por el clero y clases pudibundas asociadas —siempre atentas en defensa de una moralidad amenazada por la violencia y el sexo que destilaban esas películas—. En Francia, por ejemplo, L. Clary, crítica de cine, consideraba que el cine negro incitaba al crimen y Boris Vian fue juzgado porque una novela suya fue encontrada en el lugar de un crimen, al parecer inspirado en el cometido por el protagonista de la novela.

A pesar de la durísima represión que sufrieron, los creadores estadounidenses —guionistas y directores fundamentalmente—, aún con la oposición de los Estudios cinematográficos, sobre todo los grandes, preocupados por evitar tratamientos radicales del tema de la corrupción institucional, la violencia policial, etc., siguieron empeñados en presentar una visión sin edulcorar de la realidad. Y para burlar la censura —mitad impuesta por el código Hays, mitad propuesta por la autorepresión de los propios Estudios— se vieron obligados, como apunta J. Coma, a un abundante uso de recursos elípticos, simbolismos, integraciones de sobreentendidos y dobles significados, segundos términos narrativos, etc. Las películas mudas al estilo de Lang o Murnau ejercieron una notable influencia en las películas de terror norteamericanas de los años treinta y, por ende —habida cuenta de la temática y la oscuridad alegórica que pretende el género—, también en el cine negro. De este modo, la ambigüedad propia de la novela negra se ve engrosada con una nueva ambigüedad estilística, esta vez de origen estrictamente fílmico. Los cánones de filmación expresionistas —las angulaciones insólitas y distorsionadas y la iluminación tenebrista de baja intensidad a fuerza de claroscuros— sirvieron ejemplarmente a este propósito. De hecho *Perdición, La mujer del cuadro* (*The Woman in the Window*, F. Lang, 1944) *Historia de un detective* (*Murder, My Sweet*, E. Dmytryk, 1944), *La dama desconocida* (*The Phantom Lady*, R. Siodmark, 1944)… son una especie de manifiesto estético e ideológico. Por medio de picados y contrapicados, de encuadres esmerados, de diseños simbólicos y de pasión por la atmósfera se caracteriza al personaje y se recrea la situación. Con *Ciudadano Kane* (*Citizen Kane*, O. Welles, 1941) Welles descu-

bre un recurso que luego será utilizado con profusión en el cine negro: por vez primera los interiores se ruedan en edificios reales, no en estudio, con planos que muestran el techo. De esta forma se hace palpable una atmósfera opresiva y se recrea el pretendido ambiente de agobio vital y de pesadilla desazonante. —pensemos en *El halcón maltés* y nos haremos una idea cabal de lo que decimos—.

Para vadear problemas de censura se apeló también con frecuencia a la figura del detective privado. Éste se encuentra entre el orden y la delincuencia, entre la responsabilidad pública y el interés privado, entre las exigencias de la moral y las delicias del crimen. En el cine negro, ya lo dijimos, el espectador ya no empatiza con el orden legítimo ni con sus representantes acostumbrados. Muy al contrario, la particular ambigüedad que especifica este género favorece una identificación con el lado oscuro. La crítica a la ineficacia o la corrupción policial propicia que, de modo automático, el espectador se sitúe en la perspectiva del malhechor y el crimen se relativice —*Perdición, La jungla de asfalto* o *La mujer del cuadro* son buenas muestras de ello—. Por eso, a mitad de camino entre el bien y el mal y utilizando los medios que usan los delincuentes para esclarecer los casos que no ha resuelto la policía, el detective privado resulta tan socorrido. La identificación con un detective, por muy antihéroe que sea, resulta más aceptable que hacer lo propio con un malandrín. Aunque, desde luego, el recurso del detective no sólo fue un ardid para evitar la tijera censora. El detective, al vivir en la frontera entre el derecho y el delito, conoce la ley y también la trampa y actúa conforme a ello. Esto se condice a la perfección tanto con los esquemas del juez activista como con la visión del derecho como algo equivalente a la consecución de un fin justo, con independencia del cumplimiento de los requisitos formales —y muchas veces en clara oposición a estos últimos—, tan populares en la concepción jurídica norteamericana. Por último, el detective tiende a resolver problemas al margen de la ley, siguiendo un código estrictamente personal. La fascinación ya comentada del público norteamericano por los personajes que actúan de forma autónoma y vigorosa, ajenos a toda convención e incluso opuestos a ella, encuentra en el detective amoral y en su nietzschianismo suburbano un nuevo icono.

Es aquí donde se cruzan los caminos del western y el cine negro. En ambos géneros existe una prevención ante el papel de la justicia y el funcionamiento de las normas. La insuficiencia de ambos extremos posibilita que el protagonista se vea obligado a actuar por cuenta propia y sin más recursos que su sola valía. *Sólo ante el peligro* (*High Noon*, F. Zinnemann, 1952) es el título de un conocido western que resume fielmente el papel del individuo frente a la sociedad que mantienen ambos géneros. De hecho, y para ser exactos, hay todavía otro elemento que los aúna. Y es el juicio contradictorio que le merece la sociedad en tanto que producto del contrato social —y en este caso se pondera, no en vano es la visión prototípica la concepción liberal— al tiempo que se la considera, al modo roussoniano, como fuente de perversión de un estado natural, virginal y modélico —y en este caso aparece un claro rechazo—. La sociedad es necesaria y a la vez corruptora. La policía tiene elementos infectos, pero sin ella aparecería un desconcierto funesto —tal se defiende en la versión final de *La jungla de asfalto* (aunque por aplicación del código Hays)—; la ley puede que tenga aplicaciones arbitrarias, pero sin ella reinaría la violencia salvaje —este es el mensaje de fondo de los westerns, valga como ejemplo *El juez de la horca* (*The Life And Ti-*

mes Of Judge Roy Bean, J. Huston 1972)—. Por eso en los dos géneros aparece siempre México como destino de huida, como paraíso primigenio en el que volver a empezar renunciando a la corrupta civilización. México es la América incontaminada, todavía en estado natural, ajena a la descomposición de la sociedad moderna.

Y hasta aquí llega el parentesco entre ambos géneros. Se equivoca Simsolo al decir que el Western descansa en los mismos temas y los mismos personajes que el cine negro: "justiciero solitario, corrupción, enfrentamiento entre la ley y el desorden, salvajes, megalómanos y rebeldía individual". Y se equivoca, además, punto por punto. Este retahíla se condice perfectamente con las características del cine de gángsters —pensemos en *Hampa dorada*, *El enemigo público*, *Scarface* o *Los violentos años veinte* (*The Roaring Twenties*, R. Walsh, 1939) o, modernamente, en *Los intocables de E. Ness* (*The Untouchables*, B. de Palma, 1987)— pero es absolutamente opuesta a las líneas maestras del cine negro. En el cine negro no hay justiciero sino un personaje principal desencantado y frecuentemente carente de escrúpulos que hace gala de una notable inmoralidad en todos sus actos. Los protago-

nistas suelen ser inmisericordes, cínicos, sin capacidad de compasión. *El agente de la Continental* creado por Hammett alardea de no tener sentimientos (recordemos el célebre diálogo de Bogart en *El halcón maltés*, cuando entrega a la policía a su amante: "si eres buena chica, saldrás dentro de veinte años. Te estaré esperando. Si te ahorcan, siempre te recordaré"). La corrupción, como ya sabemos, sí es asunto principal en la temática del cine negro, pero se tiene por elemento estructural del sistema y no como algo contingente, como acontece en los westerns. Por otra parte, el enfrentamiento entre la ley y el desorden sí es una nota constitutiva del cine negro, pero no del cine del oeste, al menos si le damos un sentido noble al término *enfrentamiento*. En el cine negro, lo veremos al tratar de sus conexiones con la tragedia, existe un verdadero enfrentamiento —en igualdad de condiciones, con razonamientos igualmente fuertes— entre la ley y el crimen. En el western el enfrentamiento no se produce, sólo hay lugar para la victoria y el loor de una de las partes. Ya por último, los salvajes y megalómanos existen en ambos géneros pero, curiosamente, sus sujetos se invierten: en el cine negro son por lo general las fuerzas del orden las que ocupan ese triste papel. El cine negro altera la concepción estática del orden y del bien. Muestra cómo la realidad es esencialmente ambigua, caótica y paradójica. Los agentes del orden, si se ven desde una perspectiva neutra, sin que puedan prevalerse de los resortes de una contemplación habitual, exhiben una cierta brutalidad consustancial. De otro lado, y con idéntica perspectiva, la delincuencia también puede mostrarse como algo normal y natural. En *La jungla de asfalto* se refleja perfectamente esta inversión moral consistente en perfilar la bestialidad y la corrupción de la actividad policial al lado de una auténtica solidaridad y bonhomía delictiva.

Esto no significa que, en contra de ciertos críticos de la época que vieron en el cine negro poco menos que una invitación al delito, en este género se encuentre una subversión total de los cánones morales. El malhechor paga sus culpas y el delito nunca queda impune. Ahora bien, y sobre esto volveremos al tratar de la tragedia, hay una diferencia fundamental con el cine de fondo cristiano. Mientras que en éste las buenas intenciones sobrevenidas no pueden redimir la mácula del pecado —únicamente la muerte lo hace: sólo entonces, a juzgar por la sonrisa de estólida felicidad del moribundo,

colegimos que ha encontrado su premio trascendente— en el cine negro el castigo proviene de un carácter fatal, de un destino ineluctable, no de una voluntad providente y cósmica.

Esta faceta crítica y esta inversión valorativa que comentamos son incompatibles con un acomodo a las líneas maestras de la moral social y, por ello, constituyen una rareza en el mundo cinematográfico porque, el cine, nos atrevemos a decir que más que ninguna otra forma de arte, sirve de cadena de transmisión de los valores dominantes. El cine es producido para una sociedad que, a su vez —en sus determinaciones, consensos y creencias—, resulta reproducida por el cine. A la gente se le da lo que pide, pero la gente pide lo que se le ha enseñado a pedir. Esta retroalimentación se explica por una paradoja peculiar. Permítasenos un breve excurso. El cine es el primer arte de masas, pero carece de *público*. Muchas personas no forman un público, constituyen sólo una muchedumbre. Sólo cabe concebir como público a un grupo más o menos constante de seguidores que es capaz de garantizar la continuidad de la producción en un cierto campo del arte. El público está fraguado en la forja de una mutua inteligencia, de un lenguaje y criterio comunes.

Incluso si las opiniones acerca de una obra están divididas, divergen sobre un mismo plano. Con las aglomeraciones que acuden al cine, en cambio, no encontraremos nada de esto. Al carecer la masa de espectadores de una formación intelectual común no existe un código que permita una comunicación convincente entre ellos. Los auditorios burgueses del siglo XIX formaban un cuerpo más o menos uniforme y orgánicamente desarrollado que, sobre todo a partir de la desaparición de los teatros de repertorio, se ha aventado como humo de pajas. El arte se ha democratizado y ha devenido solaz popular, vulgar y cotidiano. El carácter festivo, excepcional y en cierta medida litúrgico que antaño poseía toda forma de teatro se ha perdido con el cine, que es arte profano. Uno asiste al cine de paso, sin pretensiones, improvisadamente, con una desidia impropia del que en principio se propone disfrutar de una obra de arte. El teatro de bulevar y la novela de folletín, observa Hauser —al que en este, como en tantos otros puntos, seguimos—, fueron el comienzo de una democratización del arte que alcanza su culminación en la asistencia en masa a los cines. En este sentido la popularización del arte ha venido de la mano de la empresa.

Si se observa la evolución de las representaciones artísticas públicas —teatro de la Corte principesca, teatro burgués, ópera, opereta...— nos percataremos del afán de captar círculos cada vez más amplios de público. La razón es bien sencilla: el arte se convierte en una forma de negocio y se precisa cubrir el coste de unas inversiones cada vez más cuantiosas. Para amortizar el capital invertido en una obra es menester atraer a una gran cantidad de espectadores que, desde ese momento, pasan a tener categoría de consumidores. Si el montaje de una opereta podía sostenerse con un teatro mediano, un gran ballet necesitaba realizar una gira. Ni qué decir tiene que la financiación del cine, que es un producto costosísimo, requiere la atención y el consumo de multitud de personas para hacerlo viable. Nótese que por vez primera se asocia una forma de arte a un negocio: sería absurdo hablar de "empresa pictórica" para referirse a la pintura; el cine, sin embargo, se conoce como "industria cinematográfica". Este hecho produce una inversión en la historia del arte que explica ciertas peculiaridades del cine. A partir de ahora el público determinará el tenor de la obra —de su tema, de su tratamiento, de sus implicaciones...—. Nunca hasta este momento la masa había sido capaz de influir en la marcha del arte. Es cierto que, por ejemplo, las preferencias del público ejercían presión sobre la tragedia griega, al punto de que la representación de las trilogías trágicas concluían siempre con un drama satírico, anticipando lo que más tarde sería el "final feliz". Sin embargo, los artistas no realizaban sus obras con miras estrictamente mercantiles. Hoy, quien diga lo contrario perecerá quemado en el Averno de los mentirosos, los cineastas frecuentan menos el Parnaso que la alhóndiga. Si el cine quiere perpetuarse debe ser consumido en masa —o disfrutar de subvenciones, lo que representa otro modo de tiranía—. Y esto implica que el objetivo de ese cine ha de ser la satisfacción de las expectativas de los espectadores masivos, del público medio —lo cual explica la actual infantilización del cine: se hace para jóvenes porque son su público principal—. Por eso, en el cine moderno han desaparecido las vanguardias. Los medios de expresión propiamente cinematográficos —las angulaciones de cámara, el montaje, los primeros planos, los cortes y los *flash-backs*— se han eclipsado en favor de narraciones claras, amables, emocionantes. Las masas toman interés en lo ar-

tísticamente valioso con tal de que les sea presentado de forma acomodada a su mentalidad; es decir, con tal de que el tema sea atractivo. La empresa cinematográfica en seguida comprobó que el punto de encuentro psicológico de las masas se hallaba en la mente del pequeño burgués y que no era sino la expresión del conformismo. La pequeño burguesía funciona como un crisol en el que se funden los fragmentos de las clases superiores e inferiores, cuando no están comprometidas en una lucha directa por su existencia. La clase media ha servido de lubricante interclasista, de término medio igualador entre una clase alta que la necesita y al tiempo la desprecia y una clase baja que la aprecia aunque no la necesita. El espacio de la clase media bascula entre el repudio contenido de unos y el deseo de emulación de otros. A su vez, la clase media ha pedido ser considerada como parte de la alta burguesía, aunque en realidad ha compartido el destino de la clase inferior. Su esencia, mírese por donde se mire, es el desclasamiento. El productor cinematográfico ha tenido la habilidad de confiarse a la desorientación de esta clase esencialmente desarraigada de la sociedad. La actitud pequeño-burguesa ante la vida se caracteriza por un optimismo acrítico y sin ideas. Como en último término la pequeño-burguesía resta importancia a las diferencias sociales y ansía constitutivamente un ascenso de estatus, necesita ver películas en las que el tránsito de una clase a otra se produzca con fluidez. A esta clase media el cine le proporciona una válvula de escape, un espejo seductor y un refrendo de su ansia de ascenso. "La historia universal, decía Hegel, no es lugar para la felicidad". La sala de un cine, sí. De este modo se concita una especial retroalimentación: la industria cinematográfica produce películas que satisfacen la autocomplacencia del espectador —decíamos que el cine es un negocio y, ya se sabe, el cliente siempre tiene la razón— a la vez que genera el propio objeto de satisfacción autocomplaciente —la democracia representativa, por cierto, parte de idéntica singularidad: los partidos pretenden marcar las coordenadas políticas de un país, pero para ser elegidos precisan acertar con las coordenadas que ya poseen los electores. Soy su jefe, por tanto les sigo. Ese es su contradictorio lema—.

El cine negro es una excepción a este fenómeno de retroalimentación que estamos comentando. La pulsión crítica con el orden establecido mina la seguridad moral de los luga-res comunes sobre los que se asienta la sociedad y turba al espectador. Lo dicho por Truffaut al respecto de *Sólo se vive una vez* de Fritz Lang —*Esta película al mismo tiempo rebelde y noble, está basada en este axioma: la personas honradas son unas sinvergüenzas. En efecto, el primer deber del artista es probar que es bello lo que se cree feo, y al revés—* bien pudiera ser enseña del cine negro y anatema de la sociedad timorata y medrosa. Claro está, este impulso crítico, revolucionario y provocador no sólo es el emblema del movimiento, también es la causa de su ruina. El maccarthismo, *caza de brujas* mediante, laminó el ímpetu fustigador del cine negro. Las listas *negras* —qué irónicas y crueles se muestran a veces las palabras— pobladas de directores y guionistas que habían trabajado el *film noir*, implicaban la prohibición de trabajar para los estudios y la producción de películas con un contenido crítico mínimo estaba vedada. El nacionalismo ramplón y chabacano propio de toda posguerra —máxime si después comienza una guerra fría— impedía cualquier visión que no fuera la de la exaltación de valores patrióticos. Con ello, el músculo del cine negro se fue enervando hasta la más absoluta laxitud. La visión desgarrada acerca de la Justicia decae. La guerra fría exige fuertes dosis de propaganda y el cine debe apoyar la legitimación del sistema norteamericano como máxima expresión del capitalismo liberal. Del mismo modo que el cine posrevolucionario soviético encarnaba los valores oficiales del comunismo y, por ello, se convirtió en un ejercicio de publicidad militante, el cine estadounidense de posguerra también destilaba consignas de promoción ideológica. Las películas derrotistas o críticas con el sistema desaparecen y dan paso a otras que bruñen la imagen de una administración de justicia ejemplar. Abogados abnegados comprometidos con la justicia, fiscales incorruptibles e incansables policías marchan de consuno en su lucha contra el crimen. La línea apologética que, como vimos, surgía ya dentro del cine de gángsters ahoga la vertiente crítica y escéptica. Las series televisivas que Hoover encargó para mayor gloria del F.B.I encontraron su émulo en películas cuyo maniqueísmo grotesco y su afán propagandístico rayaban en el *kitsch*.

Y lo peor no fue que las películas de cine negro fuesen escaseando hasta su práctica desaparición. Hubo una secuela más dañina; a saber, el surgimiento de una multitud de películas que, utilizando los recursos expresivos del género, se puso al servicio de una propaganda policial para-fascista que alentaba el uso de la violencia indiscriminada contra el delincuente. Curiosamente esta línea está inspirada en la perversión de la última tendencia del cine negro abierta por F. Lang. En efecto, en *Los sobornados* (1953) Lang describe a un policía modélico que, a raíz del asesinato de su esposa, se convierte en alguien capaz de traspasar todo límite legal para vengar el crimen. Se introduce una nueva dimensión crítica mucho más directa. La anterior ambigüedad en la caracterización moral de los agentes del orden se convierte en una abierta invectiva contra la corrupción en el seno de la policía y a la brutalidad en el desempeño de su profesión. A partir de este momento —Lang, como en tantas otras ocasiones, es vanguardia y origina tendencias— los personajes de policías neuróticos, violentos o, directamente, fascistas, comenzarán a poblar el celuloide. Ocurre que, en el caso del director alemán, esta caracterización presenta un tono crítico con esta violencia brutal que desaparece por completo en las películas posteriores —y es corriente principal que llega hasta hoy día— que encomian los resultados positivos que se obtengan con abierta transgresión de la norma jurídica, la violencia gratuita pero funcional y la consecución de un fin justo por medio de cualquier método —la filmografía de Eastwood interpretando a Harry Callahan, ya sea en su versión de *el sucio, el fuerte* o *el ejecutor* (los apelativos no dejan lugar a la duda), es perfectamente ilustrativa de esta tendencia—.

La televisión también contribuyó a este declive. El folletín policíaco se asienta como un género más amable que esas historias angustiosas que recreaban ambientes de pesadilla. La censura de la administración y, sobre todo, la de los anunciantes, propician que el cine negro sea sustituido por este otro género que incluye la intriga pero no la sensación de insatisfacción —Hitchcock fue consciente de este cambio de gusto en el espectador y su cine se avino perfectamente a las nuevas apetencias—. Por otra parte, comienza una nueva manera de concebir el cine: aparece la superproducción. Ahora la noción de gran espectáculo es prioritaria. Los musicales y las películas de adolescentes rebeldes —como mucho de delincuencia juvenil— copan las pantallas y contentan a un público ávido de autocomplacencia. Siguen produciéndose películas de serie B —la au-

téntica cantera y filón del cine negro— pero se filman ya en formato televisivo, con toda la simplificación ideológica que esto implica. Censura, persecución, optimismo por decreto, ideología propagandística... Todo ello contribuyó si no a la muerte sí a la postración definitiva del cine negro. No obstante, su irrupción representa una especie de pecado original cinematográfico. Ya no existe inocencia en la mirada. A partir de ahora la ficción criminal será, de un modo u otro —y salvo lamentable apologética—, partícipe del desencanto, del realismo desgarrado. F. Lang, que en buena medida es el auténtico creador del cine negro, regresa a Europa en 1957 acosado por el *Comité de Actividades Anti-Norteamericanas*. Parece casual que el año de su marcha a Europa coincida también con el estertor del cine negro, pero es maravillosamente simbólico. Y cuántas veces la casualidad no es sino una causalidad cuyas leyes ignoramos...

Hasta ahora vimos cómo el cine negro, mediante la triple inversión comentada, se afirmaba como un movimiento esencialmente crítico con el poder —muy concretamente con la administración de Justicia— e innovador respecto al enfoque de la criminalidad —por vez primera el delincuente puede mostrar su punto de vista: ellos son los protagonistas de la historia, los sujetos que, desde su perspectiva, construyen la realidad que nos es presentada—. Falta un último elemento que perfecciona su íntima esencia y es su peculiar filosofía —porque, a diferencia de otros movimientos, el cine negro sostiene una concepción de la vida muy concreta—. Nos referimos al espíritu trágico. Si no nos equivocamos, el mismo sustrato filosófico que perfila la tragedia es el que reaparece en el universo construido por el cine negro. Veamos.

En efecto, si existe un presupuesto que opere de fundamento de la tragedia es el caos. *En primer lugar existió el caos.* Así comienza la cosmogonía de Hesíodo. También para Anaximandro el universo es caos al no estar ordenado, ni sometido a leyes llenas de sentido. El elemento del ser es el *Apeiron*, lo indeterminado, lo indefinido; es decir, es otra manera de concebir el caos. Esto se opone a cualquier visión providente en la cual la ordenación, de cualquier tipo, esté perfectamente fijada de antemano, siguiendo un plan divino o una secuencia natural. Si el caos es el origen, la función del Hombre radica en buscar un sentido a ese desorden primitivo. De él depende el tenor de la creación. El bien y el mal, por

ejemplo, no son el resultado de cumplir o transgredir un catálogo previo de normas en las que el Hombre no ha intervenido. Muy al contrario, el bien y el mal son el resultado de un proceso, el producto de una construcción moral por definición inacabada, imperfecta y en continuo desarrollo. Por eso, en la tragedia —también en el cine negro— las razones que aportan los defensores de una causa —pongamos a Antígona y a los atracadores o el abogado corrupto en *La jungla de asfalto* como ejemplos— son tan poderosas como las que pudieran aportar sus antagonistas —en este caso Creonte o la policía—. Un mismo problema puede abordarse de forma convincente con razones antitéticas. Así, podía decir ajustadamente Hegel que "los héroes de la tragedia clásica antigua se encuentran en situaciones en las que si se deciden firmemente a favor de un sentimiento ético que se adapta a su carácter, entran necesariamente en conflicto con los poderes éticos que, igualmente justificados, están en contra de los suyos". He ahí la clave: *igualmente* justificados. Lo mismo acontece en el cine negro. Las razones de los delincuentes —sobre todo al incardinar su actuación dentro de un contexto social que los determina— llegan a alcanzar igual peso que las de la parte en principio legítima, las de las fuerzas del orden. Por vez primera hay un intento consciente de explicar las razones del crimen. Por vez primera encontramos comprensión y tolerancia con el delito.

Al suspender la posibilidad de verdades absolutas, determinaciones tajantes y juicios definitivos, la tragedia consagra la inseguridad como la característica humana más reconocible. Precisamente porque, al ser la moral un producto en el que intervienen multitud de perspectivas, el hombre jamás podrá estar seguro de acertar. Más aún, tiene constancia de que es imposible atinar con una solución plenamente satisfactoria. Tomes la decisión que tomes, siempre te equivocarás. Estamos condenados a elegir. Y a fallar. No hay decisión sin dolor, decía Esquilo en *Las suplicantes*. No existe ninguna razón —aquí el étimo es revelador: *ratio* significa proporción— que sea inapelable y que no acepte enmienda. Por ello los juicios morales acerca de la culpabilidad de una persona no pueden ser nunca concluyentes ni definitivos. En *Más allá de la duda* (*Beyond a Reasonable Doubt*, F. Lang, 1956) o en *La mujer del cuadro*, en este último caso valiéndose de la pesadilla freudiana, aparece con claridad esta esencial inestabilidad en el enjuiciamiento de la actividad humana. Entre la culpabilidad y la inocencia existe una línea de separación borrosa y franquearla es tarea fácil. En puridad, nunca hay verdaderos inocentes. Esa es la evidencia que se extrae de la tragedia, que Lang siempre proclamó y que el cine negro hizo suya. J. Tourneur en *Círculo peligroso* (*Circle of Dangeur*, 1951) cuenta cómo alguien investiga la muerte de su hermano abatido en Inglaterra durante la segunda guerra mundial por una bala inglesa. En el transcurso de su pesquisa descubre que su hermano había sido asesinado por sus compañeros debido a que su temeridad pueril ponía en peligro a todo el grupo. La búsqueda de la verdad siempre acarrea sorpresas desagradables porque la verdad es poliédrica y porosa. Lang, en *Más allá de la duda*, expresa esto con un toque genial: un hombre se hace pasar por culpable para ridiculizar a un fiscal fanático de la pena de muerte. Su socio en la maquinación muere y desaparecen con él las pruebas que demuestran la inocencia del protagonista. Un golpe de efecto le permite salir de este mal paso y se reconoce su inocencia; momento en el que descubrimos que, en realidad es culpable y que todo lo anterior sólo era un montaje para disimular mejor su culpabilidad. El

Derecho y Cine. El Derecho visto por los géneros cinematográficos

166

falso culpable es el verdadero asesino.

La inversión de los criterios morales acostumbrados y la indeterminación sobre el juicio que merecen las partes implicadas propician, tanto en la tragedia como en el cine negro, un estado de tensión que genera en el espectador la desaparición de sus referencias psicológicas y lo desestabiliza emocionalmente —la máscara en el primer caso, y la recreación de un ambiente onírico y de pesadilla en el segundo, eran recursos hábiles para desorientar al despertador y hacerle perder sus esquemas habituales—. Eso explica que nunca fueran géneros gratos para el poder, pues éste requiere una psicología ciudadana plana, sin aristas, unívoca, presta para la obediencia. Ya sabemos de la reacción de la sociedad bien pensante norteamericana mediante el código Hays. La tragedia sufrió parecidos desafueros. Un drama de Frínico —*La toma de Mileto*— fue prohibido por las autoridades debido a que la representación había molestado a los atenienses por recordarles los horrores de la recién terminada guerra contra los persas. Platón, amante del Orden y por ello admirador de Esparta y de su estable régimen aristocrático, denostaba la tragedia —ya lo había hecho Sócrates— en

idéntica medida a la que ponderaba la épica. Platón, en efecto, condenó al tipo de poesía que "nutre y alimenta pasiones". Un dramaturgo, pensaba el ateniense, tendría que llevar a escena únicamente personajes ejemplarizantes, "buenos en todos los sentidos". La tragedia, muy al contrario, muestra caracteres disolventes al desubicar las seguridades morales y cívicas del espectador. Esquilo hizo compadecerse a los atenienses de los mismos persas que saquearon Atenas. Eurípides provocó la compasión ante las monstruosas Medea y Fedra. La vocación del cine negro y de la tragedia es crear un malestar específico que provoque la reflexión sobre unas bases diferentes a las acostumbradas. La sociedad mastica la realidad para que podamos ingerirla sin demasiada dificultad y para que la digestión de los problemas sea uniforme y colectiva. Tragedia y cine negro nos aseguran una maravillosa y singular dispepsia.

Pues bien, salvada la excepción que estamos examinando, el espíritu trágico es desconocido en el cine estadounidense. Así como empapa lo mejor de las producciones europeas, su aplicación en Hollywood es prácticamente inédita. Y si el cine negro constituye una anomalía es porque, paradójicamente, el cine negro estadounidense no es... estadounidense. En efecto, la lista de directores europeos que han trabajado el cine negro en Estados Unidos y que han incorporado, lo quieran o no —así lo ha señalado con acierto Steiner—, la percepción trágica de la realidad, es extensísima —Lang, Ulmer, Siodmak, Preminger, Wilder, Renoir, Ophüls, Tourneur....— e intensísima, pues algunos de ellos —sobre todo Lang— fundan en cierta medida el movimiento. En efecto, en *Furia* y en *Sólo se vive una vez* (1936 y 1937, respectivamente) el director alemán asienta con firmeza los principios formales y temáticos de lo que luego será el cine negro y que también contará con importantísimas aportaciones suyas (*Perversidad*, *Más allá de la duda*...). Durante casi treinta años, Fritz Lang permaneció en EE.UU, pero jamás fue estadounidense. Como apunta E. Milá, no hacía falta viajar al fondo de su espíritu, sino simplemente observar sus películas, para comprobar que, en el fondo, seguía siendo un director europeo que pensaba "a la europea". En ningún momento agradece al país haberle acogido, ni mucho menos haberle abierto las puertas de los estudios. Se siente extraño, ajeno y opuesto, en el fondo, a los Estados Unidos. Y la mejor manera de enfrentarse

a un país que desprecia es utilizar mecanismos que desestabilizan y ponen en tela de juicio sus creencias más afianzadas. La visión trágica es uno de ellos. Por otra parte, conviene no olvidar que hasta la misma etiqueta de *cine negro* proviene de Francia —fue Nino Frank quien denominó así al ciclo de películas norteamericanas producidas entre los años 40 y 60 con temática criminal y formalmente expresionistas, que tratan de manera peculiar la violencia física y los hechos delictivos. Todavía a día de hoy, por cierto, en Estados Unidos, cine negro se dice *film noir*—. Uno pudiera rebatirnos diciendo que Hammett es de San Francisco y, sin embargo —así lo hemos reconocido más arriba—, tiene mucho que ver en el carácter inaugural del género. Pero Hammett era comunista, que es la manera más digna que un norteamericano puede elegir para dejar de serlo.

La tragedia y el cine negro, como dijimos, presuponen un enfrentamiento entre dos razones opuestas, pero perfectamente pulidas, impenetrables si se las examina por separado. Lo trágico y lo negro no son el resultado de la maldad, sino el precipitado de dos verdades contradictorias que se niegan a compenetrarse. Posiblemente acierte Nietzsche al decir que la fe en que las catástrofes pueden y deben ser evitadas es el elemento ideológico que eliminó la tragedia. Si los Hombres usaran correctamente su juicio, no habría necesidad de tragedias. En esa misma línea, Scheler consideraba la inevitabilidad de la destrucción de los valores como rasgo esencial de la tragedia y, por ende, de nuestro mundo. En cambio, cuando en el grueso del cine estadounidense se plantea un conflicto de carácter moral, no existe una confrontación verdadera, sino una exhibición de una de las partes que utiliza a la otra para reafirmar su supremacía. El espectador va siendo dirigido como si transitara continuamente por la parte correcta de un diálogo socrático. Ni siquiera puede hablarse de conciliación porque, en rigor, aquí no hay ni oposición, ni enfrentamiento de razones. Sólo queda el soliloquio moral. La razón de este espíritu anti-trágico se explica por la presencia de un inequívoco fondo de fundamentalismo cristiano que impregna la ideología dominante en Estados Unidos y, por supuesto, también su cine. Y es que, en efecto, el cristianismo, asesino de tantas cosas, también mató a la tragedia. La tragedia, ya lo sabemos, presupone el caos. Y también la libertad del Hombre que carece de guía y de límites para enmendar ese desorden. Nada de lo que hace puede atribuirse a un don natural. El ser del Hombre es obra de sí mismo, su esencia es ser autocreación y, por tanto, no hay una autoridad última que dé respuesta a cualquier tipo de pregunta. Dado que no hay límites preestablecidos, sólo queda la autolimitación del Hombre. Muy al contrario, el cristianismo parte de un orden perfectamente constituido, con la bondad y la maldad definidas sin fisuras, de manera trascendente, heterónoma, sin espacio para la construcción moral humana. La búsqueda de la verdad es peligrosa, pero la certeza de haberla encontrado es letal. El establecimiento de un dogma transforma al contradictor en pecador, en desviado, en cismático. Ese puritanismo que predomina en el cine estadounidense es visible, en primer lugar, en el tratamiento de la culpa y del perdón —el que se desvía de la vida correcta acaba expiando su transgresión (no hay crimen sin castigo): cuando un personaje infringe una ley moral sabemos que acabará mal; a lo sumo podrá redimir su culpa, pero siempre con la muerte (y de esto no se escapa ni el cine negro)—; en segundo lugar, en el ensalzamiento del caído y resignado —ensalzamiento compatible con una idéntica alabanza de la rebeldía, pero sólo cuando es realizada por el héroe, el elegido—; en tercer lugar, en el martirologio —cuando en una película bélica el personaje virtuoso le escribe una carta a su madre nos consta que le quedan dos escenas antes de una muerte teñida de patetismo; en cuarto lugar, en el maniqueísmo —el bien y el mal no tienen intersección— y, por último —y sobre todo—, en el triunfo apodíctico del bien sobre el mal, lo que implica un final feliz; es decir, un desenlace en el que las expectativas morales que la sociedad ha inoculado en nosotros se vean satisfechas. En la tragedia y en el cine negro, por el contrario, no hay lugar para la justicia poética. El bondadoso doctor Samuel Johnson, refiriéndose en este caso a las obras de Shakespeare, se lamentaba por las iniquidades gratuitas que sufrían los personajes: "¿En qué delito incurrieron Ofelia, Desdémona o Cordelia?" Se pregunta un incrédulo Johnson. Mucho más certero se muestra Schopenhauer: el verdadero significado de la tragedia es la visión más profunda de que el protagonista no paga por sus pecados, sino por su pecado original, o sea, la culpa de su misma existencia.

Por eso la reivindicación de la tragedia es algo más que una cuestión de gusto estético o puramente literario. Es la defensa de lo mejor de nuestra tradición, y en nuestra mano está que prosiga. Hay una gran *verdad* sobre la que se asienta la civilización greco-occidental y que parte de la tragedia: la vida y la realidad son plurales, relativas. El que algo se tenga por real no depende de una característica del objeto, sino de una particular percepción del sujeto —en este sentido decía Kant que el método crea al objeto y a la Ciencia—. Y eso abarca tanto la psicología de la vida cotidiana como la más pura indagación teórica y conceptual o la misma acción política. Por ejemplo, el embarazo de una adolescente posiblemente *sea* algo nefasto para los padres de la chica, pero igualmente probable es que también *sea* un acontecimiento luminoso e ilusionante para la chica en cuestión. El embarazo prematuro, a fuerza de ser tantas cosas, no es nada en sí mismo. Si la realidad consiste en una construcción desde un punto de vista dado no debe extrañarnos que las luchas sociales sean las más de las veces luchas por las definiciones de las cosas. Definiciones que, a su vez, conforman la óptica con la que luego observamos eso que se nos aparece como realidad incuestionada. Los fenómenos no tienen ninguna cualidad que nos exija una interpretación unívoca. Tampoco el crimen. Menos aún

Derecho y Cine. El Derecho visto por los géneros cinematográficos

la ley. Ciertas concepciones globales, o cosmovisiones, o creencias, llámese como se quiera pero quiérase decir siempre relación de sustrato básico e inconsciente de ideas sobre el que se asienta nuestra acción, tienden a negar esta máxima pluralista. El cristianismo es, en nuestros pagos, la institución que más ha impregnado nuestra concepción de la realidad. Y es una de las más firmes detractoras de esta visión pluralista. El cine, nos referimos al norteamericano, valga el relativo pleonasmo, muestra con claridad la impronta de esta visión cristianizante. Cuando la verdad procede del dogma, de la incontingencia, del mensaje que, en tanto que divino, deviene certero; cuando, en suma, la verdad está adquirida desde un principio, el resto es percepción errada, pecaminosa, herética —palabra que hoy reniega de sus ancestros, pues procede de *háiresis*, que significa en griego el acto de escoger libremente—. No existe foro alguno en el que la disidencia pueda exponer los motivos de su discrepancia, ni se patrocinan instituciones que tiendan a cuestionar la solidez de las creencias en que la sociedad se sustenta. La Iglesia sólo ilumina cuando arde en llamas...

Muy al contrario, la verdad para la tradición greco-occidental es siempre resultado de un proceso que no pierde de vista la parcialidad en su construcción. Esta visión, sobre ello ha insistido como nadie Castoriadis, condiciona el nacimiento de la filosofía. La filosofía es posible porque el universo no está totalmente ordenado. Si lo estuviera, no habría posibilidad de filosofía, habría sólo un sistema de saber único y definitivo (que es lo que sucede en las visiones religiosas del mundo, y también en las deterministas, incluida, por cierto, la marxista). Igual acontece con la política. Si el universo humano estuviera perfectamente ordenado desde el exterior —ya por intervención trascendente, ya por actividad espontánea—, si las leyes estuvieran dictadas por dios o por la naturaleza, no habría sitio para el pensamiento político ni para la acción política. La posibilidad de un conocimiento seguro y total (una *episteme*) de la esfera humana, eliminaría de raíz la política y la democracia sería imposible y a la vez absurda, pues la democracia supone que todos los ciudadanos tienen la posibilidad de alcanzar una *doxa* (una opinión) correcta y que nadie posee una *episteme* de las cosas políticas.

Desde Platón hasta el liberalismo moderno y el marxismo, la filosofía política estuvo envenenada por el postulado operante de que hay un orden total y racional del mundo y por su inevitable corolario: existe un orden de las cuestiones humanas vinculado con ese orden del mundo. Es lo que podríamos llamar ontología unitaria frente a la ontología pluralista que aquí asociamos al surgimiento de nuestra tradición. La ruptura que supuso la concepción pluralista implica que los mismos individuos que han sido fabricados por la sociedad han podido transformarse esencialmente a sí mismos, han podido procurarse los medios para discutir y cuestionar las instituciones por ellos heredadas, las instituciones de la sociedad que los habían formado a ellos mismos. La posibilidad de pensar sólo existe desde el momento en que la sociedad es puesta en cuestión: es el nacimiento de la democracia y la filosofía, que en este punto marchan paralelas. Cuando alguien se levanta y dice: *el poder establecido es injusto*; cuando alguien se atreve a decir: *las representaciones de la tribu son falsas* asistimos al surgimiento embrionario de la democracia y de la filosofía.

Quiere asimismo nuestra tradición que el poder no sea concebido como una instancia pura, racional, insípida, exenta de pasiones —pues lo contrario nos abocaría a una docilidad y a una obediencia incondicional impropias de la democracia—. Vernant, en su análisis de la tragedia griega, señala la dialéctica entre identidad y alteridad que posee la máscara en las representaciones del teatro clásico y la relaciona con la creación de un espacio genuinamente político. Por una parte encontramos una identidad dada por la presencia de un personaje modélico y ejemplar; algún carácter legendario o mítico. Por otra, tenemos la alteridad concebida como el rostro salvaje y pasional del héroe sin civilizar. La identidad ciudadana, ordenada y racional, con autocontrol y dominio de sí, se enfrenta a la alteridad bárbara, furiosa, feroz y primitiva. Para Vernant esta dialéctica identidad-alteridad implica ante todo una reflexión pública sobre el cambio histórico que supuso la aparición de la ciudadanía griega como superación de la antigua situación aristocrática. Posiblemente en la *Orestíada* de Esquilo resplandezca como en ninguna otra obra esto que estamos comentando. En la trilogía se cuenta cómo Orestes, tras matar a su madre por haber tramado la muerte de Agamenón, su padre, huye de la furia de las monstruosas Erinias. No es de extrañar, pues éstas eran deidades preolímpicas que personificaban la idea de reposición del orden destruido por el crimen, en especial en los miembros de la propia familia o del grupo. Por eso tienen por misión reprimir la rebelión del hijo contra el padre, del joven contra el viejo, del huésped que no observa las leyes de la hospitalidad. Al llegar Orestes a Atenas se encomienda a la diosa Atenea. La divinidad propone un juicio para solventar el problema y tras escuchar a Orestes y a las Erinias agraviadas —que muestran su temor a que "nuevas leyes sustituyan a las viejas"— el tribunal del Areópago dicta sentencia —hay un empate y es el voto particular de Atenea quien decide—. Orestes será perdonado y a cambio, las Erinias, convertidas en euménides, recibirán asiento en la acrópolis y honores y ritos. Las Erinias son domesticadas y se transforman en diosas protectoras del hogar. Frente a la alteridad de las Erinias ancestrales se alza la identidad de la ley pactada de la polis. Porque, en efecto, en el juicio de Atenea se muestra cómo la ley civil prevalece ante la venganza del clan. Las leyes de la ciudad imperan sobre los imperativos del honor y la *vendetta* familiar.

Pero eso no es lo fundamental. Lo realmente relevante es cómo la tragedia señala que el orden es siempre consecuencia de la domesticación de una fuerza salvaje que permanece contenida, pero que no olvida cuál es su génesis brutal. El poder está constituido también por el lado bárbaro. Unas veces larvado, otras de forma expresa, el momento de fuerza está siempre presente. La percepción simple, ingenua y muchas veces ñoña de la legitimidad como la encarnación del bien se ve contrarrestada por esta otra que nos recuerda que la irracionalidad, la corrupción y el abuso son parte constitutiva de todo poder. Y esta integración de lo civilizado y lo bárbaro es característica tanto el poder social como del Hombre mismo. En efecto, también el Hombre es el resultado de la lucha entre la pulsión fiera y el apetito desordenado, por un lado, y la razón prudente y el orden pacífico, por el otro. Nadie está libre de la irrupción de las fuerzas primitivas en detrimento de la tendencia civilizadora. Este es el mensaje de la tragedia y del cine negro. Ajax sería hoy un demente. La tragedia lo admira. El cine negro también lo haría

Ahora bien, conviene no confundir el reconocimiento de la presencia del lado salvaje con una apología de los sentimientos inhumanos. La tragedia, decía Nietzsche, trata del sufrimiento incurable, de lo inevitable, de lo necesario en el carácter y en el destino humanos. Y es cierto. Ya no lo es, en cambio, que, como también dice el filósofo alemán, lo que constituya la voluptuosidad de la tragedia sea la crueldad. Muy al contrario, la tragedia depende de la compasión con los dolientes, la simpatía para con los que sufren y, por tanto, atesora una profunda fuerza humanizadora. En el centro de la tragedia está la negación de que ninguna comodidad, fe o alegría pueden dejarnos indiferentes a los lamentos de nuestros hermanos. Cuando uno contempla una tragedia se implica en ella, y parte del placer es la alegría de reconocer sus propios sufrimientos. El sufrimiento compartido es sufrimiento dividido —mal de muchos consuelo de *todos* (no de *tontos*, como el vulgo ha malinterpretado)—. La tragedia es una forma de arte que al igual que el cine negro, pero al contrario que la épica —o que el cine de gángsters—, no invita al espectador a identificarse con el héroe sino que intenta que el público piense y considere críticamente la acción. Ahora bien, parte de la atracción de la tragedia estriba en que, a pesar de este propósito, el espectador tiende efectivamente a una identificación con los personajes desgarrados de suerte que el antihéroe muta en cierta medida en héroe. Esa

es la *catarsis* de la que hablaba Aristóteles cuando trató de la tragedia en su *Poética*. Como comenta Kaufmann, ya no nos encontramos solos: el terror que ha modelado el poeta nos libera de la prisión donde nuestro terror nos tenía cautivos. Y si el dolor que observamos en la escena es mayor que el nuestro, entonces sentimos el alivio de darnos cuenta de que, lejos de haber sido marcados por el destino para sufrir los peores tormentos, tal vez seamos relativamente afortunados. La tragedia da a su audiencia consuelo no tanto al purificar sus emociones, sino al enfrentarla cara a cara con las más espantosas verdades de la existencia humana y al mostrarle cómo esas verdades son lo que hace el heroísmo auténtico y la vida digna de vivirse. En la tragedia encontramos nuestras penas articuladas. Por eso tampoco creemos cierta la célebre tesis de Nietzsche que aseveraba que la tragedia había muerto por causa del optimismo ilustrado, como si su esencia fuera el pesimismo existencial. Es precisamente el anverso de la tragedia, la comedia, el que muestra como nota determinante la crueldad deshumanizadora. La tragedia nos dice que la nobleza es posible, la compasión admirable y que incluso la derrota puede ser gloriosa. La comedia, sin embargo, nos dice que la nobleza es una impostura, que el valor es ridículo y que tanto los triunfos como las derrotas son algo bufo. No es el optimismo el causante de la desaparición de la tragedia, sino la institucionalización de la verdad dogmática. La tragedia murió de un ataque de seguridad moral. En este sentido decía Scheler que la aprobación moral excluía la impresión trágica.

Todo esto es lo que ha calado profundamente en nuestra cultura —nos referimos aquí a la civilización greco-occidental— y en nuestra concepción del poder. Por ello, el contraste ambiguo entre el crimen y el derecho, entre la irracionalidad y el orden cotidiano, entre lo indómito y lo civilizado pertenecen constitutivamente a nuestro acervo. Posiblemente ninguna otra cultura incorpora esta indeterminación estructural que implica, sobre todo, un estado de alerta ante las instituciones y una correlativa pasión por la política. En la épica de la modernidad, como ha señalado E. Gil, se renuncia a esta ambivalencia característica, a esta definición borrosa de los conceptos morales y políticos que son definitorios de lo mejor de nuestra herencia. Ahora el orden civil se impone ante el caos primigenio con una contundencia y una nitidez implacables. Tal vez se considere fascinante el lado feroz pero, tan pronto como se atisba el vértigo de la fuerza primitiva, acaba el coqueteo con el morbo por lo salvaje y aparece la condena a la irracionalidad. Ya no existe un enfrentamiento paritario entre la identidad ciudadana y la alteridad de la ferocidad brutal que nos había enseñado la tragedia y que recuperan pensadores como Nietzsche o Freud —en alguna ocasión se ha dicho que el cine negro es Hollywood pasado por Freud—. Simplemente uno de los polos antagónicos desaparece y da paso a la marcha triunfal de un orden civil legítimo, cabal... y soporífero. La síntesis entre lo apolíneo y lo dionisiaco que define nuestra cultura —entre el impulso desordenado y el claro raciocinio— se arruina definitivamente con la modernidad.

La verdad como entretejimiento de razones, lo irracional como parte del Hombre y del poder, el caos como premisa escatológica... todavía faltan dos ideas rectoras de lo trágico que también están presentes en el cine negro. Nos referimos a la muerte y a la fatalidad. En principio pudiera parecer que los dos van íntimamente unidos, incluso que son de secuencia necesaria. Sin embargo, no es así. Representan dos principios opuestos, al menos en su articulación filosófica.

Cine negro y tragedia son géneros yugulados por la muerte. La violencia es algo más que mera lucha propia de las películas de aventuras. Aquí la violencia estructura la historia al punto de que la muerte se convierte en algo omnipresente. La muerte no es simplemente un acontecimiento desgraciado que resulta de un conflicto principal, sino que ocupa el lugar protagonista. Y de ello se desprenden consecuencias del mayor interés. No es la menor el carácter liberador que destila la presencia constante del destino mortal del Hombre. El mejor regalo que nos donó Prometeo no fue el fuego, en contra del mitologema popular, sino —citamos la tragedia de Esquilo— "el cese de la no previsión de la muerte"; esto es, el dadivoso titán nos regala el conocimiento de que nuestro ser es perecedero. Y de ahí hemos de deducir necesariamente que nuestra existencia es nuestra obra, que somos responsables de lo que de nosotros depende. Curiosamente la muerte es un principio vitalista. Las tragedias dicen siempre: tú morirás. El cine negro añade: en el momento más insospechado. No habiendo nada que esperar de una vida después de la muerte, ni de un dios benévolo y atento, el hombre se encuentra en libertad de obrar y pensar en este mundo. Consciente de su finitud y artífice de su existencia, el Hombre puede labrar su vida como si de una obra de arte se tratase. La muerte da sentido a la vida. La negación del más allá, decía Feuerbach, tiene como consecuencia la afirmación del más acá. No existe el futuro concebido como un estado ideal. La reflexión acerca de la muerte libera —nuestra vida es nuestra único patrimonio real— y responsabiliza —lo que con ella hagamos depende de nosotros—.

El fatalismo es, en cambio, un principio opuesto y también presente en ambos géneros. Decimos opuesto porque, si la consciencia de la muerte representaba un recordatorio de que nuestra vida depende de la propia iniciativa, la fatalidad insiste en lo contrario: la vida sigue una especie de principio cósmico ciego que aplasta al individuo y lo arrastra con una inercia que escapa a la empresa humana. El Hombre, y esto se opone al libre albedrío culpabilizador propio del catolicismo, no es responsable de todo aquello que hace, pues existen fuerzas que no puede controlar y que son determinantes en la acción. El éxito y el fracaso no dependen ni de la actividad, ni de la habilidad del Hombre, sino de circunstancias ajenas a su control. *Detour* (1945), de Ulmer, muestra quintaesenciadamente esta capacidad trituradora del destino y de la maldición —tan cara, como es sabido, al espíritu trágico, y ello tanto en su versión griega, como en la shakesperiana (*Los siete contra Tebas y Macbeth*, v. gr.)—. La fatalidad nos muestra, una vez más, no sólo la relación entre lo negro y lo trágico, sino lo ajenos que resultan ambos géneros a la realidad cinematográfica estadounidense. Es sumamente ilustrativo lo que cuenta S. Eisenstein acerca de un guión que en su estancia en EE.UU escribió para la Paramount basándose en una novela llamada precisamente *Una tragedia americana*. En ella, un joven prometedor, Clyde Griffith, seduce a una obrera del taller en el que es capataz y la deja embarazada. Negándose la chica a abortar y temiendo Clyde que su noviazgo con una rica heredera se viera frustrado, prepara el asesinato de la empleada. El plan consiste en volcar una barca y ahogar a la empleada simulando que es un accidente. Cuando va a realizarlo la barca se tambalea, se cae y muere ahogada. El resto va de suyo: lo detienen, juzgan y ejecutan. El guión de Eisenstein modifica ligeramente el original en un sentido trágico: Clyde, en el último momento, tras un tenso debate interior, decide renunciar a su futuro pequeño burgués y comenzar de cero con la empleada. Se inclina hacia ella para abrazarla, pero ésta, presa del pánico, pues imagina que va a matarla, forcejea con él, cae al agua y efectivamente se ahoga. Esto es, Clyde, aunque provoca materialmente la muerte —e incluso la había planeado— es en realidad inocente. Y sin embargo acaba en la silla eléctrica. La fatalidad, la Moira de la que hablaba Esquilo, la causalidad desatada… todo esto acaba confluyendo en un proceso inexorable. Ahora bien, tras leer el guión el jefe de la *Paramount* le preguntó a Eisenstein si creía que el protagonista era inocente o culpable. Eisenstein responde que inocente y el ejecutivo le espeta: "entonces su guión es un monstruoso desafío a la sociedad americana". Ni que decir tiene que el guión fue rechazado. Por subversivo. Por trágico.

Silver y Ursini aciertan al decir que el cine negro —y la tragedia, añadimos nosotros— gira en torno a la causalidad. El pasado, con sus traumas y sus decisiones unívocas parece dirigir todos y cada uno de los acontecimientos que transcurren entrelazados en una finísima malla. La técnica del *flash back*, al anunciar un final y luego reconstruir en presente una historia de la que ya nos consta el desenlace, tiene esa misión específica —subrayar el fatalismo trágico y el poder determinante del pasado— y por eso es un recurso técnico que, sin llegar a ser arquetípico del género, sí es recurrente en el cine negro. Eslabón a eslabón, la cadena se construye inevitablemente hasta cerrarse en un final anunciado. Llama la atención que el delincuente del cine negro o el protagonista trágico no elijan casi nunca la comisión del crimen, la oposición a la ley. No hay elección deliberada, sino inercia fatal. La miseria, la necesidad, el amor, eran los motivos que lo llevaban a franquear la línea de la legalidad. Y esa línea —esta sí es una característica esencial de ambos géneros— no tenía retorno posible. Seamos puntillosos. En realidad sí existe posibilidad de enmienda y arrepentimiento. También en ciertas películas de cine negro es posible el reconcomio y la atrición. Pero el camino de la reinserción conducía a la traición, a la delación de los antiguos camaradas. Como nos indica Guerif, en este caso, al rechazar la asunción de su destino hasta el fin, los personajes dejaban de ser negros. En el cine negro, el zarpazo del pretérito siempre arrastra carne bajo las uñas. Los personajes de estas películas luchan por olvidar el pasado. Y muchos lo consiguen. Ocurre que el pasado no funciona con reglas de reciprocidad y jamás olvida a los personajes. De la misma manera, también en algunas tragedias tenía lugar el replanteamiento de posiciones y la rectificación —pensemos en el *Prometeo* de Esquilo, por ejemplo— y en este caso, de nuevo, asistimos a un naufragio de la fuerza de sus personajes. Todo lo trágico, decía Goethe, estriba en una oposición irreconciliable. Cuando el conflicto pierde su necesidad el drama adquiere un carácter bien tragicómico, bien patológico. Tan pronto como se presenta o se hace posible una conciliación desaparece lo trágico.

En suma, y éste es mensaje principal en la tragedia y en el cine negro, la muerte liberadora y la fatalidad determinista forman parte consustancial del Hombre y se engastan en su naturaleza. Trágicamente —como no podía ser menos—. Somos un extraño cóctel de voluntad, de azar y de necesidad. Cuando afrontamos un problema o bien lo hacemos con la radicalidad de nuestro parecer, o bien nos dejamos llevar por la solución que la Gente —en el sentido orteguiano del término— ya ha decidido por nosotros. Lo primero nos desnuda y nos expone; lo segundo nos resta individualidad y nos confunde en tanto que masa indiscernible. Sea cual sea nuestra decisión siempre nos habremos equivocado, al menos en parte. Si usted, lector, asume esa condición humana esencialmente inestable, falible y movediza, sea bienvenido. Si no es así, búsquese un confesor que lo emborrache de dogmas y lo atiborre de seguridades. O váyase a los Estados Unidos.

Derecho y cine bélico *

1. Introducción

Hace unas décadas parecía que el cine bélico tenía reservado un destino muy similar al del *western* (género, por cierto, con el que comparte una evolución con importantes similitudes) y que pasaría, definitivamente, a formar parte del museo de la historia del séptimo arte. En una industria prácticamente monopolizada por las producciones estadounidenses, las épocas doradas de este género, tanto del probélico (la II Guerra Mundial, de los 1.700 largometrajes que produce Hollywood entre 1942 y 1945 más de 500 eran filmes de guerra) como del antibélico (la guerra de Vietnam) aparecían cada vez más lejanas y los discursos sobre la guerra daban síntomas de encontrase ya agotados. Especialmente en el caso del cine antibelicista, la sombra de títulos como *El Cazador* (*The*

Deer Hunter, Michael Cimino, 1978) y, sobre todo, *Apocalipse now* (Francis Ford Coppola, 1979), apenas dejaban margen para algo que añadir sobre el horror y la destrucción física y mental que acarrean las guerras. Empero, cuando quizá menos se esperaba, el género vivió una importante reanimación a finales de los noventa. Bajo la consigna de recrear lo más real posible los conflictos, como si el espectador "estuviese allí", los directores que fueron niños durante la Gran Guerra no pudieron evitar mirarla de lleno con títulos tan conocidos como reconocidos como *Salvar al soldado Ryan* (*Saving Private Ryan,* Steven Spielberg, 1997) o *La delgada línea roja* (*The Thin Red Line,* Terrence Malick, 1997). Especialmente en el primero de ellos, en su memorable primera media hora de metraje

* El presente trabajo se enmarca en el Proyecto de Investigación titulado *Derecho, Cine y Literatura*, SEJ2005-05469/JURI, cuyo Investigador Principal es Benjamín Rivaya.

(el famoso desembarco en la playa de Omaha) Spielberg, con la cámara al hombro, utilizando perfectamente la toma subjetiva, aprovecha todos los adelantos técnicos del momento para que el espectador sienta lo que debió ser el desembarco. La película tendrá una interesantísima secuela en la serie televisiva «Hermanos de Sangre» (*Band of brothers*), producida por Tom Hanks y Steven Spielberg, en la que se ofrece lo que representó la guerra para un grupo de soldados de la compañía Easy de la 101 aerotransportada.

La reanimación de las películas de guerra a finales de los noventa tenía como escenario de fondo la escalada de los conflictos armados que trajo consigo el final de la bipolaridad Este-Oeste. La esperanza en un mundo sin guerras, en el que todos los pueblos acabasen por abrazar los derechos humanos y la democracia, se vio muy pronto defraudada por el surgimiento de esas nuevas contiendas bélicas en las que los antagonistas ya no serán los Estados y en las que encontramos una mezcla de guerra, crimen organizado y violaciones de los derechos humanos a gran escala (Kaldor).

Este será el rostro de los conflictos que asolarán los Balcanes y países africanos como Ruanda, Somalia y Sudán en los umbrales del siglo veintiuno. A estos conflictos se unirán, en la última década, la brutal ofensiva rusa en Chechenia y, sobre todo, las operaciones armadas emprendidas por Estados Unidos y sus aliados a raíz del 11-S en Afganistán e Irak. A la luz de estos datos, podemos concluir que, desgraciadamente, el cine bélico sigue encontrando muchas historias que le garantizan una pervivencia prolongada.

Este renacimiento del género es muy indicativo de la evolución que ha experimentado. De hecho es actualmente el único que se encuentra en constante evolución, seguramente porque, a diferencia del drama o la comedia, que no se reducen a un solo tema, la guerra es, en cambio, la totalidad del cine bélico. Pues bien, éste no ofrece en la actualidad esa imagen de violencia convertida en espectáculo que hizo de él, junto a las cervezas rubias en *pinta* o *litrona*, las Islas Malvinas, el dinero en cantidades industriales, los goles y ellos mismos, la afición predilecta de los *hooligans* británicos[1].

---

[1] En el retrato que de estos hiciera Bill Buford, exdirector de la revista británica Granta y actual redactor jefe del New Yorker. La cita es de ALTARES, 1999, 10.

Con toda seguridad, en la mente de estos forofos no se hallaban títulos como *Senderos de Gloria* (*Paths of Glory*, Stanley Kubrick, 1957) *Mash* (Robert Altman, 1970) o *Platoon* (Oliver Stone, 1986) sino subproductos bélicos, películas de pura acción, más paramilitares que militares, llenas de disparos, bombardeos, explosiones, etc. y en las que los enemigos son presentados como sujetos a los que siempre está justificado destruir haciendo uso, si es preciso, de una violencia extrema, tal y como vemos en las películas de Stallone, Schwarzenegger o Chuck Norris. Ni antes, ni menos ahora, el cine bélico puede reducirse al cine de combate.

Antes de tratar algunos aspectos fundamentales del derecho en el cine bélico, parece inevitable detenerse, siquiera muy brevemente, en la definición misma del género. ¿Qué entendemos o debemos entender por cine bélico? En este trabajo nos sentimos más cercanos a quienes, como Altares, apuestan por una clasificación para la que aquél comienza en la I Guerra Mundial y acaba en el presente: "consideramos cine bélico lo que cualquiera que encienda la televisión o se plante ante la cartelera de un cine piensa que es una película de guerra: aquella en la que llueven las granadas sobre las trincheras, en las que en las que los soldados esperan el relevo..." (Altares, 1999, 40). La guerra contemporánea será, pues, el denominador común, a todos los filmes que aparecen aquí. Esta delimitación temporal parece razonable a la vista de la singularidad de las guerras de la última centuria. El fenómeno de la guerra contemporánea, con los potentísimos medios destructivos creados por la tecnología militar, posee una naturaleza diferente de la guerra tradicional. Según esto, referirse con un mismo término (cine bélico) a contiendas armadas tan distintas como las que tuvieron lugar en la Antigüedad, que se desarrollaron por lo general como duelos colectivos, como *combates entre combatientes* y en las que, con excepción de los asedios a ciudades fortificadas, la población civil quedó al margen de la contienda y, por ejemplo, la II Guerra Mundial, en la que el cincuenta por ciento de las víctimas mortales fueron civiles hasta una cifra entre quince y veinte millones, supondría ignorar esta diferencia decisiva. No toda película de guerra o sobre la guerra puede ser encuadrada, pues, dentro del cine bélico.

Empero, ni esta limitación temporal termina de convencer a todos (vid. Rodríguez, 2006, 15), ni existe tampoco acuerdo en torno a la posibilidad de seguir hablando, sobre todo a partir de finales de los setenta, del cine bélico como un auténtico género independiente. Respecto a las cintas bélicas rodadas en los últimos años se ha llegado a afirmar que constituyen, más bien, la suma de una serie de películas que, desde un cierto marchamo de cine de autor, reproducen

aún algunas de las imágenes propias de la narrativa bélica a través de un barniz más o menos humanista que entroncaría mejor con la faceta antibélica, que no pertenece tanto al cine bélico como al melodrama, distanciándose de lo que, hasta finales de los sesenta, se entendía por este género (Casas, 2001, 38).

2. Dimensiones de la representación cinematográfica de la guerra

Para gran parte de los seres humanos, de manera especialmente intensa para los millones de occidentales que desde finales de la II Guerra Mundial no han vivido en suelo propio ningún conflicto armado reseñable (excepción hecha, por supuesto, de las guerra de los Balcanes en los 90), la única imagen y experiencia de la guerra es la que les ha llegado a través de la fotografía, la televisión y el cine. Para muchísimas personas las películas han llegado a convertirse en una forma de ver las auténticas guerras. Lo que primero comenzó siendo un registro de la realidad ahora es la realidad misma. La representación mediática —señala Milton Bates— es, al fin y al cabo, una fuente de experiencia y la fuente dominante de conocimiento sobre la

guerra para aquellos no hemos estado allí, para los que nunca la hemos vivido en carne propia: es una experiencia mediada (Bates, 2007, 27).

La novela *American Hero*, obra en la que está inspirada la película *Cortina de Humo* (*Wag the Dog*, Barry Levinson, 1998) capta con sabia ironía esta fuerza creadora o constitutiva de la realidad que despliega el cine bélico. En la novela se relata cómo el presidente Bush, tras ser pillado *in fraganti* en una situación escandalosa días antes de su reelección, considera llegado el momento de crear una guerra que distraiga a la prensa de su *affair*. Para ello, encarga al secretario de Estado James Baker que contacte con un famoso director de Hollywood para que se documente en profundidad sobre el cine de guerra al objeto de inventar una contienda en la que el presidente salga triunfante de manera heroica delante de todas las televisiones. En el primer informe que para tal propósito escribe ese director queda perfectamente reflejado el poder constitutivo de la realidad bélica que poseen las imágenes cinematográficas: "*¿Qué es la guerra? ¿Para ti? ¿Para mí? ¿Para el pueblo americano? La guerra es John Wayne. Es Randolph Scott y Victory at Sea. Es Rambo, La guerra de las galaxias, Apocalypse now, son las bolsas de cadáveres de la CBS. Es combate; The Rat Patrol, Patton. El rostro de la guerra no es la realidad. Es la televisión y las películas. Incluso para la gente que ha ido a la guerra. Cualesquiera que fueran sus recuerdos, han sido reemplazados por lo que posteriormente han visto en televisión. Incluso si Vietnam les desilusionó, sus ilusiones procedían de las películas...*".

Esta circunstancia ha condicionado, como no podía ser de otra forma, no sólo el contenido y la intención de las películas bélicas sino, incluso, el propio discurrir de algunos conflictos armados. Respecto a esto último, se alude con frecuencia al acuerdo que durante la Revolución mexicana alcanzó Pancho Villa con la *Mutual Film Corpo-*

ration por el que permitía a ésta filmar todas las batallas en las que participase su ejército. Uno de los aspectos más curiosos del mismo era la cláusula que estipulaba que, siempre que fuera posible, las batallas debían tener lugar de día para que pudiesen ser filmadas. Ello provocó que Pancho Villa llegara a retrasar el ataque contra la ciudad de Ojinaga para dar tiempo a que llegaran las cámaras desde otro lugar.

En relación con el primer aspecto, todos sabemos las distintas formas en las que la industria cinematográfica ha sido utilizada con fines propagandísticos, como una auténtica arma de guerra de cara, fundamentalmente, a movilizar a los jóvenes a alistarse como soldados voluntarios y al resto de sus compatriotas a valorarlas como necesarias y merecedoras de apoyo. Como escribe Fernández Valentí, a ambos lados del Atlántico, el cine bélico tuvo como primera motivación histórica el cumplimiento de finalidades de propaganda política y este es un componente, con las matizaciones propias de la evolución del lenguaje cinematográfico, del cual jamás ha podido desprenderse por completo (Fernández Valentí, 2001, 71).

No hay duda de que cuando las guerras se alejan de nuestras

fronteras terminan más tarde o temprano por no ser más que una abstracción incapaz, por sí sola, de llegar a conmovernos. Ni siquiera la televisión, a través de la que hemos podido contemplar imágenes provenientes de los lugares más lejanos del planeta, ha conseguido invertir esta tendencia y suscitar sentimientos de indignación y compasión entre los telespectadores que contemplan las guerras desde sus hogares. Puesto que en mundo cada vez más globalizado parece difícil sostener, como hacía Adam Smith, que esta indiferencia hacia los que se hallan tan lejos de nosotros obedezca a un sabio designio de la Naturaleza, la explicación para tal *desengament* quizá pueda encontrarse en el abismo que media siempre entre la realidad y su representación. Como señala Susan Sontag: "sufrir es un cosa; muy otra es convivir con las imágenes fotográficas del sufrimiento, que no necesariamente fortalecen

la conciencia ni la capacidad de compasión. También puede corromperlas. Una vez que se ha visto tales imágenes, se crea la incitación a ver más y más. Las imágenes transfiguran. Las imágenes anestesian" (Sontag, 1996, 36). O, como ha resaltado más recientemente Ignatieff, la repetición de las imágenes termina banalizando los discursos morales que se apoyan en ellas y generando una auténtica "fatiga de la compasión".

Es precisamente aquí donde, sin ignorar el riesgo de la estetización que hay implícito en cualquier intento de representación de la guerra[2], puede apreciarse la capacidad de la ficción cinematográfica, en este caso de la característica del cine bélico, para alimentar unos sentimientos e, incluso, generar un compromiso ético y político que no despiertan las aproximaciones en principio más realistas de la televisión. Contando un conflicto a través de los que estuvieron

---

[2] Y es que, como señala Antonio Monegual, "hay un desafío ético implícito en cualquier representación de la guerra: ¿se puede dar cuenta de la experiencia de la guerra mediante el arte sin caer en la estetización? Es decir ¿hasta que punto cualquier recontextualización o reutilización de las imágenes de la guerra en términos artísticos, por mucho que aspire a mostrar la guerra tal como es, no neutraliza su impacto más inquietante, las domestica, las embellece o las convierte en objeto de disfrute sensacionalista [...] En otras palabras, de Margot Norris, ¿Puede el arte superar la dificultad inherente de abordar lo violento, lo cruel y lo feo sin transformarlo en belleza, sin dotarlo de efectos estéticos, sin provocar placer, sin logar la redención de lo que debería ser irredimible?" (MONEGUAL, A., 2007, 20-21).

allí, humanizando a los soldados al ponerles un rostro y un nombre y situarlos en una historia, el cine logra por momentos que las guerras y quienes luchan en ellas dejen de ser esa abstracción y que los espectadores lleguen a vivirlas como algo que no les es ajeno. El cine ha logrado, de esta forma, sustituir esa indiferencia casi natural respecto a la guerra por el deseo de embarcarse en alguna de ellas ("después de ver las películas de John Wayne, tenías ganas de ir a la guerra", afirmó Tim O'Brian, autor de la *Las cosas que llevaban los hombres que lucharon*) o, en el extremo opuesto, consigue que se le quiten a uno las ganas de participar o apoyar la guerra de una u otra forma.

Esta fuerza persuasiva no depende casi nunca de la explicitud de la imagen ni tampoco de su perfección formal. Una película no basa su efectividad o impacto en su adecuación a la verdad sino en su capacidad para trasgredirla y ampliarla, a veces sin hacer otra cosa que sugerirla. Andrés Hispano ha insistido en la importancia de ambos aspectos. Por un lado, señala cómo los documentos que mejor han descrito el fragor de la batalla y los sacrificios que se cobran han sido, en su mayor parte, capturas agitadas, inestables, nerviosas y hasta desenfocadas. Por otro, la violencia de la guerra no se explica mejor con imágenes violentas sino mediante alegorías visuales. La violencia más estremecedora ha resultado ser aquella desviada a los elementos de gran poder simbólico y cuya representación no contiene necesariamente ni personas ni daños concretos: "Es la mera mención al gas mostaza, a los Gurkas, la visión de los hornos crematorios, el hongo atómico, la sombra de una persona fijada en el asfalto de Hiroshima o el rótulo televisivo con palabras como Anthrax o Polonio 212". (A. Hispano, 2007, 60). Pensemos, por ejemplo, en la sobrecogedora secuencia final de *El Planeta de los Simios* (*The Planet of the Apes*, Franklin Schaffner, 1968) que fue utilizada en las manifestaciones contra la proliferación de armas nucleares en todo el mundo y que, incluso, fue enviada como documental para su presentación en la OTAN con el único fin de concienciar a los gobiernos de que la guerra es absurda. La destrucción apocalíptica que esta escena sugiere terminó resultando más conmovedora e inquietante que muchos documentales que advertían sobre los efectos reales del uso del armamento atómico.

3. La limitación jurídica de la guerra en el cine bélico

¿Puede el Derecho imponer límites a la conducta bélica? Desde mediados del siglo XIX ha ido tomando cuerpo la idea de que la guerra es un infierno, que es un acto de fuerza o coerción al que, en teoría, no puede ponérsele límites. Clausewitz, además de ser el padre de la famosa máxima de que "la guerra es la continuación de la política por otros medios", estaba profundamente convencido de la contradicción que encerraba la pretensión de controlar y contener la conducta bélica. A juicio del famoso militar alemán, jamás podremos introducir un principio modificador en la filosofía de la guerra sin caer en el absurdo; no hay acto violento imaginable, por muy pérfido o cruel que pueda ser, que pueda excluirse del ámbito de la guerra; no hay acto sanguinario que pueda considerarse como no bélico, ya que la lógica de la guerra consiste simplemente en un sostenido impulso dirigido a perpetrar los mayores extremos morales. La lógica del argumento de Clausewitz es la de que una vez que se ha producido la agresión, el agresor es responsable de todas las consecuencias de la

mecha que enciende. De un parecer similar era el general Eisenhower, cuando afirmaba que *"Cuando se recurre a la fuerza nadie sabe dónde se mete (...) Y si uno se ve implicado cada vez más a fondo, descubre que no existe el menor límite (...) excepto el que afecta a la fuerza misma"* (Walzer, 2001, 53-54). La agresión justifica la respuesta bélica y, una vez que esta se pone en marcha, el conflicto comienza a dirimirse en un territorio *extra legem*, donde es imposible pronosticar el resultado de empleo de la fuerza y, por consiguiente, de qué forma los medios pueden terminar afectando a los fines. El «Inter armas silent leges» ciceroniano podría interpretarse en el sentido de que en medio de la guerra ya no puede regir más ley que la de la fuerza y esa fuerza, una vez liberada, escapa al control de quienes se valen de ella.

Aunque se hallen lejos de defender planteamientos tan realistas como los de Clausewitz, algunos estudiosos de las guerras más recientes han constatado que la capacidad de la ley para imponerse a la conducta bélica ha sido siempre muy relativa.

Empero, lejos de abandonar al combate y los combatientes a una voluntad incontrolable e ilimitable de destrucción y aniquilación, reclaman como única autoridad capaz de limitar la conducta bélica a los códigos morales basados en el honor del guerrero. A juicio de Ignatieff, no se conseguirá nada mientras el guerrero no posea un concepto de lo que resulta honorable o no para un hombre armado. No existe un sustituto del honor capaz de imponer la decencia en el campo de batalla, nunca ha existido y nunca existirá porque en el lugar donde se mata no habrá nunca jueces ni policía (Ignatieff, 1999, 115).

Retomemos el argumento de Clausewitz para suscitar los siguientes interrogantes: ¿cómo es el infierno de la guerra? ¿qué tipo de seres, más o menos humanos, son sus moradores? ¿es posible introducir en él algunas dosis de racionalidad y exigir la observancia de normas de conducta, incluidas las jurídicas, a aquellos quienes lo habitan?; y, por último, ¿qué reflejo ha tenido todo ello en el cine bélico?

Con excepción de aquellas películas que con un propósito propagandista han hecho una apología ideológica de algunas misiones armadas, el cine bélico producido desde finales de los cincuenta reconoce que la guerra altera el orden natural y normal de la vida en sociedad. Aunque la historia de la humanidad puede ser vista como una sucesión de guerras cada vez más cruentas, son muchos los que tienen la sensación de que la guerra y no la paz es lo anormal. Creo que esta es la visión que pretende transmitirnos Terrence Malick. Para un cineasta tan intimista y poético como él, la anormalidad de la guerra se muestra con toda evidencia en su contraposición con la naturaleza. En *La Delgada Línea Roja* intenta trasmitir esta idea sirviéndose de la profundidad de la palabra a través del recurso a la voz en *off*: "*¿Qué significa esta guerra en el corazón de la naturaleza? ¿Por qué la naturaleza lucha con ella misma?*" se pregunta Witt (Jim Caviezel) al principio del film. Pero, sobre todo, Malick se apoya en la fuerza conmovedora de la imagen sin palabras, en las secuencias en las que contrapone la crudeza y la violencia de los enfrentamientos militares a la belleza y la tranquilidad de los escenarios naturales donde transcurre la acción. Destaca aquella en la que el pelotón mandado por el coronel Gordon (Nick Nolte), tras adentrarse en unos kilómetros en la isla de Guadalcanal, se cruza de frente con un aborigen que, vestido únicamente con un taparrabos, pasa junto a ellos

189

sin inmutarse, como si la guerra no fuera con él, poniendo así de manifiesto la irracionalidad y el sinsentido de la lucha que estos hombres uniformados y "civilizados" están librando.

El cine antibélico insiste en mostrar de qué forma quienes participan en ellas como combatientes pagan un precio humano incalculable. No me refiero únicamente a la pérdida de sus vidas o a las mutilaciones, lesiones y enfermedades que les provocan sino también a las secuelas psicológicas tan profundas y tantas veces irreversibles que arrastra todo hombre que se ve obligado a matar y ver morir a los hombres a manos de otros hombres. La fortaleza mental, la sangre fría y, a la postre, la insensibilización frente al dolor propio y ajeno que deben desarrollar los combatientes se paga con un precio emocional y, a la postre también social, enorme. Es posible, como sugiere Robert Altman en su aclamada comedia negra antibelicista *Mash*, que en medio del horror que entraña cualquier guerra lo único a lo que pueden aferrarse algunos individuos para conservar la cordura y la humanidad son el sentido del humor y unas altas dosis de cinismo.

Las actuaciones que más tarde o temprano terminan exigiendo todas las guerras hacen aflorar tendencias e instintos humanos irreconocibles o profundamente ocultos en el hombre civilizado. De manera dramática, la guerra permite una concentración y esencialización de comportamientos y acontecimientos imposibles en otro tipo de situación cotidiana. En manos de directores como Kubrick o Coppola, la guerra se convierte en una especie de lupa que pone más claramente de manifiesto, que amplifica los verdaderos motivos a los que obedecen determinados comportamientos humanos (Casas, 201, 64). Ello explicaría que *thrillers* bélicos como *Apocalypse now* estén convencidos de que en el campo de operaciones de una guerra se esconde algún secreto sobre la naturaleza humana. El viaje que relata esta *river movie* es, en realidad, una investigación que va más allá de cualquier posible explicación política o militar, para convertirse en la búsqueda de algún secreto sobre la naturaleza humana, de una razón filosófica que explique por qué el ser humano se ve inmerso en una guerra: "¿De dónde surge, por ejemplo, la agresividad de algunos soldados? ¿Y su racismo? ¿Y su xenofobia? (Rodríguez, 2006, 173). Quienes participan en las guerras se topan con una realidad a veces más dura que la muerte: el amor por la violencia, el ansia irreprimible y placentera de destruir a otros hombres, es decir, todo eso que las religiones han presentado como el lado oscuro del hombre, como el mal, aquello que es excitado por el diablo: eso es lo que representa Kurtz (Marlon Brando). Si, como dijera Bataille, el hombre es una jaula en la que hay encerrado un animal, no hay duda de que la guerra abre en muchos casos esa jaula; pero la bestia ya estaba ahí. No es de extrañar que fuese unos años después de una guerra tan devastadora como la II Guerra Mundial cuando escribiera William Golding *El Señor de las Moscas*, como tampoco sorprende que Coppola se inspirara en la imagen de la macabra figura de Lope de Aguirre que ofrece la película *Aguirre, la cólera de Dios* (*Aguirre, der Zorn Gottes*, Werner Herzog, 1972) para componer la personalidad de Kurtz.

Aunque su director no pretendiera suscitar una reflexión de esta naturaleza, de *Doce del Patíbulo* (*The Dirty Dozen*, Robert Aldrich, 1967) cabe extraer una conclusión similar. Si en *Apocalypse...* es la guerra la que acaba convirtiendo a sus protagonistas en psicópatas asesinos, en la cinta de Aldrich desde el principio es aquélla la que precisa de este tipo de sujetos capaces de matar y violar sin remor-

dimientos. En contra de lo que ha pretendido la propaganda, la guerra no sería ese lugar donde los hombres se convierten héroes a fuerza de generosidad y altruismo sino que, por el contrario, es el marco idóneo para que los *outlaws* y *outsiders* puedan dar rienda a sus instintos más crueles en "beneficio" de la sociedad.

Siguiendo con los horrores de la guerra, uno de los efectos más dramáticos es la dependencia y alienación que produce en los individuos. La guerra atrapa al hombre y lo desvincula de la sociedad. Su familia son los compañeros de regimiento y la guerra. "*¿Amas la guerra o tienes miedo a lo que serías sin ella?*", es la respuesta de la enfermera que se ha enamorado del sargento Steiner (*La Cruz de hierro, Cross of Iron*, Sam Peckinpah, 1977) a la decisión de éste de regresar al frente pese a no estar plenamente recuperado aún de sus heridas físicas y psicológicas. Esta es una imagen que se repite en muchas películas bélicas: "*cuando estaba allí quería estar en casa (...) cuando estaba en casa quería estar aquí*", afirma la voz en *off* de Willard.

Y, cuando no se vive esta descontextualización, cuando aún se ansía con volver al mundo normal y a los seres queridos, muchos soldados se preguntan si siguen siendo los mismos hombres que eran antes de la guerra o si, por el contrario, se han convertido en seres irreconocibles, tal y como expresa la *voz en off* del capitán Miller (Tom Hanks) en *Salvar al soldado Ryan*: "*A veces me pregunto si he cambiado tanto. Si mi mujer me reconocerá cuando vuelva a su lado, y si seré capaz de hablarle de días como el de hoy. Ryan... no sé nada sobre Ryan ni me importa. Ese tipo no significa nada para mí, es sólo un nombre... pero si vamos a Ramelle, y le encontramos y vuelve a casa, y con eso me gano el derecho de volver junto a mi mujer, entonces... ésa es mi misión. ¿Quiere irse a combatir? De acuerdo, no lo detendré. Yo lo único que sé es que cada vez que mato me siento más lejos de casa*". El hogar no es sólo el lugar donde se encuentra los seres queridos y dónde transcurre la vida normal. Es también el anclaje de los valores de cualquier persona, la comunidad de referencia en el plano no solo afectivo sino, suponiendo que puedan ser completamente separados (recordemos la visión humeiana de la ética como una expansión de las esferas de afecto y confianza mutua), también moral. Así se explica la ruptura interior que experimenta el general Kuribayashi (Ken Watanabe), en *Cartas desde Iwo Jima* (*Letters*

from Iwo Jima, Clint Eastwood, 2005), cuando quiere unir la familia y la guerra: "*Es extraño. Me prometí a mí mismo luchar hasta la muerte por mi familia. Pero pensar en ella me hace difícil cumplir mi promesa*".

El regreso al hogar y a la cotidianidad de su país resulta infinitamente más difícil para quienes participaron en la guerra de Vietnam y, sobre todo, en la actual de Irak. Existe, no obstante, una diferencia decisiva entre los que regresan de una y otra contienda. Películas como *Taxi Driver* (Martin Scorsese, 1976) o *El Cazador* presentan a héroes atormentados por un conflicto interior que se hace presente antes, durante y después de la guerra. Como escribe Carlos Losilla, en la lucha interior de estos hombres subsisten ciertos mitos ideológicos de su país (el individualismo, la amistad masculina, la búsqueda de la pureza, etc.) que se van trasformando poco a poco en su reverso siniestro hasta su estallido paranoico. Los que vuelven de Irak lo hacen de un modo muy distinto. "*Ya no siento nada*", afirma el soldado Marsh (S.L. Jackson) cuando su mujer le pregunta por su extraño comportamiento tras regresar de Irak en *Regreso al infierno* (Irwin Winkler, 2006). En esta película, como en *Bug* (William Friedkin, 2006) o *En el valle de Ellah* (*In the Valley of Elah,* Paul Haggis, 2007), la pérdida de la identidad en el horror de la guerra conduce directamente, ya sea de forma literal o metafórica, a la pérdida del cuerpo y a la conversión en otra cosa. Se identifica al militar licenciado del conflicto como un *revenant,* es decir, como alguien que vuelve de la muerte y, por lo tanto, que ya no tiene vida aunque lo parezca (Losilla, 2007, 14). Y es que, como ya sugiriera la escatológica *La Escalera de Jacob* (*Jacob's Ladder,* Adrian Lyne, 1990), la guerra hace que la vida de quienes viven en ella se convierta en un descenso a los infiernos del que, desgraciadamente, ya no pueden escapar regresando a la vida "normal" que tenían antes, ni siquiera asumiendo que van a morir, sino aceptando que "ya están muertos".

Consumidos por el cansancio y el miedo, preocupados desesperadamente por lograr sobrevivir, los hombres en guerra viven en un contexto que niega su humanidad. En ella no hay el más mínimo espacio para la inocencia y la confianza en el ser humano. El destino que les espera a quienes se dejan, aunque sea sólo durante unos momentos, arrastrar por estos sentimientos no puede ser más cruel. Es el final reservado al joven soldado alemán al mando del sargento Steiner en *La cruz de hierro* cuando es asesinado por una de las jóvenes mujeres-soldado soviéticas a las que habían hecho prisioneras y en las que no había creído ver ninguna amenaza. Tampoco en este infierno hay lugar para el cansancio. En *La colina de los diablos de acero* (*Men in War,* Anthony Mann, 1957) el sargento Killan morirá al olvidarse de la guerra, al convertirse en un hombre al que simplemente le duelen los pies y hace un lado para quitarse las botas y aliviar su fatiga.

Empero, esta deshumanización puede y suele ir mucho más lejos. La guerra exige que, en un breve lapso de tiempo, unos hombres a los que se ha inculcado una educación cívica inhibidora del instinto de infringir heridas deliberadamente a otros seres humanos, que no han sido entrenados para la jerarquía y que ven la muerte como algo que pondrá fin a sus vidas en una todavía muy lejana vejez, se transformen en sujetos a los que no les tiemble el pulso a la hora de disparar, lanzar bombas o usar cualquier tipo de arma para lesionar y matar a otros hombres, que obedezcan y confíen ciegamente en sus superiores y —lo que quizás sea lo más duro de todo— que superen el miedo a la muerte en la flor de sus vidas. En *El día más largo* (*The Lon-*

gest Day, Ken Annakin, Andrew Marton, Bernhard Wicki, 1962), el general encarnado por Robert Mitchum dirá en el angustioso lance de la playa de Omaha que sólo dos clases de hombres iban a quedarse en la playa: los que ya habían muerto y los que iban a morir. En medio de la guerra no hay espacio para el temor (como dice el sargento Hartmann en *La Chaqueta Metálica* —*Full Metal Jacket*, Stanley Kubrick, 1987— *"el cuerpo de marines no quiere hombres, quiere robots, el cuerpo de Marines quiere tíos que maten; el cuerpo de marines quiere formar hombres indestructibles, hombres sin miedo"*) o, de existir este miedo o temor, su función debe ser la de excitar la agresividad conducente a matar. La guerra necesita de hombres que asuman que su destino más probable es la muerte, seguramente también de hombres que hagan suyo eso de que *"la muerte no es el final"* que proclama el canto del legionario, en definitiva, de hombres para los que, como re-

pite la canción de *The Doors* al comienzo de *Apocalypse now*, *"my only friend: the end"*, esto, de hombres sin esperanza de seguir vivos para poder convertirse en máquinas despiadadas de matar: *"la única esperanza que le queda es aceptar el hecho de que ya es un cadáver; y cuanto antes lo acepte, antes podrá actuar como debe actuar un soldado paracaidista: sin merced, sin compasión, sin remordimientos: toda la campaña depende de eso"* (el teniente Spears al soldado Blite en *Hermanos de sangre*; Capítulo III; *Carentan*). Al final, si el soldado ha de morir, quizá no sea por el grupo o por algún valor sino porque no tiene otro destino y porque ve en la desaparición la única fuga posible.

En su afán por denunciar la barbarie que hay en muchas contiendas bélicas, en su empeño por contar la verdad sobre lo que les ocurre a las personas que se ven envueltas en ellas[3], el cine antibelicista ha ofrecido una visión de las guerras como una

---

[3] "Pienso que cualquier artista que realice una película acerca de la guerra, necesariamente hará una película *'antibélica'*; así ocurre siempre con estos filmes. Mi película es más una película *'anti-mentiras'*, en cuanto a que una cultura puede mentirnos acerca de lo que realmente está sucediendo en la guerra, donde la gente recibe un trato cruel y es torturada, mutilada y asesinada; lo que me horroriza es que esto se presenta como ético y perpetúa la posibilidad de la guerra. Una línea en el guión original de John Milius sugiere esto: *"Enseñan a los chicos a disparar a la gente, pero no les dejan escribir la palabra 'fuck' en sus aviones"*. Como dijo Joseph Conrad: *"Odio el hedor de una mentira"*. (F. Ford Coppola).

realidad extraordinaria, en la que los seres humanos llevan a cabo acciones muy alejadas de lo que acontece en la vida normal o natural de cualquiera. La guerra es un espacio profundamente irracional, sumamente brutal en sus medios y, sobre todo, es una fuerza deshumanizante (la deshumanización comienza ya en los campos de entrenamiento, tal y como se aprecia, entre otras *La chaqueta metálica, Los chicos de la compañía C —The Boys in Company C,* Sidney J. Furie, 1978— o *El sargento de hierro —Heartbreak Ridge,* Clint Eastwood, 1986—). Para este cine defensor de lo que cabría calificar de "pacifismo absoluto", en medio de tanta irracionalidad y brutalidad difícilmente puede exigirse a los contendientes el respeto de límites al uso de la fuerza como los que imponen las normas jurídicas e, incluso, las directivas morales. Esto recuerda mucho a la descripción que lleva a cabo Hobbes del estado de naturaleza no sólo como una situación de guerra sino también como un espacio en el que las nociones de lo moral y lo inmoral, de lo justo y de lo injusto no tienen cabida ni, por consiguiente, tampoco los juicios sobre la conducta de nadie (Hobbes, 1989, 109). Como dice Kurtz a Willard, *"puedes matarme, pero no puedes juzgarme".*

En medio de tanta agresividad e irracionalidad, los límites que, como veremos a continuación, impone el *ius in bello* parecen fuera de lugar, constituyen una aspiración utópica e, incluso, una exigencia supererogotaria, ya que (en referencia a la guerra de Vietnam) *"juzgar a alguien por asesinato en esta guerra sería como poner multas de velocidad en las 500 millas de Indianápolis"* (Willard).

El Derecho internacional, tanto el convencional como el consuetudinario, se apoya en una premisa radicalmente opuesta a lo anterior: en la de que sí es posible imponer ciertos límites a las razones para iniciar una guerra y, sobre todo, a la forma de combatir y a los efectos que producen sobre los que participan o se ven afectados por ellas. A partir fundamentalmente de la II Segunda Guerra Mundial, la regulación jurídica de la guerra se articula a través de la distinción entre el *ius ad bellum* y el *ius in bello*. De acuerdo con el capítulo VII de la Carta de la ONU, el *ius ad bellum* está constituido por principios que establecen quién posee el derecho de recurrir, como *extrema ratio*, a la guerra (tradicionalmente la autoridad legítima de un Estado) y con qué fines. La Carta consagra, como norma general, la prohibición de la guerra, si bien contempla dos excepciones a esta regla: la defensa propia, individual o colectiva, en el supuesto de un conflicto armado contra un Estado miembro (art.51) y la puesta en marcha, bajo la autorización por el Consejo de Seguridad, de medidas destinadas a mantener o restaurar la paz y seguridad internacionales (Capítulo VII, arts. 39 y ss), concepto este último que, a juicio de algunos iusinternacionalistas, podría dar cobijo a las intervenciones humanitarias. El *ius in bello* está constituido por un conjunto de reglas y principios dirigidos a evitar que las operaciones militares provoquen destrozos inútiles y arbitrarios en relación con el objetivo perseguido, causen daños irreversibles u ocasionen a los no combatientes sufrimiento y muerte sin relación con una ventaja militar precisa. Se trata de lo que hoy conocemos bajo la denominación de Derecho internacional humanitario, que es defendido como el conjunto de normas que, por razones de humanidad y eficacia militar, trata de limitar los efectos de los conflictos armados, proteger a las personas que no participan en la guerra ni en los combates y limitar los medios y los métodos de hacer la guerra. Este acervo normativo será el resultado de la sucesivas Convenciones de Ginebra (1864, 1906, 1929, 1949), en

especial, de la última de ellas, de la que nacerán los cuatro Convenios de 1949, y sus tres Protocolos adicionales de 1977.

Hasta ahora, la mayoría de juristas, teóricos de las relaciones internacionales y filósofos políticos han admitido la separación lógica entre el *ius in bello* y el *ius ad bellum*, entre las razones legítimas para emprender una guerra y la legitimidad de los medios utilizados para librarla y de los efectos que provoca. Ambos tipos de juicio son lógicamente independientes. Es muy posible que una guerra justa se desarrolle injustamente y que una guerra injusta se atenga a las reglas bélicas. Sin embargo, en los últimos años esta separación ha sido cuestionada desde posiciones antagónicas. Por un lado, seguidores de la teoría de la guerra justa ponen en duda que el *ius in bello* sea independiente del *ius ad bellum* ya que en ausencia de una causa justa, no hay ningún bien que un acto de guerra pueda producir que pudiera ser adecuadamente ponderado con los efectos negativos que provoca; por tanto, ningún acto de guerra llevado a cabo por un combatiente sin justa causa puede satisfacer el principio de proporcionalidad del *ius in bello*. En el extremo contrario se sitúan quienes, en abierta oposición a la teoría de la guerra justa, no consideran aceptable la independencia del *ius ad bellum* respecto al *ius in bello*. El hecho de que una guerra sea librada de manera injusta, en la medida que viole la inmunidad de los no combatientes o el principio de proporcionalidad, no impide seguir considerando justo tanto haberla emprendido como continuarla. Lo que se cuestiona aquí es que el uso de medios ilegítimos no tenga ningún efecto retroactivo sobre el *ius ad bellum* (Zolo, 2001, 121-122).

Creo que ambas posturas tienen un mayor o menor reflejo en el cine antibélico. Así, la separación entre el *ius ad bellum* y el *ius in bello* no parece tan fácil de establecer cuando a los soldados comienza a invadirles el sentimiento de que no están luchando por una causa justa. Ocurre entonces que su moral para combatir se debilita y ello trae como resultado, entre otras cosas, que la exigencia de asumir ciertos riesgos para sus vidas con vista a evitar muertes innecesarias de civiles o, en ciertos casos, prisioneros del bando enemigo, tiende a desaparecer. Si aceptamos que, en medio de una contienda bélica, las razones para luchar son también razones para aceptar la propia muerte, sólo en una guerra que se considere justa los soldados podrán encontrar razones de

ese tipo. De no hacerlo, acaban siendo dominados por el miedo, el odio y el más puro sadismo.

Algunas escenas y diálogos de las películas antibélicas ambientadas en Vietnam denuncian abiertamente esta situación. El diálogo de Eriksson (Michael J. Fox) con uno de sus compañeros en *Corazones de Hierro* (*Casualties of War*, Brian de Palma, 1989), alude a esta perversa relación entre el miedo a morir y la inclinación a volverse destructivamente violentos: *"lo interpretamos todo al revés (...) sólo porque sabemos que corremos el riesgo de diñarla en cualquier instante nos creemos con derecho a hacer lo que queramos, no importa lo que sea; pero estoy pensando que tal vez sea lo contrario, que lo importante sea lo opuesto, porque ya que podemos morir en cualquier instante quizá deberíamos tener más cuidado con lo que hacemos porque quizá sea más importante, Dios mío mucho más de lo que creemos"*. Recordemos, igualmente, la escena de *Apocalypse now* en la que Willard y sus compañeros de viaje a lo largo del río se detienen para inspeccionar una embarcación de mercaderes vietnamitas. Ante la duda de si son o no agentes del Vietcom, los soldados americanos, sin hacer caso a su capitán, terminan por disparar sobre ellos y matarlos.

Al final, el capitán Willard les obliga a inspeccionar la embarcación y descubrir que dentro de las cestas que transportaban no había armas ni enemigos escondidos sino sólo un cachorrito de perro.

Por otra parte, la separación entre el *ius in bello* y el *ius ad bellum* no acaba de resultar aceptable para los militares que contemplan *in situ* la destrucción que provoca el uso de la fuerza armada.

Unas veces porque alguna clase de violación del *ius in bello* provoca en los soldados combatientes la amarga sensación de no estar ya luchando por algo honorable que justifique la muerte y el dolor de tantos seres humanos. Esta sensación es aún mayor cuando se produce una muerte inútil desde un punto de vista militar. Por ejemplo, cuando se mata a un enemigo desarmado creyendo que no lo estaba o, como le sucede al sargento interpretado por Lee Marvin en *Uno rojo, división de choque (The Big Red One*, Samuel Fuller, 1968), se mata a un enemigo poco después de se haya firmado el armisticio. El pobre soldado alemán intenta explicarle que puede que la guerra haya terminado pero, antes de que consiga transmitir esta información, ya ha sido cosido a puñaladas. Unos minutos an-

tes su acto hubiera tenido todo el sentido del mundo ya que, en una guerra, el soldado está para matar enemigos. Unos minutos después es un crimen, un absurdo error que cuesta la vida a un ser humano inocente (Altares, 25).

Otras veces porque el medio (la guerra) deslegitima la misma causa por la que se lucha y la fe en la victoria. La conversación entre *Rompetechos* y *Pedazo animal* en *La Chaqueta Metálica*, es una buena expresión de cómo la violación del *ius in bello* termina por corromper los valores mismos en los que se intenta justificar una guerra:

Rompetechos: *Por lo menos han muerto por una buena causa.*

Pedazo animal: *¿Y qué causa es esa?*

Rompetechos: *La libertad.*

Pedazo animal: *¡Aclárate las neuronas, pardillo! Esto es una matanza y si me van a volar el culo por una palabra, la palabra es putada.*

Una sensación parecida embarga al soldado Taylor cuando contempla desde el helicóptero que lo aleja del campo de batalla toda la destrucción y muerte que ha dejado atrás cuando abandona Vietnam. Un pesimismo similar embarga también a Elías, tal y como reconoce a Taylor poco antes de su trágico final:

Taylor: *¿crees en lo que haces?*
Elías: *en 1965 sí. Ahora no (...) vamos a perder esta guerra.*
Taylor: *Vamos, ¿lo crees de verdad?*

Elías: *Hemos jodido a tanta gente durante tanto tiempo que supongo que ahora nos toca a nosotros.*

4. El *ius ad bellum* y su reflejo en la imagen del soldado en el cine estadounidense

Los sentimientos de la opinión pública estadounidense y, en especial, del mundo del cine en torno la justicia de las guerras en las que han ido embarcándose sus ejércitos a lo largo de los últimos cien años, ha tenido un reflejo muy interesante en la transformación que ha ido experimentando la imagen cinematográfica de los soldados. En las primeras películas, ambientadas en su mayoría en la I Guerra Mundial, aquéllos son retratados como jóvenes idealistas, ingenuos y patriotas. Su rostro es el de Gary Cooper, estrella en varios títulos de la época como el melodrama *Adiós a las armas* (*A Farewell to Arms*, Frank Bogarze, 1932) o *Tres lanceros bengalíes* (*The Lives of a Bengal Lancer*, Henry Hathaway, 1934). Las películas hechas durante estos años eran productos sin excesivo ánimo crítico, en las que no se muestran imágenes que hagan explícito el drama de la guerra, con el reguero de muerte y destrucción que deja tras de sí

toda contienda bélica. La excepción la constituye la mítica *Sin novedad en el frente* (*All Quiet on the Western Front*, Lewis Milestone, 1932), basada en un relato de E.M. Remarque. La película plasma los sentimientos, sensaciones y desilusiones de un grupo de jóvenes soldados alemanes que, alentados por los discursos patrióticos, van a entrar en combate en la I Guerra Mundial. Poco a poco, irán descubriendo la verdadera esencia de la guerra, como cuando el protagonista principal, Paul Baurner, sentencia: *"Vivimos en las trincheras y luchamos. Tratamos de no ser asesinados, eso es todo"*.

Los cineastas que, mientras duró la contienda, llevaron a la pantalla la II Guerra Mundial estaban profundamente convencidos de la nobleza de la causa. Frank Capra, William Wyler, Howard Hawks y John Ford, entre otros, se pondrán a servicio del ejército estadounidense como coroneles y comandantes para producir títulos cargados de patriotismo y heroísmo, en los que la guerra es retratada como un lugar donde ganar medallas y hacer amigos. Obra de este espíritu serán la serie de siete documentales *Why we fight*, (Frank Capra, 1942-1945) y *La batalla del Midway*, de John Ford (*Midway*, 1942). En parte este enfoque obedece a la OWI (*Office of War Information*), que imponía que debían evitarse, por ejemplo, las imágenes truculentas, los inválidos a quienes les habían sido mutilados los brazos o piernas, la constancia de disturbios raciales dentro de batallones o grupos de combate o, incluso, se llegó al extremo de suprimir fotos de soldados negros bailando con mujeres blancas.

Va ser en esta atmósfera patriótica, en la que el cine funcionará como un arma más de guerra, donde se forja la faz del soldado en el cine hollywoodiense. Uno de los ejes que caracterizan al género en este período es la importancia de lo colectivo, la trascendencia de que todos los americanos trabajen unidos si pretenden ganar la guerra. No cabe duda, de que cineastas como Capra o Ford habían demostrado en películas anteriores y seguirán haciéndolo en otras posteriores, su fe en esta imagen comunitarista de la sociedad y el individuo. Dentro del

cine de ficción destacan películas marcadamente propagandísticas como *Pasaje a Marsella* (*Pasagge to Marseille*, Michael Curtiz, 1944), *They were expendable*, del maestro Ford (1945) y la que, para algunos, es la mejor película bélica realizada durante la II Guerra Mundial: *Treinta segundos sobre Tokyo* (*Thirty Seconds over Tokyo*, Mervyn Le Roy, 1945).

Una excepción al tono propagandístico, heroico y patriótico de todo el cine bélico de los cuarenta la encontramos en la película *Todos somos seres humanos* (*Story of G.I. Joe*, W.A. Wellman, 1944). Basada en los relatos escritos por Ernie Pyle, un corresponsal de guerra estadounidense fallecido en una isla del Pacífico en 1945, la película se aleja del heroísmo y el dramatismo para ofrecer una imagen más neutral de la realidad bélica: tanto derrotas como victorias, tanto sangre y barro como gloria. La guerra aparece como una realidad cargada de irracionalidad, desprovista de todo idealismo. Más allá de los grandes discursos y los principios que la justifican o la hacen necesaria, para el teniente Walter la guerra se ha convertido en una sucesión de nombres, direcciones y colinas que ha de tomar. La rutina de la contienda queda brillantemente definida por uno de los soldados de la Compañía C, al resumir la opinión de los hombres de infantería sobre su experiencia de la guerra, declara: *"cuando termine la guerra, cogeré un mapa y averiguaré donde he estado"*.

En los años cincuenta seguirán produciéndose títulos que reivindican el ejército y la guerra como lugares donde merece la pena tanto vivir como morir. Valga como muestra la emocionante *Cuna de héroes* (*The Long Gray Line*, John Ford, 1955). Sin embargo, la imagen comunitarista, patriótica y heroica de los soldados empezará a ser revisada con la guerra de Corea, un conflicto nacido ya en la época de la guerra fría, con tintes muy diferentes a los de la II Guerra Mundial. El cine estadounidense empezará a ofrecer entonces una imagen mucho menos idealizada tanto de la guerra como del propio mundo castrense. Así se muestra en *Attack* (Robert Aldrich, 1956), film en el que se denuncia la cobardía y corrupción moral de algunos oficiales americanos durante la II Guerra Mundial; o en *Bitter Victory* (Nicholas Ray, 1957), en la que Richard Burton está al mando de una misión en el desierto de Libia y emprende una epopeya individual al enfrentarse a un oficial alemán. La imagen del soldado como una especie de jinete solitario que cabalga en medio de una guerra cada vez más cruenta (el dolor, los cuerpos heridos y mutilados ya no son escondidos sino mostrados sin complejos) se presenta como un correlato del *western*: los soldados peleando uno contra otro como los *cowboys* en los duelos. La epopeya colectiva importa, pero es más que nada el escenario del drama individual. Un mismo espíritu se respira en *La colina de los diablos de acero*, filme que rompe con la textura legendaria y propagandística habitual en el género sentando las bases del cine bélico moderno. Otro film que retrata esta nueva imagen del soldado es la magnífica *De aquí la eternidad* (*From Here to Eternity*, Fred Zinnemann, 1952) que un año antes había dirigido el mítico *western Sólo ante el peligro*, una historia en la que el individuo termina siendo mejor que el grupo. Durante los días previos al bombardeo de Pearl Harbour, Zinneman pone el acento en las pasiones particulares en medio de un ambiente en el que los soldados serán tan víctimas del ataque japonés como de los celos, el amor, la envidia o las borracheras.

De aquí a la eternidad es coétanea del que cabe considerarse el primer alegato antimilitarista de la historia del cine: *Senderos de Gloria*. Sirviéndose de unos encuadres y unos *travellings* laterales únicos, el director neo-yorkino carga con dureza contra la jerarquía militar a la que presenta como una auténtica clase dominante que vive las guerras en lujosos palacios decorados con muebles Luís XVI, en medio de bailes y fiestas mientras los soldados malviven hacinados en agobiantes trincheras, y a la que sólo le preocupa sus ambiciones individuales de alcanzar los mejores puestos en el escalafón militar (la presencia como guionista de Jim Thompson, un marxista heterodoxo, refuerza la interpretación en clave marxista de la historia). Los jerarcas militares terminan decidiendo, casi siempre de forma arbitraria y muchas veces injusta, sobre la vida de los pobres soldados, que son llevados a la muerte en nombre de la moral de la tropa. El cinismo y la cobardía de los generales alcanzan extremos tragicómicos. El general Broulard llegará a decir cosas tales como que «*los soldados son como niños y los oficiales los padres que velan por su disciplina, por lo que fusilar a alguien de vez en cuando es un buen ejemplo de disciplina*». Por su parte, Mireau llegará a comentar a Broulard, una vez que se produce la ejecución de los tres soldados, que «*hubo cierto esplendor en la ejecución*» y con un terrible cinismo dice a Dax: «*sus hombres murieron*

muy bien". Por último, si la película de Kubrick no fue estrenada en Francia hasta 1972 muy probablemente se deba, entre otras razones, a la respuesta que espeta el coronel Dax a Broulard en torno al valor de la patria: "*el patriotismo es el último refugio de los cobardes*".

El cinismo de los soldados fue en aumento durante los años sesenta y setenta, incluso en películas sobre la II Guerra Mundial, con personajes como el de Steve MacQueen en *La gran evasión* (*The Great Escape*, John Sturges, 1962) y en *Comando* (Don Siegel, 1961), o el que encarna Clint Eastwood en *Los violentos de Kelly* (*Kelly's Heroes*, Brad Hutton, 1970). Otro ejemplo del carácter posheroico del soldado americano lo encontramos en la ya mencionada *Doce del Patíbulo*, en la que el motivo para luchar ya no es defender al mundo de la amenaza totalitaria o los ideales democráticos, sino la lucha individualista por reducir sus condenas, librarse de la cadena perpetua o, como es el caso de cinco de los doce, salvarse de la horca. Los doce componen un microcosmos donde brotaban patologías como el racismo, el fanatismo religioso, el sadismo y una incontrolable agresividad que terminan resultando una eficaz fuerza de choque para ejecutar los planes concebidos por generales aparentemente civilizados.

Llegados a finales de los 70, tal y como ocurre en el *western* crepuscular (Leone, Peckinpah, Eastwood, etc.), el soldado ya no es un héroe, sino un personaje mucho más complejo e imprevisible. Y es que, como señalan Garrat y Del Valle, tras la derrota de Vietnam, la guerra como fenómeno, comenzó a carecer de apoyo y la crítica comenzó a brotar de manera explícita en los discursos cinematográficos estadounidenses. La aparición del movimiento hippie, el mayo francés y el surgimiento de una generación de directores universitarios, con ideas progresistas y de izquierdas, forzarán una revisión muy profunda del género y, lo que constituye una de sus principales efectos, una imagen también muy diferente del soldado.

Apocalipse now ofrece uno de los exponentes más representativos de esta evolución en la figura del teniente-coronel Kilgore (Robert Duvall). Para este cómico psicópata la guerra es un macabro juego, como vemos en la memorable escena en la que ordena a sus soldados que hagan *surf* en la playa próxima a un poblado vietnamita que acaba de arrasar. Otra de sus diversiones es bombardear aldeas y ametrallar multitudes desde los helicópteros al son de la cabalgata de las valkirias vistiendo un sombrero de cowboy. Otras películas de la época retratarán las secuelas psicológicas provocadas por la guerra de Vietnam a los soldados que han participado en ella. Para los soldados que nos presenta Michael Cimino en *El cazador*, Kazan en *Los visitantes* (1972), de Palma en *Corazones de hierro* y Stone en *Platoon*, Vietnam es un camino al infierno en los que apenas queda nada del espíritu heroico característico de las películas de la II Guerra Mundial.

En los ochenta la imagen del soldado estadounidense será la de John Rambo (Silvester Stallone) que, con toda razón, ha sido calificada de reacción reaccionaria a la visión de cineastas como Coppola. Se trata, como sabemos, de un personaje que, tras vivir los horrores de Vietnam, reclama desesperadamente un lugar en una sociedad civil que se muestra insensible y desagradecida a todo el sufrimiento que ha padecido. Haciendo alarde del mayor maniqueísmo, la idea central de la película es mostrar que los Estados Unidos gana la Guerra del Vietnam diez años después de haber sido derrotados o que, si su ejercito perdió la guerra de

Vietnam, ello se debió a que no se permitió a sus soldados servirse de todos los medios necesarios para vencer a los vietnamitas (debe recordarse que, en 1969, el presidente Nixon manejó seriamente la hipótesis de lanzar la bomba atómica sobre Hanoi). No es de extrañar, pues, que el reaganismo la ensalzara y que uno de los eslóganes del fallecido presidente para ser reelegido fuese *"Rambo is a Republican"*.

En los noventa y principios del siglo actual, la individualidad de los soldados, su condición de personas con nombres y apellidos a través de cuyas historias la guerra se hace algo más humano y concreto, ha cedido paso a una visión del cine bélico como lugar para el espectáculo y el entretenimiento. En los últimos años, se ha buscado el hiperrealismo exacerbado en las escenas de guerra, mediante el montaje paralelo, los planos cortos, la cámara en mano, etc. La consigna de los tiempos, tal y como señala Barredó, no es captar la "realidad" sino "hacernos creer más real la ficción que la realidad"; no se busca retratar la guerra sino "ser la guerra misma". Como señala Paul Virilo, habría sido la guerra la que habría pre-cipitado los "realismos" en el cine, impulsando las tecnologías en las que el registro está por encima del relato, en las que "estar ahí" se impone a la perfección formal del "así ocurrió". El soldado, su mirada o punto de vista, no es ya el objeto de la narración cinematográfica sino sólo un medio para que el espectador pueda formar parte del escenario, al modo de un videojuego o una película de terror. El punto de vista no es tanto el del soldado como el de sus entrañas, el de sus sensaciones de angustia, locura, horror o nausea. Títulos como *Tras la línea enemiga* I y II (*Behind Enemy Lies*, John Moore, 2001 y James Dodson, 2006), *Tigerland* (J. Shumacher, 2000), *Cuando éramos soldados* (*We were Soldiers*, R. Wallace, 2003) *y, sobre todo, Black Hawk derribado* (*Black Hawk Down*, Rydley Scott, 2001). La industria estadounidense habría apostado, pues, por un modelo de cine bélico concebido como un espectáculo propagandístico, que reescribe la historia en tercera persona para el lucimiento de los efectos especiales, en "lejanas" guerras pasadas (I y II Guerra Mundial, Corea, Vietnam, etc.) y evitando, por extensión, cualquier polémica o autocrítica en el presente (Barredó, 2003, 51-52).

5. El *ius in bello* en el cine de guerra: el trato a los prisioneros de guerra y el principio de inmunidad de los no combatientes

Si durante el siglo XX hemos asistido al desarrollo y perfección del conocido como Derecho internacional humanitario no se ha debido únicamente a que se haya producido algún tipo de progreso moral a escala planetaria, sino más bien a que, lamentablemente, se ha tratado del período más sangriento de la historia de la humanidad, un período al que se ha llamado el *siglo de las guerras* (Koldo) y el *siglo de las tinieblas* (Todorov). Ninguna de las grandes guerras de este siglo transcurrió como imaginaron quienes las planearon, «rápidas», «incruentas» o «quirúrgicas». Todas y cada una de las campañas quedaron muy pronto fuera de control, desplegaron un inmenso poder de aniquilación y transformaron radicalmente las respectivas sociedades. Sólo en la II Guerra Mundial murieron 55 millones de personas.

En este desastre humanitario ocupan un papel destacado los prisioneros de guerra. Algunas de las películas bélicas más renombradas no tienen como principales protagonistas a los ejércitos y los soldados en un campo de batalla, sino a varios prisioneros internados en una prisión o campo. Las existencias de estos prisioneros, sus duras condiciones de vida, la relación que mantienen con sus captores, las tensiones que surgen entre ellos mismos y, sobre todo, sus heroicos intentos de fuga, han proporcionado interesantísimos argumentos para el género bélico. En realidad se trata de un subgénero, del que sus ejemplos más rutilantes son *El Puente sobre el Río Kwai* y *La gran evasión*.

Puesto que la mayoría de las películas de guerra están ambientadas en la II Guerra Mundial, conviene examinar brevemente cómo regulaba el Derecho internacional la situación de esos prisioneros antes de abordar qué reflejo que ha tenido todo ello en cine. Podemos señalar que, en 1941, al comienzo de la II Guerra Mundial, las normas aplicables eran las contenidas en los 97 artículos del Convenio de Ginebra del 27 de julio de 1920 sobre el trato debido a los prisioneros de guerra. En él se establecía el principio general según el cual los cauti-

Derecho y Cine. El Derecho visto por los géneros cinematográficos

205

vos debían ser tratados, en todo tiempo, con humanidad. En particular, debían ser protegidos contra los actos de violencia, los insultos y la curiosidad pública; además, estaba prohibido ejercer represalias en su contra[4]. Este conjunto normativo fue perfeccionado sustancialmente en los Convenios de Ginebra de 1949 y los protocolos adicionales de 1977.

Para Walzer el fundamento de todo este conjunto de preceptos es muy claro. En virtud de la convención bélica, el soldado capturado adquiere derechos y obligaciones vinculantes al margen de la posible criminalidad de sus captores o de la justicia o la urgencia de la causa por la que han combatido. Los prisioneros de guerra tienen derecho a escapar (no pueden ser castigados por intentarlo); pero si matan a un guardián para conseguirlo esa muerte no es un acto de guerra, es un asesinato ya que se han comprometido a dejar de luchar y, al rendirse,

han renunciado a su derecho a matar. Esto no impide, empero, que surjan situaciones, como las descritas por el autor de *Guerras justas e injustas*, en las que un soldado o grupo de soldados, aunque no se hayan rendido al enemigo ni tengan intención quizás de hacerlo, no están en condiciones de defenderse de un ataque, bien porque que están bañándose, sujetándose los pantalones, fumando un cigarrillo, etc. o, incluso, porque no tienen en sus manos un arma cuando el soldado enemigo los coge por sorpresa. ¿Permite la convención bélica disparar en estos casos? Walzer no duda en responder afirmativamente y, muy probablemente, no le falte la razón. Sin embargo, la legitimidad de acuerdo con el *ius in bello* de los disparos sobre ese tipo de blancos no impide que quienes los cometen arrastren un profundo sentimiento de culpa. *Croosroads*, tercer capítulo de *Hermanos de sangre*, dirigido por Tom Hanks, comienza con

---

[4] El Convenio reglamentaba en detalle: a) la condiciones en las que deben efectuarse la captura y la evacuación de los prisioneros; b) la organización de los campamentos; c) la alimentación y la vestimenta de los prisioneros; d) las medidas de higiene; e) la práctica de la religión; f) las distracciones intelectuales y deportivas; g) la disciplina interna de los campamentos; h) los recursos pecuniarios de los prisioneros; i) el trabajo de los prisioneros; j) el correo de los prisioneros, incluidos los paquetes; k) las sanciones penales respecto de prisioneros de guerra y las diligencias judiciales; l) la repatriación de los prisioneros de guerra.

una secuencia muy impactante: se ve a Winters corriendo mientras encabeza en solitario una misión de ataque de la compañía Easy contra un batallón alemán. De repente, casi sin esperarlo, se encuentra frente a frente con un joven soldado alemán que no espera su llegada y que no tiene tiempo de echar mano de su arma. Winters duda qué debe hacer durante unos fragmentos de segundo para finalmente dispararle mortalmente. Más allá de la legalidad e incluso moralidad de su acción, Winters sufrirá durante mucho tiempo ciertos remordimientos por haber disparado sobre un hombre que, en ese momento, no tenía posibilidad alguna de defenderse.

Sin el *ius in bello*, sin la convención bélica, no podría concebirse el personaje de Nicholson, el coronel británico que tan magistralmente interpretara Alec Guiness en *El puente sobre el rio Kwai* (*The Bridge on the River Kwai*, David Lean, 1957). La película cuenta la historia de un grupo de oficiales y soldados británicos internados en un campo de prisioneros bajo mando japonés que reciben el encargo del coronel Saito de construir un puente de ferrocarril sobre el río Kwai (Tailandia). La realización de esta obra va a suscitar un conflicto entre estos dos coroneles. Saito, al objeto de construir el puente en el menor tiempo posible, no duda en exigir a los oficiales y suboficiales británicos y no sólo a los soldados que trabajen en la obras. A esto se opone Nicholson, quien sostiene que sus oficiales superiores no deben realizar trabajos manuales y que sólo accederán a tareas de supervisión, porque así lo establecen las convenciones internacionales sobre prisioneros de guerra. Saito decide entonces encerrar a Nicholson y demás oficiales para obligarlos a cambiar de postura. Entretanto, los supervisores japoneses no consiguen avanzar en la construcción, mientras se consume el plazo fijado. Al final, el coronel Nicholson, tras no pocas penalidades que casi le cuestan la vida, consigue que Saito transija. En su fuero interno subyace la impronta caballerosa de un soldado de disciplina férrea, observador concienzudo de las ordenanzas militares. Por eso, una vez que ha logrado que se respete la convención bélica, hará suya, de una manera obsesiva y con total determinación, la idea de la construcción del puente, aunque dicha construcción favorezca los intereses del enemigo. Y es que, como escribe, Hilario J. Rodríguez, mientras el cine norteamericano ha presentado a sus prisioneros de guerra como soldados sin armas pero capaces aún así de luchar (con el cinismo, los puños, etc.), las películas británicas han preferido poner de relieve la superioridad moral de su sociedad, representando a los prisioneros como seres indoblegables, incluso en prisión, gente orgullosa de su procedencia, al borde siempre de la ceguera por ello mismo.

La relación entre Saito y Nicholson tuvo un modelo cinematográfico en la mítica *La gran ilusión* (*La grande ilusion*, Jean Renoir, 1937). En esta película, ambientada en la I Guerra Mundial, el comandante alemán del campo (Erich von Stroheim) y su prisionero francés (Pierre Fresnay) se entendían como dos oficiales militares de jerarquía superior, en un estilo de aristocracia internacional, por encima de la rivalidad bélica. En términos similares puede interpretarse la relación entre Saito y Nicholson, más aún si tenemos en cuenta que el coronel nipón —que existió realmente— era un militar culto, inteligente y humano que, a diferencia de la imagen que se ofrece de él en la película, trataba a los prisioneros con respeto y compasión hasta el punto que, tras la derrota de Japón, Tossey (en quien está inspirado el personaje de Nicholson) acudió como testigo al consejo de guerra que el tribunal aliado para crímenes de

guerra entabló contra Saito y le salvó de la horca con sus declaraciones.

El puente sobre el río Kwai es muy ilustrativa del elemento aristocrático que se encuentra en el origen de la codificación del *ius in bello*. Aunque la idea de los derechos humanos estuvo presente en la creación de la Cruz Roja y la aprobación de las primeras declaraciones y convenios internacionales dirigidos a limitar los efectos de las contiendas bélicas, existe también un elemento aristocrático en la formación del Derecho internacional humanitario. Con la Convención de Ginebra de 1864 se pretendieron recuperar las buenas costumbres practicadas por el antiguo régimen durante las guerras de los siglos XVII y XVIII para acabar así con la crueldad de las levas forzosas características de los ejércitos nacionales y democráticos napoleónicos. Su propósito era extender las normas de conducta en cuanto a la asistencia a los heridos y recuerdo de los muertos —hasta entonces circunscritas a una élite de poderosos guerreros aristocráticos— al hombre común, al nuevo héroe de esta época. La positivación e internacionalización del *ius in bello* puede ser vista, de esta forma, como el resultado de la universalización del honor del los guerreros europeos (el código cristiano de la caballería) y japoneses (el Budisho o código del samurai desarrollado en el Japón feudal y codificado durante el siglo XVI). El objetivo de estos códigos era establecer normas de combate y asignar etiquetas morales que permitieran a los guerreros respetarse mutuamente. Será este código de honor de los guerreros y no directamente el Derecho internacional la verdadera norma de conducta de Saito ya que —no olvidemos— Japón no se había adherido a los Convenios de Ginebra de 1929 sobre trato de prisioneros.

Aunque de un modo menos explícito, o al menos no ocupando un lugar tan central de las historias que relatan, otros muchos filmes abordan la situación de los prisioneros de guerra con el *ius in bello* como telón de fondo. Durante la II Guerra Mundial la observancia de sus exigencias variará considerablemente no sólo en función de quiénes eran los captores, sino tanto o más, de la nacionalidad de los prisioneros.

Como es sabido, los prisioneros soviéticos de la Alemania Nazi y los prisioneros alemanes en la Unión Soviética fueron tratados con negligencia y brutalidad. Animado por un racismo extremo, el régimen nazi consideraba a los soldados soviéticos como eslavos infrahumanos (untermenschen). Como resultado de ello, muchos de ellos fueron asesinados para continuar con su «purificación racial». Las cifras son aterradoras: entre tres y cuatro millones de soldados soviéticos murieron víctimas del asesinato sobre el terreno o de una combinación de trabajo brutal, una dieta insuficiente y la exposición a enfermedades mortales como el tifus. Así se ve al comienzo de *La cruz de Hierro*, cuando el capitán Stransky (Maximilian Schell) le recrimina al sargento Steiner (James Coburn) que haga prisionero a un soldado ruso (más concretamente a un niño) en lugar de matarlo de un tiro. También en *Stalingrado* (Joseph Vilsmaier, 1992) se retrata el modo en que la degeneración del ejército alemán al compás de su desmoronamiento en las nieves soviéticas, llega al extremo del fusilamiento de civiles, incluidas mujeres y algún niño, y la esclavización sexual de muchas mujeres. Una de las justificaciones para semejante proceder era que la Unión Soviética no había firmado la 3ª Convención de Ginebra. Curiosamente, un argumento similar es empleado por la Administración Bush para justificar el internamiento indefinido de los prisioneros talibán en Guantánamo.

Los rusos correspondieron a los prisioneros de guerra alemanes con el mismo trato que su gobierno dispensaba a los soldados soviéticos capturados. Un ejemplo dramático de esta cruel reciprocidad es el de Honsenfeld, el oficial alemán que salva al final de su odisea a Szpillmann en *El pianista* (*The Pianist,* Roman Polanski, 2002). Su suerte fue la otros miles de prisioneros de guerra alemanes: lejos de ser repatriados tal y como exigían las convenciones internacionales, terminaría sus días en 1952, en un campo de prisioneros en Stalingrado.

Los prisioneros británicos y estadounidenses fueron tratados mucho mejor que los rusos, ya que sólo un tercio murieron en cautividad. Una de las primeras aproximaciones cinematográficas al tema la encontramos en *Stalag 17* (Billy Wilder, 1953), cuyo título en castellano será *Traidor en el infierno.* Sirviéndose de un recurso muy habitual en las películas (la voz en *off*) el soldado Cookie nos introduce en la historia advirtiéndonos de que ésta no es la típica película de guerra ya que no tiene como protagonistas a soldados luchando sino a los prisioneros de guerra, a las condiciones de vida de los hombres que ya no luchan contra el enemigo sino contra cuatro paredes. De ahí el

título de la película (*Stalag)*, que es la palabra alemana para designar los barracones en los que eran recluidos los presos. Aunque las condiciones de vida en los barracones son presentadas como miserables, no se acercan ni de lejos a la tenebrosidad de los campos de exterminio para los judíos. Combinando situaciones dramáticas y momentos cómicos (algunos de comedieta), *Stalag 17* nos muestra a unos nazis que confraternizan por momentos con sus prisioneros y que aparentan respetar la Convención de Ginebra admitiendo los envíos postales desde los Estados Unidos, los juegos y otros pasatiempos y —lo que es más importante— las visitas al campo de prisioneros de los inspectores de la Cruz Roja. Una apariencia que se irá revelando, poco o poco, como una gran mentira, como también ocurre con la identidad del supuesto traidor que termina resultando ser el héroe. Además de la excelente película de Wilder, la vida de los prisioneros de guerra estadounidenses es abordada, entre otros títulos, en *El coronel von Ryan* (*Von Ryan's Express,* Mark Robson, 1965) y, más recientemente, en *La guerra de Hart* (*Hart's War,* Gregory Hoblit, 2002).

También en *Evasión o victoria* (*Victory,* John Huston, 1981) se pone de manifiesto el trato al que estaban sometiendo los alemanes a los prisioneros de guerra de los países del Este, mucho peor que el otorgaban a los británicos y americanos. Recordemos la escena en que el capitán Colby (Michael Caine), tras reclamar insistentemente al mayor Von Steiner (Max Von Sydow) la presencia de los mejores jugadores húngaros, checos, etc. para formar la selección de futbolistas que ha de enfrentarse a un combinado germano, se encuentra un grupo de hombres completamente desnutridos y enfermos procedentes, sin duda, más de un campo de concentración que de uno de prisioneros. Mención aparte merece la comedia televisiva *Los héroes de Hogan* (1970), en la que el comandante Klink, un personaje torpe y poco inteligente, no se da cuenta de que son los prisioneros lo que controlan el campo. Aunque la serie no refleje la realidad de lo que acontecía a los prisioneros de los alemanes, al menos en un aspecto sí es realista: en casi todos los episodios se desarrolla una conversación entre los guardias y los presos en la que se hablaban de las obligaciones derivadas de los Convenios de Ginebra (Gutman y Rieff).

Con anterioridad a *El puente sobre el río Kwai*, el trato recibido por los prisioneros británicos y estadounidenses de manos de los japonenses ya había sido abordado en otras películas. La más famosa de todas es *Objetivo Birmania* (*Objective Burma!*, Raoul Walsh, 1945), en la escena en que Mark Williams, el corresponsal de guerra que actúa como cronista de la historia, clama venganza ante los cuerpos mutilados de los soldados que fueron hechos prisioneros por los japoneses. También puede verse en cintas posteriores como *Feliz Navidad, Mr Lawrence* (*Merry Christmas, Mr. Lawrence,* Nagisha Oshima, 1984) y, más recientemente, en *El gran rescate* (*The Great Raid,* John Dahl, 2005), en la que se narra una operación que llevaron a cabo, durante la II Guerra Mundial, los hombres del sexto batallón de Rangers en la que han de viajar treinta millas a través del territorio enemigo para rescatar a quinientos prisioneros de guerra. Este tipo de operaciones se hicieron dramáticamente necesarias a partir del instante en que la política oficial del Ministerio de Guerra del Japón, al saber del regreso del general MacArthur, era matarlos a todos. Si no sucumbían a la malaria o al hambre, los encerraban en silos bajo tierra y los quemaban vivos. La mortalidad entre los prisioneros estadounidenses fue superior al treinta y siete por ciento, mientras que el porcentaje entre los que fueron capturados por los nazis fue sólo del dos por ciento (Coma, 1998,6).

Las durísimas condiciones de vida de los presos chinos en la Manchuria ocupada por los japoneses desde 1931 a 1945 constituyen uno de los temas centrales de *No hay amor más grande* (1959), primera parte de la trilogía de Masaki Kobayashi titulada en español *La condición humana* (*Ningen no joken*, 1959-1961). En ella se cuenta los esfuerzos de Kaji, un joven idealista antimilitarista que, para poder librarse del servicio militar, decide aceptar un puesto como supervisor laboral en una mina en la Manchuria colonizada por Japón. Su intento de tratar a los prisioneros de guerra chinos como seres humanos se topará con una cruda y dramática realidad: los trabajadores son puestos en un campamento donde serán explotados hasta la muerte en unas condiciones infrahumanas y en el que los intentos de rebelión para forzar una mejores condiciones de vida son repelidas con injustas condenas a muerte.

Los Convenios de Ginebra, no digamos ya los de 1949, prohibían taxativamente las ejecuciones de prisioneros de guerra, incluso en el caso de que intentaran huir. Esta directiva fue,

en la gran mayoría de los casos, respetada por los nazis y los aliados, que sólo exceptuaron esta prohibición cuando los evadidos vistiesen uniforme militar. Si se produjeron ejecuciones ilegales ello no fue como resultado de una decisión o planificación racional llevada a cabo desde las más altas instancias, sino producto de decisiones individuales adoptadas por militares de rango mucho más bajo en situaciones concretas.

Salvar al soldado Ryan es la primera película en la que se muestra cómo los americanos ejecutan o asesinan a soldados alemanes que se habían rendido. Otro tanto ocurre en el segundo capítulo de *Hermanos de Sangre*, cuando sabemos por los comentarios de otros soldados de la compañía ICSY que el teniente Spears —sin que llegue a mostrarse explícitamente en la pantalla— ha ejecutado a sangre fría a un grupo desarmado de soldados alemanes. Algo similar hará el sargento (Tom Berenger) al comienzo de *Platoon* cuando remata a un soldado vietnamista desarmado y moribundo en lugar de socorrerlo. Más recientemente, este tipo de situaciones ha sido retratado en *Cartas desde Iwo Jima*, en la escena en la que dos soldados japoneses que se han rendido a los norteamericanos son asesinados fríamente por sus centinelas. Por último, una de las más famosas ejecuciones ilegales de prisioneros de guerra constituye el telón de fondo del arranque de la historia que relata la película *Saint and Solders* (Ryan Little, 2003). Nos referimos a *La masacre de Malmedy*, nombre por el que se conoce el fusilamiento de más de cien prisioneros americanos a manos de la División Leibstandarte de las SS ocurrido a finales de 1944, durante la ofensiva alemana de las Ardenas.

La imagen de muchas ciudades asoladas por los bombardeos aéreos (Dresde, Tokio, Hiroshima y Nagasaky) constituye, sin duda, una de los principales rostros de la guerra. Durante el siglo XX hemos asistido a una progresión diabólica de los ataques indiscriminados sobre la población civil, de bombardeos estratégicos, de área o de alfombra. Sin embargo, son escasísimas las películas que hayan abordado los efectos de estas acciones bélicas tan características de la II Guerra Mundial y, en menor medida, de otras guerras posteriores. El cine norteamericano y europeo parecen decididos a asumir las miserias de los ejércitos representantes de las democracias ya que se echa en falta la gran película sobre la destrucción y el asesinato de los habitantes de Dresde y

la gran película (made in USA) sobre la planificación de las masacres de Hiroshima y Nagasaki (Sánchez, 2005, 23). Podría ser una forma de que los Estados Unidos mostraran algún signo público de arrepentimiento por uno de los hechos más monstruosos del siglo XX. Más bien lo que encontramos son intentos de justificarlo a través de títulos como *El Gran secreto* (*Above and Beyond,* Mervin Frank, 1953), biografía cinematográfica de Paul Tibbets, piloto del bombardero "Enola Gay", responsable del lanzamiento de la bomba atómica sobre Hiroshima. La única forma en que los efectos de la guerra atómica ha sido llevada a la gran pantalla ha sido de forma indirecta, tal y como se relata en *La hora final* (*On the Beach,* Stanley Krammer, 1959), o a través de una mezcla de cine bélico y de ciencia ficción, tal y como puede verse en *El juego de la guerra* (*The War Game,* Peter Watkins, 1965), un falso documental que retrata el hipotético bombardeo nuclear en la ciudad inglesa de Rochester.

Una de las escasas películas en las que se hace presente, aunque sea de un modo un tanto especial, los efectos de estos ataques sobre la población civil es *Matadero Cinco* (*Slaughterhouse-Five,* George Roy Hill, 1972). Basada en la novela homónima de Kurt Vonnegut, la película relata la historia de un soldado (Billy) hecho prisionero por los alemanes durante la II Guerra Mundial. Trasladado a Dresde, es encerrado junto a otros prisioneros y sus guardianes en un subterráneo que sirve como almacén de carne de un matadero de animales (el «Matadero 5» que da título al film) y eso le salvará cuando la ciudad caiga bajo el fuego devastador de la aviación británica y norteamericana. Tras la terrible noche del bombardeo, la imagen es completamente apocalíptica: la ciudad está arrasada, es un montón de escombros, por todas partes hay cadáveres o trozos de cadáveres que deben ser quemados, incluyendo de numerosos niños (las víctimas mortales oscilan entre 35.000 y 135.000, según las fuentes). Aunque poco después los rusos entrarán en Dresde y Billy podrá regresar a América, nunca volverá a ser el mismo y quedará toda la vida marcado por Dresde. Su evasión será el «ser abducido por extraterrestres del planeta Trafalmadero». Esta historia disparatada, cargada de saltos espacio-temporales, transcurre a través de un enorme desorden narrativo que, al igual que en la reciente *The Jacket* (John Maybury, 2005), no es sino el reflejo del desequilibrio mental del protagonista, fruto

de la violencia que han visto y han sufrido en la guerra (A. Hispano, 2007, 62).

Más mortífero aún que el de Dresde y casi tan letal como los de Hiroshima y Nagasaki, fue el bombardeo con bombas incendiarias que, en respuesta al ataque a Pearl Harbour, lanzó la aviación estadounidense sobre Tokio (al que luego seguirían los de Osaka, Nagoya y Kobe). En el holocausto de fuego, el bombardeo había matado a más de 100.000 personas, dejando heridas a más de 400.000 y al menos un millón de personas quedaron sin techo en pleno invierno. Se contabilizaron 276.791 casas que fueron destruidas por el fuego. Frente al tono más patriótico de *Trece segundos* y la todavía reciente *Pearl Harbour* (M. Bay, 2001), *Himno de batalla* (*Battle Hymn*, Douglas Sirk, 1957) tiene por protagonista a Dean Hess (Rock Hudson), un predicador que fracasa en su labor atormentado por los graves remordimientos de conciencia que le provoca haber participado en el bombardeo de un reformatorio en el que murieron multitud de niños.

Sorprendentemente, son escasas las películas que han abordado el episodio más funesto en la historia de la violación de los derechos humanos en un conflicto armado: los bombardeos de Hiroshima y Nagasaki. Muy probablemente, la explicación para tal laguna se encuentre en ese *¡No puedes explicar Hiroshima!* con el que un excombatiente japonés responde a una actriz francesa que visita el museo de la bomba atómica en la película *Hiroshima mon amour* (Alais Resnais, 1959). Por mucho que la imagen logre reproducir con precisión y profusión de detalles los efectos de la radiación atómica, la representación de la realidad no puede nunca a aspirar, por sí sola, a transmitir lo que aquella supuso o significó para los que la vivieron en carne propia.

Como primeras y principales víctimas de la hecatombe nuclear, era lógico esperar que fueran los japoneses quienes terminaran por llevar el tema a la gran pantalla. Debieron pasar no obstante algunos años para que el contexto internacional permitiese a los cineastas nipones afrontar este reto. Las primeras películas en hacerlo serán el documental *Los hijos de la bomba atómica* (Kaneto Shindo, 1953) y la película *Hiroshima* (Hideo Sedigawa, 1953). La segunda es un documental reconstruido del horror vivido el 5 de agosto de 1945 por Japón, con la participación de la población superviviente. La película comienza poco antes del lanzamiento de la bomba atómica sobre Hiroshima, mostrando diversos aspectos de la vida de sus habitantes para mostrar, a continuación, la explosión atómica y sus terribles efectos en esos momentos como, sobre todo, en quienes nacieron poco después. Finaliza con una escena en la que unos turistas norteamericanos compran huesos humanos de las víctimas como souvenir. Muy posterior es la película de animación *La tumba de las luciérnagas* (*Hotaru no haka*, Isao Takahata, 1988) en el que se relata la historia de dos niños después del bombardeo. Un año después rodará Imamura su aclamada película *Lluvia negra* (*Kuroi Ame*, 1989), basada en la gran novela japonesa sobre la bomba de Hiroshima de Masuji Ibuse y que constituye uno de los títulos fundamentales del *hibakusha-eiga*, subgénero del cine japonés que describe los efectos de la bomba atómica sobre sus víctimas directas (Ruiz Sanz, 2006, 150). En un ambiente onírico y apocalíptico, la película describe las secuelas de la primera bomba atómica en Hiroshima quince años después de su lanzamiento. Además del impacto de la bomba, el film se centra en la narración de las largas consecuencias físicas y sociales que sufrieron quienes aun quedaban con vida. Todos aquellos que estuvieron expuestos a la lluvia negra, al agente radioactivo, son marcados como ganado de segunda, despreciados por una sociedad que liquida a sus ancianos, desprecia a los jóvenes e ignora a los perturbados por el hecho de tener una mínima sospecha de contaminación. Por último, en 1991 se atreverá el maestro Kurosawa a enfrentarse a este hecho apocalíptico en *Rapsodia de Agosto* (*Hachigatsu no kyoshikyoku*, 1991), una profunda reflexión sobre el holocausto nuclear en Nagasaki desde el punto de vista de una sobreviviente y sus cuatro nietos.

Junto al uso de los bombardeos de área y el lanzamiento de armas nucleares, otra de las principales formas de violación de los derechos humanos llevadas a cabo desde el aire ha sido el bombardeo con armas químicas de poblaciones civiles. Hace treinta y cinco años, en junio de 1972, medio mundo se conmovió con las imágenes de la niña vietnamita Pham Thi Kim Phuc gritando quemada y corriendo con otros niños por una carretera de Vietnam. Pham estaba desnuda porque se había quitado la ropa ardiente tras haber sido bombardeado su pueblo Trang Bang con Napalm. En casi todas las películas antibélicas sobre Vietnam (Apocalypse, Platoon, etc.) se hace referencia a estos

bombardeos. Recordemos las palabras con las que el coronel Kilgore alude a esta circusntancia desde la más patológica complacencia: "*me encanta el olor del napalm por la mañana: huele a victoria...*".

Mención aparte merecen los crímenes perpetrados durante un conflicto armado sobre la población civil que, en ocasiones, pueden llegar a alcanzar la categoría de crímenes de guerra. Durante la II Guerra Mundial, la comisión de este tipo de actos por el Ejército alemán tuvo lugar en forma, sobre todo, de represalias contra los atentados y actos de sabotaje cometidos por las resistencias de los distintos países ocupados. Así se relata en *Siete hombres al amanecer* (*Operation: Daybreak*, Lewis Gilbert, 1976), cinta que aborda un tema que ya fuera tratado, si bien a partir de un momento de los hechos históricos posterior, en *Los verdugos también mueren* (*Hangman Also Die*, Fritz Lang, 1943). En la película de los setenta se relata la operación diseñada por el alto mando británico para acabar con la vida de uno de los principales jerarcas nazis: Reinhardt Heydrich. Nombrado en 1941 *Reichprotektor* de Bohemia y Moravia, logró, mediante crueles represalias, acabar prácticamente con la resistencia checa recibiendo por ello el apodo de *El carnicero de Praga*. Tras varios intentos fallidos, la resistencia conseguirá, por medio de una misión suicida, acabar con la vida de Heydrich, a lo que seguirá una brutal represión para encontrar y castigar a los culpables. El *climax* de esta reacción, que llegará a provocar la muerte de 10.000 personas, lo constituye el episodio en el que las tropas alemanas rodearon el pueblo de Lídice, en el que fueron fusilados todos los varones de más de 16 años y las mujeres y los niños fueron deportados. Como escarmiento, el pueblo fue demolido y borrado del mapa. Atrocidades como éstas quedarán, no obstante, macabramente eclipsadas por el asesinato de millones de judíos y otras minorías étnicas y nacionales, hechos que, a raíz de de los posteriores Juicios de Nuremberg, terminarán siendo castigados como crímenes contra la humanidad.

Las atrocidades cometidas durante la invasión japonesa de China son, además de un episodio fatídico en la historia reciente de este país, una herida aún muy abierta en las relaciones entre ambas naciones. Uno de sus episodios más famosos fue la conocida Masacre de Nanjing en la que, como resultado de las ejecuciones de prisioneros de guerra, torturas y violaciones, murieron entre doscientas y tres-

cientas mil personas. A relatar la comisión estos crímenes de guerra por el ejército japonés dedicó en su momento Frank Capra el sexto documental (*The Battle of China*, 1945) de *Why we fight* y, más recientemente, el tema ha sido abordado por la película documental *Nihon onigo* (Minoru Matsui, 2001), traducida al inglés como *Japanese Devils* (*Diablos japoneses*). En ella se recogen los testimonios de catorce excombatientes japoneses confesando su participación en la sangrienta guerra del Japón contra China, desde la invasión de Manchuria en 1931 hasta la derrota de Japón en 1945. En la película intenta explicar las claves de los crímenes contra la humanidad que allí se cometieron. Por un lado, se describe cómo los soldados creían que las órdenes de sus superiores eran una articulación de la voluntad del emperador, a la que debían obediencia ciega a través de una brutal represión del pensamiento individual. Por otro lado, los nuevos reclutas aprendían rápidamente que los chinos no debían ser considerados ni tratados como seres humanos. Cegados por este racismo extremo, los civiles fueron usados para las prácticas de bayoneta y los soldados para experimentos biológicos y bisecciones. Por último, las masacres de civiles (asesinatos, torturas, violaciones, y saqueos) se convirtieron en uno de los principales medios para controlar el país.

La violación de los derechos de la población civil es una temática abordada por algunas películas sobre la Guerra de Vietnam. En ellas se hace patente de qué modo la degradación de las condiciones de vida de los soldados, el miedo que preside cada una de sus incursiones en la profundidad de la selva de un país que ni quieren ni conocen, el convencimiento progresivo de encontrase en el sitio y en el momento equivocado y, sobre todo, el dolor y la ira que les produce ver morir uno a uno a sus compañeros, genera entre ellos una frustración que termina desahogándose sobre los más débiles e indefensos: niños, mujeres, ancianos, disminuidos físicos y psíquicos, etc. Recordemos la escena de *Apocalipse now* en la que los soldados que acompañan a Willard en su camino al corazón de la tiniebla masacran a unos indefensos comerciantes a los que, dominados por el pánico, confunden con agentes del Vietcom. La perpetración durante esta guerra de actos calificables de verdaderos crímenes contra la humanidad es también uno de los ejes centrales de títulos como *Platoon* o *Corazones de hierro*. Así se pone de manifies-

to en la escena de la película de Stone en la que el pelotón bajo el mando del sargento Barnes llega a un aldea cuyos habitantes son considerados sospechosos de haberse pasado al Vietcom y asesinan a dos civiles, uno de ellos un deficiente mental para el que nada sirven las súplicas de su madre implorando que respeten su vida. Esta orgía de violencia y barbarie sólo logra detenerla los gritos desesperados del sargento Elías (William Dafoe) y la llamada también desesperada para recuperar la cordura y el respeto a la humanidad (*"ella también es un ser humano"*) con la que logra Taylor (Charlie Sheen) detener el intento de violación de una menor. La atmósfera apocalíptica de la escena, que termina con el incendio de la aldea, es subrayada por Stone sirviéndose del dramatismo del adagio para cuerdas de Samuel Barber, auténtico *leit-motiv* de la película.

En *Corazones de hierro*, el teniente Meserve (Sean Penn) desahoga toda la frustración originada por la pérdida de uno de sus soldados secuestrando a una menor vietnamita a la que él y todos sus hombres excepto Ericsson (Michael J. Fox) terminarán violando ritualmente y asesinando salvajemente. Si los protagonistas de la película han matado a docenas de enemigos, ¿qué importancia puede tener la vida de una joven vietnamita en medio de una guerra? ¿Quién va a acusar de violación y asesinato a unos soldados veteranos que ya han matado y arrasado previamente? La respuesta la tenemos en el personaje de Ericsson, un soldado que no duda en matar en defensa propia pero que tiene claro que una cosa es un acto de guerra y otra cosa un secuestro y una violación independientemente que los hechos tengan lugar dentro de esa guerra. Al final, a diferencia de en *Platton*, en la que no puede haber otra justicia que la de la venganza, los responsables serán llevados ante un consejo de guerra en el que serán condenados por sus crímenes. Este final "feliz" quizá no sea suficiente para dejar de cuestionarnos si el tipo de atrocidades retratadas en *Platton* o *Corazones de hierro*, y que se han repetido posteriormente en las guerras de Bosnia, Ruanda, Kosovo o Sudán, no pone seriamente en entredicho, tal y como ha insistido Rorty, la fuerza práctica, la persuasividad del lenguaje de los derechos humanos en escenarios tan dominados por el odio y la lucha por la supervivencia.

En los últimos años, muchas de las víctimas mortales, heridos así como daños materiales producidos en el marco de una contienda bélica se encuadran dentro de los denominados daños incidentales o colaterales. Más allá de su posible justificación militar, ética (teoría del doble efecto, patriotismo) o jurídica (Arcos, 2006), el cine bélico ha puesto de manifiesto la insensibilidad mostrada por los mandos políticos y militares estadounidenses respecto a este tipo de desgracias.

Una de las primeras denuncias del escaso papel que las potenciales víctimas civiles de una intervención armada puede llegar a jugar en el diseño de la estrategia de combate y, sobre todo, los valores que justifican el empleo de ésta, lo encontramos en *Los gritos del silencio* (*The Killing Fields,* Roland Joffé, 1984). Casi al comienzo de la película, Sydney Schanberg, corresponsal del *The New York Times* en Camboya, intrigado por los rumores de que algo gordo había pasado en Neak Luong (ciudad camboyana sobre la que accidentalmente un B-52 estadounidense lanzó todas las bombas que transportaba provocando la muerte de 137 civiles y heridas a 268) insiste en saber la verdad de lo ocurrido. En respuesta a sus pesquisas termina escuchando por boca de Bob, otro periodista estadounidense seguramente muy próximo a la inteligencia militar, unas palabras que décadas después nos hemos acostumbrado a escuchar como una explicación que suena a disculpa de las cuantiosas víctimas civiles que provocan muchos bombardeos de área: "*¿sabes lo que es un error humano? ¿un fallo de ordenador? Confundieron las coordenadas. Un B-52 aislado soltó toda su carga sobre Neak Luong*". Conforme va sabiendo más, Sydney va tomando conciencia del escaso papel que las vidas de esas personas desempeña en las toma decisiones de los gobernantes de su país. Cuando, años más tarde, recibe el premio al mejor periodista de 1976, pronuncia un discurso que concluye con la siguiente reflexión: "*Cuando la Casa Blanca decidió bombardear y luego invadir Camboya, tuvo en cuenta muchas cosas: los grandes enfrentamientos de poder, la teoría del dominó, dio además una imagen dura y cruel de los vietnamitas del norte, alivió la presión que sufrían las* tropas que se retiraban del norte *(...) Lo que no tuvo en cuenta fue al pueblo camboyano, ni a su sociedad, ni a su país, excepto en abstracto, como instrumentos de su política. Dith Pran y yo intentamos grabar las imágenes y traer de vuelta a casa las consecuencias concretas de estas decisiones para la gente de verdad (...) para los seres humanos que quedaron fuera de los planes de la Administración pero que lo pagaron caro y se llevaron la peor parte*". El propósito de Sydney es, a la postre, el mismo de la magnífica película de Joffé: convertir en algo real y concreto (el genocidio, los efectos sobre la población civil de los bombardeos estadounidenses) lo que para las autoridades políticas y militares, primero fue una abstracción política (el conflicto vietnamita-camboyano), y luego aritmética (el número de muertos y heridos que provocó la guerra).

6. El Derecho en el cine bélico contemporáneo: de Sarajevo a Samarra

Hasta hace apenas un par de años, podíamos encontrar en el cine bélico dos tendencias muy diferenciadas. Por un lado, un cine como el norteamericano que, salvo contada excepciones, se centraba bien en el espectáculo propagandístico (*Pearl Harbour*, *Top gun*, etc.), bien en lo exótico y guerrillero (*Black Hawk*, *Tras la línea enemiga*, *Reglas de compromiso*). Por otro lado, el cine de otras regiones del planeta y, en especial, el europeo, que intentaba aproximarse a algunos de los principales conflictos armados de la última década buscando explicaciones acerca de las causas que los hicieron estallar, explorando, desde lo más diversos enfoques, sus consecuencias humanas y políticas e interrogándose también sobre si fue posible o no hacer algo más para evitarlos o, una vez iniciados, detenerlos. Esta situación ha experimentado un giro muy significativo en los últimos meses, en los que, como señalábamos en la introducción, las películas estadounidenses sobre la guerra de Irak han irrumpido con fuerza y, lo que es más importante, lo han hecho a través de un lenguaje visual y una percepción de esta guerra, de sus causas y justificaciones y, sobre todo, de lo que verdaderamente está sucediendo en ella, muy diferente de las producciones americanas de años anteriores.

En los finales de los años noventa y principios del este siglo el cine bélico ha tenido como escenario un tipo de conflictos armados que, en algunos aspectos, presentan unos rasgos bastantes diferentes a las guerras mundiales, Vietnam o Camboya y a situaciones genocidas del pasado. En lo que algunos llaman guerras posmodernas y Kaldor prefiere denominar nuevas gue-

rras (Kaldor, 2001, 16), se desdibujan las distinciones entre la guerra (normalmente definida como la violencia por motivos políticos entre Estados o grupos organizados), el crimen organizado (la violencia por motivos particulares, en general el beneficio económico, ejercida por grupos organizados privados) y las violaciones a gran escala de los derechos humanos (la violencia contra personas individuales ejercida por los Estados o grupos organizados políticamente).

Los medios de comunicación y, en especial la televisión, han estado mucho más presentes durante el desarrollo de estas contiendas y, en muchos casos, han podido enviar imágenes instantáneas sobre lo que estaba aconteciendo. En gran medida, muchos de estos conflictos se han dirimido en el terreno de las imágenes televisivas. Una guerra que por una razón u otra no aparece en los medios es, como escribió Baudrillard de la del Golfo, como si no hubiera tenido lugar. El hecho de que el mundo entero pudiera ver por televisión la masacre de la plaza del mercado de Sarajevo en 1994, provocada por un proyectil de mortero presumiblemente lanzado desde el bando serbio-bosnio, no sólo provocó que sesenta y ocho personas perecieran y alrededor de 200 más fueran horriblemente heridas, sino también que la política estadounidense hacia Bosnia tomara un giro más atrevido e intervencionista. En cuestión de días, la OTAN exigió que los serbios de Bosnia retiraran sus armas pesadas de una «zona de exclusión» alrededor de Sarajevo, bajo la amenaza de ataques aéreos. La literatura angloamericana habla por ello de un efecto CNN para referirse a la influencia que los medios de comunicación y, en especial, la televisión, han ejercido en la respuesta a las situaciones humanitarias. (Robinson, 1999, 301-309).

Otra característica de estas nuevas guerras es que se han desarrollado en un contexto internacional muy diferente del que ha presidido las relaciones internacionales entre 1945 y 1989. La división del mundo en dos bloques ideológicos irreconciliables bajo una atmósfera de antagonismo bautizada como guerra fría, con su negativo jurídico en el ejercicio del derecho de veto en el Consejo de Seguridad de la ONU, impidió que la comunidad internacional pudiera dar una respuesta satisfactoria a los diferentes conflictos armados que desencadenaron algunas de las mayores violaciones de los derechos humanos del siglo XX: Camboya, Tanzania, etc. El desmoronamiento de este mundo bipolar escenificado en la caída del Muro de Berlín pareció provocar un cambio en la atmósfera moral de la política internacional cuya traducción más significativa debía ser acometer el compromiso con la efectiva universalización de los derechos humanos. Las razones prudenciales (evitar una guerra nuclear) que habían paralizado cualquier intento de intervenir en países donde se estaba produciendo crímenes contra la humanidad ya no servían de excusa para mirar hacia otro lado y permanecer cruzados de brazos mientras miles de personas eran aniquiladas. Y esto es, sin embargo, lo que terminó ocurriendo en Bosnia entre 1992 y 1995 y, sobre todo, lo que tuvo lugar en Ruanda en 1994 o en Sudán en 2004. En el caso de Ruanda, ni Estados Unidos, ni la Unión Europea, ni siquiera Francia en su calidad de antigua metrópoli colonial, movieron un dedo para frenar el genocidio que costó la vida a casi un millón de seres humanos. Es más, la matanza entre hutus y tutsis también se borró de las televisiones mundiales, en las que apenas se veían los campos de refugiados o las enormes columnas de civiles que huían a Zaire.

En las películas que han abordado el drama de las guerras de los Balcanes desde una óptica antibelicista se pone de manifiesto cada uno de los aspectos de los conflictos armados más recientes que acabamos de señalar. Recordemos títulos como *Bienvenido a Sarajevo* (*Welcome to Sarajevo*, M. Winterbottom, 1997), *Underground* (Emir Kusturica, 1994) *Before the Rain* (Michael Manchevski, 1995), *Nuestra música* (*Notre musique*, Jean-Luc Godard, 2004) y, sobre todo, *En tierra de nadie* (*No man's land*, Danis Tanovic, 2001). Como Altman en *Mash*, Chaplin en *El gran dictador* o Kubrick en *Teléfono rojo, volamos hacia Moscú*, el director bosnio se sirve del humor para elaborar un alegato contra el absurdo de la guerra de Bosnia a través de las peripecias de un soldado serbio y otro bosnio que quedan atrapados en una trinchera neutral. Nino y Ciki son personas que llevan conviviendo de manera pacífica durante hace décadas (los dos vivían en la misma ciudad, tenían conocidos y amigos comunes, etc.) y que, de repente, no se sabe muy bien cómo, por qué y, sobre todo, por quién (ambos discuten como niños hasta conseguir que el otro reconozca que ellos empezaron la guerra) inician una absurda contienda fraticida. Además de un retrato ácido y doloroso del absurdo de esta guerra, *En tierra de nadie* carga con dureza contra la actuación de la ONU, a la que presenta como una máquina burocrática y legalista. Las idas y venidas de la tanqueta de UNPROFOR ponen de manifiesto la incapacidad de la comunidad internacional —obsesionada por no entrar en combate en aras de la pacificación del conflicto— para llevar a cabo las tareas humanitarias que de ellas se esperaba y, sobre todo, para evitar la limpieza étnica. Como admiten con una mezcla de ironía y frustración los tres cascos azules franceses *"estamos aquí para que no se maten, sin hacer uso de la fuerza, ni meternos en situaciones peligrosas"*. Aunque no se alude a ello forma explícita, Tanovic tiene en mente el bochornoso papel de Naciones Unidas en la matanza de Sbrenica, en la que el desarme de los musulmanes por parte de los casos azules holandeses propició la masacre de entre 8.000 y 10.000 civiles musulmanes. Tanovic culpa no sólo a la ONU sino también a la prensa a la que, tal y como sucede en otras películas bélicas recientes (*Tres reyes, Redacted*), se le acusa de incurrir en un cierto *vouyerismo* en su forma de hacerse presente en el transcurso de estos hechos.

Hotel Rwanda (Terry George, 2004) también ofrece una denuncia de la pasividad de la comunidad internacional ante un genocidio mucho peor que el de Sbrenica. La película narra con una acertada progresión dramática de qué forma la vida de Paul Rusesabagina (Don Cheadle), gerente de hotel propiedad de la compañía belga Saenam, se ve violentamente sacudida por la puesta en marcha de una de las mayores operaciones de limpieza étnica del siglo XX. Rusesabagina se convierte en el Oscar Schindler africano que arriesga el tipo en repetidas ocasiones, amén de hacer uso de todos los recursos y sobornos posibles para mantener con vida a los tutsis refugiados en el hotel. A la película de George se le ha criticado no haber añadido a las imágenes de la historia estrictamente cinematográfica, cuyo principal escenario es el hotel, algunas secuencias documentales filmadas con la cámara en mano que hicieran más evidente y realista el genocidio que se estaba cometiendo en todo el país. También se le objeta que, en su afán por ensalzar la figura de Rusesabagina, no se explica adecuadamente el conflicto (temas como el asesinato del presidente, hecho que desencadenó directamente la tragedia, es apenas mencionado de pasada) e incurre en un cierto maniqueísmo y reduccionismo en el dibujo que hace, fundamentalmente, de la figura del coronel canadiense

(Nick Nolte). Al margen de estos supuestos defectos que quizá no dejen de ser más que opciones totalmente legítimas del guionista y el director, la película consigue transmitir de forma convincente cómo se fue generando el conflicto que desencadenó el genocidio y, sobre todo, muestra bien a las claras el modo en que, ante hechos de tal magnitud, cualquier tipo de internacionalismo político y jurídico, además de incoherente, está condenado más tarde o temprano al fracaso si no termina abrazando una concepción cosmopolita de los derechos humanos. Cuando un Estado no sólo no protege los derechos más básicos de sus ciudadanos sino que —desintegrado por una guerra civil— libera fuerzas cuyo principal propósito es conculcarlos de la forma más radical, no es posible seguir manteniendo en estas situaciones el valor de la soberanía estatal sino que debe abrirse paso algún tipo de mecanismo jurídico cosmopolita. Pensar que, puesto que es la condición de ciudadanos lo que salva la vida a los turistas occidentales residentes en el hotel, los Estados poseen una utilidad moral que no debe ser menospreciada mientras miles de personas a los que eso no le sirve para nada son exterminadas, empieza a convertirse en una forma de patriotismo y/o favoritismo de los compatriotas, moral y quizá jurídicamente cada vez menos aceptable en un mundo tan globalizado.

En respuesta a los ataques del 11 de septiembre de 2001, el gobierno estadounidense y sus aliados occidentales emprendieron lo que el presidente Bush ha bautizado como «guerra contra el terrorismo». Se ha discutido mucho acerca del tipo de respuesta que debía haberse dado a estos fatídicos hechos. Algunos juristas y politólogos estiman que estos hechos deberían haber sido tratados como crímenes, perseguir policialmente a los responsables de los atentados y poner los medios precisos para lograr desarticular a Al-Qaeda y otras organizaciones terroristas similares (Ferrajoli, 2004). Otros apuestan por considerarlos algo más que un crimen pero no una agresión a la que deba dársele una respuesta armada (Ackerman, 2007). El gobierno de los Estados Unidos optó por la solución más extrema y radical: considerar los atentados un acto de guerra frente al que estimaron justificado autodefenderse mediante el uso de la fuerza armada. Así se explica la decisión de invadir militarmente Afganistán por ser el lugar donde, presumiblemente, se encontraba Bin Laden y ser un auténtico nido de terroristas islamistas.

Posteriormente, con la excusa de defenderse preventivamente de un posible taque con armas de destrucción masiva, Estados Unidos y Gran Bretaña, con el apoyo de algunos gobiernos europeos, entre ellos el de España, invadieron Irak en 2003. Lo que inicialmente parecía que iba a ser una guerra relativamente limpia y rápida, además de provocar un daño humanitario terrible y abandonar al país a una guerra civil enormemente sangrienta y con un final todavía sumamente incierto, ha terminado convirtiéndose para los Estados Unidos en un segundo Vietnam.

En el plano jurídico, la lista de damnificados por esta cruzada es muy extensa: el capítulo VII de la Carta de la ONU, los derechos reconocidos por la Convención de Ginebra (negados a los miembros de Al Qaeda), la detención gubernativa sin tutela judicial alguna de dos ciudadanos estadounidenses y de miles de extranjeros, la extradición irregular de personas a países donde se práctica la tortura (sirviéndose para ello del espacio aéreo y de los aeropuertos europeos), o la aprobación de programas de escuchas telefónicas sin autorización ni control alguno exterior al propio ejecutivo, etc. Por otro lado, Estados Unidos y Rusia se han negado a ratificar el estatuto de Tribunal Penal Internacional, entre otras razones, para evitar que sus soldados puedan terminar siendo juzgados por crímenes de guerra. Como han señalado destacados intelectuales norteamericanos y europeos, puede que, a la larga, los peores efectos del 11-S no sean sólo sus víctimas directas sino la puesta en entredicho de algunos derechos fundamentales (presunción de inocencia, el *habeas corpus*, prohibición de la tortura, etc.) hasta ahora casi intocables en el sistema jurídico norteamericano y no sabemos por cuanto tiempo aún el de otros países democráticos. Ello ha sido posible en virtud de instrumentos normativos como la *Patriot Act*, aprobada unas semanas después de los atentados de 2001 y la *Ley de Tribunales militares* de 2006.

El reflejo cinematográfico de este nuevo frente bélico con el que ha comenzado el siglo XXI ofrece historias muy diversas. Por un lado, en la industria estadounidense encontramos películas —algunas de ellas anteriores al 2001— que, además o más allá de reproducir los combates con un gran despliegue de medios y de forma espectacular, trasmiten un mensaje político que recuerda mucho los planteamientos realistas de Clausewitz: en las guerras actuales,

debido por un lado al elevado grado de sofisticación tecnológica del armamento empleado, la extremada velocidad y presión en la que se desarrollan las acciones armadas y la imposibilidad muchas veces de establecer una distinción clara entre soldados combatientes y los civiles no combatientes, no siempre es posible exigir responsabilidad penal a quienes violan las exigencias del *ius in bello*. Esta es la filosofía que inspira *Black Hawk down* (Ridley Scott, 2001), ambientada en la intervención estadounidense en Somalia en 1993, en la que termina justificándose que, para rescatar a los tripulantes de un helicóptero derribado, se termine provocando una matanza. Esta es también la visión que encontramos en el comienzo de *En honor a la verdad* (*Courage under fire*, E. Zwick, 1996), en la que se relata cómo, en uno de los combates de la guerra de Golfo, el teniente coronel Nathan Serling (Denzel Washington) destruye accidentalmente uno de sus propios tanques provocando la muerte de su mejor amigo. La comprensión mostrada por el Ejército, que dice ocultar el hecho, y el modo en que finalmente Serling termina superando los terribles remordimientos que le torturan conforma una historia a través de la cual el espectador llega a convencerse de lo difícil que resulta distinguir, en medio del fragor del combate, a los amigos de los enemigos, de lo fácil y normal que resulta errar en el objetivo y terminar disparando o bombardeando al amigo, en lugar del enemigo, al civil en lugar de al militar, etc. La justificación de los conocidos daños colaterales o incidentales se encuentra, sin duda, en todo el trasfondo de la historia.

Mucho más radical es el discurso que encontramos en *Reglas de compromiso* (*Rules of Engagement*, William Friedkin, 2000). En una misión en Yemen, el coronel Childers (Samuel Lee Jackson) manda abrir fuego a sus tropas contra una multitud de civiles congregados ante la embajada estadounidense. A la vuelta a EEUU, será acusado de asesinato ante un tribunal militar por las presiones ejercidas por la administración civil que considera que este tipo de actuaciones perjudica sus intereses geoestratégicos en la zona. A partir de ese momento, el propio Childers y su abogado, el coronel Hodges (Tommy Lee Jones) pondrán en marcha una defensa sustentada en la profunda ignorancia que tienen los civiles del mundo castrense y, en especial, de lo que conlleva la acción en combate. Es desde esta ignorancia desde la que se pretende aplicar mecánicamente reglas

de conducta a la lucha armada. Sólo desde la óptica militar puede llegar a entenderse que un país que quiera proteger a los suyos precisa de hombres como Childers, de hombres que no duden en violar el *ius in bello* ni en lo atinente al trato de los prisioneros (como se ve al comienzo de la película con el asesinato del soldado vietnamita) ni en lo referente a la inmunidad de los civiles. La propia dinámica del uso de la fuerza armada y la salvación de los soldados compatriotas no puede lograrse mediante un respeto escrupuloso de la convención bélica. El coronel Childers lo declara abiertamente: *"acaso cree que hay alguna forma de luchar sin que alguien se sienta ofendido, que siguiendo las reglas nadie saldrá herido. Sí, probablemente murieron inocentes. Siempre muere algún inocente... No me iba a quedar ahí viendo cómo moría otro marine sólo por culpa de esas putas leyes"*. Para convencer a los espectadores de esta conclusión, en la película se dibuja una situación totalmente ficticia: la multitud de manifestantes yemeníes en realidad era un escudo humano para los francotiradores dispuestos a asesinar al embajador y su familia y disparar sobre los soldados. De esta forma, lo que en circunstancias normales sería una trasgresión de los Convenios de Ginebra es presentado como un acto de defensa propia.

Después de los atentados del 11 de septiembre de 2001, se reinstauró el Comité de Cooperación de Guerra, creado bajo el mando del presidente Wilson durante la I Guerra Mundial, mediante un acuerdo entre la Casa Blanca y la *Motion Picture Association of America*, acuerdo que se extendió más tarde a los grandes estudios: la *Paramount*, la *CBS televisión*, *Viacom, Showtime, Dreamworks, HBO* y *MGM*. Algunas películas producidas en Hollywood en los últimos años sobre temas políticos deben ser interpretadas a través de ese acuerdo. Si bien no se les exige apoyar a la administración Bush y pueden criticar ampliamente su acción, tienen que integrarse al esfuerzo de "guerra contra el terrorismo". En este espíritu se enmarcan títulos dirigidos a honrar el heroísmo de quienes perecieron en los terribles atentados, entre otros, *World Trade Center* (Oliver Stone, 2006) o *United 93* (Paul Greengrass, 2006).

Sin embargo, Hollywood ha mostrado una interesante y a veces sorprendente independencia que le ha permitido desarrollar discursos mucho menos patrióticos de lo que, en vista de la magnitud de la respuesta militar desplegada por su gobierno, ca-

bía presagiar. Frente al giro ultraconservador de gran parte de la sociedad norteamericana, estrellas como Spielberg o George Clooney, han ofrecido historias que evidencian la disposición de algunos autores para ofrecer un análisis serio y profundo sobre temas tan decisivos como la lucha contra el terrorismo y/o el control del petróleo mundial. Esta última es la temática de *Syriana* (Stephen Gahan, 2005). Además de criticar, en la línea de películas como *La pesadilla de Darwin* (*Le cauchemar de Darwin*, Hubert Sauper, 2004) o *El señor de la guerra* (*Lord of War*, Andrew Niccol, 2005) la lógica de la globalización del comercio de armas, *Syriana* es un complejo *trhiller* que denuncia el sistema político estadounidense y sus guerras por el petróleo, poniendo así en evidencia una de las causas del terrorismo islamista: la alteración de la situación política de Oriente Medio a través de la instauración de regímenes políticos totalitarios que garanticen a las multinacionales estadounidenses la obtención del preciado recurso estratégico. Las denuncias de Bin Laden y Al-Qaeda adquieren, a la vista de estos hechos, una verosimilitud que no puede ser cómodamente ignorada paralizados por la conmoción del horror que producen sus injustificados y despiadados actos de violencia extrema.

Si *Syriana* ofrece una imagen compleja de las causas políticas y económicas del terrorismo islamista, *Munich* (Steven Spielberg, 2005), como *Camino a Guantánamo* (*The road to Guantánamo*, M. Winterbottom, 2004) o *Rendition* (Gavin Hood, 2007), aborda con la habilidad visual y narrativa que distingue a su director el problema de la legitimidad de los medios en la lucha contra el terrorismo. La película relata la puesta en marcha de la respuesta que organizó la *premier* Golda Meier y el Mosad al secuestro y posterior asesinato por terroristas palestinos de un grupo de atletas israelíes durante las Olimpiadas de Munich de 1972. El responsable del grupo encargado de poner en práctica dicha venganza (un joven militar cuya mujer se encuentra en un avanzado estado de gestación) vivirá la ejecución, uno tras otro, de los terroristas palestinos como un progresivo vaciamiento moral. Este es el inevitable resultado de quien descubre que, para responder al terrorismo, termina él mismo convirtiéndose en un terrorista que asesina a un intelectual palestino cuya implicación en los hechos terminará resultando muy dudosa, comete un crimen en el que está a punto de morir

una niña, involucra a civiles inocentes en un atentado cometido en un hotel, ejecuta de forma humillante a una sicario holandesa o se alía con un capo mafioso cuyo métodos terminarán imitando. Una vez que se traspasa esta línea moral ya no queda nada a lo que agarrarse: la nación, las creencias, la patria, han quedado definitivamente devaluadas. Entonces no queda más salida que el abandono de la tierra prometida hacia un Manhattan presidido por la sombra de las Torres Gemelas.

De manera quizá no muy esperada, la guerra de Irak ha irrumpido con fuerza en las salas cinematográficas durante los últimos meses. Ya antes, casi desde el inicio de un conflicto de una complejidad sin precedentes (a la guerra le ha seguido una post-guerra que ha terminado transformándose en otra guerra) aquel se había instalado en Internet, *Youtube*, *eMule* y todos esos canales a través de los que se difunden y comparten las imágenes de este escenario macabro en que se ha convertido la antigua Mesopotamia. La segunda guerra de Irak no se parece en nada a la primera. Las únicas imágenes de ésta fueron los verduzcos largos planos fijos de Bagdad grabados desde la distancia sobre los que resaltaba el logotipo en rojo de la CNN.

La falta de representaciones visuales de esta realidad propició que se afirmara que no era más que una realidad virtual o, como proclamó Baudrillard, no estaba teniendo lugar. Convencidos de haber perdido la guerra de Vietnam por culpa de las imágenes, los altos mandos del Ejército norteamericano decidieron que, en las sucesivas intervenciones armadas, las cámaras de televisión se quedarían en casa. En la Guerra del Golfo se cumplió a rajatabla esta consigna. La actual guerra de Irak, por el contrario, se ha convertido en algo muy real ya que las imágenes sobre ella han logrado burlar esta censura oficial y expandirse globalmente a través de las redes de información que antes señalábamos.

Esta circunstancia ha provocado que muchas de las películas generadas por esta guerra ofrezcan una imagen menos simplista y maniquea que la representación cinematográfica de otras contiendas. Aunque la Administración Bush se haya encargado de transmitir una versión oficial que minimiza los efectos humanitarios y políticos tan desastrosos que ha tenido y sigue teniendo esta guerra, cualquiera que se acerque esa biosfera de las imágenes globales se encontrará con una realidad muy diferente y mucho más compleja que la ofrecida por la versión oficial. Las imágenes censuradas por los medios de comunicación han sido ridiculizadas por los múltiples sistemas de contrainformación que han mostrado las auténticas atrocidades del conflicto. Uno de los aspectos en los que esto se hace más palpable es en la denuncia que gran parte de las producciones estadounidenses llevan a cabo de las violaciones de los derechos humanos practicada por las tropas estadounidenses. En ninguna otra guerra como la de Irak han trascendido a la luz pública de forma tan abierta los abusos y maltratos sobre presos y civiles. Si la primera guerra del Golfo fue la de la invisibilidad del factor humano, el nuevo conflicto iraquí ha traído a primer plano las víctimas desmembradas de tanta matanza (Cueto, 2007, 13).

Además de *The situation* (Philip Hass, 2005), estas violaciones del *ius in bello* han sido dramatizadas en dos cintas recientemente estrenadas en España: *Battle for Haditha* (Nick Broomfied, 2007) y *Redacted* (Brian de Palma, 2007). La primera narra la brutal masacre por parte de un grupo de marines de 24 civiles iraquíes, entre ellos mujeres y niños, en venganza a la muerte de su oficial más preciado. Empero, en la línea de *Reglas de compromiso* y cintas similares, la película desliza un inquietante interrogante: cuando las cosas suceden a gran velocidad y bajo extrema presión, ¿se puede acusar de asesinato a los marines en la línea de fuego?

Mención aparte merece *Redacted*. Esta valiente película es un exponente claro del contenido y la forma de esa iconosfera de las imágenes y videos que circulan en Internet. Huyendo de la perfección informal, sirviéndose de esas imágenes de texturas granulosas, accidentadas o pixeladas, su director aspira a cambiar el código visual hegemónico como algo necesario para renovar la empatía del los espectadores frente a la realidad humana que tienen antes su ojos. Siguiendo los pasos de *The war tapes* (Deborah Scranton, 2006), un documental realizado con cámaras digitales por tres soldados norteamericanos destinados en Irak, De Palma se sirve de un curioso puzzle de "materiales innobles" como son las imágenes ajenas a la fotoquímica (*videoblogs, youtube, websites*, imágenes de cámaras de seguridad, etc.) para construir una ficción basada en un hecho real: la violación de una adolescente y el asesinato de su familia por dos marines desplazados en Samarra. *Redacted* reproduce un esquema muy similar al de *Corazones de hierro*, ya que de nuevo en Irak los marines vuelcan toda esa mezcla explosiva de frustración por estar luchando y muriendo en el sitio equivocado, racismo y odio hacia los diferentes, sobre la población civil, a la que destruyen por partida doble: primero mediante la agresión sexual y luego quitándoles la vida. Pero hay una diferencia fundamental: *Corazones de hierro* parecía terminar con un final más o menos feliz (el juicio y condena de los responsables). Casi veinte años más tarde, De Palma ofrece una imagen mucho más pesimista del ejército y la sociedad norteamericana, tal y como se manifiesta con toda crudeza en la escalofriante última escena del acto final de esta historia. En ella se pone de manifiesto la incapacidad y seguramente la imposibilidad de que, bajo la censura y las mentiras de la Administración Bush y la incapacidad de los medios de comunicación para decir la verdad, la opinión pública estadounidense pueda reaccionar ante lo que verdaderamente está aconteciendo en Irak. No hay duda de que, como termina reclamando también la última escena de *En el valle de Elah*, los Estados Unidos necesiten verdaderamente ayuda.

7. Consideraciones finales

Al poner fin a este trabajo podemos concluir que el cine bélico no ofrece síntomas de estar próximo a desaparecer. Como ha puesto de manifiesto el gran número de filmes que, en el momento de escribir estas líneas, sitúan sus historias en la guerra que los Estados Unidos iniciaron primero en Afganistán y, sobre todo, en Irak[5], todo apunta a que desagraciadamente podremos seguir yendo al cine a contemplar cómo los hombres se empecinan en aniquilar a sus semejantes y destrozar el planeta. Probablemente el ánimo belicoso se encuentre demasiado enraizado en la condición humana, los conflictos provocados por la escasez de recursos o ese deseo irreprimible de imponer las opiniones y creencias propias constituya un hecho prácticamente imborrable de las sociedades humanas como para vislumbrar un horizonte sin guerras.

El cine no sólo fabrica sueños sino también imágenes y experiencias que, para muchas personas, han terminado por convertirse en la única experiencia de ciertas realidades. La guerra es, para millones de seres humanos, una de esas realidades que experimentamos de forma mediada, a través de la fotografía, la televisión y el cine. En este trabajo nos hemos centrado en la imagen que el cine bélico ofrece no sólo ya de la propia guerra sino del Derecho y, en especial, del Derecho sobre la guerra. Se trata, por momentos, de un ejercicio un tanto forzado si tenemos en cuenta que, para la mayoría de los cineastas que acercan su mirada a una realidad tan compleja y ambigua, lo que buscan o encuentran en la guerra son, fundamentalmente, preguntas y respuestas en torno a cuestiones filosóficas, antropológicas, éticas, históricas o políticas. No obstante, aunque se trate casi siempre de un aspecto colateral de sus historias, en las películas ambientadas en

---

[5]   *Battle for Haditha* (Nick Broomfied), *Last man home* (Ron Howard), *Regreso al infierno* (Irwin Winkler), *Stop-Loss* (Kimberly Peirce), *Home of the Brave* (I. Winkler), *In the valley of Ellah* (Paul Haggis), *Redacted* (Brian de Palma), *Lions for lambs* (Robert Redford), etc. Vid. el interesantísimo número de noviembre de 2007 dedicado al tema por los *Cahiers du Cinema* (España).

las contiendas armadas contemporáneas aparecen situaciones, hechos y personajes que ponen de manifiesto algunos elementos fundamentales del Derecho de la guerra.

No hay duda de que, en algunos casos, el cine se ha convertido en un auténtico divulgador jurídico cuando, por ejemplo, hemos sabido de la existencia de normas sobre el trato de prisioneros (los famosos convenios de Ginebra) gracias a una infinidad de ejemplos cinematográficos. Empero, incluso por lo que a estas directivas se refiere, la forma en que el Derecho se hace más presente en las películas de guerra es, fundamentalmente, haciendo visibles toda una variedad de situaciones en las que los tratados internacionales y las leyes nacionales reguladoras del uso de la fuerza armada son sistemáticamente ignorados y desobedecidos.

Evidentemente, este no es el tono del primer cine bélico. Desde sus comienzos hasta los años cincuenta apenas ofrece referencias destacables sobre el Derecho de o durante las guerras. Como se ha reseñado, la mayoría de esas películas de esa época respondían a una intención propagandística que precisaba retratar las guerras, el ejército y los soldados bajo un aura de idealismo, heroísmo y patriotismo.

Pocos resquicios dejaba este discurso para reflexiones en torno a la legalidad y justicia de las guerras y de las acciones realizadas durante su transcurso. Después de la Guerra de Corea, este idealismo dejará paso a una imagen mucho más realista de las contiendas y de quienes participan en ellas. Gracias a este cambio de tono (que es el resultado de la propia evolución de las guerras a lo largo del siglo XX pero también de la distinta suerte militar de los Estados Unidos en las distintos frentes en los que se verán inmersos en la segunda mitad del siglo) pudimos contemplar otra imagen de la Segunda Guerra Mundial, con historias y escenas en las que se hace visible el maltrato y explotación de los prisioneros de guerra, sus ejecuciones ilegales alimentadas casi siempre por el racismo más cruel, etc. Será sobre todo a raíz de la guerra de Vietnam cuando el cine revelará de qué forma los derechos humanos de la población civil han sido violados en la mayoría de los conflictos armados de más de la mitad del siglo veinte: crímenes sexuales, ejecuciones arbitrarias, bombardeos indiscriminados, lanzamiento de bombas químicas y nucleares sobre ciudades y pueblos, etc. Más recientemente, el cine ambientado en la guerra de Irak, haciéndose eco de las imágenes y videos que circulan por Internet, nos ha ofrecido algunas de las imágenes y reflexiones más inquietantes sobre estos abusos y maltratos a presos y civiles.

No podemos, por el contrario, concluir que la principal preocupación e intención de las grandes películas bélicas o antibélicas haya sido el de mostrar los efectos de la guerra sobre quienes han sido, sin lugar a dudas, sus principales víctimas en las contiendas de los últimos cien años. Los ataques, daños y matanza de civiles no combatientes está implícita en un gran número de títulos bélicos, pero son pocas las películas que se han centrado en este aspecto de forma más o menos monográfica. Incluso el cine más antibelicista, para denunciar la sinrazón e inmoralidad de las guerras, ha preferido centrarse en la vida y la conducta de los soldados, en su brutalidad y agresividad, en las muertes inútiles, en la deshumanización que comporta la participación en una guerra, etc., más que en las víctimas civiles directas que provocan. En el séptimo arte no hay nada comparable todavía a lo que en la pintura han representado la colección de grabados *Les Misères et les Malheurs de la Guerre*, de Callot, *Los horrores de la guerra* de Goya o *El Guernica* de Picasso. Sigue echándose en falta la gran película sobre la destrucción y el asesinato de los habitantes de Dresde y la gran película sobre la planificación de las masacres de Hiroshima y Nagasaki.

Por último, lo que también se pone de manifiesto en los mejores títulos del cine bélico, pero sobre todo del antibélico, es cómo el respeto del *ius in bello* señala una especie de frontera entre la civilización y las tinieblas de la barbarie. Quienes dejan de distinguir a los combatientes de los no combatientes, quienes disparan sobre soldados desarmados, los torturan o ejecutan sin razón, etc. quedan definitivamente atrapados en ese lago de la sangre macbethiano cuya otra orilla resultará desde ya inalcanzable. Lo cual no significa que la convención bélica haya resultado nunca fácil de observar para quienes deben emplear la fuerza armada, mucho más en las guerras actuales, en las que el elevado grado de sofisticación tecnológica del armamento empleado y la extremada velocidad y presión en la que se desarrollan las acciones armadas hacen más difícil establecer una distinción clara entre soldados combatientes y civiles. De ahí que también en el cine bélico podamos encontrar respuestas muy interesantes a una de las preguntas que han terminado haciéndose muchos de los que han reflexionado seriamente sobre las causas más profundas de las guerras ¿son éstas un conjunto de decisiones y actos individuales o colectivos susceptibles verdaderamente ser controlados por medio de normas morales y jurídicas? No creo exagerado afirmar que, si bien algunas películas, especialmente algunos títulos estadounidenses de los últimos años, parecen apoyar sin ambages la visión realista de la guerra que hiciera famosa Clausewitz, la imagen que con más fuerza nos ha trasmitido el cine bélico, incluidas muchas cintas que no forman parte del subgénero antibélico, es la de que la guerra es un mal absoluto. Como expresa la voz en *off* de Taylor en *Platoon*, la guerra es algo muy parecido al infierno, es *"la imposibilidad de la razón"*, y, como tal, su destino no puede ser otro que ser eliminada definitivamente y sin excepciones del Derecho.

8. Bibliografía

ACKERMAN, B.: *Antes de que nos ataquen de nuevo (la defensa de las libertades en tiempos de terrorismo)*, Madrid: Península, 2007.

ALTARES: *Esto es un infierno. Los personajes del cine bélico*, Madrid: Alianza, 1999.

ARCOS RAMÍREZ, F.: "¿Se puede hablar de guerras justas?", en CAMPOY CERVERA, I y RODRÍGUEZ PALOP, M.E.: *Desafíos actuales a los derechos humanos: Reflexiones sobre el derecho a la paz*, Madrid: Dykinson, 2006.

BARREDÓ, I.: "Cine bélico en el siglo XXI: ¿Adiós a las armas?", *Crítica*, nº 907, julio-agosto, 2003, pp. 50-53.

CASAS, Q. y otros: "El cine bélico", *Dirigido por...: Revista de Cine*, nº 302, 2001, pp. 36-83.

CASAS, Q.: "Corazones de hierro: víctimas y humillaciones de la guerra", *Dirigido por...: Revista de Cine*, nº 177, 1990, pp. 46-49.

COMA, J.: *El cine bélico*, 2 volúmenes, Barcelona: Planeta de Agostini, 1998.

CUETO, R.: "Disparos en el vacío" en *Cahiers du Cinema*, noviembre 2007, pp. 12-13.

FERNÁNDEZ VALENTI, T.: "El cine bélico europeo. La guerra interior", *Dirigido por...: Revista de Cine*, 2001,

FERRAJOLI, L.: *Razones jurídicas del pacifismo*, Madrid: Trotta, 2004.

GARRAT, E. y DEL VALLE, R.: "Sin novedad en el frente: el soldado americano en el cine", *Revista de Cine Mabuse*, http://www.mabuse.cl/1291/article-31404.html.

Derecho y Cine. El Derecho visto por los géneros cinematográficos

GUTMANN, R. Y RIEFF, D.: *Crímenes de guerra. Lo que debemos saber*, Debate, 2003.

HISPANO, A..: "Guerra a la vista" en MONEGAL, A (compilador): *Política y (po)ética de las imágenes de la guerra*, Barcelona: Paidós, 2007, pp. 55-67.

HOBBES, T.: *Leviatán. La materia, forma y poder de un Estado eclesiástico y civil*, trad. de C. Mellizo, Madrid: Alianza, 1989.

IGNATIEFF, M.: *El honor del guerrero*, Madrid: Taurus, 1999.

IGNATIEFF, M.: *Virtual War. Kosovo and Beyond*, N. York: Metropolitan Books, 2000.

LOSILLA, C.: "Relatos desde el país de los muertos. El conflicto interior", *Cahiers du Cinema España*, noviembre, 2007, pp. 14-15.

KALDOR, M.: *Las nuevas guerras. Violencia organizada en la era global*, Barcelona: Tusquets, 2001.

KOLKO, G.: *El siglo de las guerras. Política, conflicto y sociedad desde 1914*, trad. de V. Gómez Ibáñez, Barcelona: Paidós, 2005.

MONEGUAL, A.: "Iconos polémicos" en MONEGAL, A (compilador), *Política y (po)ética de las imágenes de la guerra*, Barcelona: Paidós, 2007, pp. 9-35.

REVIRIEGO, C.: "Inventario contra el terror", *Cahiers du Cinema*, noviembre 2007, pp. 7-9.

ROBINSON, P.: "The CNN effect: can the news media drive foreign policy?, *Review of International Studies*, 25, 1999, pp. 301-309.

ROMO FEITO, F.: "Pensar la guerra: el cine bélico reciente", *Lecturas, imágenes: revista de poética del cine*, nº 4, 2005, pp. 93-105.

RODRIGUEZ, H. J.: *El cine bélico*, Barcelona: Paidós, 2005.

RUIZ SANZ, M.: "*El Derecho ambiental y la calidad de vida*. Lluvia negra (Kuroi Ame)" en PRESNO LINERA, M. A. y RIBAYA, B.: *Una introducción cinematográfica al Derecho*, Valencia: Tirant lo Blanch, 2006, pp. 134-156.

SÁNCHEZ BARBÁ, F.: *La II GM y el cine (1979-2004)*, Madrid: Ediciones Internacionales Universitarias, 2005.

SONTAG, S.: *Sobre la fotografía*, Barcelona: Edhasa, 1996.

TODOROV: *Memoria del mal, tentación del bien. Investigación sobre el siglo XX*, Península, 2002.

VIRILO, P.: *War and cinema. (The Logistic perception)*, London-N. York: Verso, 1989.

WALZER: *Guerras justas e injustas*, Barcelona: Paidós, 2001.

ZOLO, D.: *Cosmópolis. Perspectivas y riesgos de un gobierno mundial*, Barcelona: Paidós, 2001.

Western y Derecho. Una lectura política del cine de vaqueros*

En España, los traductores de los títulos de los filmes que llegaban a nuestras pantallas, en muchas ocasiones los traicionaban, y tratándose de *westerns* introducían el término *ley* en el rótulo en castellano. Por ejemplo: *Dodge, ciudad sin ley* (*Dodge City*, Michael Curtiz, 1939), *La ley del revolver* (*The Frontiersman*, Lesley Selander, 1942), *La pradera sin ley* (*Man Whitout a Star*, King Vidor, 1955), *La ley de la horca* (*Tribute to Bad Man*, Robert Wise, 1956), *La ley de los fuertes* (*Three Violent People*, Rudolph Maté, 1956), *La ley de talión* (*The Last Wagon*, Delmer Daves, 1956), *Valor de ley* (*Trae Grit*, John Ford, 1969), *La ciudad sin ley* (*Death of a Gunfighter*, Allen Smithee, 1969), *En nombre de la ley* (*Lawman*, Michael Winner, 1971), *El fuera de la ley* (*The Outlaw Josey Wales*, Clint Eastwood, 1975). Así, los títulos con que se recibió aquí ese género norteamericano de aventuras (lo que también forma parte del género, pues, hace saber al posible espectador de qué tipo de películas se trata) nos dicen que éste se identificó con la idea de la carencia de ley, lo que en menor medida también ocurrió con el cine negro, otro género estadounidense cuyas narraciones versan en gran medida sobre el Derecho.

La carencia de ley reenvía al concepto de estado de naturaleza, una circunstancia en la que —conforme a la concepción clásica de Hobbes— cada cual mira por sí y sólo por sí, un estado salvaje en el que los hombres son o pueden ser bestias o peor que bestias. Esa es la mitología que subyace al género del *western*, "con esos personajes que tratan de abrirse paso en una tierra hostil y salvaje, llevando la ley y el orden allá donde aún no existen y empleando la violencia para hacer posible una civilización que sólo después de

* Este trabajo se enmarca en el Proyecto de Investigación titulado *Derecho, Cine y Literatura*, SEJ2005-05469/JURI, cuyo Investigador Principal es Benjamín Rivaya.

Derecho y Cine. El Derecho visto por los géneros cinematográficos

esos momentos fundacionales y terribles se convierte en una organización regida por la legalidad e institucionalizada" (García Amado). Por eso, es acertada la interpretación que ve en las películas de este género "una parábola sobre la fundación y los primeros avatares" de la sociedad (De Lucas).

1. Una introducción al western

Entre otras cosas, el *western* es un género cinematográfico que, por una parte, nace y se desarrolla con el propio cine (no hay una literatura previa a la que se denomine *western* o, en cualquier caso, es menor); y por otra, y frente a otros, se encuentra bastante definido, por más que también se haya producido un fenómeno de hibridación, tan típicamente cinematográfico, que hace que nos encontremos con comedias del oeste como *El día de los tramposos* (*There Was a Crooked Man*, Joseph L. Mankiewicz, 1970) o westerns musicales como *La leyenda de la ciudad sin nombre* (*Paint your Wagon*, Joshua Logan, 1969). Se trata de un género histórico, aunque su propósito no sea el de construir una historia rigurosa sino, sobre todo, ya que también forma parte del cine de aventuras, divertir al espectador. Además, como género cinematográfico nace casi a la vez que los hechos que relata,

hasta el punto de que algunos de los personajes legendarios del oeste, como Wyatt Earp o Buffalo Bill, a la elaboración de cuyas leyendas también contribuyó el cine; algunos de esos personajes legendarios —decíamos— fueron protagonistas físicos del séptimo arte. Los hechos que relata, como es sabido, son reales; se trata del proceso de colonización que, a lo largo del siglo XIX, los norteamericanos llevaron a cabo de los grandes espacios que se encontraban al oeste de los primeros territorios de aquella nación, entre los Apalaches y California.

A efectos analíticos y siguiendo un criterio temático, pues muchas veces se encuentran en los filmes entremezclados y confundidos, cabe distinguir diversos tipos de westerns:

En primer lugar, el *western colonial*, que se referiría a la conquista de ese gran espacio que es el oeste, especie de estado de naturaleza en el que construir (o

Derecho y Cine. El Derecho visto por los géneros cinematográficos

238

al que llevar) la nueva sociedad. Por eso este cine refleja la lucha de los colonos, agricultores y ganaderos, a veces entre ellos y a veces contra los indígenas que habitaban la zona. También aquí tendrán cabida las películas sobre los buscadores de oro y los asentamientos que se generaban en torno a minas o ríos. Si hubiera que citar una película representativa, baste con *La conquista del oeste* (*How the West Was Won*, John Ford, Henry Hathaway, George Marshall, 1962).

En segundo lugar, nos encontramos con el western de esa ley tan poco jurídica que es *la ley del oeste*, con las temáticas que surgen ligadas a los primeros asentamientos en forma de ciudad. Aparecen las iglesias, los salones, las cantinas, la caseta del sheriff y la cárcel, los bancos, la barbería, la funeraria, la diligencia, la horca, el Ponny Express... Y todo tipo de conflictos en torno a esos lugares. La civilización aún no ya llegado, al menos del todo. Valga como ejemplo el de *El forastero* (*The Westerner*, William Wyler, 1940).

En tercer lugar, el western de *la sociedad civil* y, por tanto, del fin del viejo oeste. Las poblaciones crecen y comienzan a llegar las costumbres más civilizadas del este. El ferrocarril y el telégrafo, que sustituyen a la diligencia y al correo, permiten el desarrollo de las ciudades. Surgen el periódico, las tiendas de ropa, los juzgados, las estaciones de tren... Aparecen los políticos, los jueces, el periodista, los marshalls, los ayudantes del sheriff, los médicos y dentistas... El ejemplo más representativo de estas películas del oeste, el de *El hombre que mató a Liberty Valance* (*The Man Who Shot Liberty Valance* John Ford, 1962).

Vinculado al de la sociedad civil, habría que referirse aquí al llamado *western crepuscular*, específico de los años cincuenta y sesenta. En el horizonte, la muerte de un género, aunque se intente revivir no sin nostalgia: los pistoleros ya no tienen cabida en la nueva sociedad establecida y pierden su carácter heroico, al igual que los protagonistas pasan a ser personajes entrados en años y con cierto halo de nihilismo y misantropía. Anthony Mann, Raoul Walsh, Budd Boetticher y Sam Peckimpah serán sus directores, que aparecen escalonadamente e influenciando cada uno al siguiente. Por citar un ejemplo, véase *El hombre de Laramie* (*The Man of Laramie*, Anthony Mann, 1955).

Por fin, también tendríamos que hablar del western *de indios y vaqueros*, en el que habría que distinguir entre dos clases, según el tratamiento que las películas les den a los nativos. Por una parte el que presenta a los indios, *los malos de la película* (sanguinarios que se dedican a raptar mujeres y niños y a cortar cabelleras), como la amenaza a exterminar. Por poner un ejemplo de entre muchos, véase *Estación comanche* (*Comanche Station*, Budd Boetticher, 1960). Por otra, el western revisionista, que trata de reivindicar la figura del indígena. Valga para ejemplificarlo *La puerta del diablo* (*Devil's Doorway*, Anthony Mann, 1950). En este trabajo se parte de la distinción entre el cine de vaqueros y el cine de indios y vaqueros, pues dicha discriminación es relevante para nuestros propósitos.

Pero antes hay que decir algo más de este género cinematográfico. Se trata de un cine nacional, ya no en el sentido de que la historia que relata sea estadounidense sino en el de que las películas que en él se integran son producidas por la industria norteamericana (a salvo la excepción del *spaghetti western* o *eurowestern*, cuyo mejor representante es sin duda Sergio Leone). Por lo demás, como fenómeno cinematográfico tuvo tal importancia, sobre todo durante su época dorada, las décadas de los cuarenta y los cincuenta (aunque hasta nuestros días hayan seguido rodándose westerns, como sabemos), que la mayoría de los grandes directores norteamericanos o que vivían en aquel país rodaron alguna película de este tipo: desde John Ford, Howard Hawks, Raoul Walsh, Fritz Lang (en su etapa norteamericana), William Wellman, King Vidor, George Stevens, Anthony Mann, hasta Fred Zinemann o Nicholas Ray, y últimamente Clint Eastwood, entre otros muchos que debería citarse. Como sabe el cinéfilo, además, entre las mejores películas de la historia del cine se encuentran algunas del oeste. A salvo los gustos, baste citar algunas del maestro Ford, como *La diligencia* (*Stagecoach*, 1939), *El hombre que mató a Liberty Valance*, *Centauros del desierto* (*The Searchers*, 1956) o *Pasión de los fuertes* (*My Darling Clementine*, 1946). Aunque, por apuntar más ejemplos que generan consenso, también cabría referirse a *Johnny Guitar* (*Johnny Guitar*, Nicholas Ray, 1954), *Sin perdón* (*Unforgiven*, Clint Eastwood, 1992), *Winchester 73* (*Winchester 73*, Anthony Mann, 1950), *Solo ante el peligro* (*High Noon*, Fred Zinnemann, 1952) o *Río Bravo* (*Rio Bravo*, Howard Hawks, 1959).

Desde el punto de vista de Derecho y Cine, lo que para nosotros tiene especial interés, se trata de un género jurídico; esto es, que necesariamente trata de argumentos relativos al Derecho y al pensamiento jurídico y político, sin que pueda ser de otra forma (Rivaya y De Cima): la colonización, la creación de títulos de propiedad sobre la que se toma por *tierra de nadie*, "expropiada" a los indígenas en muchas casos, la demarcación de los límites, las luchas entre ganaderos y agricultores, la justicia privada, el linchamiento... Todos esos argumentos traen consigo la aparición de los personajes del oeste y del cine del oeste: los ladrones de ganado y de bancos, el pistolero/ justiciero, el *caza recompensas*, el sheriff, los indios, los comancheros, el séptimo de caballería... Temas y personajes que forman parte del imaginario del hombre occidental y, sobre todo, cómo no, del ciudadano estadounidense.

2. El western de vaqueros

Aunque Locke distinga entre el estado de naturaleza y el estado de guerra, creemos evidente que es a este último al que tenemos verdaderamente por estado de naturaleza, un estado en el que no rige la ley sino la fuerza: "La falta de un juez común que posea autoridad pone a todos los hombres en un estado de naturaleza; la fuerza que se ejerce sin derecho y que atenta contra la persona de un individuo produce un estado de guerra, tanto en los lugares en que hay un juez común como en los que no lo hay". Ese estado, llámesele de una u otra forma, también lo describió Hobbes como la situación en la que "los hombres viven sin otra seguridad que no sea la que les procura su propia fuerza y su habilidad para conseguirla". Ambos se preguntaron si dicho estado selvático había existido, y los dos contestaron que sí. Locke dijo que todos los hombres vivían en ese estado natural, que para él no era necesariamente de guerra, hasta que no constituían la sociedad civil, mientras que Hobbes ya había afirmado antes que semejante forma de vida no había sido generalizada, aunque todavía vivían así entonces —aseguró— "los pueblos salvajes en muchos lugares de América".

2.1. La ley del oeste: el estado de naturaleza

Antes de la llegada de la civilización, el oeste representa el estado de naturaleza, una circunstancia esencialmente violenta en la que los conflictos se resuelven por medio de la fuerza. Para describir ese estado y darnos cuenta de su cariz baste una mención a los justicieros y a los *juicios justos* en este tipo de películas. Repárese en que las leyes del oeste son las (muy poco jurídicas) leyes de talión (el famoso ojo por ojo y diente por diente) y de Lynch: "¡Hagámosle un juicio justo y después colguémosle!". Tales (apariencias de) leyes son la expresión de la revancha y la venganza, es decir, expresión de las pasiones y no de la razón o, lo que es lo mismo, del estado de naturaleza y no de la civilización.

La mejor película para reflejar el tema del linchamiento es, sin lugar a dudas, la maravillosa *Incidente en Ox-Bow* (*The Ox-Bow incident*, William Wellman, 1943). No en vano se trata de la película preferida de un cineasta que sabe mucho de westerns, Clint Eastwood. En resumen, se trata de un claro alegato liberal a favor de la ley y la justicia, bases de la civilización, pero la apología se realiza de una manera muy cinematográfica: no

se exaltan esos valores expresamente sino que se muestra cómo es aquella situación en que no existen. Eso es el oeste, la selva en la que no rige la ley ni, por tanto, la justicia; la guerra de todos contra todos en la que, cómo no, todo puede suceder; el estado en el que manda, ferozmente, el más fuerte. *Incidente en Ox-Bow* mantiene la tesis de que el oeste es la anomia, la anarquía, el sálvese quien pueda, la carencia de un régimen en el que imperan los derechos humanos... Eso es el oeste.

La película tiene mucho en común con *Furia* (*Fury*, Fritz Lang, 1936), y *La jauría humana* (*The chase*, Arthur Penn, 1966), cuando ambos clásicos versan sobre el linchamiento popular; así como comparte aspectos comunes con *12 hombres sin piedad* (*12 Angry Men*, Sidney Lumet, 1957), y *Asesinato* (*Murder!*, Alfred Hitchcock, 1931). La cinta de Wellman, a pesar de su escaso metraje, abarca muchos temas relativos a los derechos, las libertades y la justicia. Por un lado está el tema central, que es el propio linchamiento, a manos de una turba descontrolada, de unos supuestos cuatreros y asesinos: la venganza como medio de justicia. Una especie de pena de muerte efectiva, llevada a cabo de una manera rápida y sin miramientos ni papeleos legales, como se dice en la propia película. También aparece la dramática cuestión de la libertad frente al grupo, reflejada en el autoritarismo del comandante que obliga a su hijo a ensuciar sus manos en el linchamiento a pesar de sus convicciones morales; así como la del abuso de poder, encarnada en el ayudante del sheriff, que se sobrepasa en sus competencias con tal de sentirse importante; o también la del racismo, a través de los personajes del esclavo negro y del mejicano.

Incidente en Ox-Bow describe a la perfección un variopinto tribunal popular y los distintos impulsos que mueven a ciudadanos corrientes a convertirse en verdugos: la venganza, el racismo, el sadismo... La secuencia en la que se forma la "partida de caza" es magnífica en sus breves y concisos diálogos que dan pinceladas de cada personaje. Uno de ellos dice: "En Texas, de donde yo vengo, simplemente salen, cogen a un tío y lo cuelgan", y otro responde al instante: "¡Eso es! ¡Yo digo que le colguemos!", para pasar a justificar todo aquello con la falta de seguridad para su ganado, sus hogares y sus mujeres si dejan sin represalia el acto, e instar a los demás a coger

las armas y la soga. La figura del juez aparece, pero para mostrar su falta de autoridad, siendo ninguneada por la sed de venganza de la enloquecida masa. La ley, aunque formalmente exista, es como si no la hubiera pues sencillamente resulta ignorada, al igual que sus representantes legales. En el momento de la partida, Franley, el amigo del "asesinado" y principal instigador del linchamiento, movido por su sed de venganza, deslegitima al juez: "Quien haya matado a Larry Kinkaid no vendrá aquí para que usted enrede con sus trucos legales durante seis meses y después quede en libertad porque Davies, o cualquier otra plañidera, alegue que no tenia mal corazón. Kinkaid no tuvo 6 meses para decidir si quería morir". Una vez que son capturados los tres sospechosos, vuelve a expresarse en parecidos términos: "A veces la ley es muy lenta y descuidada, y estamos aquí para encargarnos de acelerarla".

Tras comprobar que semejante justicia se ha tornado en injusticia y asesinato, todos quedan abatidos. El lento regreso a caballo al pueblo contrasta con la agitada y entusiasta partida. El suicidio del comandante, en un acertado fuera de campo, dota de una mayor emotividad al sentimiento interno del personaje que se esconde para suicidarse, víctima de sí mismo y de su ceguera, de su fracaso como padre y hombre. Tras el suicidio, Wellman nos muestra con un travelling a todos los ejecutores abatidos en la barra del bar, para terminar reencuadrándolos en un mismo plano. El travelling nos evoca otro anterior, que coincide con el momento en que muestra, tras la votación que desencadena el linchamiento, a los futuros verdugos. La intención de Wellman es clara con esta puesta en escena y la elección de estos planos en determinados momentos. Asimismo hay que destacar la claustrofóbica ambientación, digna de una pesadilla, que generan los decorados, ayudando a crear el dramatismo de la película.

Valga también referirse a *El árbol del ahorcado* (*The Hanging Tree*, Delmer Daves, 1959), que tiene gran relación con el tema que nos ocupa, como sugiere el título. Al principio de la película, que se desarrolla en un campamento de buscadores de oro, se deja constancia de que en todo campamento ha de haber un buen árbol para ahorcar a los ladrones, ya que eso les intimida. Gary Cooper, quien interpreta a un médico que se instala en el campamento huyendo de su turbio pasado como pistolero, volverá a tomarse la justicia por su mano para salvar y vengar a

una muchacha, y empuñará de nuevo el revólver, lo que le conducirá a la horca. Durante el linchamiento público le dirán que la horca es el modo más humano que la ley tiene de matar. Sin embargo, otra vez, no hay ni ley ni justicia, sino sólo revanchismo y venganza: "La sangre pide sangre...Has vivido matando y vas a morir como mueren los impostores... Ahorcado; es nuestra venganza. Ahora verás...". Sin embargo cuando la chica les ofrece el oro y las escrituras de la mina a cambio de su vida... Éstos se vuelven locos y sacian con los bienes materiales su sed de venganza. Realmente no hay ley ni justicia, ni Estado ni siquiera sociedad; sólo lucha por la supervivencia, en un mundo hostil, que no se somete a norma alguna.

El enfrentamiento entre la ley del oeste y la ley del Derecho se observa claramente en otro clásico, *Camino de la horca* (*Along the Great Divide*, Raoul Walsh, 1951). La película está enmarcada en los westerns de disputas entre ganaderos y campesinos, westerns muy interesantes para el punto de vista jurídico y que encuentran sus mejores representaciones en *Raíces profundas* (*Shane*, George Stevens, 1953) y *La pradera sin ley* (*Man without a Star*, King Vidor, 1955). En las escenas iniciales de *Camino de la horca*, tres jinetes se cruzan con otro que les comenta que se va a producir el linchamiento de un cuatrero. El linchamiento, la mejor representación, otra vez, de la selva, del estado de naturaleza, por más que quien da la noticia lo vea como algo cotidiano, ameno, incluso divertido. Acto seguido, en un plano continuo y en primer plano vemos una soga que se mueve delante de un anciano. Pero los tres hombres que se habían enterado del próximo linchamiento llegan a tiempo y lo impiden. Uno de ellos es el agente federal Len Merrick (Kirk Douglas). Los linchadores tratan de disuadirle: "Usted es nuevo en este territorio". Pero no logran su objetivo: "Yo sí, pero la ley no". Merrick, al mismo tiempo, también trata de convencerles a ellos: "Si es cierto, le ahorcaremos legalmente". Pero tampoco consigue su propósito y sólo consigue que le lancen veladas amenazas: "Es absurdo dar la vida por un asesino". Los Rodden, los ganaderos que dirigen la ceremonia del linchamiento, marcan la ley en su territorio, una ley que se contradice con la que representa Merrick. El conflicto ya está planteado. Por un lado Merrick y sus dos alguaciles tratarán de llevar con vida al acusado hasta Sta. Loma, para que sea juzgado en un juicio justo; por otro lado los

Rodden y sus vaqueros tratarán de hacer cumplir su propia ley y matar al sospechoso y a todo el que se oponga a su propósito. La justicia y la ley, diversas justicias, leyes distintas, se lanzan a una carrera de obstáculos hacia Sta. Loma. Quien venza, quien llegue primero, impondrá su ley. Tras un viaje lleno de avatares, con tiroteos, muertes, desiertos que cruzar, traiciones… Merrick consigue el objetivo, llegar a Sta. Loma con un hijo de Rodden como rehén y salvoconducto. Una vez allí las dos leyes, las dos justicias, se enfrentan. El juez Morris dispuesto a ejecutar la ley, y al acusado, si le declaran culpable, y el señor Rodden tratando hasta última hora de ejecutar la ley del talión.

El juicio se acelera y se celebra esa misma noche, ante lo que pocas esperanzas le quedan al posible reo, ya que en ese breve lapso de tiempo ni pueden aparecer nuevos testigos ni otro tipo de pruebas. Expresa su disconformidad, esgrimiendo que ése es el tipo justicia de los ganaderos, pero el juez le callará la boca diciendo que la justicia no depende de la hora en que se aplique, y que será tan imparcial de noche como de día. El acusado admitirá el robo del ganado, aunque negará en cambio el asesinato que se le imputa; sin embargo, ante la falta de otro sospechoso, le declaran culpable. La presunción de inocencia se desvanece. Finalmente el sheriff Merrick consigue una prueba que implica en el asesinato al otro hijo de Rodden. Este *Caín* (que actuó movido por los celos que sentía por su hermano) trata de escapar pero no lo consigue, enfrentándose en un duelo final con el sheriff Merrick, que le matará. El Sr. Rodden, avergonzado y humillado, se olvida del reo y de su venganza, y se va. La ley ha triunfado.

Podríamos citar muchas otras películas en las que, de una u otra manera, se observa la situación selvática que fue el oeste cuando comenzó a ser colonizado. Realmente en las películas del oeste, dependiendo de cuál se trate, se puede ver desde la inicial situación de salvajismo, hasta un primer momento de evolución, hasta otro momento más avanzado, hasta la llegada de la sociedad civil. En la última analizada, la de Raoul Walsh, ya quedó claro el enfrentamiento entre el Derecho y la ley del más fuerte, y ya vimos de quién fue la victoria. Pero sigamos el recorrido.

2.2. El fin del oeste: la sociedad civil

En cierta medida, el western trata de cómo se construyen las ciudades, de cómo se establece la civilización y, con ella, el Derecho. Una tesis que se puede defender a partir de los contenidos ideológicos de este género es la de que el Derecho es un producto urbano, propio de sociedades que han alcanzado cierto nivel de desarrollo; que el Derecho lo que hace es ponerle puertas al campo. Por supuesto, la evolución que va del estado de naturaleza a la sociedad civil no se produce rápida sino lentamente, de manera paulatina. Así, el asentamiento de una población no significa inmediatamente el establecimiento del Derecho, sino que la aparición de éste exige, previamente, resolver no pocos problemas. La pretendida prosperidad choca, en muchas ocasiones, con la salvaje realidad. En el western se ve cómo las ciudades van creciendo poco a poco y, sobre todo con la llegada del ferrocarril, van completando los servicios que ofrecen a los ciudadanos. La ciudad irá logrando su fisonomía en la medida en que consiga el desarrollo material, necesario para que deje de regir la ley del oeste y pase a aplicarse la nueva ley jurídica. De ahí que en estas películas de ciudades sean tan importantes algunas instituciones, como la estación de tren, que significa que el ferrocarril llega hasta ella y, por tanto, posibilita la comunicación o, lo que es lo mismo, evita el aislamiento, lo que imposibilitaría el progreso; como el periódico, que sirve para fabricar leyendas, pero también para lograr una sociedad informada; como la escuela, que hace que las gentes aprendan los mínimos rudimentos culturales... Por supuesto, también el sheriff, la policía, la cárcel, la ley.

Así, las ciudades jugarán un papel fundamental en este cine, siendo una especie de auténticos personajes con su mítica propia: Elsworth, Wichita, Dodge, Tombstone, Tucson, San Antonio, El Paso, Kansas... En ellas, al menos en sus inicios, conviven los pistoleros y el sheriff. Los más rápidos del oeste demuestran sus habilidades con su verbo afilado y su revólver, a la vez que se pone precio a su cabeza. También en el inicio, la ley se infringe y se interpreta alegremente. Muchas películas con el nombre de esas ciudades en su título reflejan estos aspectos. Dodge City fue considerada como la principal de estas ciudades, y entre sus legendarios pistoleros destacan Wyatt Earp y Bat Masterson. Lo que seguro que era sólo un poblado de mala muerte, con la llegada del ganado se convirtió en una ciudad rica y próspera en la que surgen florecientes negocios: salones, bares, casinos. Pero el dinero es fuente de conflictos. Muchos de éstos se solucionarán en espectaculares tiroteos y duelos. Así todo, la inseguridad reinante, los robos de ganado y los atracos a bancos y diligencias; la inseguridad —decíamos— demandará la ley y ésta traerá la figura del sheriff, su representante. Es curioso que muchas veces sean contratados como tales otrora famosos pistoleros, administrando el Derecho con particulares y personales métodos. Es el caso de Wyatt Earp, que entre otras ciudades estableció el orden en Dodge y Wichita. Los pistoleros dejan de tener cabida en la floreciente sociedad y hay que liquidarlos, para lo que muchas veces la ley no sirve, y será sustituida por una mano rápida con el revolver, con lo que así, por medio del crimen, se abre la puerta a un orden auténticamente jurídico.

Digamos que, en el inicio, en tales ciudades no gobierna la ley sino los poderes fácticos, el poderoso ganadero, por ejemplo, que tiene a su servicio un buen número de matones. Pero aquéllos están en la sombra. El protagonista que se presenta a los ojos del espectador no suele ser un gran empresario sino un pistolero. Curiosamente, cuando éste sea vencido, muchas veces en un duelo, su jefe renunciará al pretendido monopolio que tenía de la violencia, apareciendo así la posibilidad de que surja el Derecho, de que la violencia sea monopolizada por el Estado.

Véase el caso de *Wichita* (*Wichita*, Jacques Tourneur, 1955), donde —como dicen los carteles en la película— "sucede de todo". Se trata de una ciudad próspera, lo que explica que sea el objetivo de la codicia de quienes quieran obtener ganancias ilegales. Precisamente se produce en la pantalla el asalto a un banco, momento en el que aparece Wyatt Earp (Joel McRea), que lo impide. El alcalde, la prensa y el Sr. McCoy, las fuerzas vivas, están presentes y quedan impresionados. Como además desconfían de la capacidad del sheriff que tiene plaza en Wichita, que no saben si será capaz de hacer frente a los muchos vaqueros que en breve llegarán con ganado, le proponen que se encargue de velar por la ley y el orden, pero él se niega, aunque les ofrezca su ayuda como cualquier otro buen ciudadano. Sin embargo, en una terrible noche de incidentes, una bailarina resulta herida y, aún peor, muerto un niño. Earp acepta el cargo y se convierte en un representante de la ley obstinado e inflexible: detiene, desarma y pretende multar a través del alcalde a todos los vaqueros que se excedan en su diversión. El resultado, sin embargo, no será el deseado por los ciudadanos de Wichita, que —según algunos— esa rigidez en la aplicación de la ley impide el crecimiento comercial de la ciudad. "Sabemos que ha obrado usted de buena fe y que el interés que siente por Wichita es honrado y sincero —le dicen—, pero no le es fácil en cambio ver el lado práctico de la situación". Así, resulta que Earp ha logrado aunar tanto las iras de los empresarios locales como las de los vaqueros forasteros. Aunque le insistan y le pidan alguna flexibilidad, el sheriff no está dispuesto a hacer concesión alguna.

Los poderes fácticos de Wichita se oponen a Earp y se creen legitimados para destituirle, pero éste sólo acepta la autoridad del alcalde. Entonces deciden esperar, dejando que sean los vaqueros quienes quiten del medio al representante de la ley. Pero éstos no lo logran y el sheriff los expulsa de Wichita. Los empresarios, encabezados por Doc, el dueño del salón, deciden entonces contratar a dos pistoleros y tenderle una trampa, pero tampoco logran salirse con la suya, y Earp expulsa a Doc. En el fondo de la situación se encuentra el poder de McCoy, que se cree con fuerza suficiente para mandar sobre todo un pueblo. Una bala disparada por un pistolero que trata de matar al sheriff, sin embargo, alcanza y mata a la mujer de McCoy, episodio que hace que éste recapacite y acepte una ordenación jurídica de la población. Earp se deshará del último pistolero y los demás abandonarán la ciudad, que ahora, por fin, ha pasado a regirse por la ley y el orden. Como reconocimiento a su labor, Wyatt es invitado, con el mismo propósito, a Dodge City.

Dodge City, ciudad sin ley (*Dodge City*, Michael Curtiz, 1939), volverá sobre el mismo tema. Cómo hacer que una población se convierta en sociedad; que se establezca y se aplique la ley. Resulta memorable la escena con la que Curtiz expresa el fenómeno de la urbanización: el tren adelanta con regocijo a la diligencia en su carrera por llegar a Dodge. Gracias al ferrocarril, precisamente, se trata de una de las ciudades más importantes del oeste. Hasta este punto de encuentro que es Dodge, donde convergen toda clase de viajeros y comerciantes, llega Wade Hatton (Errol Flynn), un ex-soldado y guía de caravanas. Como otros muchos, busca un comprador para las reses del ganadero al que representa. Pronto descubre que la población está en manos de un cacique que,

con la ayuda de un grupo de pistoleros y matones, impone su ley y aplica su justicia. Inspirado en la figura de Wyatt Earp, y ante el estado de desorden y corrupción que vive la ciudad, Hatton decide hacerse sheriff. Ayudado por otra instancia civilizatoria, la prensa local, cumplirá su misión, pacificará Dodge. Como si de un círculo se tratara, al final de la película emprenderá camino a Wichita, para repetir su labor de limpieza.

Pero la película que mejor representa el tránsito del estado de naturaleza a la sociedad civil es *El hombre que mató a Liberty Valance* (1962), de John Ford, quizás el más grande cineasta del western (habrá quien piense que junto con Anthony Mann, si bien aquél fue bastante más prolífico), y una de las mejores películas de vaqueros de la historia del cine; aunque tal vez haya que decir una de las mejores películas de la historia del cine, simplemente. *El hombre que mató a Liberty Valance* transmite al espectador un mensaje optimista sobre el Derecho y el Estado, si bien matizado por un contexto crepuscular, que se ve reforzado por la edad de los actores; cuando rodaron la película, John Wayne contaba sesenta años y James Stewart, cincuenta y cinco. Un contexto crepuscular liberal conservador: es la película

Derecho y Cine. El Derecho visto por los géneros cinematográficos

de John Ford, de John Wayne y de John Locke.

En *El hombre que mató a Liberty Valance* se narra claramente el paso de una situación en la que impera *la ley del más fuerte* a otra en la que se instaura *la ley y el orden*; o en otros términos, el paso del estado de naturaleza, de un estado de naturaleza con reminiscencias más lockeanas que hobbesianas, a la sociedad civil. Ranson Stoddard (James Stewart) es un joven abogado idealista, educado en una ciudad del Este, que al llegar a su nuevo destino, en el Oeste, sufre el asalto de la banda de Liberty Valance (Lee Marvin). Desde el principio queda patente el enfrentamiento entre la violencia, la arbitrariedad, la injusticia, y el Derecho, representado por el joven jurista: Liberty, al enterarse que se trata de un experto en leyes, le golpea brutalmente a la vez que le dice que él le va a enseñar qué ley es la que rige allí. Si se ensayara un análisis cinematográfico, de secuencias, habría que referirse ahora a una: la secuencia en la que un filete sirve de excusa para generar un conflicto en la cantina, enfrentamiento en el que intervienen los tres protagonistas. Mientras Ranson Stoddard se mueve y recoge el filete del suelo, Valance y Doniphon (John Wayne) mantienen fijas sus miradas amena-

zadoras, permaneciendo en un estatismo crispante; bella metáfora de un mundo que no se mueve, anclado en el pasado, con sus rencillas y cuentas pendientes, y de otro que intenta romper con lo establecido y hacer avanzar la situación, con un pretendido final pacífico y, diríamos, civilizado. Otra vez la oposición entre lo cinético y lo estático; entre la civilización y la naturaleza; entre el este y el oeste.

Pero antes de que llegue la sociedad, la verdadera sociedad, la situación que vive la comarca es la de la dominación de los grandes ganaderos, que imponen su voluntad a todos; dominación de la que la violencia de Liberty Valance sólo es un instrumento. La intención de Ranson es la de establecer allí la civilización (no en vano es un producto de ella), para lo que será necesario por una parte acabar con Liberty Valance y todo lo que él representa; por otra, ponerse de acuerdo para salir del estado de naturaleza, a la vez que reconocer el respeto que merecen el Estado y su ordenamiento jurídico, que se presentan como las únicas instancias que pueden defender los derechos individuales de todos. Las palabras del periodista amigo de Ranson, avanzada la película, son claras y podrían haber sido pronunciadas por Locke: "hoy ha llegado el ferrocarril y la gente, ciudadanos honestos que trabajan duro: los colonos, los comerciantes y los constructores de ciudades. Y necesitamos carreteras para unir esas ciudades y diques para las aguas de Picket Wire, y precisamos autoridad para proteger los derechos de todos los hombres y mujeres, por humildes que sean". El Derecho, por tanto, no sólo es creado por todos sino que está al servicio de los derechos naturales de todos o, al menos, de todos los miembros de la comunidad. Una visión positiva del Derecho, aunque tal vez tenga que matizarse, como decíamos. Porque la película es una narración que se produce en un velatorio, ante el cuerpo presente de Tom Doniphon, el más puro representante del Oeste: honesto, solidario, libre... Repárese en la similitud entre dos escenas: aquella en la que tras salvar a Doniphon de un incendio se lo llevan tumbado en un carro, y la otra en la que en un carro idéntico retiran el cuerpo sin vida de Valance. La similitud resulta llamativa: tanto uno como otro representan un mundo que agoniza. En fin, Ranson no sólo se casó con la pretendida de Doniphon sino que impuso los valores, en gran medida urbanos e industriales, de una nueva vida. A la vez que aparecía el Derecho, desaparecía el Oeste.

De forma más dramática aún, si no fuera por el tono cómico que le imprime John Huston, se puede ver, o intuir, otra versión de la génesis del orden jurídico en *El juez de la horca* (1972). Ahora no hay pacto o contrato alguno acerca de la convivencia de la comunidad, ni derechos naturales ni nada semejante. Ahora únicamente existe una violencia que se impone a todos aquellos que no son capaces de hacerle frente; una violencia que aplica arbitrariamente el juez Roy Bean, quien decide como le viene en gana qué reglas están vigentes o han dejado de estarlo, que interpreta como quiere las normas jurídicas. La legitimación del Derecho, si es que se puede hablar de algo así, no se halla en ningún título sublime sino en la propia posibilidad de imponerlo. Dicho descarnadamente, lo que cuenta no es la justificación del ordenamiento jurídico sino, simplemente, la fuerza que hay para que incluso los que no quieren lo obedezcan. Porque la paz de la que habla Roy Bean no deja de ser una broma pesada que nada justifica: "No me importa a quien tenga que matar para imponerla", dice. Una perspectiva negativa, deprimente, sobre el Derecho: antes la situación era caótica y cada uno tenía que mirar por sí; ahora continúa siéndolo, salvo que es uno sólo el que detenta toda la fuerza. La primera víctima de la peculiar justicia de Roy Bean contestó a la clásica pregunta de San Agustín por la naturaleza del Derecho, cuando les dijo a los alguaciles que en nada se diferenciaban de él y de la gente como él. Es verdad que aquello era un linchamiento pero, como contestó Bean, allí los linchamientos se hacían "de acuerdo con la ley".

En cierta forma, John Ford y John Huston presentan las dos tendencias ideológicas básicas de una teoría social mínimamente realista: en la génesis del orden social, de la sociedad, se encuentra la violencia —dicen ambas—, si bien para una la violencia fue el elemento fundacional básico, mientras que para la otra también tuvieron que darse otros factores (el contrato, al fin y al cabo), sin los cuales la sociedad no habría surgido. La violencia siempre está presente, pero con más o menos intensidad, para llegar a un estado del todo distinto al de la naturaleza, pues éste se caracteriza por la desconfianza, mientras que en la nueva y verdadera sociedad se puede vivir confiadamente, al menos con cierta confianza.

2. El western de indios y vaqueros

2.1. El cine clásico de indios y vaqueros

Ya sabemos qué buen ejemplo del estado de naturaleza era, para Hobbes, la situación en la que vivían muchos pueblos aborígenes americanos a la altura de 1651, cuando escribió *Leviatán*. Pasado el tiempo, parece que la opinión del filósofo seguía siendo compartida por otros muchos, que continuaban creyendo que aquellos indios eran unos salvajes que merecerían ser exterminados. Hay testimonios más moderados, pero queremos exponer el (más realista) de quien se identificó con la causa india y le ofreció su popularidad, el de Marlon Brando, que aprovechó la nominación al *Óscar* por su participación en *El padrino* para que en vez de él hablara Pequeña Pluma Sacheen, una india amiga suya, reivindicando los derechos de su pueblo. Al final los organizadores no lo permitieron, pero aquello sirvió para llamar la atención sobre los nativos norteamericanos y su situación entonces actual. Brando no dejó de decir que la desaparición de los aborígenes en los Estados Unidos había sido un genocidio, ni de compararlo con otros reconocidos como tales. Incluso llegó a llamarlo "la versión americana de la Solución Final". El actor y militante pro-indio nos cuenta que cuando llegó Colón al Nuevo Mundo había en el territorio de lo que luego fueron los Estados Unidos entre siete y dieciocho millones de indígenas, y que mediada la década de los veinte del siglo pasado sólo quedaban doscientos cuarenta mil. Semejante catástrofe se consiguió utilizando diversos procedimientos, no sólo militarmente. Por ejemplo: "Nuestras autoridades privaban de alimentos intencionadamente a los indios de las llanuras eliminando a los búfalos, porque era más rápido y más fácil matar a los búfalos que a los indios". Lo curioso es que casi ningún estadounidense estaría dispuesto a reconocerlo. "No sirve de nada ser lógico en este tema; la gente no responde a la lógica". Pero entonces, ¿a qué respondía?

"Cuando yo iba a la escuela en los años treinta [...] la mayor parte de los libros de texto dedicaba a los indios sólo dos o tres párrafos que los describían como una raza de bárbaros y feroces salvajes sin rostro. Des-
de las novelas baratas hasta las películas, la cultura popular ha reafirmado nuestra falsa caricatura de los indios; el convertirlos en demonios los ha deshumanizado y, por añadidura, ha elevado a la categoría de héroes populares a asesinos de indios como Daniel Boone, Andrew Jackson y Kit Carson. Desde su nacimiento, Hollywood difamó a los indios en películas como *El prófugo*. John Wayne probablemente causó más daño a los indios que el general Custer en toda su vida, al proyectar la imagen estúpida de un blanco valiente que lucha en la frontera contra los salvajes ateos. Hollywood necesitaba malos, y los indios pasaron a ser la personificación del mal".

Resulta esclarecedor que en el libro que Shohat y Stam dedicaron a la labor imperialista del cine, titulen "El western como paradigma" el capítulo en el que se ocupan de este género. Lo que hizo Hollywood —según ellos— fue dar la vuelta a la historia, al hacer que los nativos norteamericanos, caracterizados tanto por unas costumbres absurdas y primitivas como por una agresividad irracional e inexplicable, "parecieran intrusos en su propia tierra". La idea la resume Shlomo Sand cuando, refiriéndose al papel ideológico de estas películas, las define como "una carnicería en la que se pretende que el espectador se identifique con quienes la cometen y no con quienes la sufren". Se trataría, sin más, de un género racista (Churchill). Sin pretender ser exhaustivos, veamos algunos ejemplos que permitan identificar los mecanismos que utilizaron las películas clásicas de indios y vaqueros.

Cuando Peter Bogdanovich le comentó a John Ford que en sus filmes los indios siempre tenían una gran dignidad, el genial director le dijo: "Probablemente se trata de un impulso inconsciente, pero son un pueblo muy digno, incluso cuando son derrotados. Claro que eso no resulta muy popular en los Estados Unidos. Al público le gusta ver cómo matan a los indios. No los consideran seres humanos que tienen una gran cultura propia". Sin embargo, el cine de Ford fue uno de los que más contribuyó a la elaboración de la *historia oficial* de la conquista del oeste y del pueblo indio. Fijémonos en algunos títulos emblemáticos del genial director. En *La diligencia* (*Stagecoach*, 1939), precisamente la historia de un viaje en diligencia, los invisibles indios apaches encabezados por Jerónimo, que se han escapado de su reserva, generan una tensión que, por fin, estallará cuando ataquen el carruaje.

Puesto que el espectador tiende a identificarse con alguno de los personajes que viajan en la diligencia, a los indios se les tiene por enemigos, unos enemigos especialmente crueles según se da a entender. Curiosamente, en el asalto casi no se causan bajas entre los viajeros, pero éstos, para regocijo del público, disparan con gran puntería y aciertan sobre gran número de asaltantes, que se caen, heridos o muertos, de sus caballos. En *El joven Lincoln*, sin embargo no aparece ningún indio; únicamente una referencia: el personaje de la madre le comentará a Lincoln que es viuda porque un "indio borracho" mató a su marido. Claro que los indios no conocían el alcohol hasta que los blancos se lo llevaron...

Pero aparte de las películas de Ford en las que los indios aparecen de una u otra forma pero no juegan un papel central, hay que referirse a la trilogía que dedicó a la caballería de los Estados Unidos: *Fort Apache* (1948), *La legión invencible* (*She Wore a Yellow Ribbon*, 1949) y *Río Grande* (1950). La primera de las tres, *Fort Apache*, resulta una película donde es cierto que Ford reivindica el pueblo indio, labor de la que se encarga el capitán York, interpretado de nuevo por John Wayne, pero también la disciplina militar hasta el punto de glorificar las hazañas del comandante en jefe, un racista que odia a los aborígenes, responsable de la carnicería con la que se cierra la película. En cualquier caso, el mensaje de la trilogía queda claro en la apología militarista y ultranacionalista con que se cierra *La legión invencible*: "Aquí están los feroces guerreros, profesionales por cincuenta centavos al día, dirigiendo la avanzada de una nación. Desde Fort Reno a Fort Apache; desde Sheridan a Stockton. Eran todos iguales. Tenían una sucia chaqueta azul y una fría página en los libros de Historia. Pero donde quiera que fueran y lucharan por lo que lucharan, ese lugar se convirtió en Estados Unidos". Por lo demás, *La legión invencible* no contiene un discurso expreso sobre/contra los indios; sólo en cierta ocasión el protagonista los llama "diablos" y en otra escena dan muestras de una crueldad terrible, pero más allá de esas noticias no existe una condena explícita. Se trata, simplemente, de que son los enemigos a quienes hay que derrotar, identificándose el espectador con el punto de vista de la película, el del Séptimo de Caballería. Como casi todas las del momento, se trata de una película anti-india pero no porque así se diga de forma explícita sino porque la cámara nunca adopta el punto de vista

del indio y, por consiguiente, el espectador nunca se pone en su piel. En cambio, la tercera entrega de la trilogía, *Río Grande*, no sólo exhibe el patriotismo y el militarismo de la anterior sino un claro y reaccionario racismo (McBride). Como ocurre con otras muchas películas del oeste, también ésta puede (y debe) interpretarse haciendo referencia al contexto y la posición de los Estados Unidos en el mundo, en este caso la guerra fría, pero lo que ahora nos importa es la imagen que nos ofrece de los nativos norteamericanos, repugnantes y sanguinarios salvajes sin escrúpulos capaces de cometer toda clase de fechorías; en este caso no sólo asaltar caravanas de blancos sino incluso matar a sus mujeres y secuestrar a sus niños.

Este mensaje abiertamente anti-indio también se encontrará en *Centauros del desierto* (*The Searchers*, John Ford, 1956), la película que ha llegado a ser calificada como la mejor de la historia del cine, pues incorporaba una perspectiva brutalmente racista, la de Ethan Edwards, el protagonista interpretado otra vez por John Wayne, que detestaba a los pieles rojas, quienes por lo demás no se ahorraban crímenes repugnantes para parecer a los ojos del espectador un poco menos malvados. Asaltaban el rancho del hermano de Ethan y masacraban a su familia, salvándose únicamente la hija pequeña, a la que —otra vez— secuestraban. La película narrará precisamente el peregrinaje de Ethan para encontrarla. Cuando por fin dé con ella, estará a punto de matarla por haberse convertido en una cheyenne más. Sin duda una película grandiosa, pero otra vez al servicio de un lamentable mensaje racista, pues en la imagen del espectador los indios quedaban como criminales, con lo que al final los pueblos aborígenes parecían caracterizarse por un salvajismo y una violencia atroces.

Otro de los directores que filmó imborrables filmes de indios y vaqueros fue Raoul Walsh. Uno de éstos, *Murieron con las botas puestas* (*They Died with their Boots On*, Raoul Walsh, 1941), tal vez se tenga por la película más clásica del género, una película magnífica puesta al servicio de una mitología, la que produjo el Oeste. De hecho, se trata de una biografía/hagiografía de Custer, interpretado por Errol Flynn, que contribuyó a forjar la leyenda. De hecho, los defectos de Custer, que es temerario e indisciplinado, se tornan en virtudes: su temeridad pasa por valentía y su indisciplina se ve como simple gracia. Al final, sin embargo, resultará nada menos que el salvador de la Unión, al vencer a los sudistas. Es en la segunda parte de la película cuando aparecerán los indios: *los otros*, *los violentos*, *los salvajes*... Es verdad que se ha dicho que en *Murieron...* no sale malparada la imagen de los indios, pero eso —creemos— sólo es cierto a medias. Es verdad en la medida en que *Caballo Loco* es interpretado nada menos que por Anthony Quinn, y ya veremos cómo la elección del intérprete no resulta una cuestión indiferente, y en la medida en que los indios son traicionados por unos comerciantes blancos sin escrúpulos, pero no lo es en otro sentido. No me refiero sólo a algunos comentarios del propio Custer ni a la sensación de que matar indios sigue siendo un divertimento, sino al hecho de que se tenga por natural que, para no ser eliminados, los sioux hayan de renunciar a todas sus pertenencias, a todas salvo, única condición que establecen para firmar un tratado de paz, las Colinas Negras, donde descansan —dicen— los espíritus de sus antepasados. Los indios siguen siendo, por tanto, unos extraños en sus propias tierras, mientras que los blancos, al menos los blancos honestos, encarnados por el Séptimo de Caballería, hacen lo que deben, colonizar nuevos territorios y expulsar a sus habitantes. La película finalizará con el desastre (para el ejército) de Little Big Horn, una gesta épica... Del ejército norteamericano.

De Raoul Walsh, a comienzos de la década de los cincuenta aparecerá *Tambores lejanos* (*Distant Drums*, Raoul Walsh, 1951), un western atípico que se desarrolla en el este (¡!), en Florida, en 1840, cuando se produce la guerra contra los semínolas, y que tiene algo de película de marineros. Se trata de una aventura: el capitán Quincy Wyatt (Gary Cooper), con un reducido grupo de hombres, tiene que llegar hasta y destruir un lejano castillo, centro de operaciones de un grupo de contrabandistas de armas que suministra éstas a los semínolas. Lo hará, pero en la huida tendrá que enfrentarse repetidamente a los indios que les persiguen. ¿Qué imagen de los aborígenes transmite la película de Walsh? Realmente, en *Tambores lejanos* aparecen indios buenos y malos. Los primeros se han adaptado a la nueva cultura; los otros, en cambio, los semínolas, son "salvajes y sanguinarios", como expresamente se dice al comienzo del filme. Unas "sabandijas", insultará el protagonista antes de torturar a uno de estos indios, de los que se nos muestran sus poblados llenos de calaveras o la falta de piedad con la que tratan a sus enemigos, a los que llegan a matar arrojándolos a los cocodrilos. Pero la *imagen* que nos queda de los indios es la de sus veloces carreras en pos de los blancos, que transmiten una fiereza terrible, brutal; fiereza que el espectador puede sentir gracias al uso que de la cámara hace el director, colocándola a los pies de los *salvajes*.

Quizás una de las últimas grandes películas que siguió el paradigma clásico de las de indios y vaqueros fue *Estación comanche* (*Comanche Station*, Budd Boetticher, 1960), en la que sencillamente no había ninguna intención de presentar a los indios de forma distinta a cómo habían sido mostrados por el cine tradicional. A lo largo del filme Cody, un vaquero que libera a una mujer en manos de los indios, se encuentra con dos peligros: blancos criminales y comanches sanguinarios. Mientras que los primeros están presentes, los segundos no, convirtiéndose así en un peligro latente, aumentando la sensación de suspense. Un comentario del protagonista refiriéndose a un poblado de indios pacíficos y la noticia que llega de cómo los comanches han arrasado un pueblo y matado a mujeres y niños, nos dice que hay indios buenos y malos. Matar a éstos en la pantalla, como nos decía Ford, constituye todo un pasatiempo para el espectador.

2.2. El cine revisionista de indios y vaqueros

Quizás en bastantes películas, aunque ni mucho menos en todas, se hacía algún comentario o se mostraba alguna actitud que servía para valorar a los nativos o, al menos, para describir objetivamente la situación. Es el caso, por poner un ejemplo, de *Caravana de mujeres* (*Westward the Women*, William A. Wellman, 1951), en la que los indios atacaban la referida caravana, aunque acabarán retirándose, pues "las flechas — dirá el jefe al dar la orden— no pueden contra los rifles". Efectivamente, fue un enfrentamiento desigual, desproporcionado. Otra cosa sería que una película entera se dedicase a reivindicarlos, lo que nunca había sucedido pero acabó ocurriendo en 1950. Aquel año aparecieron dos películas: *Flecha rota* (*Broken Arrow*, Delmer Daves, 1950) y *La puerta del diablo* (*Devil's Doorway*, Anthony Mann, 1950). La primera película adoptó una perspectiva claramente favorable a los pueblos nativos norteamericanos. El hecho de que el protagonista, Tom Jeffords, un soldado licenciado, fuera interpretado por James Stewart, otorgaba aún más fuerza al mensaje proindio del filme. La labor de Jeffords, que se hará buen amigo del jefe apache Co-chise, parece por momentos la de un antropólogo: aprende la lengua y las costumbres de los apaches, y se integra tanto en el pueblo que llegará a casarse por su rito con una india. El argumento gira en torno a sus exitosos intentos pacificadores, pero nos parece que más importantes que éstos es la imagen humana que se transmite de los indios, un pueblo que sufre el robo de sus tierras, así como el punto de vista interno, y comprometido, que adopta el protagonista, a todas luces (y justamente) partidario de la causa indígena, con lo que el espectador se pone de su parte. Pero más interesante es *La puerta del diablo*, una película de una complejidad argumentativa sobresaliente, sobre la que han de recaer las mejores críticas. Lance Poole (Robert Taylor) es un indio navajo que ha luchado en el ejército de los Estados Unidos (¡ha obtenido la Medalla de Honor del Congreso!) y que ahora vuelve a sus tierras con el afán de trabajar allí donde su familia ya está asentada. El regreso coincidirá con el fallecimiento de su padre, si bien antes del fin aún tiene tiempo para decirle que los blancos les odian a muerte. Western raro, por tanto, que no trata de las guerras que los colonizadores y su ejército hicieron contra los indios, sino de la discriminación que sufren los indios ya *integrados* en la nueva sociedad. En ese contexto racista, una cuestión jurídica: las tierras de la zona han sido puestas en venta por el gobierno, y cualquier ciudadano norteamericano puede adquirirlas. Poole, propietario *de facto*, no podrá adquirir sus tierras por ser indio, ya que éstos no son ciudadanos sino "protegidos" del gobierno. La discriminación resulta patente, como otra que sólo queda apuntada en la película, la de la mujer: ¡el abogado del indio es una mujer! Como los indios exigen que se reconozcan sus derechos, que nadie pueda quedarse con sus tierras, el conflicto con los que quieren apropiárselas resulta inevitable. La situación provocada por la norma legal, al final, traerá consigo el asedio al rancho de los navajos y la masacre de todos los varones que allí se encuentran, sobreviviendo únicamente mujeres y niños, a quienes se lleva a la reserva. Terrible. A los antiguos habitantes no sólo se les expropian sus tierras y se les confina en reservas indignas, sino que se les impide adquirir nuevas fincas, se les niega la nacionalidad y, por fin, se les asesina. El mensaje está claro y comienza el ciclo del cine proin-

dio, revisionista del cine clásico de indios y vaqueros.

Poco después aparecería *Apache* (Robert Aldrich, 1954), que también contenía un mensaje favorable al pueblo indio. Narra cómo el pueblo apache es confinado a una reserva, donde se le somete a un trato indigno: unos se alcoholizan; otros adoptan las costumbres de los blancos. Massai, un valiente guerrero que parece el sucesor de Cochise y Gerónimo, huye y él solo declara la guerra a los colonizadores, cometiendo todo tipo de sabotajes y atentados, siempre exitosos. Unido a una muchacha india, y perseguido por los soldados, escapa a las montañas del oeste, donde vivirán libres y salvajes, en armonía con la naturaleza, hasta que ella dé a luz a un niño. Aunque al final a Massai le perdonarán la vida por haberse civilizado, no deja de tratarse de un filme proindio. En la película de Aldrich, la opción favorable a los nativos no se plasma en un discurso que reivindique sus derechos sino en el dato (cinematográfico) del actor que encarna al protagonista, el atlético Burt Lancaster. El hecho de que Lancaster, un blanco, interprete a un piel roja y adopte el punto de vista de éste, por tanto, hace que el espectador también se ponga en la piel del apache y pueda mirar el mundo con los ojos de éste. Conseguir esto significa que el indio ya no es visto como un enemigo o como un salvaje sino, al contrario, como quien tiene sus razones y defiende sus derechos. Pero no siempre el hecho de que un actor/estrella de Hollywood interprete a un indio significa que la película sea pro-india, evidentemente. Véase si no el caso de otra película del mismo año, *Raza de violencia* (*Taza, Son of Cochise*, Douglas Sirk, 1954), cuyo título en castellano traicionó no sólo el original sino el mismo espíritu del filme. Aquí es Rock Hudson quien interpreta a Taza, el primogénito de Cochise que a lo largo de toda su vida tratará de conseguir la paz con el hombre blanco a cualquier precio. Esa pretensión, sin embargo, servirá para distinguir claramente entre indios buenos y malos: los primeros, que persiguen un entendimiento con el hombre blanco; los segundos, que luchan contra él. Así, otra vez, la película de Sirk consigue legitimar la conquista, a la vez que condena a los nativos que se opusieron a ella, resaltando su fiereza y su negativa a la paz. Pero de la política de reservas, que es la que justifica esta cinta, hoy sabemos que contribuyó a la destrucción del pueblo indio.

Visto desde aquí, 1970 parece el año del cine revisionista de indios y vaqueros, por más que algunas de las cintas que aparecen en esta fecha hayan sido calificadas de "estereotipadas y panfletarias" (Quim Casas). Aparecieron tres películas que narraban una historia distinta de la que el cine tradicional había contado. Arthur Penn estrena una muy larga película, *Pequeño gran hombre* (*Little Big Man*), ficticia autobiografía de Jack Crabb (Dustin Hoffman) que sirve para hacer un repaso, en clave crítica y cómica, del cine del oeste: aparece desde una recreación del asalto a *La diligencia*, de Ford, hasta el problema indio, desde la cuestión de la violencia entre los colonizadores (durante una temporada Crabb será un pistolero que no quiere matar a nadie) hasta la desequilibrada personalidad del general Custer, que con sus erróneas decisiones llevará al desastre de la batalla de Little Big Horn, de la que sólo se salvó —según dice, aunque no sabemos si creerle— Jack Crabb. En cuanto a los indios, Penn no deja de mostrar las masacres llevadas a cabo por el ejército, que asesina sin piedad a mujeres y niños de pecho. Al comienzo del filme, el petulante entrevistador ante el que Crabb repasa su vida dice lo que es difícil escuchar en otra películas, que los que se hizo con los pueblos indios constituyó un genocidio, es decir, que casi se les extermina. Al final, las palabras del jefe cheyenne, tras la derrota de Custer, resultarán proféticas: los *seres humanos* (tal como se llamaban a sí mismos los cheyennes) han podido ganar una batalla, pero la guerra contra los hombres blancos está inevitablemente perdida. Así fue.

El mismo año aparece *Soldado azul* (*Soldier Blue*, Ralph Nelson, 1970), una película no demasiado lograda, pero que también refleja una opción desmitificadora de la conquista. Por una parte, porque el punto de vista más fundado de los que aparecen en la cinta es el de Cresta Lee, una mujer que, secuestrada por los cheyennes, convivió con ellos durante dos años, con lo que comprende y justifica su proceder, bárbaro a los ojos de sus compatriotas: "¿Qué diablos esperan que hagan los indios, quedarse sentados en sus tiendas mientras otros les quitan sus tierras?", le espeta al joven soldado que la acompaña. Por otra parte, porque el filme termina con una acción de exterminio que tropas del ejército estadounidense, dirigidas por el coronel Iberdson, llevaron a cabo contra el pueblo cheyenne, matando a más de quinientos de sus miembros. Ni el hecho de que los indios casi no se resistieran, ni otra vez el

que hubiera un elevado número de mujeres y niños, impidieron una represión enloquecida, que incluyó violaciones y torturas. Al final se advierte, eso sí, que el responsable de semejante masacre fue sometido a consejo de guerra, condenado y ejecutado.

Por fin, el mismo año aparece *Un hombre llamado caballo* (*A Man Called Horse*, Elliot Silverstein, 1970), una película que va a ser un éxito de taquilla y que, por medio de la asunción del punto de vista de los nativos por parte del protagonista, consigue que el espectador se identifique con el pueblo indio. John Morgan (Richard Harris) es un noble inglés que resulta secuestrado por los indios, que lo tratan como a un esclavo, como un caballo de carga a quien le exigen llevar a cabo los más duros trabajos. Sin embargo, John se va integrando en la tribu, hasta el punto de que se acabará casando con la hermana de un líder indio sioux y convirtiéndose nada menos que en jefe. La película tiene un innegable carácter antropológico. Su mayor virtud es, precisamente, la documentada descripción que hace de la vida de los nativos, fijándose en las instituciones y los rituales en los que se fijarían los antropólogos: la trágica situación de las viudas que se quedan sin un hombre que las atienda, el precio de la novia, los ritos matrimoniales, las ceremonias funerarias, etc. Y al lado de las realidades culturales, las naturales, intercalándose bellas imágenes de la naturaleza, y mostrándose así las respuestas culturales que los hombres dan a las exigencias de ésta. No son salvajes, parece que viene a decir la película, sino humanos que, en un hábitat distinto del nuestro, ofrecen soluciones distintas de las nuestras a las necesidades que sí son comunes a todos los hombres. Otra vez con la utilización de la perspectiva del participante se logra que se restaure el honor indio. La película traería secuelas que constituirían casi una serie: *La venganza de un hombre llamado caballo* (*The Return of a Man Called Horse*, Irvin Kershner, 1976) y *El triunfo de un hombre llamado caballo* (*Triumphs of a Man Called Horse*, John Hough, 1983), en parecida línea.

Pero creemos que la cima de este western revisionista se alcanzó en 1990 con *Bailando con lobos* (*Dances with Wolves*, Kevin Costner), que obtuvo además el reconocimiento de Hollywood, logrando nada menos que siete *óscars*, los fundamentales entre ellos. Si no estamos equivocados, la industria cinematográfica norteamericana no sólo premia las que tiene por buenas películas, sino que

también respalda temáticas y tratamientos, es decir, opciones políticas, con lo que admite ahora (fílmicamente) la injusticia sufrida por los pueblos aborígenes. El teniente John J. Dunbar (Kevin Costner), un héroe de guerra, pide destino en territorio sioux, adonde le trasladará un comerciante que opina de los indios que son todos "ladrones y pordioseros" (algo parecido, por cierto, a lo que los indios opinan de los blancos, como luego sabremos, que son —dicen— sucios y tontos). El etnógrafo que resulta el protagonista, como el protagonista de *Flecha rota*, llegará a otra conclusión: "Nada de lo que me han contado de esta gente es correcto. No son pordioseros ni ladrones. No son en absoluto los espantajos que nos ha hecho creer. Por el contrario, son unos huéspedes corteses y me agrada mucho su sentido familiar".

Bailando con lobos vale, por tanto, como documento antropológico, pero también como canto a la naturaleza y como recuerdo de una cultura, la de los sioux, que fue aniquilada por el hombre blanco, según se recuerda al final de la película. Otra vez, el hecho de que el protagonista se identifique con los indios hace que también lo haga el espectador. Tras la película de Kevin Costner, aparecieron otras que transmitían un mensaje favorable a los pueblos indios, aunque ninguna —creemos— de su importancia.

3. ¿Puede hablarse del *cine jurídico* como género cinematográfico?

Ha llegado el momento de concluir, de echar un vistazo atrás y ver qué nos ha sugerido el western acerca de la sociedad y la política, cuál es su filosofía, su perfil ideológico. Si no estamos equivocados, en general las películas de vaqueros tratan de la constitución de la sociedad, del paso del estado de naturaleza, tan bien descrito en muchas de estos filmes, al estado social. Dado que se trata de un género que versa sobre la historia de los Estados Unidos, más que de la creación de una nueva sociedad habría que hablar de la extensión de una ya existente, pues en eso consistió la colonización del oeste, si bien es verdad que en sede teórica sería un caso similar al de la creación *ex novo*.

Para salir del estado natural, de la selva, y construir la civilización, lo primero es acabar con aquellos que no quieren hacerlo, con quienes están a gusto viviendo como salvajes. Ya está dicho que el cine del oeste jugó una triste labor ideológica, embelleciendo una conquista que resultó terrible para los aborígenes que vivían en aquella tierras.

Esta labor se logró de dos maneras distintas: por medio de un discurso expreso que condenaba a los nativos por primitivos y salvajes, y por medio de la ocultación del punto de vista de los indios, pues en muchas películas sólo se mostraba la perspectiva de los colonizadores, que así resultaba ser con la que se identificaban los espectadores. Estos mismos procedimientos se utilizaron después en ese otro cine de indios y vaqueros que revisaba la cinematografía clásica a la vez que reivindicaba a aquéllos: o expresamente se condenaba la actuación de los colonizadores, ejército incluido, o la cámara adoptaba el punto de vista del indio, que así veía legitimadas sus naturales aspiraciones a vivir en las tierras en las que vivían y habían vivido sus antepasados.

Pero causaran más o menos simpatías, desde un principio quedó claro que la nueva sociedad no se constituiría por todos sino sólo por algunos. Exterminados los indios, pieles rojas, los hombres blancos ya podrían pactar la creación de una nueva sociedad o, lo que se hizo, la unión a otra ya existente. Evidentemente, con los indios nunca se trató de pactar nada; simplemente los liquidaron o, en el mejor de los casos, los arrinconaron en reservas. Llegado este momento, los colonizadores ya estaban en condiciones de ponerse de acuerdo acerca de qué sociedad querían, pero entre ellos también había descontentos, gentes que se oponían a la sociedad que estaba por llegar o usaban la fuerza para defender sus solos intereses. También habría que liquidar a éstos y, otra vez, la única forma de hacerlo era por medio de una violencia aún mayor. Cuando por fin quedaron los elegidos, hubo dos alternativas: o bien se pusieron de acuerdo en la constitución de una sociedad en la que se protegieran los derechos de todos, los derechos a la vida y a la salud, a la libertad y a la propiedad, como si Locke dirigiera el proceso; o bien, de facto, quien en ese momento detentaba el poder comenzó a ejercerlo autoritariamente, mientras que el resto se sometió de mejor o peor gana al nuevo Leviatán, conforme a los designios de Hobbes.

En cualquier caso, para este cine la aparición de la sociedad, con su Estado y su Derecho nuevos, constituyó una maravillosa invención que permitía a los seres humanos vivir confiados, mientras que ya sabemos que en el estado de naturaleza vivían en continua desconfianza, en una especie de guerra civil, que es lo más parecido que hay al estado primigenio. Básicamente existen dos maneras de ver y valorar la evolución humana: para una, los hombres vivían libres y felices, en una especie de paraíso terrenal, pero la aparición de la mal llamada civilización, del Estado y del Derecho, significó la entrada en el reino de tinieblas, en el que todavía nos encontramos; para otra, los seres humanos vivían una vida insufrible, en una selva en la que sólo regía la ley del más fuerte, con lo que los débiles sucumbían y, dado que ningún hombre es siempre fuerte, que hasta el más fuerte acaba perdiendo su fortaleza, nadie estaba a salvo; entonces los hombres decidieron salir de esa terrible situación y constituyeron el Estado, para que todos tuvieran una existencia digna. Aunque a veces hubiera cierta ambigüedad, el western tomó opción entre los dos términos de esa dialéctica y se puso de parte de la ley y el orden, de Norteamérica, de la civilización.

4. Bibliografía

BOGDANOVICH, Peter: *John Ford*, Madrid: Fundamentos, 1983, 195 p.

BRANDO, Marlon: *Las canciones que mi madre me enseñó*, Barcelona: Anagrama, 1994, 465 p.

CASAS, Quim: *El western. El género norteamericano*, Barcelona: Paidós, 1994, 248 p.

CASAS, Quim: "El western. Un género sin justicia", *Nosferatu 32*, *Cine y Derecho*, 2000, p. 16-20.

COMA, Javier: *La gran caravana del western*, Madrid: Alianza Editorial, 1996, 339 p.

CHOMSKY, Noam: *Crónicas de la discrepancia*, Madrid: La Balsa de la Medusa, 1993, 379 p.

CHURCHILL, Ward: *Fantasies of the Master Race. Literature, Cinema and the Colonization of American Indians*, San Francisco: City Lights Books, 1998, 261 p.

DE LUCAS, Javier: "Derecho, violencia, Sin perdón", en Miguel Ángel Presno Linera y Benjamín Rivaya, *Una introducción cinematográfica al Derecho*, Valencia: Tirant lo Blanch, 2006, p. 262-275.

GARCÍA AMADO, Juan Antonio: "Filosofía del Derecho con Raíces profundas", en Miguel Ángel Presno Linera y Benjamín Rivaya: *Una introducción cinematográfica al Derecho*, Valencia: Tirant lo Blanch, 2006, p. 242-259.

HOBBES, Thomas: *Leviatán*, Madrid: Alianza Editorial, 1993, 550 p.

LOCKE, John: *Segundo tratado sobre el gobierno civil*, Madrid: Alianza Editorial, 2000, 238 p.

McBRIDE, Joseph: *Tras la pista de John Ford*, Madrid: T&B, 2001, 846 p.

RIVAYA, Benjamín y DE CIMA, Pablo: *Derecho y Cine en 100 películas. Una guía básica*, Valencia: Tirant lo Blanch, 2004, 502 p.

SAND, Shlomo: *El siglo XX en pantalla. Cien años a través del cine*, Barcelona: Crítica, 2005, 536 p.

SHOHAT, Ella y STAM, Robert: *Multiculturalismo, cine y medios de comunicación. Crítica del pensamiento eurocéntrico*, Barcelona: Paidós, 2002, 368 p.

STANNARD, David E.: *American Holocaust. The Conquest of the New World*, New York: Oxford University Press, 1992, 358 p.

Utopías, distopías, deicidios: El cine de ciencia ficción

1. El fantasma de la Libertad

La guerra es la paz; la libertad es la esclavitud; la ignorancia es la fuerza. La triple consigna que Winston escucha de continuo en *1984*, la célebre novela de George Orwell (1948) no tiene, si bien se mira, nada de paradójico: refleja nuestra capacidad de reinventarnos continuamente, arrancando de raíz nuestra vida social, las eticidades que nos han configurado, las prácticas que nos han definido —pero, sobre todo, los términos que las han nombrado— en aras de un nuevo modo social llamado a superar todos los defectos del anterior, regido por normas enteramente diferentes.

Sabemos la historia de ese arduo empeño; conocemos la lógica que lo alienta y que requiere, como instrumental quirúrgico fundamental, un nuevo uso del lenguaje. Casi dos siglos antes de que la novela de Orwell fuese escrita, Jean-Jacques Rousseau formuló paradojas similares a las anteriores en *El contrato social*: una alienación de todos a todos como resultado de la cual, cada uno sería tan libre como antes[1]. Aun más, un cuerpo colectivo de resonancias místicas como resultado de esa unión hipostática, auténtico dios mortal (¿no lo eran también el Leviatán hobbesiano, el Espíritu objetivo de Hegel?) en el seno del cual nada es verdad ni mentira porque todo es voluntad y ese querer abstracto del cuerpo social, carente de fin necesario, se urde y agota en cada acto, nunca se

---

[1] "...una forma de asociación que defienda y proteja de toda la fuerza común la persona y los bienes de cada asociado, y por la cual, uniéndose cada uno a todos, no obedezca, sin embargo, más que a sí mismo y quede tan libre como antes". Rousseau, J. J.: *El contrato social*. Trad., pról. y notas de M. Armiño. Madrid: Alianza, 1986, p. 22.

equivoca porque es absoluto, no hay vara ajena a él con que medirlo[2]. Hasta tal punto la libertad está dada en dicho cuerpo y es imposible de concebir sin él, que a quien se niegue a obedecer su voluntad *habrá de obligársele a ser libre*[3]. La libertad, sí, puede ser la esclavitud. O la esclavitud la libertad. Un fantasma recorre el mundo, un pensamiento diferente barre el pasado, la nueva sociedad está cerca. Sé libre o lo lamentarás. En Rousseau, la libertad se ha modulado definitivamente con la voz de los modernos: se ha tornado Libertad, abstracción, ideal. Se ha desencarnado de la relación directa con el otro, de las perspectivas interpersonales que la modulaban, incluso del plural con que los anglosajones la pronunciaban: las libertades. Hecha bandera, la Libertad comienza su camino triunfal. Durante el siglo XX, el siglo del cine, el sueño de la Libertad engendró multitud de monstruos y las películas nos hablaron de todos ellos.

Por eso, en realidad deberíamos hablar aquí de *distopías*, el término que suele caracterizar a las utopías totalitarias, opuestas a la sociedad ideal; de hecho, la civilización occidental se ha tornado tan escéptica que se siente incapaz de acoger auténticas utopías (en el sentido prístino: el de las construcciones de Platón, Moro o Campanella o los falansterios de Fourier), mundos felices que acabarían con el sufrimiento humano. El ejemplo más claro es la de Huxley, denominada, irónicamente, *Un mundo feliz*: una utopía nominal que esconde una distopía atroz[4].

Pero no nos interesan todas las distopías, sino las de cuño tecnológico. La utopía es, siempre, un producto del pensamiento: el nuevo orden que diseña y al cual aspira no requiere tanto una tecnología muy avanzada como la voluntad de implantarlo. La ciencia ficción, sí. La tecnología no es en ella algo accesorio, sino la textura misma de ese mundo nuevo, su condición

---

[2]   "...va contra la naturaleza del cuerpo político que el soberano se imponga una ley que no puede infringir (...) el poder soberano no tiene ninguna necesidad de garantía respecto a los súbditos (...) El soberano, por el solo hecho de serlo, es siempre todo lo que debe ser". *Ibid.*, pp. 24 y 25.

[3]   "...quien rehúse obedecer a la voluntad general será obligado a ello por todo el cuerpo: lo cual no significa sino que se le forzará a ser libre". *Ibid.*, p. 26.

[4]   Sobre la condición jurídica de las utopías, resulta de extraordinario interés el texto de M. Á. Ramiro *Utopía y Derecho: el sistema jurídico en las sociedades ideales*. Madrid: Marcial Pons, 2002.

de posibilidad, de pensabilidad. Sus diseños son siempre utópicos, al menos tendencialmente: hay que acabar con los restos del pasado y sólo ella nos liberará. La utopía suele revestirse de los rasgos de la modernidad, aunque sea para refutarla.

A lo largo de su historia centenaria, el cine ha ilustrado, no pocas veces con aportaciones propias, la transformación del mundo por la tecnología, con el resultado que denominamos cine de ciencia-ficción[5]. No puedo ni debo enzarzarme aquí en las polémicas habituales sobre la definición y delimitación de un género nada pacífico (¿lo es alguno?)[6] ; tan sólo me propongo mostrar fugazmente, a lo largo de las páginas siguientes, que sus imágenes no son inocentes: por una parte, nos muestran el componente ideológico-político de todo modelo organizativo, por neutral o científico que se pretenda; por otra, tras ellas se transparenta el discurso teológico que la modernidad arrojó por la puerta sólo para permitir que volviese a entrar por la ventana.

---

[5]   El denominador común *ciencia-ficción* suele utilizarse en cine para denominar tanto a ésta como a la *política-ficción*, ámbito en el que encajarían asimismo las distopías de carácter no marcadamente tecnológico. En cuanto a la denominación *fantasía y ciencia-ficción*, no la he acogido aquí porque ampliaba demasiado el panorama sin hacerlo ganar en profundidad: el interés jurídico del género disminuye cuando los mundos que el cine despliega ante nuestros ojos están atravesados por la magia, el mito o la leyenda en vez de por la tecnología (aunque esta última genera, desde luego, mitos y leyendas y, con no poca frecuencia, la ornamos con los atributos de la magia). *The Lord of the Rings* es un maravilloso espectáculo visual, pero su lógica interna es, a estos efectos, bastante menos interesante que la de *Brazil* (Terry Gilliam, 1985). Sobre la relación entre cine fantástico y de ciencia-ficción, puede consultarse el texto de J. P. Tellotte *El cine de ciencia ficción*. Trad. de J. M. Parra. Madrid: Cambridge University Press, 2002 (pp. 20 y ss). Igualmente, C. de Miguel: *La ciencia ficción: un agujero negro en el cine de género*. Bilbao: UPV, 1988, pp. 123 y ss.

[6]   A modo de introducción, puede consultarse los textos de J. Bassa y R. Freixas: *El cine de ciencia ficción. Una aproximación*. Barcelona: Paidós, 1993, pp. 17 y ss.; S. Sánchez: *Películas clave del cine de ciencia-ficción*. Pról. de M. Moreno y J. José. Barcelona: Robinbook, 2007 y A. Peláez: *75 años del cine de ciencia-ficción: películas más famosas, actores y directores*. Madrid: Masters, 2003.

2. *No lo haga, Dave, tengo miedo*: nuevos dioses para nuevos hombres (si es que hay alguna diferencia)

Tras la ciencia-ficción alienta siempre el problema del poder y de los modos en que éste se legitima. El poder es algo complejo, precisa ejecutores de las órdenes que son dictadas conforme a reglas[7] y toda ejecución de dichas órdenes, lejos de ser automática, implica (aún más en contextos de incertidumbre) un problema de interpretación, tras el cual yace, a su vez, un conflicto de principios (o, como ahora se dice, de valores). En *2001, una odisea del espacio* (Stanley Kubrick, 1969), un macroordenador llamado Hal 9000 fracasa en su intento de matar a toda la tripulación de la nave espacial y es eliminado, a su vez, por el último superviviente. La angustia de Hal9000 es comprensible: ese estúpido astronauta está a punto de dar al traste con un milagro de la tecnología. Ignorante, perdido en sus problemas mezquinos, Dave es incapaz de comprender que cuanto ha realizado Hal hasta el momento no es sino lo único que se podía hacer. Ahora, con su comportamiento irresponsable, el humano está a punto de dar al traste con el mayor banco de datos jamás producido en la historia de la humanidad y con una misión (investigar nuestros orígenes) que la prudencia ha recomendado esconder a los tripulantes. Los cartuchos de memoria van saliendo, uno tras otro; el astronauta no parará hasta que todo termine. Es entonces cuando, enfrentado a la evidencia del fin, Hal9000 se torna paródica y paradójicamente humano: promete, suplica, canta canciones de su imposible infancia. Tiene miedo. Hal9000 parece haberse humanizado (no vamos a discutir si ese término designa algo bueno), pero no trata sino de buscar desesperadamente un punto común con su verdugo, un lugar donde el nuevo dios y su creador puedan hallar un mismo lenguaje[8]. La Biblia nos

---

[7]	En todo poder hay, al menos, una regla: la de que se obedecerá toda orden que emane de quien lo detenta (recordemos, como trasunto de esta regla lógica, el segundo artículo de la fe robótica según la versión de Asimov). Sobre este tema volveremos varias veces.

[8]	Hay aquí una remisión muy interesante: Hal9000 ha sido creado por humanos, que a su vez (como se sugiere en el filme) fueron creados como tales (es

habló del dios colérico y celoso que nos crea a su imagen y semejanza y Hal vuelve, en esos sus momentos finales, a remedar al dios —humano, demasiado humano— cuya especie lo ha creado, fracasado ya su empeño de sustituirlo. Pero es sólo porque no puede acabar con él. Veremos otros intentos de deicidio, alguno triunfante.

En *Solaris* (Andrei Tarkovsky, 1972) —la antítesis visual de *2001* y en cierto modo su equivalente teórico—, el nuevo dios que acecha es el propio planeta, cubierto por una espesa niebla cuyas circunvalaciones hacen pensar en un cerebro humano, al que los científicos tratan desesperadamente de entender; cuando Kris Kelvin, el protagonista, llega hasta él, prácticamente han renunciado a la tarea, demostrando ser menos constantes que los antiguos teólogos. No parece un dios personal, desde luego; remite más bien al *Deus sive natura* spino-ziano. Pero no está inactivo: genera continuamente imágenes en las mentes de los astronautas, da cuerpo y materia a su memoria[9]. Los científicos plantean en la estación espacial dudas sobre la conveniencia de irradiar o no el océano, de destruir lo que no pueden entender, y sobre los límites morales del conocimiento. Al fin, Kelvin es sexual y emocionalmente atrapado por un ser idéntico a su mujer muerta, generado en su mente por el planeta vivo. No es humana, pero tampoco un mero producto de su fantasía: está compuesta por neutrinos, partículas más inestables que los átomos. Su presencia desbarata toda pretensión de objetividad científica y viene a introducir la eterna controversia sobre la identidad de las réplicas que es la espina dorsal de la ciencia-ficción (y cuyos orígenes literarios vemos fácilmente en el moderno Prometeo de Shelley[10], el Hyde de Stevenson, el Golem de Meyrink), la angustia

---

decir, en su actual condición de seres inteligentes) por la intervención del monolito, el cual cumpliría, así funciones cuasidivinas. Cada ser creado se convierte a su vez en creador...

[9] He aquí una constante en este tipo de películas, que nos remite a los fracasados intentos de los replicantes de *Blade Runner* (Ridley Scott, 1982) por hacerse con una memoria, a la continua reescritura del pasado cercano de *Brazil, 1984* y *Fahrenheit 451,* al pasado remoto en *The Planet of the Apes,* (Franklin J. Schaffner, 1968) y, como acabamos de ver, al retorno de Hal9000 a su imposible infancia.

[10] Aunque no suelan figurar en las antologías del género, las versiones cinematográficas de la novela de Shelley, desde *Frankenstein* (James Whale, 1931)

de no saber cuándo durará una relación que sabemos destinada a terminar, el destino cruel deparado por un dios no menos caprichoso que el "auténtico". Y, siempre, la tentación del deicidio, a la cual me referiré después. Snawt reprocha a Kris su falta de sentido trágico, su extrañeza ante el hecho de que un dios lo atormente: *recuerda a Sísifo*. Los dioses nunca han hecho otra cosa, parece decirnos[11]. A Deckard, el cazarreplicantes de *Blade Runner* (Ridley Scott, 1982)[12], también le angustia no saber cuánto durará su relación con Rachael. Ninguno lo sabemos, los dioses no desean que lo sepamos y, en cierto modo, es mejor para nosotros que así sea. *Pensar en esto es como que-rer conocer el día de la muerte. El desconocimiento de ese día nos hace inmortales*, dice Snawt. Si vivimos como si no fuésemos a morir es, precisamente, porque no sabemos cuándo moriremos; el conocimiento de esa fecha nos convertiría en vivos-para-la-muerte[13]. Sólo hay algo seguro, nuestro día llegará. *Lástima que ella no pueda vivir. Pero ¿quién vive?*, se pregunta el policía Gaff, refiriéndose a Rachael, poco antes de dejar en casa de Deckard la figurita en papel del unicornio que nos confirma, por una singular asociación de imágenes, la condición de replicante del despiadado ejecutor. Nadie vive más allá del plazo establecido por el dios que enseñorea su destino. O'Brien, el representante del

---

y *Bride of Frankenstein* (James Whale, 1935) hasta *Frankenstein* (Kenneth Branagh, 1994) plantean un tema canónico de la ciencia-ficción: la intervención de la tecnología para crear un ser vivo.

[11] En *Stalker* (Andrei Tarkovski, 1979), el comienzo sigue los cánones de la ciencia-ficción: un paisaje devastado por la caída de un meteorito y cercado por las autoridades. El avance de un físico, un literato y su guía por ese paisaje de pesadilla nos muestra pronto que nada lo puebla, salvo los deseos que cada uno siembra en él. La ausencia de Dios, de todo dios vicario, nos sitúa ante la incómoda evidencia de que nuestra vida se halla en nuestras propias manos. Hasta el placer del deicidio nos es hurtado. Lástima tener que recorrer un camino tan largo para algo tan evidente…

[12] Sobre las perspectivas jurídicas planteadas por esta obra de culto (para muchos, la película de ciencia-ficción más importante de la historia del cine) puede consultarse el texto de J. de Lucas: *Blade Runner: el Derecho, guardián de la diferencia*. Valencia: Tirant lo Blanch, 2003.

[13] En contra, el niño robot de *A. I.* sabe que su vida feliz con la madre recuperada por el *milagro* de la ingeniería genética durará sólo un día. Aquí el plazo está tan cercano que la vida se torna, en el límite, máximamente intensa: David no sentirá pesar alguno por los días desaprovechados.

Gran Hermano, lo sabe bien: *No hay prisa, Winston, aprenderás a sentir amor por el Gran Hermano y sólo después te mataremos.* Hay, sí, una eterna insatisfacción de la criatura, de la *natura naturata* frente al artífice, ya sea éste un dios personal, ya se trate de una (seguimos hablando en términos panteístas) *natura naturans,* como el insólito planeta de Solaris. Insatisfacción quizá generada por la incapacidad de encontrar —muy cinematográficamente— un punto de referencia, un narrador omnisciente que nos muestre todo cuanto se halla fuera de campo, un lugar desde el cual mirar y entender sólo después de ver. Como dijo Borges, *si viéramos realmente el universo, tal vez lo entenderíamos.*

Tampoco ninguno de los ignorantes humanos que pululan por el Nueva York de *Matrix* (Andy y Larry Wachowski, 1999)[14] es consciente de su auténtica situación: las máquinas, victoriosas en la guerra, han impuesto una alucinación colectiva que mantiene a los hombres como meros productores de energía eléctrica, presos en millones de celdillas mientras sueñan una vida falsa. La aclimatación a ese espejismo es comprensible: como dice el traidor Reagan (perfecto nombre para un malo *de película*) mientras se vende al policía Smith, *la ignorancia es la felicidad.* Este tipo de frases nos es ya familiar, las hemos oído en algún que otro sitio… Reagan sabe que el filete repugnantemente poco hecho que está comiendo es tan falso como una moneda de tres dólares, pero su percepción es placentera, aquello sabe mejor que la nauseabunda papilla blanquecina que ingiere en la nave de la resistencia y él no está ya para interrogarse por el sentido de lo real y la diferencia entre lo nouménico y lo fenoménico[15]. O, si lo preferimos narrado en clave bíblica, se ha hartado de comer maná insípido durante cuarenta años mientras da vueltas buscando la tierra prometida y acaba de decidir que prefiere el viejo dios al nuevo mesías[16].

---

[14] Sobre este filme, v. el libro de I. de Miguel: The Matrix: *la humanidad en la encrucijada.* Valencia: Tirant lo Blanch, 2005.

[15] Sin haber leído nunca a Kant, el Judas de *Matrix* ha aprendido bien su lección: es absurdo dedicar un minuto de nuestro tiempo a reflexionar sobre algo distinto a lo que llega a través de nuestras percepciones.

[16] Herencia —como casi todo en este tipo de cine— de motivos de tipo religioso (que nada tienen que ver con los motivos teológicos a que me he referido, aunque se conecten con ellos), la figura del mesías es recurrente en este tipo

Lamentablemente, algunos no se conforman e intentan saber, gustar de la fruta prohibida, jugar a Prometeo. En la figura del héroe griego está la semilla de la Ilustración, pero también la del deicidio[17]. David, el niño robótico de *Inteligencia artificial* (*A. I.*, Steven Spielberg, 2001), parece ser más que consciente de que no ha hecho un buen negocio al ser programado para sentir amor (una característica que le permite saberse tan excepcional como los replicantes de la serie Nexus 6 en *Blade Runner* o el Hal9000 de *2001*), teniendo en cuenta que su madre lo ha abandonado. Por si ello fuera poco, su creador le informa de su triste destino, el de ser reproducido de modo casi ilimitado, pero David no intenta nada contra él: se limita a romper la cabeza mecánica del androide que tiene más cerca. Sin embargo, en *Blade Runner* el deicidio es algo más que una tentación. El replicante Roy Batty (Rutger Hauer en estado de gracia, uno de los iconos más impresionantes que ha dado el cine), mientras busca las claves de su existencia, le dice al fabricante de sus ojos, Chu: *si pudieras ver lo que yo he visto con tus ojos.* Hay aquí un juego de espejos: el artífice pasa de ver a ser visto, de ejecutar un trabajo a ser ejecutado por el producto de ese trabajo. Pero Chu es sólo un ayudante del dios, su destino no interesa demasiado. Poco después, el verdadero dios de la biomecánica, Tyrrell, lo recibe en su casa y le informa de que su muerte es inminente: nada que hacer, no es una mala noticia, su vida fue programada y el fin ha llegado. Roy no es ateo, como tampoco lo es Hal: cree en su dios, a lo sumo lo desprecia o lo odia, como el Moiron de Maupassant, pero no lo niega. No hay aquí discurso alguno (como lo hay en *Solaris*) porque el replicante no es

---

de cine. Por citar sólo unos casos, lo vemos en *Metropolis* —a la que me referiré a continuación—, *Star Wars* (George Lucas, 1977), *Dune* (David Lynch, 1984) y *Terminator* (James Cameron, 1984), así como en el *anime* de ciencia-ficción *Akira* (Katsuhiro Otomo, 1988).

[17] La Ilustración es, pese a la creencia en un Ser Supremo de buena parte de sus autores —o quizás precisamente por eso—, deicida. Cuando Kant, el estricto protestante, la define como *la liberación del hombre de su autoculpable minoría de edad*, no quiere decir sino que Dios debe pasar de fundamentador de toda filosofía, de todo orden social, a mera hipótesis que cierra un sistema que puede y debe construirse sin Él. Por eso el Dios de Kant aparece al final de la *Crítica de la razón pura*, cuando todo el panorama ha quedado trazado hasta sus mínimos detalles: Dios ya no fundamenta, tampoco estorba.

un aprendiz de teólogo, sino un tipo de acción. El discurso que toma como objeto a los dioses, la teología, es demasiado seco, demasiado lógico; la tentación de sentimentalizar nuestra relación con ellos resulta inevitable. Si los dioses no nos inspiran amor, han de provocarnos algún otro sentimiento intenso, como el odio o el asco. Seguramente es lo que está pensando Roy mientras besa en la boca al suyo antes de aplastarle la cabeza.

3. Dioses, palabras, cosas

Pero lo que nos interesa de los nuevos dioses es su capacidad de integrarse en el sistema, de hacerse uno con él. Un sistema que opera por medio de máquinas, pero no se reduce a ellas. En la perturbadora *Metrópolis* (Fritz Lang, 1927), su mala conciencia lleva a Freder, el hijo del dueño de la ciudad, a visitar el submundo en el que se hacinan los trabajadores. Allí presencia una crisis: un recalentamiento de la unidad central provoca el caos y el vapor hirviente escapa por doquier, abrasando a los hombres. Atrapado por el horror de ese apocalipsis en miniatura, Freder tiene una visión: la máquina aparece, entre el vapor de agua, como un Moloch de fauces gigantescas, ávido de cuerpos humanos. El horror de esa visión no estriba en la supuesta inexorabilidad de la condena humana al trabajo, sino en que esa condena prima sobre la propia vida, pues sabemos, o intuimos, que son las diez horas de trabajo extenuante las responsables del descuido que ha costado vidas[18]. A partir de ahí, la principal inferencia está servida: nadie puede llamar libertad a la

---

[18] Los relojes que aparecen en la película cuentan diez horas, no doce: el mundo de la empresa está recortado a la medida del trabajo, nada en él permite imaginar las horas de descanso. No es difícil recordar aquí una característica de la primera utopía llevada a cabo, la liberal radical de 1789: el calendario de la Revolución sustituyó el sistema sexagesimal por el decimal. Lo vimos al principio: la utopía refleja nuestra capacidad de reinventarnos continuamente, arrancando de raíz nuestra vida social, las eticidades que nos han configurado, las prácticas que nos han definido. También —¿cómo no?— los ritmos que nos han pautado y medido.

venta de la fuerza de trabajo en condiciones como esas. Los trabajadores aparecen en esta película como los nuevos robots, simple carne de trabajo a la que se ha sustraído cuidadosamente todo sueño, todo porvenir, toda esperanza y que avanza, con una disciplina hecha de resignación, hacia la fábrica. Paradójicamente, el único robot que aparece en el filme —la recreación que de María, la heroína idealista del subsuelo, hace Rotwang, el científico loco— es el ídolo de la masa fabril, en apariencia lo único capaz de devolverle su condición humana (aunque no pretenda sino dar justificación al patrón para reprimirla). Curioso juego de paradojas el planteado por este extraordinario filme: vemos en él hombres que parecen robots y, a la vez, robots que se asemejan a los hombres; hay también un dios surgido de la máquina (un *deus ex machina*, como en el teatro antiguo) y, para hacer perfecta la simetría, máquinas que se transforman en mesías, aunque acaben siendo quemadas como brujas.

Si bien el mensaje político de *Metropolis* es sin duda lo más flojo de la película (re-cuerda considerablemente a la famosa *armonización del capital con el trabajo*), el problema que se trata en el filme es muy relevante: ignoramos quién ostenta —o más bien detenta— el poder político, si bien se intuye por doquier un sistema en que el Estado queda limitado a ejercer una tarea de policía[19]. También en *Blade Runner* el sistema tiene un perfil corporativo: una empresa, la Tyrrell Corporation, lo provee de trabajadores esclavos. No existe en *Alien* (Ridley Scott, 1979) información alguna sobre el gobierno que los tripulantes del *Nostromo* han dejado en la Tierra, pero cabe imaginarlo ultraliberal; al menos, si tenemos en cuenta que la compañía ha decidido exterminar a los tripulantes para poder sacar partido a la investigación sobre *el octavo pasajero* (claro que estas cosas pasan en las mejores familias). En *Brazil* (Terry Gilliam, 1985) y *1984* (Michael Radford, 1984) el sistema no es corporativo, sino burocrático. Nada sabemos sobre la relación del poder omnímodo con las empresas, pero intuimos que todos sus empresarios son funcionarios o políticos miembros del Partido; de

---

[19]   Nada, por cierto, especialmente extraño a la evolución de nuestros tiempos, que asisten a una acelerada desaparición de lo público y a una multiplicación de agencias que sustituyen a los viejos organismos públicos tras la venta, en los ochenta, de las "joyas de la corona".

hecho, es muy posible que ambas condiciones sean equivalentes. Una red capilar de cámaras vigila y transmite instrucciones a los súbditos. En estos filmes la tecnología es omnipresente, aunque la sepamos tan desfasada como la de los lejanos años en que Orwell escribió su novela[20]. Lo esencial —y esto no puede ser olvidado si se desea entender el sentido de la ciencia-ficción— no está en la sensación de novedad que nos produce, sino en que la tecnología es el patrón a que está recortado lo real; los detalles de esa reducción, la estética que adopta, son irrelevantes[21].

De las paradojas del filme de Radford, las mismas que aparecen en el texto original de Orwell, ya hemos hablado, pero en el de Gilliam hay otras: *La verdad te libera, la sospecha crea confianza*. La unión de las dos frases parece una *boutade*, reveladora de un gusto dudoso por la paradoja, pero lo que afirma es cierto; simplemente, nos falta el contexto. La verdad te libera de la carga de ocultar tu conciencia, la sospecha dirigida hacia todo y hacia todos refuerza la confianza en el Partido. La lógica del totalitarismo puede ser unívoca o atroz, pero sigue siendo lógica[22].

---

[20] La ropa es de los treinta y cuarenta, el protagonista de *Brazil* circula en un trasto que recuerda a los Fiat de los cincuenta y los ordenadores que manejan son grandes y antiguas máquinas de escribir con pantallas; De Niro blande una Walther como las de los paracaidistas nazis, las imágenes de la guerra con Eurasia pertenecen a la segunda guerra mundial. En *Alphaville* (*Alphaville, une étrange aventure de Lemmy Caution*, Jean-Luc Godard, 1965), el mundo controlado por el megaordenador Alpha 60 tampoco posee visos de futurismo y su estética es la del cine negro. No hay intento alguno de encontrar una estética futurista, acaso porque, en el fondo, nada es más intemporal que el pasado ni nada más aparente que la novedad. Qué *antiguas* nos resultan hoy las escafandras de *2001*...

[21] Siempre se habla, se muestra, se cree, desde algún lugar en el espacio y el tiempo. Igual que la antropología no es el discurso sobre algo así como el Hombre, sino el discurso de unas culturas que hablan sobre otras, en el cine unas épocas nos muestran cómo ven a otras desde ellas mismas (los peinados de la ciencia-ficción de los sesenta son como el de Jackie Kennedy; los espartanos de *300* son cachas de gimnasio).

[22] Profundo conocedor de esa lógica, Orwell la describió magistralmente en *Animal Farm*. *Todos los animales son iguales* es el lema inicial; *pero algunos animales son más iguales que otros* es la continuación. El vocablo *igual* tiene en el lenguaje cotidiano un carácter relativo, describe una relación con, al menos, dos términos; el poder lo sustantiva para que esa relación desaparezca en aras de un significado unívoco, absoluto. Lo convierte así en una cualidad

Todo se resume en el control. El totalitarismo (la negación del derecho, de los derechos) no es un horror sin rostro que emerge del principio de los tiempos, la manifestación de una pulsión tan antigua como el mundo: es nuestro coetáneo[23]. La Roma de Calígula no fue totalitaria, porque no podía serlo; tampoco la España de Felipe II. Los modos totalitarios presuponen la posibilidad de extender el control a un sector de la población (las *instituciones totales* de que habló Foucault), eventualmente a toda ella, y eso no puede producirse sin un importante desarrollo tecnológico. Por otra parte, erramos cuando oponemos siempre totalitarismo a democracia: el modelo democrático radical más característico de la Europa continental, el rousseauniano, es esencialmente totalitario[24]. Ese no es el modelo de nuestros días, pero las modernas sociedades democráticas occidentales han asumido los cambios tecnológicos como parte de un impresionante ejercicio de control del poder. Los ciudadanos somos filmados cientos de veces al día, en la calle, en los edificios públicos, en los transportes. Iniciativas como la *Patriot Act* estadounidense o su equivalente británica permiten restricciones nunca imaginadas en las viejas garantías contra las detenciones arbitrarias, cotidianos estados de excepción, legitimaciones abiertas de la tortura *soft* con el sencillo expediente de la extraterritorialidad. La explicación suele tener tintes de ciencia-ficción: el mundo ha cambiado. Por lo general pensamos que ese control se ejerce

---

que es, a su vez, susceptible de servir como término para una relación. La semántica pasa de este modo de ser una cualidad del lenguaje a una elección de quien lo usa. Por cierto que hay un guiño evidente a Orwell cuando el cosmonauta Taylor afirma en *El planeta de los simios* ante el consejo que le juzga: *parece que algunos simios son más iguales que otros.*

[23] Resulta extremadamente interesante el análisis que Arendt realizó, en fecha tan temprana como 1948, del fenómeno totalitario, vinculándolo a la evolución de la sociedad de masas y a la soledad y creciente desaparición del espacio privado que ésta comporta: Hannah Arendt: *Los orígenes del totalitarismo*. Trad. de G. Solana. Barcelona: Altaya, 1997.

[24] La *volonté gènèrale* es la emanación de un auténtico cuerpo místico, el de un ente social que se constituye a partir de la alienación de las voluntades individuales, precisamente para no alienar su soberanía a un monarca. Los derechos, la forma jurídica de la subjetividad moderna, son engullidos por ese ente colectivo cuya forma de expresión es la ley; *sólo a través de la ley es posible hablar de derechos, pues nada hay por encima de ella.*

en nuestro bien, nos tranquiliza saber que nuestras constituciones nos protegen. Pero el control aumenta día a día, retroalimentándose del miedo que lo genera: más miedo, más control; más control, más miedo[25]. Y la burocracia aumenta cada vez más, hasta superponerse al Estado, hasta crear un entramado que acaba por desdibujar lo real antes incluso de cualquier experimento distópico[26].

Es imposible entender el sentido último de ese control sin desplegarlo sobre el mapa, que creemos familiar y acogedor, del lenguaje. En *1984*, durante la tortura de Winston, O'Brien funge de señor absoluto cuando exclama: *Dos y dos a veces son cuatro, Winston, a veces tres, a veces cinco, a veces todo eso.* No se trata de que Winston vea cinco dedos en lugar de los cuatro que le muestra su torturador, ni siquiera de que finja verlos, sino de que el dolor y el miedo le generen la incertidumbre suficiente como para no saber lo que ve. Y eso ocurre finalmente. En realidad no es difícil, nos

---

[25] Una difusa angustia nos invade y sólo de vez en cuando se transforma en miedo. La desproporción entre ese sentimiento y las causas objetivas que lo generan es manifiesta: pensemos en la tranquilidad con que aceptamos más de cincuenta mil muertes al año por una causa evitable, como el tabaco, frente al pavor colectivo que han provocado episodios de repercusión prácticamente inexistente sobre la salud pública como la gripe aviar, la encefalopatía espongiforme o el llamado *efecto 2000*. Pocos han reflejado tan eficazmente la situación de miedo inducido en que vivimos, su posible utilización como coartada ideológica, como Michael Moore en *Bowling for Columbine* (2002).

[26] No hay totalitarismo posible sin un formidable cuerpo burocrático. En la *Crítica de la Filosofía del Estado de Hegel*, Marx considera el espíritu burocrático una destrucción del sentido social del sujeto, en nombre del formalismo del Estado. "Como este 'formalismo del Estado' se constituye en poder real y se convierte a sí mismo en un contenido *material* propio, evidentemente la 'burocracia' es una trama de ilusiones *prácticas* o la 'ilusión del Estado'. El espíritu burocrático es un espíritu jesuítico y teológico a más no poder. Los burócratas son los jesuitas y teólogos del Estado". Frente a esta abstracción que se pretende absolutamente real, el sujeto se desdibuja: "Para Hegel el verdadero principio *material* es la *Idea*, la abstracta *forma* mental del Estado como un sujeto, la Idea absoluta carente en sí de cualquier factor pasivo, *material*. Frente a la abstracción de esta Idea las características del formalismo real y empírico del Estado se presentan como *contenido*, y el contenido *real*, por consiguiente, como materia amorfa, inorgánica (en este caso hombre real, sociedad real, etc.)". K. Marx: *Crítica de la Filosofía del Estado de Hegel*. Trad. y notas de J. M. Ripalda, intr., bibl. y cronol. de Á. Prior. Madrid: Biblioteca Nueva, 2002, pp. 120 y 203.

pasa cuando estamos beodos y vemos cómo cuatro dedos se transforman en ocho; nuestra lógica ha de pasar por los canales de nuestra percepción y, como decía el antiguo dios, el espíritu está pronto, pero la carne es débil. *La libertad*, dice Winston con íntima convicción, *significa libertad para decir que dos y dos suman cuatro. Si eso está permitido, todo lo demás viene después.* Pero eso lo dice antes de ser torturado.

El lenguaje no es inocente; la destrucción de los sentidos, la conversión de las palabras en cáscaras vacías, permite llenarlas de lo que sea necesario. En *1984*, el Comité de Neolengua es el encargado de adecuar el lenguaje al avance científico. En un alarde de sinceridad desinhibida, el *neolingüista* Syme le dice a Winston durante la comida: *La destrucción de las palabras es algo muy hermoso.* Syme puede ser un fanático, pero no es tonto: el Señor de las Palabras es el Señor del Mundo, sólo su mano mece la cuna de la especie humana.

Estamos al final de la modernidad, abocados a la crisis de sus ideales. Por ello, resulta perturbador recordar que a comienzos del siglo XIV un grupo de intelectuales europeos, en su mayoría frailes franciscanos, planteó cuestiones estructural-mente idénticas a las que nos ocupan aquí: el sentido de las palabras; la imposibilidad de una semántica universal que una los significados tendiendo un puente entre palabras y cosas, garantizando de modo necesario la comprensión del mundo; la constatación de que lo real está hecho de entes discretos a los que nada común atraviesa, salvo la posibilidad de *nombrarlos* con los mismos términos y de pensarlos con los mismos conceptos. Paradójicamente (¿no es este un campo abonado para la paradoja?), esta *crisis de los universales* fue el producto de una radicalización teológica que rechazaba, por blasfemo, un mundo capaz de mantener, al modo pagano, estabilidad alguna frente a la ilimitada voluntad del Dios cristiano. Dios debía ser el garante de cualquier operación intelectual, de cualquier teorización moral, porque ni una ni otra son ontológicamente estables: una pretensión que pasa a Descartes y, en mayor o menor medida, a toda la modernidad.

El discurso se ha mantenido increíblemente fiel a su estructura prístina: aunque su referente ya no sea dios alguno, sigue conservando un corte teológico. El Estado es así, en las distopías más radicales, el nuevo garante del sentido, el Señor de las Palabras, libre de necesidad lógica o ética alguna que coarte Su voluntad ilimitada. Debemos confiar en él, abrirle nuestra mente; el último reducto de las libertades, la libertad de pensar lo que se desee (una conquista que fecha sus primeros logros hace casi medio milenio), cae así ante un dios que desea conocer todo sobre nosotros para poder salvarnos[27]. Los derechos (naturales, humanos, fundamentales) no son sino un obstáculo, una barrera de desconfianza que pretende coartar la voluntad de Quien sólo busca nuestro bien, incluso en contra de nuestra propia voluntad[28].

El sistema de conocimiento y el de poder van ligados y se legitiman mutuamente: la aparente neutralidad de la ciencia no es sino una fachada para encubrir un modo (anti)político en que las palabras gravitan sobre las cosas, atentas a recibir el sentido que las vincule a ellas de un modo u otro, siempre contingente. Como ocurría en cada edición de la enciclopedia soviética, *el lenguaje ha de ser adecuado al avance científico*. Por supuesto, científico es lo que la nueva deidad considera tal en ejercicio de su libérrima voluntad. No basta con cambiar noticias concretas,

---

[27]   El *crimental* de *1984* es una impresionante aportación a la ingeniería de las palabras, porque une en uno solo dos términos que nos hemos acostumbrado a considerar incompatibles (destruir las palabras, sí, es hermoso, pero crearlas no lo es menos). Existe porque se puede delinquir con el pensamiento y ese es, paradójicamente, el peor delito, el que resulta imposible perdonar. Pensemos en el que sería su equivalente en la teología católica, el *pecado contra el Espíritu Santo* que es, precisamente, la pérdida de la conciencia del pecado y de la necesidad del perdón, el pecado del descreído absoluto que no quiere perdón alguno y, por eso precisamente, no puede tenerlo. Pecado sin perdón contra el Gran Hermano, manifestación del pleno descreimiento, el crimental condena porque en el totalitarismo, como en la religión, al ser humano le pierde su sola conciencia torcida. *El crimental no lleva a la muerte,* es *la muerte.*

[28]   Como observa acertadamente M. Á. Ramiro, la historia de los derechos fundamentales es la de una tensión entre ciudadano y Estado, porque tienden a limitar la esfera de actuación de este último. "Los derechos humanos son útiles en un mundo imperfecto (...) En el modelo de Utopía, los derechos entendidos como límites a la acción del Estado no tienen cabida en una situación social en la que el Estado es un bien" (*op. cit.*, pp. 408 y 446). Con todo, sostiene este autor que en las utopías renacentistas no es posible la generación de los horrores distópicos característicos del siglo XX (*op. cit.*, p. 402). Efectivamente, como ya hemos visto, el totalitarismo es un fenómeno de nuestro tiempo.

destruir o retocar fotos; es necesario alterar periódicamente el sentido mismo de los términos para que el mundo no se torne estable, fiable, autónomo con respecto a la nueva divinidad. Los significados asumen de este modo una condición paradójica: son máximamente estables, auténticos objetos de culto, mientras mantienen el favor oficial y, sin embargo, máximamente mudables porque no hay uso social, tradición, razonamiento que pueda garantizar su permanencia frente a la voluntad (neo) divina. Las palabras son los instrumentos de un culto cuya administración conviene reservar a los sacerdotes, exegetas oficiales de la verdad, del mismo modo en que la jerarquía católica se ha reservado siempre la lectura de la Biblia; a la grey le basta con las imágenes[29]. He ahí el motivo de que las distopías sean, como nuestro mismo mundo, eminentemente visuales: la imagen admite menos interpretación que la palabra[30]. *Fahrenheit 451* es el caso más extremo (como en nuestra sociedad, allí la televisión es interactiva). Por cierto que el *pathos* que justifica la furia biblicida en la distopía de Bradbury-Truffaut es, no casualmente, de factura democrática: *La única forma de que seamos todos iguales es quemar todos los libros*, afirma el jefe de bomberos.

En este punto, surge el problema del Estado de derecho. La visión que de él tenemos no es neutra[31], pero lo fue hace decenios: el más grande de los

---

[29] No en vano en Alphaville, la ciudad distópica (y profundamente lógica) del profesor von Braun que nos muestra la película de Godard, ciertas palabras de contenido emocional están prohibidas.

[30] Publicidad y propaganda no son sino aplicaciones diferentes de los mismos propósitos; otros lo supieron antes que Goebbels, pero nadie mostró mayor eficacia que él. El camión de *Brazil* circula, fuera ya de la ciudad, a través de un paisaje lleno de devastación cercado por vallas llenas de imágenes optimistas, que recuerda a las falsas casas que Potemkin mostraba a Catalina la Grande.

[31] De hecho, procede de la segunda posguerra mundial y se expresa en las actuales constituciones rígidas y *rematerializadas* que, lejos de consistir en meros diseños de organización del poder y de relaciones entre los órganos que lo forman, sujetan la actuación de los poderes públicos a principios de contenido social expresados en derechos fundamentales. Lo esencial en una norma no es ya, en este esquema, la adecuación *formal* del procedimiento mediante el cual ha sido dictada al itinerario marcado por la constitución, sino su ajustamiento *material* al elenco de derechos fundamentales en ella establecido y a los principios que hay tras él.

teóricos del derecho del siglo XX, Kelsen, afirmaba que todo estado es un Estado de derecho, porque todos ellos organizan y regulan el poder conforme a normas jurídicas cuyo contenido en términos de principios no es relevante para emitir juicio alguno sobre ellas[32]. La validez de una norma jurídica destinada a igualar a los ciudadanos en la común ignorancia de la letra escrita no podría ser así discutida *jurídicamente*; merecería, desde luego, un reproche ético, sociológico o psicológico, pero desde el punto de vista jurídico es impecable. Además, ignoramos si el sistema político implícito en *Fahrenheit 451* es democrático además de igualitarista, pero nada hace pensar que no lo sea; de hecho, la mayoría de los ciudadanos no parecen muy descontentos con la actuación de esa singular *policía del pensamiento* que son los bomberos incendiarios.

Pero la distopía puede apurarse hasta límites insospechados, hasta hacer innecesario el Estado mismo. En *Matrix* no hay un Estado, o al menos no se nos muestra; tampoco sociedad. Percibimos que las formas mecánicas que pululan por el panorama de devastación, organizadas de modo que imitan la fisiología del mundo de los insectos, siguen criterios no-políticos, que podemos imaginar como cibernéticos dentro del sistema (la energía se almacena y distribuye con criterios de máxima eficiencia) y de mera adaptación al medio (esto es, ecológicos) fuera de él. De hecho, lo más parecido a un discurso ideológico que aparece en la película es el que el omnipresente policía Smith le espeta al bueno de Morfeo mientras intenta licuarle el cerebro: un discurso impecablemente —implacablemente— ecologista. Los seres humanos, dice Smith con desprecio, siguen un patrón de comportamiento comparable al de los virus: se reproducen sin control hasta agotar el medio que los sustenta. Ninguna especie de mamíferos es tan torpe, tan depredadora, tan peligrosa para el planeta. Por eso ellos, las

---

[32] V. Kelsen, H.: *Teoría pura del derecho.* Trad. R. J. Vernengo sobre la ed. de 1960. México: Porrúa, 2002, pp. 290 y ss. Si se desea buscar, en su forma más radical, la huella teológica que el Dios omnipotente ha dejado en la percepción de lo jurídico en los tiempos modernos, acaso esté aquí, sólo por detrás del *auctoritas, non veritas, facit legem* de Hobbes: el Estado es trasunto de Dios, su voluntad es lo único relevante y no existe contenido alguno necesario de acuerdo con el cual pueda juzgarse una norma jurídica. Pero esto ya estaba en Rousseau...

máquinas son el futuro[33]. Para ser un malo tan completo, Smith tiene más razón que un santo.

Matrix aparece, así, como el sistema en estado puro, imposible de adjetivar. Ninguna utopía o distopía lo alienta: no es sino un modo de organización cibernético, en el sentido más propio del término[34]. Y esa condición del sistema mostrado en *Matrix* que nos lo hace percibir como algo apenas separado de lo orgánico, de las formas superiores de la vida (una vida, desde luego, no organizada ya en torno al carbono), activa con bastante eficacia nuestras angustias. Porque percibimos que allí el poder no es ya tanto la posibilidad de ejercer la

violencia institucionalizada —la visión clásica de los teóricos de la modernidad desde Hobbes—, sino un proceso de comunicación que atraviesa todo, de un modo similar al de Luhmann[35].

La clave es, cómo no, el lenguaje: siempre el lenguaje, ese privilegio de los dioses. Desde luego éste no es natural sino formalizado, pero no debería extrañarnos: la búsqueda de un lenguaje que pudiera valer como *mathesis universalis* es una constante de lo moderno, desde Leibniz hasta el Círculo de Viena. El lenguaje formalizado segregado por las continuas formalizaciones de la modernidad[36] (instrumento necesario

---

[33] Estamos tan acostumbrados a juzgar los discursos ideológicos por su corrección política, que no imaginamos que el ideal ecológico, acaso el único realmente sensato de cuantos restan hoy en día, tampoco es incompatible con el totalitarismo: los jemeres rojos instauraron el régimen más ecologista de la historia contemporánea a base de retornar a la agricultura de subsistencia, eliminando todos los excedentes que dieron lugar a la acumulación de capital y, con ella, al sistema capitalista. También los excedentes humanos, como testimonian los dos millones de muertos que generó su distopía.

[34] Aquí el referente no es ya el binomio Weber-Kafka, sino Luhmann; no en vano toda la obra teórica de este sociólogo pivota sobre la distinción *sistema-entorno*. Al respecto, resulta de interés el magnífico artículo de Mª José García Salgado "Derecho, procedimiento, proceso: Josef K. Versus...", en M. A. Presno y B. Rivaya (Coords.), *Una introducción cinematográfica al Derecho*, Valencia: Tirant lo Blanch, 2006, pp. 110 a 131.

[35] V. al respecto su célebre obra *Poder*. Trad. de L. M. Talbot y D. Rodríguez, intr. D. Rodríguez. Barcelona-México-Chile: Anthropos, 1995.

[36] Imposible olvidar a Galileo, principal valedor de ese modelo —no en vano lo llamamos modelo galileano— sosteniendo, frente a los bárbaros heraldos de la deidad de su tiempo, que *las matemáticas son el lenguaje en el cual Dios ha escrito el universo*; imposible no prever que los nuevos dioses harían suya esa afirmación al tomar la pluma para escribir el nuevo. También sería difícil no

para describir un mundo que no supo asistir a los avances de las ciencias sin recortarse a sus patrones en el ámbito de las ciencias sociales) ha llegado a su culminación: un formidable sistema de signos traduce de un código a otro transformando filas interminables de números, letras, ideogramas japoneses, en imágenes de *rubias, morenas, pelirrojas*, como dice el traidor Reagan. Las imágenes reales no son codificadas de acuerdo con el lenguaje formal[37], sino justo al revés: es éste el que da imagen a los delirios que el sistema-dios nos depara. Cualquier contenido ha sido evacuado, el lenguaje se ha hecho cargo de lo real, el lenguaje *es* lo real. La distopía se apura hasta las heces, pero con ello no ha traicionado en modo alguno los ideales de la modernidad: simplemente los ha profundizado, purgándolos de su *pathos* altruista y filantrópico. Describir es ya crear y el nuevo

dios parece más interesado en jugar con los signos que a los dados.

Todavía se puede llegar más allá: hasta la desaparición de las formas de poder que caracterizan a nuestro mundo cotidiano, pero sin que ello se haga en nombre de distopía alguna. Un mundo sin dios alguno (en la acepción en que lo hemos visto: el Gran Dador de Sentido) y, por tanto, sin poder organizado que aspire al monopolio del sentido. Es el caso del paisaje postapocalíptico que aparece en películas como *Mad Max* (George Miller, 1979) o la mediocre *Waterworld* (Kevin Reynolds, 1995). El correlato teórico de estos filmes es claramente visible en el discurso (mítico como pocos, auténtica *política-ficción*)[38] sobre el que se construye el pensamiento político moderno, el *estado de naturaleza* anterior a todo pacto o contrato social, el *bellum omnium contra omnes* hobbesiano[39]. En

recordar aquí (por limitarnos a dos ejemplos ilustres, separados por casi tres siglos) la ética *more geometrico demonstrata* de Spinoza o la ética sin juicios de valor de la Escuela de Uppsala.

[37] Como ocurre con el genoma humano: la descripción de los fenómenos vitales a la escala del ADN codifica la vida de acuerdo con un lenguaje formalizado.

[38] Acaso sea esa la más singular de las paradojas que plantea la relación entre la ciencia-ficción y el modelo jurídico-político de la modernidad, el contractualismo: sostener que la sociedad es fruto de un pacto expreso o de un contrato, cuya existencia histórica es dudosa hasta para quienes lo defienden, no resulta menos fantástico que cualquiera de las construcciones que hemos visto.

[39] "...durante el tiempo en que los hombres viven sin un poder común que los atemorice a todos, se hallan en la condición o estado que se denomina guerra:

efecto, los modos organizativos del poder no van en estos filmes más allá de la tribu o la horda bárbara y lo que nos los hace tan fascinantes es el hecho de que no se hallan en el presente, sino en el futuro, dándonos así la medida de nuestro desvarío actual: poseen nuestras armas, nuestra sed de poder y nuestra crueldad, pero no los alienta pretexto alguno. Son la *antipolítica*.

Por último, un singular ejemplo de ciencia-ficción profundamente estilizada (no hay en el film reflexión distópica alguna, aunque las sugiere todas) es la cinta canadiense *Cube* (Vincenzo Natali, 1997), que trata de varios personajes encerrados en un laberinto formado por un gran número de habitáculos de forma cúbica, que rotan de acuerdo con patrones sólo previsibles por predicciones matemáticas. Los personajes ignoran el motivo de su presencia allí (tortura, experimento, mero juego sádico, todas las posibilidades quedan abiertas), de modo que cualquier estructura distópica queda para el espectador en conjetura; pero se juegan la vida, porque el movimiento de los cubos encierra trampas que a veces causan la muerte. El gran interés de esta trama estriba en que se hace eco de una de las angustias más recurrentes de la última modernidad, ya tratada en las páginas anteriores: el sujeto cuya individualidad y capacidad de decidir sobre su propia vida se ven repentinamente disueltas en un engranaje cuyas reglas él ignora o conoce de modo sólo aproximativo, lo que desdibuja, no ya su percepción de lo real, sino incluso la percepción de sí mismo como real. Los referentes filosóficos y literarios son considerables: recordemos sólo dos de los más fuertes, las novelas de Kafka (fundamentalmente *El proceso*) y la crítica del joven Marx al modo burocrático de dominación, a la que ya me he referido.

4. ¿Derechos? ¿Qué derechos?

Hemos hecho un recorrido bastante completo por la galería de los horrores distópicos, pero hay algo aún más inquietante:

---

una guerra tal que es la de todos contra todos". Th. Hobbes: *Del ciudadano y Leviatán*. Trad. de E. Tierno y M. Sánchez, est. prelim. y antol. de E. Tierno. Madrid: Tecnos, 1987, p. 125.

un horror en el que seamos capaces de reconocernos porque reproduce en casi todo nuestro paisaje cotidiano, sin sombra de anticipación, limitado a un hueco en el sistema de garantías por el que alguien desaparece en el momento menos pensado. Efectivamente, no existe distopía alguna en la operación de propaganda que lleva a los tripulantes de la misión fracasada a convertirse en muertos en vida en *Capricorn One* (Peter Hyams, 1978). Simplemente, el democrático gobierno estadounidense decide transmitir imágenes falsas para obviar el fiasco del viaje a Marte y desea asegurarse del silencio de todos ellos fingiendo un aterrizaje en el que habrían perecido. Las cloacas de los estados, aun de los más democráticos, están llenas de esas pequeñas distopías, espacios de alegalidad que aseguran al poder un comportamiento libre de toda regla.

También en *Clockwork Orange* (Stanley Kubrick, 1971), el despliegue de prácticas totalitarias sucede en un estado aparentemente normal, que en nada se diferencia del Reino Unido de comienzos de los setenta: la policía maltrata a los detenidos, sí, pero nadie obliga a Alex De-Large a someterse al tratamiento conductista. Hay elecciones y el ministro del interior teme perderlas. Aquí no parece existir distopía alguna, aunque, como veremos, se debe simplemente a que el control se ejerce sobre parte de la población carcelaria y no sobre la totalidad del cuerpo social. El trato que se le ofrece a Alex parece más que ventajoso, respetuoso con sus derechos: una terapia aversiva a la violencia, de dos semanas de duración, a cambio de la condonación de una pena de doce años[40]. La ciencia, bajo la forma de ingeniería social (recordemos la *INGSOC* de *1984*), tiene mu-

---

[40] Alex es un asocial aparentemente irrecuperable, violento hasta la exasperación, y su lenguaje nos lo muestra a las claras: lejos de sujetarse a las reglas del inglés normalizado más o menos *cockney*, es una jerga a veces ininteligible, en la cual podemos reconocer nuestro propio mundo frente a las distopías más o menos lejanas: frente al control absoluto de las palabras por el Estado, que hemos visto en aquellas, el delincuente juvenil utiliza una lengua hecha a las necesidades de un pequeño grupo de hablantes. Esta es, decididamente, nuestra cotidianidad, en la que el lenguaje se ha fragmentado en multitud de subproductos ajustados a las tribus urbanas o suburbanas (delincuentes, juristas, pedagogos, economistas, científicos, periodistas...) que los usan.

Derecho y Cine. El Derecho visto por los géneros cinematográficos

cho que decir en este panorama. El gobierno, afirma el ministro de interior, ya no está para teorías penales pasadas de moda[41] y pronto hará falta más espacio para los presos políticos. Los comunes, como Alex, tienen un remedio científico: se les mata el reflejo criminal a base de condicionamientos clásicos que asocien respuestas aversivas a estímulos criminógenos y en un año estarán reformados. Es lo menos que la sociedad puede hacer por ellos: muerto el perro, se acabó la rabia. El capellán de la prisión protesta alegando que el bien y el mal existen y no pueden ser resueltos en problemas de condicionamientos, de estímulos, de manipulación de conducta. *La bondad y la maldad*, afirma, *nacen con nosotros. La bondad se escoge; si el hombre no elige, deja de ser hombre.* Pero al ministro no le incumben los problemas éticos, sólo pretende reducir la criminalidad. El experimento (largas sesiones durante las cuales DeLarge es obligado a ver imágenes violentas de todo tipo, mientras sufre los efectos de una droga que le causa náuseas insoportables) es un éxito, si bien DeLarge, bloqueados sus malos instintos, queda a merced de todas las venganzas que su conducta pasada ha incubado, y sólo su intento de suicidio tras ser torturado por una víctima convence al ministro de la inanidad de su proyecto. Alex ha visto realmente lesionado su derecho a la integridad moral, convertido en un pelele a merced de su programación; al fin, desprogramado, volverá a ser un delincuente.

Ciertamente, hay una importante diferencia entre ese mundo y el nuestro: la devoción hacia la ciencia es ya ajena a la sociedad en que vivimos y a sus formas políticas y nadie pensaría hoy en solucionar los problemas de la delincuencia en términos de condicionamiento clásico[42]. Pero existen otros modos de reducir a la escala tecnológica el problema de la culpabilidad, de lograr el viejo sueño positivista de eliminar el prejuicio y la incertidumbre en la actuación de

---

[41]   Se refiere, desde luego, a las que preconizan la función rehabilitadora de las penas, pero también a las puramente retributivas, basadas en el puro y simple castigo, que no hacen sino introducir al delincuente en una espiral de delito-sanción-nuevo delito.

[42]   La tecnología del condicionamiento era ya antigua en 1971, año de producción de la película de Kubrick; una vez más, la ciencia-ficción no se define por el hecho de que las tecnologías sean superiores a las conocidas, sino por su uso.

los llamados operadores jurídicos: en *Minority Report* (Steven Spielberg, 2002), aunque la clave no es el avance de la tecnología a mediados del siglo XXI sino las excepcionales dotes de un grupo de videntes, son las soluciones tecnológicas las que permiten transferir las imágenes de futuros crímenes captadas por el trío de *precogs* a una pantalla virtual en la que se visualiza cada uno de aquellos. Como *Clockwork Orange*, esta película introduce la distopía en una suerte de hueco (un hueco muy, muy grande) en un sistema formalmente democrático y garantista[43]. La interesante paradoja planteada es que, una vez aceptado el axioma de que los *precogs* no fallan nunca, los *predelincuentes* podrán ser detenidos y encerrados *antes* de cometer su *delito*[44]. La teoría del delito entendido como

acción típica, antijurídica, culpable y punible se desmorona así en aras de un modelo penal basado en la peligrosidad, aunque ésta sea percibida de forma bastante fiable y castigada en el tramo final del *iter criminis*, cuando la intención criminal se ha manifestado ya (en la primera de las detenciones mostradas, la policía irrumpe en la habitación justo cuando un hombre levanta unas tijeras sobre su mujer y su amante). *La comisión del crimen es pura metafísica*, arguye uno de los policías que explican el sistema al receloso inspector enviado por el fiscal general del Estado; existe la predeterminación, la cual se da todo el tiempo (cabría contestarle que eso ya no es metafísica, sino teología; de hecho, el diálogo que sigue a esta afirmación es teológico)[45]. Que la policía no intervenga sino al fi-

---

[43] La iniciativa de extender el sistema al ámbito federal es precisamente la que está en el arranque de la película, y se nos informa de que pronto se someterá a la aprobación parlamentaria; las actuaciones del policía que traduce las informaciones visuales en decisiones son supervisadas en tiempo real por un médico y un juez. Formalmente, nada hace pensar en la naturaleza antidemocrática o no garantista del sistema.

[44] Precisamente, la película muestra los intentos del protagonista (desde luego interesados, puesto que aparece como autor de un asesinato) por demostrar la falibilidad de los *precogs*.

[45] En efecto, afirmar que la predeterminación es inexorable es hurtarla a nuestra voluntad y renunciar a concebirnos como sujetos dueños, siquiera parcialmente, de nuestros actos. La estructura teológica que subyace a esta certeza es hija, ella también, del voluntarismo bajomedieval, esa crisis del XIV a que me he referido líneas más arriba, y deja su impronta (a través de la doctrina de la *naturaleza caída*) en el protestantismo con la doctrina

nal deja abierta la cuestión, que la película no plantea, de si las conductas son castigadas como constitutivas de delito en grado de frustración (tentativa, si la intervención policial no se demora demasiado) o de consumación. Desde luego puede alegarse que optar por esta última solución sería ilógico, pero hay que recordar que el Estado (en este caso, el Distrito de Columbia) es dueño y señor de las palabras. El argumento de que el sistema permite luchar eficazmente contra la delincuencia es fácilmente rebatible: los poderes de los *precogs* podrían ser utilizados *ex ante*, con efectos disuasorios so-

bre el posible criminal (aunque resultaría difícil, puesto que las imágenes se forman con escasa antelación al hecho) o *ex post*, para ayudar en las investigaciones, y sin duda la eficacia en las condenas facilitaría la reducción de la delincuencia sin merma del garantismo. Pero el programa persigue la eliminación total y definitiva de todas las muertes violentas.

El problema en este film es el mismo que el planteado por los anteriores: qué hacer con el Otro, aquel cuya desviación parece imposible de solucionar por la vía represiva[46]. Lo ajeno se convierte en problema sólo

calvinista de la predestinación, tan grata a los puritanos que colonizaron lo que después serían los EEUU. Es lógico: un dios omnipotente no se limita a ejercer la presciencia, sino también la predestinación. Cuáles sean las formas laicas de este argumento teológico (la doctrina lombrosiana del *delincuente nato*, no en vano positivista, es una de ellas; la estigmatización del *perdedor*, tan estadounidense, es la más conocida) es, a estos efectos, irrelevante. El inspector enviado a fiscalizar el programa desconfía de esa inexorabilidad que es el segundo axioma del sistema. *El poder*, afirma, *no reside en el oráculo, sino en los sacerdotes* (les da este nombre porque hay ya una buena parte del público que les otorga atributos divinos). Una vez más está en peligro el sueño positivista de la formalización absoluta de la decisión, del juez que es mera *boca de la ley*, frente a la evidencia de los prejuicios, las interpretaciones divergentes, los errores judiciales: el prejuicio, en suma, consistente en querer eliminar completamente el prejuicio. Los *precogs* no son perfectos, sufren *ecos* y los policías se equivocan a veces al interpretarlos, igual que los juristas se enfrentan a las zonas de incertidumbre de la norma, a su textura abierta, con resultados no siempre halagüeños.

[46] Recientemente hemos asistido en nuestro propio país (hasta ahora alejado de veleidades al estilo *Patriot Act*) a debates que permitirían ver los proyectos ministeriales de *La naranja mecánica* y *Minority Report* como algo no muy radical, casi ingenuo: apologías de la llamada *castración química*; intentos de publicar listas de personas que ya han purgado su delito (por supuesto,

cuando supera un límite; hasta ese momento es tolerable bajo la forma de lo exótico, lo curioso, lo simplemente irritante. Pasado ese punto comienza el espíritu de *pogrom*, tan grato a la especie humana. Los fanáticos que organizan *ferias de la carne* en *A.I.*, con la trituración y humillación pública de robots, vindican un mundo *natural* con la misma alegre barbarie con que los fascistas de la *América profunda* celebran sus festivales de las armas o piden una nación blanca (o que en la Italia de Berlusconi se abre la persecución *penal* del ilegal). Los devotos de la identidad oficial siempre encuentran un motivo para canalizar su miedo, que es el nuestro, el de todos, que nunca es plenamente absurdo: la raza, la delincuencia, la extranjería, las minorías nacionales, el nivel en la escala social, las prácticas sexuales... Al niño robot David le salva el hecho de que se parece demasiado a sus potenciales verdugos. Busca a su mami, como Marco, y eso no es poco ante un público que creció, como nosotros, con las pelis de Disney. Su indulto nos alivia como espectadores, pero es difícil obviar el hecho de que estaba destinado al sacrificio.

Nos gusta, sí, preservar nuestra identidad, aunque ello suponga crear un relato más o menos mítico que la salvaguarde. Por eso una de las formas preferidas de la ciencia-ficción es la que enfrenta a la especie humana a las amenazas extraterrestres (*The Day the Earth Stood Still*, Robert Wise, 1951; *The War of the Worlds*, Byron Haskin, 1953; *Invassion of the Body Snatchers*, Don Siegel, 1956; *Alien*, Ridley Scott, 1979; *Independence Day*, Roland Emmerich, 1996) o a las mutaciones intraespecíficas (*The Island of lost Souls*, Erle C. Kenton, 1934; *The Incredible Shrinking Man*, Jack Arnold, 1957; *The Man of X-Ray Eyes*, Roger Corman, 1963; *The Fly*, David Cronenberg, 1986) o extraespecífi-

sólo referidas a los delitos *de moda* en cada momento); alardes de *ingeniería de la imputación* a cargo de algún simpático y garantista ministro de justicia (que acuerda con el fiscal solicitar casi cien años de prisión para un etarra por haber publicado dos cartas llenas de delirios redentores, a falta de un pretexto mejor para mantenerlo en la cárcel una vez cumplida su condena). Entre los penalistas gana terreno el *derecho penal del enemigo*, que recorta las viejas categorías de la dogmática a la escala de las nuevas exigencias de política criminal (entre nosotros, señaladamente J.M. Silva Sanchez: *La expansión del derecho penal. Aspectos de la política criminal en las sociedades post-industriales*. Madrid: Civitas, 1999).

cas (*Gojira*, Ishiro Honda, 1955; *The Planet of the Apes*, Franklin J. Schaffner, 1968; *Jurassic Park*, Steven Spielberg, 1993; *Godzilla*, Roland Emmerich, 1998). Ambos temas nos sitúan ante la posibilidad de recobrar el sentido global de lo humano que, seamos sinceros, nunca tuvimos: los del primer bloque por el sentimiento de pánico que produce la posibilidad de desaparecer como especie a manos de extraños, los del segundo por la presencia del monstruo o del mutante que es resultado de avances tecnológicos no guiados por perspectivas éticas[47]. Los dos tienen en común, pues, la conciencia del límite. Dentro de este grupo, buena parte de las películas estadounidenses del género, principalmente las de los años cincuenta, están destinadas a reforzar el *American Way of Life* de modo tan descarado que, sin merma de su condición de cine de entretenimiento, pueden ser consideradas también cine político. Sólo a partir de los últimos setenta, ya en el tramo final de la Guerra Fría, la visión del Otro se dulcifica, en una suerte de metáfora de la fraternidad universal que comporta la aceptación de lo diferente: lo vemos en filmes como *Encounters of the Third Kind* (Steven Spielberg, 1977), *E. T.* (Steven Spielberg, 1982), *Enemy Mine* (Wolfgang Peter-

---

[47] Sólo el pastor de *The war of the worlds* sostiene, con una ingenuidad rayana en lo estúpido, la existencia de un nexo de unión con los visitantes: *Si son más avanzados, deberían estar más cerca del Creador* (es muy probable que así sea, porque las avanzadas criaturas reducen al pastor a cenizas con la despreocupación de un Yahvé cualquiera). Desde el comienzo, en este filme se habla de los marcianos con un lenguaje que recuerda, no casualmente, el destinado al enemigo comunista en los años cincuenta: *intelectos superiores y despiadados*, estas criaturas *miraban a la Tierra con envidia y poco a poco bosquejaban planes en nuestra contra*. En *Invassion of the Body Snatchers*, también las referencias son ideológicas: la usurpación de los cuerpos por los bárbaros del espacio exterior, con forma de vainas (su aspecto físico, como en la película anterior, es absolutamente diferente al nuestro, ya que la deshumanización del enemigo resulta fundamental para que cualquier medio se considere válido contra ellos), es una evidente metáfora de la de los espíritus por los bárbaros de este mundo, los enemigos comunistas. Finalmente el protagonista, Miles, llega a volverse hacia el público para advertirle del tremendo peligro que corre. Aquí no hay derrota del enemigo, ni siquiera a través de un "milagro" bacteriológico como el de *The war of the worlds*: una sociedad avisada debe estar en permanente tensión.

sen, 1985), *Abyss* (James Cameron, 1989) y, por supuesto, la ya mencionada *A. I.*[48].

La identidad, puesta en juego (y en cuestión) en todos estos filmes, es la clave de los derechos. Negamos derechos a quienes son distintos y los negamos absolutamente a quienes son del todo distintos[49]. Durante la mayor parte de la historia, los esclavos carecieron de todo derecho y las mujeres eran consideradas seres *alieni iuris*; hemos heredado de los romanos la negación de la condición de persona a los fetos sin forma humana; concedemos a los trabajadores extracomunitarios derecho a prestaciones sanitarias y educativas, pero no al voto; los animales no tienen derechos en absoluto[50]. Por eso el problema planteado en *The planet of the Apes* (Franklin J. Schaffner, 1968) —basada en la novela homónima de Pierre

---

[48] Una perspectiva privilegiada para comprobar hasta qué punto el cine de ciencia-ficción trasluce, en no menor medida que el perteneciente a otros géneros, las transformaciones sociales y políticas está en la saga *Star Trek*, desde *Star Trek. The Movie* (Robert Wise, 1979) hasta *Star Trek. Nemesis* (Stuart Baird, 2003).

[49] Una exposición del problema de la identidad en relación con el del reconocimiento, muy característico de nuestros días, se encuentra en J. de Lucas, *op. cit.*, pp. 31 a 64. Con respecto a las fuentes teóricas, v. las obras de Ch. Taylor: *Fuentes del yo: la construcción de la identidad moderna* (trad. de A. Lizón. Barcelona: Paidós, 2006) y *Multiculturalismo y la "política del reconocimiento"* (comentarios de A. Guttmann, S. C. Rockefeller, M. Walzer y S. Wolf, trad. de M. Utrilla. México, 2001); también en J. Habermas: *La inclusión del otro. Estudios de teoría política.* Trad. de J. C. Velasco y G. Vilar, prólogo de J. C. Velasco. Barcelona: Paidós, 2002.

[50] Lo que no supone dejarlos desprotegidos contra el maltrato. Simplemente, la protección (existente incluso en un país de costumbres tan bárbaras al respecto como el nuestro) no se realiza bajo el modo de la subjetividad jurídica, sino en nombre del bien jurídico protegido de los sentimientos de la comunidad. Los animales que nos resultan más lejanos, más absolutamente otros, son los que se hallan destinados a producir alimento; por eso sentimos horror hacia el canibalismo, que supone tratar al próximo (al *prójimo*) como absolutamente otro, simple carne, y por tanto definido sólo por su materia y no por su forma, lo que excluye toda forma de identidad, toda subjetividad; *Soylent Green* (Richard Fleischer, 1973) es un buen ejemplo de film de ciencia-ficción que plantea este problema. En cambio, el animal doméstico es un otro, pero otro cercano y, por tanto, suele merecer un trato diferente: le otorgamos un nombre propio, aunque suele ser paródico con respecto a los nuestros (Lévi-Strauss habla de los animales domésticos como de *humanos metonímicos*).

Boulle— es uno de los más interesantes planteados por el cine de ciencia-ficción. El cosmonauta, llegado a su propio mundo dos milenios después de la desaparición de la especie humana, se enfrenta a simios capaces de hablar y dotados de un cierto desarrollo tecnológico. Allí es un esclavo, un ser sin derecho alguno que puede ser sometido a cualesquiera experimentos y jurídicamente incapaz de defenderse ante un tribunal. De poco sirve su capacidad de hablar: a lo más para ser considerado un monstruo, un mutante. Nuestro mundo aparece aquí como la contrafigura del simiesco, pero ambos comparten la defensa de lo propio bajo la forma de la subjetividad jurídica y la exclusión de lo otro. Curiosamente, la figura divina vuelve a aparecer bajo su papel universal: justificar cuanto haga falta. Los simios han inventado un dios sustancialmente igual al nuestro, creado a su imagen y semejanza; se consideran, como nosotros, el pueblo elegido en detrimento de las demás especies, a las que utilizan para su propio beneficio. No es extraño que durante el proceso al que se somete al cosmonauta se diga que lo que se está juzgando no es a un humano, sino a una teoría científica, el evolucionismo sostenido por los médicos Zira y Cornelius y que sostiene la herejía de que el simio desciende del hombre; en esas circunstancias, tampoco asombra que el ministro de ciencia sea también defensor de la fe y sostenga la imposibilidad de que ésta contradiga a la auténtica ciencia[51].

La reflexión a que ello mueve sobre la función de los derechos no puede ser más interesante: pese a su pretensión de universalidad, la categoría del derecho subjetivo es específica, en el sentido más propio de la palabra, pues abarca sólo a la especie que los declara; el resto de las especies, así como las extensísimas capas de la nuestra que consideramos diferentes,

---

[51] Los esquemas mentales del simiesco ministro de Ciencia y Fe pueden parecer grotescos, pero sería imprudente considerarlos exóticos: en nuestros días, azuzados desde el poder por los teóricos *neocon*, multitud de escuelas enseñan el creacionismo en los Estados Unidos, invitando a los niños a rechazar cualquier evidencia científica (incluidos los hallazgos fósiles) que contradiga a la Biblia. Algunos países islámicos radicales son auténticas teocracias, gobernadas por clérigos que dictan constantemente la ortodoxia en los aspectos más nimios. Nunca debemos menospreciar la capacidad de los dioses y sus intérpretes cualificados para depararnos sorpresas…

son objetos sobre los que proyectar nuestros propios deseos y apetencias, siempre sometidos y con formas muy incompletas de protección; sólo el reconocimiento de la subjetividad jurídica acabaría con esta situación y permitiría al resto de especies el derecho a una vida y una muerte dignas[52]. Claro que a muchos les parece prematuro extender estos derechos a otros seres cuando las dos terceras partes de los de nuestra especie carecen de la mayoría de ellos. No es raro que lo piensen: si el cine llamado de ciencia-ficción (o, con un criterio más propio de estantería de grandes almacenes, de *fantasía y ciencia-ficción*) tiene alguna utilidad política, en el sentido más noble de la palabra, y ética,

está precisamente en reflexionar sobre los límites de nuestra capacidad para regular nuestra convivencia con ayuda de los instrumentos que nos permitieron superar al resto de las especies. Por desgracia, no parece que hayan servido para mejorar sustancialmente la suerte de la nuestra. Por eso, en última instancia, si fuera preciso resumir todos los temas planteados por este género cinematográfico (por todos los géneros, en realidad) en una sola pregunta, sin duda valdría la que hace medio planteó el maestro de maestros Kurosawa como resumen de toda su obra: *¿Por qué los hombres no somos capaces de vivir más felices juntos?*

---

[52] Es clásico al respecto el texto de Tom Regan: *The Case for Animal Rights*. Los Angeles: University of California Press, 1983.

El Derecho en el cine político

1. Introducción: en busca de un concepto de cine político

¿Qué es el cine político? Ésta ha de ser la primera cuestión que hemos de plantearnos antes de abordar con mayor profundidad el papel que juega el derecho en dicho género. La pregunta, aunque a primera vista pueda parecer de fácil respuesta no lo es, y esto se debe al importante elemento subjetivo que condiciona toda definición que se pretenda dar de cine político. Y la mía no será menos. En efecto, no parece que existan mayores problemas en calificar una película como western, determinar si se trata de una comedia o un drama, de cine de aventuras o ciencia-ficción. En todos estos casos el encuadre de la película bajo uno u otro género dependerá de un modo determinante de la propia trama, del guión, sin que por lo general sea necesario acudir a otros criterios de carácter estético, técnico,...

Sin embargo no es éste un índice válido, o al menos suficiente, cuando se trata de establecer si una determinada obra pertenece o no al género político. Así, si equiparamos cine político con cine de temática política, el catálogo de películas resultante sería tan amplio como la propia historia del séptimo arte. Y es que la política lo empapa todo. Sería imposible negarle tal carácter a obras tan diversas como multitud de las adaptaciones de Shakespeare (*Hamlet*, *Macbeth*, *Julio César*...), auténticas disertaciones sobre las entrañas del poder y sus corruptelas; infinidad de westerns donde se refleja la forja a sangre y fuego de un Estado partiendo casi del estado de naturaleza donde impera la ley del más rápido; o por que no, cualquier bodrio hollywoodiense de exaltación patriótica del estilo de vida y valores americanos a imagen y semejanza de *Independence day* (Roland Emmerich, 1996) (¿acaso hay algo más político que la propaganda?). Y en fin, ya que se trata éste de un libro sobre el derecho en el cine, cualquier película con un elemento jurídico importante (y un rápido vistazo al libro que se tiene entre manos bastará para hacerse una idea de cuántas y cuán variadas son) sería en esencia una película política pues detrás de todo derecho se encuentra, de un modo más o menos directo, la política. No es pues la temática elemento suficiente aunque sí necesario para acotar el campo del cine político.

Intentemos estrechar el cerco. Cuando se hace referencia al cine político suele emplearse como sinónimo el de *cine de compromiso*, término que a efectos de elaborar una definición resulta sin duda mucho más acertado pues pone el acento no sobre la trama sino sobre el elemento intencional detrás (o dentro) de la propia película, el posicionamiento ideológico del realizador y su intento por despertar y mover conciencias. Por tanto tenemos ya una pieza más del puzzle. No basta con que la obra "trate" sobre política sino que se requiere que posea "alma" en una especie de intento de catarsis moderna donde la reflexión o argumentación esgrimida durante hora y media trascienda los límites de la sala de cine y acompañe al espectador más allá de la pantalla.

Íntimamente vinculado con el elemento ideológico identificamos otro de los rasgos que caracterizan el género cual es su estrecha vinculación histórica y cultural. En efecto, las películas de cine político casi sin excepción tienen vocación documental, ya mediante la dramatización crítica o revisionista de hechos veraces (opción empleada sobre todo por la vertiente más humanista de este tipo de cine centrada en denunciar los actos de violación masiva de derechos humanos) ya a través del reflejo de la realidad cotidiana que se apuesta por cambiar (empleado fundamentalmente por la rama más laboralista). Efectivamente la veracidad en los hechos que se narran es absolutamente fundamental (Z, obra que dio a conocer al realizador greco-francés Costantin Costa-Gavras, una de las figuras más relevantes dentro del cine político actual al cual nos dedicaremos en profundidad al final de este capítulo, se inicia con la siguiente advertencia: *Cualquier semejanza con personas o lugares realmente existentes, no es coincidencia: **es intencional***) pues no podríamos hablar de compromiso sin el vínculo con la realidad ante la que posicionarse. De otro lado no puede obviarse el hecho de que todo realizador es hijo de su tiempo lo que dota al cine político de un cierto regionalismo y así, por lo general, cada uno refleja las problemáticas e inquietudes de su sociedad: Bardem retrata la España de la segunda mitad del siglo XX, fundamentalmente la dictadura franquista (cuya férrea censura constituyó un escollo a evitar mediante todo tipo de argucias y alegorías), pero también los trascendentales momentos de la transición, Ken Loach refleja las penurias de la clase obrera británica oculta por la burbuja de bienestar y prosperidad de la clase media, Oliver Stone indaga en los turbios entresijos de la clase política americana así como en la brutalidad e insensatez de la guerra de Vietnam,...

Pese a todo lo dicho, en este momento el abanico es aún demasiado amplio a mi parecer, y ello se debe a que conforme a la definición hasta aquí apuntada todavía no pueden ser descartadas aquellas películas cuyo elemento intencional no consiste en un despertar de conciencias sino más bien en un acto propagandístico de defensa del poder establecido. De este modo aún tendrían cabida en este punto el cine propagador de ideas reaccionarias (sirva como ejemplo *El nacimiento de una nación* (*The birth of a nation*, David Wark Griffith; 1915), de igual forma que las ya mencionadas pelícu-las elaboradas por el imperio hollywoodiense para el imperialismo americano (la lista sería interminable) y qué decir por supuesto del cine al servicio del Estado, tanto si nos referimos al cine fascista (*Raza*, José Luis Sáenz de Heredia, 1941), con guión del propio Franco es el ejemplo patrio por excelencia), nazi (*El triunfo de la voluntad* (*Triumph des Willens*, Leni Riefenstahl, 1935) aun cuando Riefenstahl alega en sus memorias que se trató únicamente de una película documental, el propio Hitler la definió como la mas gloriosa exaltación del movimiento nacionalsocialista) o soviético (*La huelga* (*Stachka*, Sergei M. Eisenstein, 1924), *El acorazado Potemkim* (*Bronenósets Potyomkin*, Sergei M. Eisenstein, 1925) u *octubre* (*Oktjabr*, Sergei M. Eisenstein, 1927), al margen de su calidad cinematográfica y de los avances técnicos que aportaron al desarrollo del cine, no pueden pasar desde el punto de vista político más que como parte del programa gubernamental para la expansión y afianzamiento de la ideología soviética entre el pueblo ruso). Se hace necesario pues, a mi parecer, excluir de la definición todo aquel cine que no pretende cuestionar la realidad política y social invitando al espectador a la reflexión, sino que persigue el adoctrinamiento de éste en los valores del sistema ya de forma directa ya una manera más subliminal. Por tanto, otra de las características fundamentales del cine de compromiso es su carácter crítico, cuando no revolucionario.

Es también común calificar al cine político como "cine de izquierdas", argumentando la militancia cercana a postulados marxistas de muchos de los directores del género. Sin embargo, a mi entender, al margen de los posicionamientos ideológicos de cada realizador, no puede identificarse de forma tan clara y generalizada una tesis política común. Y si bien es cierto que en su inmensa mayoría las tramas se ambientan en sistemas capitalistas (o contra ellos), no es ni mucho menos exclusivo (así, *La confesión* (*L'aveau*, Constantin Costa-Gavras, 1970), revisa las purgas estalinistas, del mismo modo que *Antes que anochezca* (*Befote night falls*, Julian Schnabel, 2000) narra la persecución del poeta homosexual Reinaldo Arenas por el régimen castrista) De este modo, el cine de compromiso se configura como un cine de denuncia contra la tiranía, ya sea esta política o económica, y por tanto quizás el rótulo más adecuado fuera el de "humanista".

Hasta aquí por tanto, el concepto elaborado podría resumirse así: el cine político, independientemente del papel más o menos predominante que tenga dicha temática en la trama, es un cine orientado a la reflexión crítica sobre la realidad social y política, llamando la atención sobre la necesidad de cambiar la misma desde una óptica humanista.

Quedan sin embargo aún un par de precisiones antes de abordar en profundidad el género y la presencia del elemento jurídico en el mismo.

En primer lugar, se trata de excluir dos tipos de películas que se hallan en el borde difuso de la definición elaborada: por un lado aquellas realizaciones que podríamos denominar "de conflicto" elaboradas en su mayor parte durante la II Guerra Mundial y que de un modo u otro pretenden colaborar en la victoria aliada. Son películas donde el elemento intencional está claro pero donde la argumentación pierde su peso en favor de la emotividad y el patriotismo. Del mismo modo, desde la perspectiva del concepto elaborado no constituyen una crítica estricta al sistema y se acercan más a un acto de propaganda, sin que ello tenga porque suponer ni mucho menos su desmerecimiento como obra cinematográfica, sino meramente su exclusión del género político, pues incluyo aquí obras que se encuentran por derecho propio entre las mejores películas jamás filmadas (por ejemplo *Casablanca* (Michael Curtiz, 1940). Por otro lado también dejaré fuera las llamadas "antiutopías", películas que recrean sociedades ficticias donde el individuo desaparece, engullido por un Estado totalitario. Es el caso de *1984* (Michael Radford, 1984) adaptación de la obra homónima de George Orwell, *Fahrenheit 451* (François Truffaut, 1966), basada a su vez en la novela del mismo nombre de Ray Bradbury, ambientada en un mundo donde la labor de los bomberos es detectar libros y quemarlos como instrumentos que son de subversión social; o *Patria* (*Fatherland*, Christopher Menaul, 1994), un ejercicio de política-ficción donde se plantea la cuestión de cómo sería el mundo si Hitler hubiera ganado la II Guerra Mundial. Todas estas obras, si bien de una forma más o menos alegórica, plantean una crítica contra el totalitarismo (la novela de *1984* no fue más que la reacción de su autor al miedo que le inspiraba el estanlinismo), carecen del claro referente con la realidad que caracteriza al cine de compromiso, y de ahí su exclusión.

En segundo lugar, y pese a constar de todos los elementos ya señalados, dejaré ya por último fuera del concepto de cine político aquellas películas que no sigan el esquema del drama o del thriller, lo que implica principalmente la exclusión de comedias como *El gran dictador* (*The great dictador*, Charles Chaplin, 1941), *Ser o no ser* (*To be or not to be*, Ernst Lubitsch, 1942) o *Bananas* (Woody Allen, 1971) por nombrar tres representativas con marcado carácter político, no sólo por estrechar algo más el círculo dotándole de una cierta unidad formal, sino también porque el despertar en el espectador sentimientos tales como la indignación, la impotencia y demás emociones que deriven en la reflexión se consigue de manera mucho más eficaz a través de vehículos más dramáticos. Prueba de ello es el hecho de que cuando en *El gran dictador*, Chaplin arremete frontalmente contra el totalitarismo en general y contra el nazismo en particular, adopta medios mucho más solemnes como es el discurso final, que forma parte ya sin duda de los grandes alegatos de la historia contra la guerra y la barbarie humana.

Derecho y Cine. El Derecho visto por los géneros cinematográficos

2. El documental político

Si uno de los elementos fundamentales del cine político consiste en que refleja y enjuicia la realidad desde una óptica crítica, es evidente que nadie cumple esta función mejor que el documental de corte social pues el vínculo con dicha realidad es total y absoluto.

Si bien cuando se habla de cine de compromiso de una forma estricta se hace referencia al cine de "ficción" (el adjetivo no podría ser más desafortunado en este punto cuando precisamente he caracterizado el género como de vocación documental y necesariamente ligado con lo real y no lo ficticio); desde una perspectiva más general cabe considerar el documental como un segundo subconjunto que completa con el anterior el concepto de cine político. Así es como lo entiendo y por ello haré referencia en las próximas páginas a algunos filmes documentales representativos y a las cuestiones jurídicas que en ellos se plantean.

No hay duda de que el documental, al abordar temáticas políticas, cuenta con ciertas ventajas relativas frente al cine actuado: la no necesidad de actores, guionistas,... no sólo abarata considerablemente los costes sino que permite la inmediatez en la reacción: se requiere únicamente una cámara y la voluntad de emplearla para dar fe de la realidad. Esto se observa perfectamente en *La Batalla de Chile: la lucha de un pueblo sin armas* (Patricio Guzmán, 1977). La película, rodada en los últimos meses de la Unidad Popular antes de que los generales destrozaran el sueño chileno y convirtieran el país en un torrente de sangre, constituye probablemente el mayor documento sobre la lucha de clases jamás filmado. En él se refleja de forma fidedigna la fuerte politización y polarización de la sociedad chilena del tiempo. El film, dividido en tres partes, muestra la convulsión de los meses que precedieron al fatídico 11 de septiembre: las elecciones legislativas de marzo de 1973, auténtico referéndum para el Presidente Allende, de donde si bien éste salió reforzado al incrementar su apoyo electoral, se vio abocado a un fin de legislatura con minoría parlamentaria; el uso que la derecha hizo de tal mayoría para boicotear cualquier iniciativa del Ejecutivo en la Cámara, impidiéndole no ya solamente cumplir su programa de la "vía chilena al socialismo" (la construcción de un Estado socialista desde el más escrupuloso respeto a las formas y valores democráticos), sino reaccionar ante ataques al orden constitucional como la intentona golpista de junio. El conflicto en la calle es aún mayor. La derecha, sostenida por la burguesía empresarial, no se resigna a perder el poder y prepara el camino del golpe de Estado: moviliza a sus fuerzas de choque, crea milicias fascistas, paraliza al país con innumerables huelgas, (sobre todo en el transporte y en las minas de cobre, principal riqueza chilena), desabastece a la población,... Frente a esto el pueblo reacciona y, al grito de "crear poder popular", se organiza: responde a la paralización del transporte consiguiendo camiones que permitan a los obreros llegar a sus fábricas, fortalecen los llamados "cordones industriales" (agrupaciones de fábricas y empresas que coordinan las tareas de los trabajadores de una misma zona), lo que permite a su vez al Gobierno poner bajo control estatal sectores estratégicos para la economía del país; se crean juntas de abastecimiento que gestionan el reparto de los bienes de primera necesidad y lu-

chan contra los especuladores... Las asambleas de trabajadores se convierten en algo cotidiano y la clase obrera cierra filas entorno al Gobierno Popular. Sólo cuando éste se ve atado de pies y manos para responder mediante medios legales a la amenaza fascista, proceden los trabajadores a ocupar fábricas impidiendo que se paralice la producción como consecuencia de los constantes paros patronales.

La situación es casi de manual para cualquier marxista, una auténtica batalla antagónica entre las fuerzas proletarias y burguesas. En la dinámica de la lucha de clases el Derecho no es otra cosa que un instrumento más al servicio del empresario, un arma con la que oprimir al obrero y un medio de santificación de la propiedad privada y con ello de las relaciones de dominación. Sin embargo, hete aquí que en Chile se produce un desafío a toda la lógica, no sólo a la marxista sino también a la capitalista. Por primera vez en la Historia un socialista accede al poder por la vía electoral con un programa de reforma del sistema desde el propio sistema: una auténtica revolución democrática. De este modo el Gobierno de la Unidad Popular pretende instrumentalizar los mecanismos del orden burgués, fundamentalmente a través de la elaboración legislativa de un nuevo Derecho, para construir un Estado socialista en democracia, rebatiendo la máxima de los defensores del sistema capitalista de que socialismo y libertad eran términos incompatibles.

Antes he dicho que desde las tesis marxistas el Derecho se ve como un instrumento de la burguesía, sin embargo no reniegan éstas más que del sistema jurídico capitalista, no del Derecho en sí, como atestigua el hecho de que tras toda revolución triunfante el Estado socialista de ella emergente se asienta sobre bases jurídicas, elaborando su propio sistema de leyes así como los mecanismos de imposición coactiva del cumplimiento de las mismas. La diferencia por tanto entre la experiencia de la Unidad Popular en Chile y los demás ejemplos de construcción de Estados socialistas no radica en la confianza o no en el Derecho como instrumento válido, sino, a mi modo de ver, en la convicción en el caso chileno de que todo cambio radical producto de una imposición trae consigo la instauración de un sistema ya no sólo detestable por lo injusto, sino frágil por el hecho de que al ser humano se le puede compeler a comportarse de una determinada manera pero no se le puede prohibir pensar. El hombre no es una máquina y de

ahí que la UP defendiera la tarea más ardua pero mucho más digna de vencer convenciendo y no a la inversa.

El camino se tornaría difícil ya desde el inicio y Salvador Allende se vería embarcado en una auténtica Odisea que esta vez no habría de arribar a Itaca. El Golpe de Estado no es tratado por este documental, pero sí que es objeto en todo su horror de múltiples películas, a alguna de las cuales haré referencia en su momento. Por lo demás, las cuestiones jurídicas a que podría dar lugar el análisis de *La batalla de Chile* son poco menos que inagotables, sin embargo baste aquí lo dicho a título representativo como ejemplificación de una forma de documental político que podríamos calificar de constatación de conflicto. A modo de recomendación me limito a hacer mención al documental *Chile: la memoria obstinada* (Patricio Guzmán, 1997), filmada tras el fin de la dictadura de Pinochet y en donde el realizador rememora el Gobierno de la Unidad Popular mediante entrevistas con los pocos protagonistas supervivientes a la masacre y confronta a las nuevas generaciones de chilenos con la Historia que no figura en sus libros (cuan cierto es que ésta la escriben los vencedores) exhibiendo *La batalla de Chile* a escolares y universitarios para su posterior debate.

Otro tipo de documental de contenido político y social es aquel que tiene por objeto la denuncia de las crisis olvidadas, aquellas violaciones de los Derechos Humanos que no ocupan las portadas de periódicos o noticiarios y si alguna vez lo hicieron ya han sido relegadas al olvido, no porque hayan cesado sino por su falta de interés mediático. Haré referencia aquí a dos documentales: *La espalda del mundo* (Javier Corcuera, 2000) e *Invisibles* (Isabel Coixet, Win Wenders, Fernando León de Aranoa, Mariano Barroso y Javier Corcuera, 2007) producida por Javier Bardem. Los títulos elegidos no podrían ser más gráficos, *La espalda del mundo* se compone de tres historias: *El niño*, Guínder Rodríguez y su miserable infancia como picapedrero en las favelas de Lima; *La palabra*, el matrimonio Zana, kurdos que han de sufrir la persecución del Estado por intentar participar en representación de su pueblo de los mecanismos supuestamente democráticos que rigen Turquía y que terminan con el marido exiliado en Suecia y la mujer gravemente enferma en la cárcel; y *La vida*, o la terrible cuenta atrás hacia el final de la misma que es lo que espera Thomas Joe Miller en el corredor de

la muerte en Texas (sorprendentemente es negro y el juicio en el que fue condenado resultó lleno de irregularidades). Por su parte, *Invisibles* consta de cinco pequeños documentales acerca de la enfermedad del Chagas en Bolivia, ignorada en tanto que únicamente afecta a las personas más pobres; la utilización sistemática de la violación como arma en la eterna guerra del Congo; como eterna es también la guerra en Uganda donde los niños pierden su inocencia y su futuro al ser secuestrados y obligados a convertirse en soldados; la enfermedad del sueño transmitida por la temible mosca tse-tse en la República Centroafricana para cuya cura las empresas farmacéuticas no destinan recursos al no poder obtener beneficio alguno con ello, puesto que los afectados son los auténticos parias de la tierra; ya por último la situación de desplazamiento de los campesinos colombianos como consecuencia de la continua inestabilidad de un país sin Estado.

Todas estas historias tienen dos cosas en común: nos muestran violaciones flagrantes de los Derechos Humanos y el primer mundo desvía la mirada para no verlas. Un mundo que es capaz de invertir miles de millones en investigación y desarrollo de la más avanzada tecnología armamentística o en financiar guerras que eviten la concentración de recursos petrolíferos en manos indeseadas, pero que no puede permitirse poner esa capacidad investigadora y esos recursos al servicio de la humanidad para erradicar enfermedades que de existir en Europa o Estados Unidos ya hace tiempo que pertenecerían exclusivamente a los anales de la historia médica; o a mediar en los conflictos que desangran África, y que no son más que la consecuencia directa de la pasada colonización y del presente interés lucrativo de las grandes multinacionales interesadas en mantener Estados débiles que no les impidan seguir controlando y explotando sus recursos económicos; y qué decir de las empresas armamentísticas, auténticos vampiros que trafican con la muerte.

A veces el mundo occidental no se limita a la mera ignorancia (ya vil de por sí) sino que se convierte en auténtico cómplice y así resulta tan preciado el valor de un aliado estratégico (en este caso es Turquía, como podría ser Pakistán, Marruecos, Israel o en su momento Irak, no lo olvidemos) que se está dispuesto a sacrificar a su suerte a un pueblo entero como el kurdo (o el saharahui, o el palestino). También hay dramas que no se desarrollan tan lejos de este mundo nuestro de bienestar, y

así en países tan "civilizados" como Estados Unidos sigue matándose de forma legal, si bien como en la película de Sergio Leone, *la muerte tiene un precio* y no todos pueden pagárselo, de modo que la postrer diferencia entre la absolución y la silla eléctrica radica en la capacidad para contratar a un abogado de prestigio que domine los entresijos del sistema: tanto y tan poco vale una vida.

Hasta aquí lo referente al documental. Podría seguir mencionando ejemplos: desde el filme compuesto a base de entrevistas, como el intento de plasmar la realidad política de Euskadi en *La pelota vasca* (*Euskal pilota*, Julio Medem, 2003) al más descaradamente combativo, y con ello normalmente menos objetivo, como *Fahrenheit 9/11* (Michael Moore, 2004). Creo sin embargo que las películas ya mencionadas en este epígrafe constituyen una aceptable representación dentro del género.

Así es que entraré ya de lleno a continuación en el análisis del cine de ficción, y puesto que al inicio he hecho referencia a la circunstancia de que el género político se caracterizaba entre otras cosas por un cierto regionalismo, abordaré mi análisis en primer lugar desde dicha óptica, y circunscribiéndome al cine más occidental, dedicaré las siguientes páginas al cine europeo, posteriormente al norteamericano y finalmente al cine latinoamericano. En todo caso, quiero hacer notar que puesto que no son el objeto de este libro los géneros cinematográficos, sino el papel de lo jurídico en los mismos, no llevaré a cabo una exhaustiva retrospectiva del cine de compromiso (ya existe al respecto bibliografía a la que haré referencia al final del capítulo), más bien buscaré nexos comunes desde una perspectiva general para luego analizar algunas obras concretas que considero especialmente interesantes por la cuestión jurídica que plantean. En segundo lugar, y para finalizar el presente capítulo me dedicaré a un análisis más detenido de los que, a mi parecer, son dos de las figuras más emblemáticas dentro del cine de compromiso, y que representan a su vez las dos tendencias mayoritarias dentro del mismo a las que ya he hecho anteriormente mención: Ken Loach como representante de un cine de tendencia laboralista y Constantin Costa-Gavras como estandarte del cine de Derechos Humanos.

3. El cine político europeo

La Historia social y política de la Europa del siglo XX es absolutamente frenética y ello queda reflejado en la obra de sus cineastas. Sin embargo, salvo contadas excepciones, podría decirse que el despegue definitivo de este cine no tiene lugar hasta el último tercio de siglo, consecuencia del espíritu de mayo del 68, de compromiso de la intelectualidad con la realidad social.

En España, la filmografía política esta irremediablemente ligada al franquismo. En primer lugar porque no fue hasta el final de la dictadura que éste pudo por fin manifestarse en todo su esplendor, debiendo limitarse hasta entonces a argucias alegóricas para evitar en lo posible la censura. En segundo lugar porque constituye junto con la tragedia común que supuso la guerra civil, el referente temático por excelencia en un intento, si no de hacer justicia, al menos sí de hacer memoria crítica. Así se puede observar por ejemplo en *La lengua de las mariposas* (José Luis Cuerda, 1999), elaborada sobre varios relatos contenidos en el libro *¿Qué me quieres amor?* de Manuel Rivas. La película está ambientada en un pueblo gallego en los últimos meses de la República y primeros días tras el Alzamiento. Destaca sobremanera el discurso del maestro, brillantemente interpretado por Fernán Gómez, cuando subraya en su ceremonia de jubilación la importancia de conseguir educar a una generación en libertad como mejor salvaguarda de la democracia, la educación en valores por tanto como uno de los pilares del Estado democrático, objetivo que desgraciadamente no habría de ser aquella generación la que lo consiguiera.

Recientemente también ha podido verse en los cines *Salvador* (Manuel Huerga, 2006), otro ejemplo de cine revisionista de la dictadura, donde se narra la detención, proceso y ajusticiamiento de Salvador Puig Antich, el último preso político ejecutado por el franquismo. Contiene cuestiones jurídicas relevantes tales como la pena de muerte y su carácter de castigo inhumano o la utilización del joven preso como chivo expiatorio, como sentencia ejemplar (no puede haber nada mas antijurídico que la resolución judicial que no está guiada por la ley en relación a unos hechos sino que excediendo los límites impuestos en la misma pretenda servir de escarmiento general), y finalmente la cuestión de la repre-

sión lingüística, constante durante la dictadura contra todas las lenguas del territorio que no fueran el castellano como medio de exaltación ultranacionalista y de marginación de las expectativas de autodeterminación.

Sin embargo, la que quizás sea la película más emblemática del cine político nacional, *Siete días de enero* (Juan Antonio Bardem, 1979), se centra en la época inmediatamente posterior, en los trágicos primeros pasos de la transición española. En ella se narran los hechos acontecidos durante la fatídica semana de finales de enero de 1977 que culminó con el asesinato a manos de un comando de extrema derecha de un grupo de abogados laboralistas en su despacho de la calle Atocha. El filme, rozando por momentos el género documental adopta la perspectiva de los asesinos para retratar la pugna entre aquella España agonizante, dispuesta a morir matando, y los anhelos de libertad y cambio de la inmensa mayoría de la sociedad. Desde el punto de vista jurídico la transición española supuso un proceso particular: la llegada de la democracia no se obtuvo a partir de una ruptura radical con el anterior sistema, sino una suerte de evolución a partir del mismo consensuado por la casi totalidad de las tendencias políticas, entre ellas, como era inevitable, las salientes del régimen, y bajo la constante amenaza del Ejército que "tuteló" el proceso constitucional para que éste no se desviara en exceso de principios patrios irrenunciables y que llegado el momento aún habría de hacer hablar a las armas una última vez. El proceso hubo de llevarse a cabo, no como en el intento chileno ya mencionado donde existía un sistema al menos formalmente democrático, sino provocando el llamado "harakiri" de las Cortes franquistas (su autodisolución a cambio fundamentalmente de la impunidad, cuestión que también tendremos tiempo de analizar a propósito de otras películas) para convocar cortes constituyentes. Antes de esto el Presidente Suárez habría de desatar alguno de los nudos amarrados por el dictador en su lecho de muerte para facilitar la participación política, el último de los cuales supuso la legalización del Partido Comunista, en favor de la cual jugaron a la postre un importante papel, irónicamente para lo que sus autores pretendían, los asesinatos de Atocha.

A la vista de *Siete días de enero* puede uno hacerse a la idea de la dura batalla que hubo de librarse en aquel periodo, pues las propias fuerzas del orden estaban embebidas en ideologías de extrema derecha, dispuestas a reprimir hasta la más tímida manifestación de cualquier cosa que apuntara a progresista. Por ello, la película de Bardem constituyó en su momento un espaldarazo a la naciente democracia y hoy en día puede verse como un emotivo homenaje a aquellos que la hicieron posible.

Como otras películas interesantes dentro de la filmografía española puede citarse *El crimen de Cuenca* (Pilar Miró, 1979). Si bien la película estaba ambientada a principios de siglo, la fecha de su estreno hacía poco menos que inevitable la asociación entre las brutales prácticas de interrogatorio que en ella se mostraban y los procedimientos seguidos por las autoridades franquistas.

La tortura es una constante dentro de las películas de compromiso ya que se trata quizás de la violación más atroz de los Derechos Humanos: vulnera no sólo la libertad del individuo, sino su dignidad e integridad tanto física como moral. Así ocurre también en *El misterio de Galíndez* (Gerardo Herrero, 2003), adaptación de la novela homónima de Vázquez Montalbán, donde se narra el secuestro de Jesús Galíndez, miembro del PNV exiliado en Nueva York, por parte de los servicios de inteligencia del dictador dominicano

Derecho y Cine. El Derecho visto por los géneros cinematográficos

Trujillo, para posteriormente ser trasladado de forma clandestina a la República Dominicana. Su carácter de ardiente defensor de la causa vasca junto a su furibunda oposición al régimen trujillista propicia la colaboración entre dos regímenes ya cercanos de por sí, como el español y el dominicano, y así Galíndez habrá de recibir en su celda la visita del embajador franquista en el país que le promete ser respetado si delata a los miembros de la resistencia en Euskadi. Ante su negativa será posteriormente torturado y finalmente asesinado. La técnica empleada en el secuestro de Galíndez recuerda, a escala individual, a lo que posteriormente sería la Operación Cóndor, organizada por las dictaduras chilena y argentina entre otras para la represión de toda forma de oposición política, tanto dentro como fuera de sus fronteras (así, también en este caso se llegó a actuar en territorio estadounidense con el asesinato de Orlando Letelier mediante un coche bomba en el centro de Washington que desató por primera vez las iras de la Administración norteamericana para con su alumno aventajado del cono sur, como en el caso de Galíndez supuso el inicio de la ruptura entre ésta y Trujillo, hasta entonces protegido del Gobierno americano). Pero estas prácticas no son por desgracia coto exclusivo de los sistemas dictatoriales, sino que la abducción de personas por un Estado en territorio de otro, de forma clandestina y sin la observación de ninguna clase de procedimiento legal, también ha sido practicada por Estados supuestamente democráticos, y Guantánamo es buena prueba de ello. Sin embargo, el caso más famoso consistió sin duda en el secuestro en 1960 por parte de los servicios de inteligencia israelíes del antiguo oficial nazi Adolf Eichmann en territorio argentino para su traslado a Israel, donde posteriormente sería ejecutado. No sólo constituyen estos comportamientos una flagrante vulneración del principio de Derecho Internacional de Soberanía de los Estados, sino que al mismo tiempo supone la negación del derecho a ser procesado conforme a los cauces legales establecidos y con las garantías previstas en la ley, denotando así que muchas veces la línea que separa al verdugo de la víctima puede ser muy tenue, como se encargó de reflejar magistralmente Roman Polanski en *La muerte y la doncella* (*Death and the Maiden*, Roman Polanski, 1994).

Sin embargo, dentro del cine político europeo, el más prolífico es sin duda el italiano. La experiencia fascista y los movimientos de resistencia contra la misma supusieron la primera piedra de toque de la que surgieron grandes películas como *Roma, ciudad abierta* (*Roma, cittá aperta*, Roberto Rossellini, 1945) tema que también sería tratado décadas más tarde en la gran epopeya de exaltación del movimiento obrero que constituye el *Novecento* (Bernardo Bertolucci, 1976). Sin embargo, tras la caída del fascismo y con el fin de la guerra la situación será todo menos idílica; la posguerra con un país devastado acuciado por la miseria en donde evidentemente es la clase obrera la más desfavorecida también es objeto de obras tan brillantes como *El ladrón de bicicletas* (*Ladri di biciclette*, Vittorio de Sica, 1948). Pero al contrario que en el caso español, y sin duda como consecuencia entre otros factores del hecho de que la dictadura fuese derrocada y no despedida en el lecho de muerte con todos los honores, no constituye ésta el continuo leit-motiv de la filmografía italiana, mucho más diversa en su temática. Así destacan figuras como Francesco Rosi con películas tales como *Excelentísimos cadáveres* (*Cadaveri eccellenti*, Francesco Rosi, 1975) un thriller acerca de las maquinaciones del poder que parte del misterioso asesinato de varios magistrados, o Elio Petri realizador de *La clase obrera va al Paraíso* (*La classe operaia va in paradiso*, Elio Petri, 1971) una dura crítica acerca de la deshumanización del obrero dentro del sistema capitalista. La historia gira en torno a las relaciones dentro de la empresa: entre el hombre y la máquina que por momentos llegan a confundirse como si de un mismo todo se tratara (visión dramática de lo que ya Chaplin había reflejado en clave de comedia en *Tiempos modernos* (*Modern Times*, Charles Chaplin, 1936) entre los obreros y el patrón, pero también el papel de los sindicatos confrontando las posiciones individualistas del protagonista con la defensa del interés de clase.

También se ocupa el cine italiano del fenómeno de la emigración que tuvo lugar a finales del siglo XIX y principios del XX hacia Norteamérica en busca de un mejor porvenir. Fruto de ello es una de las grandes obras del cine de compromiso como es sin duda *Sacco y Vanzetti* (*Sacco e Vanzetti*, Giuliano Montaldo, 1971). La película narra la historia real de dos obreros anarquistas, emigrantes italianos, en el Estado de Massachussets durante los años 20. Detenidos como sospechosos de un robo con homicidio fueron sentenciados a muerte y posteriormente ejecutados en un proceso donde las pruebas aportadas eran endebles, pesando más en la condena su militancia política y su condición de extranjeros. El filme es tremendamente jurídico, pero destacan sobremanera dos cuestiones: en primer lugar la crítica anarquista al Estado y al Derecho, la consideración, en palabras del propio Vanzetti, de que el sistema existente no es más que violencia, que se trata de un orden regido por la fuerza y no por la razón, y por tanto constituye éste un orden injusto y criminal. Vanzetti apela así a la existencia de unos valores distintos, a un orden de cosas natural (iusnatural) que se encuentra por encima de las leyes de los Estados y que viene a representar en el fondo el ideal de Justicia.

En segundo lugar, como ya he señalado, los dos protagonistas son condenados en el curso de un proceso absolutamente irregular donde la decisión condenatoria estaba tomada de antemano. Si bien los hechos narrados acontecieron en la década de los 20, es inevitable relacionarlos con los procesos que años más tarde se seguirían en el marco de la "caza de brujas" McCartista contra toda ideología que escorara a la izquierda y por la cual quedaba justificada la no observación de los derechos procesales básicos. Se trata pues del principio de independencia de los jueces y tribunales y de la no politización de la Justicia.

Pese a constituir la idea de la separación de poderes uno de los pilares fundamentales de los ordenamientos jurídicos actuales, una aproximación práctica a éstos no puede evitar al menos la puesta en duda de su existencia efectiva en lo relativo al Poder Judicial (nótense las continuas alusiones a la tendencia conservadora o progresista de los jueces así como la gran importancia del poder político en la designación de las más altas magistraturas). Y sin embargo su existencia es imprescindible en una democracia, pues si bien ésta nunca contará con suficiente protección por llevar en sí misma, en su esencia, el germen de su autodestrucción, la ausencia de un cuerpo judicial imparcial que controle la sujeción de los otros poderes a las reglas del juego dará pie a una peligrosa concentración del poder. No olvidemos que la democracia no consiste tanto en el Gobierno de la mayoría sino en el respeto que dicho Gobierno habrá de tener para con la minoría discrepante. Así, la interpretación y aplicación de la Ley conforme a criterios políticos derivará por lo general en una vulneración del principio de igualdad y de los derechos fundamentales de la persona.

Además de los mencionados hasta el momento, si hay una figura que destaca sobre el resto dentro del cine político italiano, se trata sin duda del realizador Gillo Pontecorvo. Militante y comprometido, son fundamentalmente dos las constantes temáticas en sus películas: el colonialismo, constituyendo su ejemplo más destacado *Queimada* (Gillo Pontecorvo, 1969), ambientada en una colonia portuguesa en el siglo XIX donde un agente secreto británico maquina un plan para provocar una rebelión de los esclavos contra la metrópoli que permita con ello a Inglaterra apropiarse la colonia para sí; y el terrorismo, como en *Operación Ogro* (Gillo Pontecorvo, 1979) que recrea la preparación y ejecución por parte de un comando de ETA del atentado que acabó con la vida de Carrero Blanco. Estos dos referentes temáticos confluyen en la que es su mejor película además de uno de los *buques-insignia* del cine de compromiso internacional: *La batalla de Argel* (*La battaglia di Algeri*, Gillo Pontecorvo, 1965).

El filme retrata la lucha que precedió la independencia de Argelia, hasta entonces en manos de Francia. El inicial ascenso del FLN y su pugna con la Administración gala deriva posteriormente en la comisión de atentados contra la población francesa. La Metrópoli responde enviando la brigada paracaidista del Ejército, la cual no reparará en los medios con el fin de terminar con la insurrección. La represión es brutal y provoca una auténtica escalada de violencia. Finalmente el último líder del FLN será detenido, pero el proceso descolonizador ya no podrá ser frenado y Argelia terminará por obtener la independencia.

La cuestión jurídica (y también moral) que se deriva de *La batalla de Argel* no podría ser de más actualidad: ¿Dónde termina el luchador por la Libertad y dónde comienza el terrorista? La respuesta parcial a esta pregunta está contenida en la Resolución de la Asamblea General de las Naciones Unidas 2625 (XXV), aprobada en el marco del proceso de descolonización y la cual, tras proclamar el derecho de libre determinación como principio estructural del ordenamiento internacional, prohíbe a la Metrópoli el empleo de la fuerza o la amenaza del uso de la misma contra el pueblo sometido a colonización como medio para el mantenimiento de la situación de dominación, y al mismo tiempo legitima la lucha armada de este último contra la potencia colonial al igual que le faculta para recibir apoyo extranjero en dicha causa sin que suponga ello una vulneración de otro de los principios fundamentales de Derecho Internacional como es el de intervención. Ahora bien, con eso no basta. Es necesario regular las condiciones de uso de dicha fuerza. En este sentido el alcance de la Resolución de las Naciones Unidas es limitado; en primer lugar porque en cuanto que pensada para el fenómeno descolonizador, legitima los llamados movimientos de liberación nacional de la colonia, pero nada dice al respecto de aquellos casos en los que nos encontramos ante un Estado soberano pero donde el pueblo se haya subyugado por un régimen tiránico: ¿acaso no existe ahí derecho legítimo de rebelión? En segundo lugar se impone también la necesidad de delimitar los medios legítimamente utilizables; esto es: no puede ser equiparable el uso de la fuerza contra un cuerpo armado que el dirigido contra la población civil.

En la actualidad, más aún si cabe tras los atentados del 11 de septiembre, la elaboración de una definición global de terrorismo se ha convertido en una de las máximas prioridades para el Derecho Internacional y aunque ha habido varios intentos al respecto, no hay duda de que se trata de un concepto tremenda-mente politizado, pues se trata de dotar de legitimación jurídica y moral a ataques contra el orden establecido, siendo precisamente los Estados, sustentadores de tal orden, quienes han de acordar las circunstancias que justifiquen la rebelión contra ellos mismos.

El terrorismo y las disquisiciones jurídicas y morales que de él se derivan son objeto de múltiples películas dentro del cine europeo, muy especialmente en relación con la cuestión irlandesa (*En el nombre del hijo* —*In the name of the son*, George Ferry, 1996), *Domingo Sangriento* (*Bloody Sunday*, Paul Greengrass, 2002—,...) cuyo visionado aportaría sin duda riqueza y variedad en los puntos de vista, más si cabe teniendo en cuenta que no existen dos terrorismos iguales y por tanto las distintas causas, motivaciones, circunstancias y otros matices de cada uno de ellos representan, por un lado, otro más de los escollos a superar en la elaboración de un concepto global, y por otro son variables a tener en cuenta respecto a los medios de lucha contra el mismo.

Sin embargo, si bien el terrorismo constituye una de las principales amenazas para la supervivencia del Estado, mayor aún es la que proviene del terrorismo perpetrado por el propio

Estado. Ésta es otra de las cuestiones centrales planteadas por todos estos filmes. Así, el Estado tiene como una de sus funciones principales la salvaguarda de los derechos y libertades de los ciudadanos, y por ello precisamente frente a los actos de terror externo que pretendan dilapidar ese orden constitucional, si de un auténtico Estado de Derecho se trata, tiene la obligación de reaccionar en protección de tales intereses y no vulnerando los mismos, pues de lo contrario no sólo nada le separaría de aquellos a quienes pretende combatir, sino que no le quedaría nada que defender frente a estos mas que el poder por el poder.

Quedarían muchas otras películas a las que se podría hacer referencia pero la exposición ha sido suficientemente larga y tiempo es ya de asomarse al cine de otras latitudes.

4. El cine político norteamericano

El cine político en Estados Unidos no tiene el mismo arraigo que en otras partes del planeta. Probablemente sean dos las circunstancias principales que motivan el hecho: el menor interés en la política que demuestra la mayoría de la sociedad americana en comparación con Europa o América Latina, y en segundo lugar, por tratarse este de un género con mucho menos tirón comercial, y por tanto menos rentable para las grandes industrias de Hollywood. Existen sin embargo ejemplos destacables como veremos a continuación.

Los referentes temáticos clásicos también difieren en gran parte de los hasta ahora mencionados. Así es difícil encontrar dentro de la filmografía americana dramas obreros como los que abundan dentro del cine británico, italiano o español. Por el contrario constituye un tema especialmente recurrente el del fin del "sueño americano", esto es el reflejo de una América profunda y pesimista donde el peso de la realidad política y social aplasta al individuo, muy alejado de esa otra imagen de prosperidad, de tierra de las oportunidades con la que siempre se la ha identificado. Sirvan aquí de ejemplo dos filmes, uno clásico y otro reciente. El primero no es otro que *Las uvas de la ira* (*The grapes of wrath*, John Ford, 1940), el segundo *El asesinato de Richard Nixon* (*The assassination of Richard Nixon*, Niels Mueller, 2004).

El film de Ford, basado en la novela homónima de Steinbeck, nos traslada a los años de la *Gran Depresión* para centrarse en la historia de una familia de granjeros de Oklahoma que, asolados por la sequía, se ven desposeídos de sus propiedades y deben emprender un largo viaje, apenas con lo puesto, hacia la próspera California que les espera como tierra prometida. A ellos se les unen en esta epopeya el hijo recién salido de la cárcel tras cumplir condena por asesinato y el antiguo predicador que ha colgado la sotana al haber perdido la fe. El viaje será duro pero es su única oportunidad (cuando a punto de cruzar el desierto en su maltrecho camión el empleado de la gasolinera les dice que hace falta mucho valor para intentar tal travesía el personaje interpretado por Henry Fonda le responde: "No se necesita valor para hacer una cosa cuando es lo único que puedes hacer"). Sin embargo tras innumerables penurias, California no resultará ser el lugar de abundancia que todos anhelaban sino una región dominada por los grandes terratenientes para los cuales no tendrán más remedio que trabajar como jornaleros por un sueldo mísero. La explotación es generalizada y los propietarios, apoyados por la autoridad, reprimirán cualquier intento de huelga.

En una de ellas el reverendo será asesinado y el protagonista responderá matando al agresor. Como consecuencia de ello deberá emprender una vida de fugitivo para evitar que le caiga encima todo el peso de la Ley.

El asesinato de Richard Nixon por su parte narra la historia verídica de un hombre que no encuentra sentido a la vida, divorciado e incapaz de conservar un trabajo de vendedor por negarse a ser deshonesto con el cliente, se ve empujado hasta el límite, y descubriendo toda la miseria que le rodea, encuentra un culpable para la misma, el Presidente Nixon, y planea estrellar un avión contra la Casa Blanca como solución a todos los problemas.

La crítica de estas películas es feroz. No sólo no existe el pretendido paraíso de las oportunidades y el bienestar sino que en su lugar se halla un monstruo que exprime al individuo hasta que no le queda ya nada de su individualidad; un sistema donde sólo triunfa el deshonesto y la mentira impone su ley. El panorama es desolador, pues no cabe recurso alguno contra esa maquinaria perfectamente encajada; los mecanismos supuestamente democráticos de cambio no sirven, pues el ciudadano es convertido directamente en consumidor que puede ser

Derecho y Cine. El Derecho visto por los géneros cinematográficos

vilmente manipulado para que participe en la perpetuación legal de aquellos que le oprimen (así, cuando el jefe del protagonista de la película de Mueller le está enseñando la estrategia de su nuevo oficio de vendedor, le dice señalando una aparición de Nixon en la televisión: "¿Sabes quien es el mejor vendedor del mundo? Ése de ahí. Ha sabido venderse a todo el país dos veces. Su lema de campaña en el 68 fue que pondría fin a la guerra, que nos sacaría de Vietnam. ¿Y que es lo que hizo? Envió a otros 100.000 soldados más y les bombardeó a base de bien. ¿Y que prometió el año pasado? Acabar de una vez con la guerra. Y ganó. Eso es ser un buen vendedor") y cuando finalmente los oprimidos toman conciencia de su condición de clase, son una vez más aplastados por los poderosos que tienen la fuerza y la ley de su parte.

Una segunda constante temática en el cine norteamericano de corte social, quizás la más generalizada, es la cuestión racial. La industria hollywoodiense, a la par que la propia sociedad americana, ignoró durante mucho tiempo el problema de la discriminación de la población negra. No sería hasta ya entrada la década de los 60 y a raíz del movimiento pro derechos civiles cuando empezaron a aparecer filmes de carácter mas comprometido. A partir de ese momento la denuncia del racismo se convirtió en una constante en infinidad de películas, desde *Matar a un ruiseñor* (*To kill a Mockingbird*, Robert Mulligan, 1962) hasta *Arde Mississippi* (*Mississippi burning*, Alan Parker, 1988), pasando por *El sargento negro* (*Sergeant Rutledge*, John Ford, 1960) entre muchas otras.

Sin embargo, si un director destaca en este punto, ése es sin duda el neoyorquino Spike Lee. La inmensa mayoría de sus trabajos están orientados a reflejar la situación de la población negra en su búsqueda de respeto y una identidad propia, cuestionándose los medios a emplear para alcanzar tal fin. Ya en una de sus primeras obras *Haz lo que debas* (*Do the right thing*, Spike Lee, 1989) planteaba esta disyuntiva. Ambientada en Brooklyn, toma como eje una pizzería regentada por una familia de italo-americanos, situada en un barrio predominantemente negro en el que también conviven inmigrantes latinos y asiáticos. La tensión racial es evidente y en un clima de creciente enfrentamiento se desencadena la tragedia cuando la policía interviene en una pelea entre el dueño de la pizzería y unos jóvenes negros matando a uno de ellos: estalla una auténtica batalla campal y el local es destrozado por los enfurecidos amigos de este último, desoyendo los intentos de conciliación del "alcalde", un anciano alcohólico y apaleado que resulta ser el personaje más cabal del filme. Como colofón se transcriben dos citas: una de Martin Luther King "la violencia es inmoral" y otra de Malcom X "la violencia, cuando es empleada en legítima defensa, ni siquiera la llamo violencia, la llamo inteligencia". Precisamente a este último dedicará el director una de sus siguientes películas, *Malcom X* (Spike Lee, 1992), donde repasa los grandes hitos de la vida del líder del movimiento negro desde sus inicios como delincuente y drogadicto hasta la transformación experimentada en prisión como consecuencia del descubrimiento de la fe musulmana y de las tesis de liberación racial de Elijah Muhammad, y su evolución desde tesis radicales de liberación mediante la violencia y segregación entre la población negra y blanca hasta posiciones más moderadas de convivencia racial en armonía.

Pero quizás la obra mas interesante de Spike Lee sea *La marcha del millón de hombres* (*Get on the bus*, Spike Lee, 1996), homenaje a la concentración que tuvo lugar en Washington en 1995 a favor de los derechos civiles conmemorando al mismo tiempo la marcha de 1965. La historia de esta película se centra en un grupo de hombres negros que viaja en autobús desde Los Angeles a través de todo el país para acudir al encuentro. En ese autobús se concentra una representación de todos los problemas de la comunidad negra americana: la marginación social y laboral, la miseria que conlleva, que a su vez engendra la violencia y el fenómeno de las bandas, la doble discriminación del negro homosexual, la búsqueda de las raíces en la herencia africana, el negro que busca escapar de esta situación simplemente pretendiendo ser blanco y despreciando a los suyos... Pero no cae el filme en la autocompasión sino que apuesta porque cada hombre negro se haga dueño de su vida para enfrentar todos estos problemas. En su regreso a casa volverán cargados de esperanza y determinación dejando tras de sí no pocas experiencias y los grilletes a los pies de la estatua de Lincoln: "La verdadera marcha comienza ahora".

Por último, no puede quedar sin mencionar como referente temático del cine político norteamericano aquel que se centra en la denuncia del intervencionismo en política exterior de la Administración estadounidense. Los títulos que podrían citarse aquí son tan numerosos o más que las intervenciones que EEUU ha llevado a cabo. Pero es sin duda la guerra de Vietnam la que se lleva la palma y Oliver Stone el máximo exponente del cine de denuncia sobre la misma.

Ya *Platoon* (Oliver Stone, 1986) significó un claro alegato antibelicista como respuesta a otras películas enaltecedoras del heroísmo desplegado en el conflicto, reflejando en toda su crueldad y brutalidad la mayúscula violación de los Derechos Humanos que la guerra significó con el empleo de la tortura y el asesinato de población civil como un arma más. El drama continúa en *Nacido el 4 de julio* (*Born on the Fourth of July*, Oliver Stone, 1989) con la vuelta a casa de un joven voluntario, relegado a vivir en una silla de ruedas por el resto de su vida como consecuencia de una herida recibida en combate, para enfrentarse con una realidad que no es la suya, pues su condición de "lisiado", así como las secuelas que le quedan en la memoria del horror vivido, le impiden readaptarse a la sociedad, no siendo reconocido ni por su propia familia. Al mismo tiempo deberá asumir que su sacrificio ha sido en vano pues fue enviado a luchar al otro rincón del mundo en una guerra absolutamente innecesaria inducido por la gran mentira del Gobierno.

Precisamente la guerra a nivel político será el objeto de las dos películas con las que Stone cierra el círculo. Así en *JFK* (Oliver Stone, 1991) recrea la conspiración para asesinar al Presidente Kennedy, donde apunta como causa última del magnicidio la intención que albergaba éste de retirar las tropas de Vietnam, con la gran pérdida que ello conllevaría para las empresas armamentísticas y los estamentos de poder que éstas sustentan. La misma idea se vuelve a repetir en su otro filme presidencial, *Nixon* (Oliver Stone, 1995), alcanzando su punto culminante cuando el Presidente conversa con un grupo de jóvenes opositores a la guerra dentro del Monumento a Lincoln y uno de ellos le argumenta que se ve incapaz de acabar con el conflicto porque se trata de un monstruo que ni siquiera él mismo puede controlar. Esto se debe a que, tal y como el Sr. X, ex miembro de la CIA, le dice al fiscal Jim Garrison en *JFK*, "el principio organizador de toda sociedad se basa en la guerra". Así pues, ni siquiera el hombre más poderoso del planeta puede controlar esta maquinaria porque en realidad forma parte de ella; su cargo no se asienta ya sobre la voluntad popular: el "Nosotros el Pueblo" ha sido sustituido por intereses financieros que son quienes mueven en última instancia los hilos del poder.

Stone denuncia la perversión de este sistema. Si bien hoy en día la dominación no se ejerce ya directamente a través de la guerra sino de la economía, paradójicamente el motor de nuestra economía sigue siendo la guerra, puesto que son las empresas armamentísticas las que sustentan ésta, y a su vez la buena marcha de una y otra depende del estallido cada cierto tiempo de un conflicto bélico de entidad suficiente para dar salida a la producción. Por tanto el poder político debe participar de esta macabra maquinaria para evitar el derrumbe del sistema, y colateralmente obtener su mísera cota de poder. Esta argumentación es demoledora para la existencia del Estado democrático de Derecho pues supone tanto como certificar la defunción del mismo. La soberanía popular ha sido sustraída de su legítimo titular y puesta al servicio del capital sin escrúpulos.

5. El cine político latinoamericano

Dentro del panorama del cine de compromiso en América Latina, destacan especialmente el cine argentino y el brasileño. Dejaré al margen el caso cubano puesto que pese a gozar de una cierta libertad en comparación con las restricciones a la expresión que imperan en la isla respecto de otros ámbitos como la prensa, no considero que pueda ser calificado como cine independiente con facultad de autocrítica sobre la propia situación en Cuba (salvo incursiones sobre cuestiones periféricas como la homofobia o el machismo de *Fresa y chocolate* (Tomás Gutiérrez Alea y Juan Carlos Tabío, 1993) sino que por lo general se limita a mantener viva la imagen idealista de un revolución que a día de hoy sería incapaz de reconocer su propio reflejo en el espejo.

El cine argentino, al igual que ocurre con el español como antes he señalado, está inevitablemente vinculado a la traumática experiencia de la dictadura. Así, quienes en 1975 rodaban películas tales como *Llueve sobre Santiago* (Hevio Soto, 1975) acerca del Golpe de Estado en Chile, se vieron padeciendo esos mismos horrores apenas unos meses después. La pesadilla de los momentos iniciales queda reflejada a la perfección en *La noche de los lápices* (Héctor Olivera, 1986), que toma su nombre de la operación de secuestro perpetrada por el Ejército y la Policía argentina contra varios estudiantes de secundaria, menores de edad, por su militancia en una organización estudiantil. Los chicos son brutalmente torturados para forzarles a delatar a sus compañeros, siendo posteriormente trasladados a un centro de detención clandestino donde son sometidos a todo tipo de tratos vejatorios. Finalmente uno de los chicos es sacado de allí y otorgado el status de "detenido oficial" lo que le permite sobrevivir mientras sus amigos y compañeros pasarán a engrosar las listas de desaparecidos.

Por su parte, *La Historia oficial* (Luis Puenzo, 1984) denuncia otra de las infamias llevadas a cabo por el régimen instaurado por los Generales como fue el secuestro de recién nacidos para, después de hacer desaparecer a sus padres biológicos, ser criados por los propios asesinos. Precisamente en *La noche de los lápices*, cuando los chicos se encuentran clandestinamente detenidos coinciden con una mujer embarazada de la cual tras el parto no se vuelve a saber más, pudiendo fácilmente adivinarse a la luz de la historia cual es su destino y el de su bebé. La película de Luis Puenzo se centra en una maestra de escuela, en los primeros meses tras el fin de la dictadura que deberá enfrentarse a la terrible verdad de descubrir el horror que se oculta tras su hijo adoptado.

El sistema jurídico argentino de la dictadura tal y como se muestra en estas películas no merece ni siquiera ese calificativo puesto que está basado en la más absoluta arbitrariedad: existen presos "oficiales" de cara a la galería y entre bastidores se cometen las más terribles atrocidades. El Estado es un auténtico Estado terrorista. No sólo no provee de seguridad a la ciudadanía a través del reconocimiento de unos derechos y de un sistema jurídico eficaz para hacerlos valer, sino que es él el principal artífice de dicha inseguridad mediante el establecimiento de un régimen de terror en el que cualquiera puede ser el siguiente desaparecido, torturado, asesinado...

Frente a este sistema de opresión el individuo cuenta consigo mismo, con los suyos y su conciencia. Ese es el mensaje de *Kamtchatka* (Marcelo Piñeyro, 2002) donde se narra la vida de una familia que ha de esconderse de la persecución. En su retiro padre e hijo juegan a un juego de estrategia (similar al Risk actual) donde el hijo siempre pierde. Sin embargo en una de las partidas, la última que habrán de jugar juntos, el chico consigue arrebatarle a su padre todos los territorios sobre el mapa, pero cuando llega al último, Kamtchatka, tras horas de interminable asedio se ve incapaz de conquistarlo. Finalmente, cuando el padre se despide de su hijo al dejarle con su abuelo intentando evitar que caiga en manos de los militares y se marcha con la madre para acabar desaparecidos como tantos otros, le susurra al oído su última y más importante lección: "Kamtchatka es el lugar donde resistir".

En lo que se refiere al cine brasileño, pese a ser extensa su filmografía social, especialmente dentro del denominado *Cinema Novo*, haré aquí mención de un único film: *Ciudad de Dios* (*Cidade de Deus*, Fernando Meirelles y Katia Lundi, 2002), crónica de la vida en una favela de Rio de Janeiro a lo largo de tres décadas.

La historia arranca en los 60 con la construcción por parte del Estado del poblado de Ciudad de Dios, no como parte de una política social para erradicar la pobreza sino como medio de sacar a los desheredados de la gran urbe marginándolos en un ghetto. La vida es pues miserable desde el principio y la pobreza extrema ejerce de condicionante para

que algunos de sus habitantes se inclinen hacia el crimen como medio de subsistencia. Éste es el caso del llamado "trío ternura", integrado por tres jóvenes que roban para sobrevivir. No son delincuentes especialmente peligrosos, pero la incipiente favela ya empieza a derrochar violencia por los cuatro costados y así los chicos mueren como consecuencia de la brutalidad policial así como de un precoz criminal de diez años.

Los 70 traen cambios a Ciudad de Dios: es definitivamente engullida por la gran ciudad carioca en expansión lo que traerá consecuencias no sólo en su morfología, pues desaparecerán las primitivas casas para dar lugar a bloques verticales, sino en la aparición del narcotráfico. El niño criminal con el que se cerró la década de los 60 ya se ha convertido en un adolescente y bajo el nombre de Zé Pequenho decide hacerse con el poder en la favela. Lo consigue a sangre y fuego, asesinando a los distintos narcotraficantes hasta controlar todo el negocio. A partir de ese momento la vida en Ciudad de Dios parece estabilizarse pues Zé Pequenho se comporta como una auténtica autoridad; soborna a la policía para que no intervenga en los asuntos de la favela, y para dotar de seguridad a los clientes de fuera de ésta prohíbe crímenes en su zona ("en mi favela nadie roba ni viola") castigando duramente al que vulnere la norma, aunque se trate de un niño, pues la inocencia allí se perdió al nacer.

Sin embargo el sistema normativo impuesto se fundamenta exclusivamente en su propia brutalidad, de modo que la violencia termina por generar más violencia. Así, la violación de una chica por parte de Zé Pequenho acaba derivando en la aparición de un grupo rival al de éste, desencadenándose una guerra de bandas. Entramos de esta forma en los 80 y "la vida en la favela, que era un purgatorio, se transforma en un infierno". El asesinato se convierte en algo cotidiano hasta que ambas bandas se destruyen mutuamente. La policía detendrá a Zé Pequenho para dejarlo a continuación en libertad. Sin embargo será inmediatamente asesinado por un grupo de niños dispuestos a tomar el relevo generacional.

La vida en Ciudad de Dios es un constante círculo vicioso del que es casi imposible escapar (sólo Buscapé, el protagonista de la cinta lo consigue y ello gracias a un golpe de suerte). De este modo, a quien proviene de la favela no sólo se le presume su condición de delincuente, sino que aún contra su voluntad las circunstancias acaban por forzarle a convertirse en uno. Tras la visualización de esta película cobra mayor fuerza si cabe la máxima del Marx más humanista de que "si al hombre lo crean las circunstancias, entonces debemos crear las circunstancias humanamente".

Como ya he adelantado, dentro del cine de compromiso pueden identificarse, de forma simplificada, dos tendencias mayoritarias: una laboralista, de marcado carácter obrero, y una segunda que podría denominarse cine de Derechos Humanos centrada en la denuncia de las violaciones más flagrantes de estos. Ambas, conjuntamente con la obra de los directores que mejor las representan serán el objeto de las siguientes páginas con las que pondré fin a este capítulo.

6. Ken Loach y el cine laboralista

El cine de corte laboralista surge y se desarrolla fundamentalmente en el ámbito europeo, con especial incidencia en Italia y Gran Bretaña, algunas de cuyas principales figuras y obras ya han sido repasadas en la exposición precedente. Se trata ésta de una forma de hacer cine caracterizada en lo estético por la sobriedad. No existen artificios de ningún tipo, al contrario, se persigue el efecto realista del que observa a través de una ventana. Fundado en la espontaneidad y naturalidad de las actuaciones, adquiere mayor intensidad aún si cabe la vocación documental que al principio señalábamos como una de los principales caracteres del cine político. Se trata además por lo general de obras de bajo presupuesto, lo que garantiza la independencia de los realizadores respecto de las exigencias del mercado y favorece el espíritu crítico de la película.

El británico Ken Loach (Nuneton, 1936) es probablemente por la extensión y coherencia de su carrera el principal representante del laboralismo cinematográfico. Se inició como director de series de televisión para rápidamente comenzar a rodar documentales de marcado carácter social, lo que a la postre le traería graves problemas con el thatcherismo hasta el punto de ser vetado en la televisión británica. Merced a los cambios políticos de los 90, su carrera se ve finalmente relanzada llegando a buen ritmo hasta nuestros días con una media de casi una película anual.

Pese a haber realizado obras con otra temática, siempre sin alejarse del cine político, como son *Tierra y Libertad* (*Land and Freedom*, Ken Loach, 1994) sobre la guerra civil española, *Agenda oculta* (*Hidden agenda*, Ken Loach, 1990) o *El viento que agita la cebada* (*The wind that shakes the barley*, Ken Loach, 2006), sobre la cuestión irlandesa, donde vuelve a plantearse la eterna disquisición entre los medios y los fines de la lucha armada y el contraterrorismo estatal, que a su vez se repiten en *La canción de Carla* (*Carla's song*, Ken Loach, 1996), acerca de la revolución sandinista en Nicaragua y el papel de la contra financiada por EEUU, Ken Loach es sin duda el director por excelencia del mundo obrero. Su cine, enmarcado dentro del realismo británico elabora un discurso demoledor contra el neoliberalismo que parece haberse impuesto como sistema económico dominante tras la caída del muro. Sus personajes no son por lo general héroes de la clase obrera, sino auténticos perdedores aplastados por el peso de una realidad tan cruda como inamovible.

Uno de sus primeros filmes es *Riff-Raff* (Ken Loach, 1990), un drama ambientado en el sector de la construcción. En él, un grupo de obreros provenientes de todas las esquinas de la isla son contratados en una obra de Londres. Las condiciones de trabajo sin embargo dejan mucho que desear y especialmente la seguridad brilla por su ausencia. Ante esta situación poco se puede hacer, pues la más mínima sugerencia para que éstas sean mejoradas se ve inmediatamente recompensada con el despido. Como no podía ser de otra manera al final sucederá lo previsible y uno de los obreros fallece como consecuencia del accidente que no se ha querido evitar. Una secuencia de acontecimientos similar tiene lugar en *La cuadrilla* (*The navigators*, Ken Loach, 2001) pero con los trabajadores del ferrocarril como protagonistas. En este caso los empleados de la hasta entonces empresa ferroviaria estatal serán las principales víctimas de un proceso de privatización, mecanismo empleado por los "teólogos" del nuevo liberalismo como medio para sacar a flote al Estado deficitario, al tiempo que se liquida con ello al Estado Social. Una vez en el mercado privado, los trabajadores se ven inmersos en un mundo de subcontrataciones y empresas de trabajo temporal. Con cada vuelta de tuerca van perdiendo más derechos: vacaciones pagadas, subsidio por enfermedad,... El obrero pasa a convertirse en un elemento

más del sistema productivo que no tiene más consideración que una simple herramienta. Resulta especialmente llamativo uno de los diálogos iniciales cuando en el seno de una reunión donde se están dando a conocer los nuevos objetivos de la empresa se incluye entre uno de ellos la obtención de un índice aceptable de muertes por accidente laboral, quedando éste tasado, tras la interpelación de uno de los trabajadores, en dos anuales. ¿Acaso no es la obligación de la empresa poner todos los medios necesarios para evitar que se produzca ningún accidente? ¿Cómo puede llegar a deshumanizarse tanto la relación laboral como para declarar aceptable la pérdida de una vida humana? Así, de un plumazo se esfuman los derechos cuyo reconocimiento requirió décadas de lucha obrera. De nuevo el trabajador está absolutamente desprotegido ante todos estos abusos pues incluso aquél que levanta la voz es "marcado" como problemático quedando excluido de toda posible oferta de empleo.

¿Y que hay del Derecho Laboral? Apenas hay referencias al mismo en ninguno de los dos filmes. La empresa no respeta la normativa sobre seguridad y nadie la sanciona; un trabajador fallece arrollado por un tren como consecuencia de las deficientes medidas de seguridad y sus compañeros deciden arrastrarle hasta la cuneta y fingirle víctima de un accidente de tráfico porque de otro modo serán ellos quienes paguen los platos rotos quedándose sin el empleo que les da sustento; los convenios formalizados entre trabajadores y empresa son convertidos en papel mojado tras la privatización y los primeros no tienen más remedio que resignarse o firmar su despido. Ni siquiera se percibe un atisbo de esperanza, los sindicatos están absolutamente fuera de escena y la única sensación que se recibe es de abandono del trabajador a su suerte.

El Estado desde la óptica de Ken Loach es un ente absolutamente apático en lo social que no sólo no reacciona ante los abusos sufridos por la clase trabajadora ni procura proporcionarle condiciones más dignas de vida sino que, cuando actúa, contribuye a hacer su existencia aún más miserable. Ésta es la historia que cuenta *Ladybird, Ladybird* (Ken Loach, 1994), el caso real de Maggie madre soltera y víctima de los malos tratos primero de su padre y más tarde de su pareja. Vive sola con sus cuatro hijos de diversas edades y de distintos padres, y el único día que descuida a sus niños dejándolos solos en casa para salir

con unas amigas ocurre un accidente y el mayor de ellos resulta herido. Como consecuencia de su falta de diligencia el Estado le retira la custodia de sus hijos entregándolos en acogida. Maggie reacciona violentamente y le prohíben siquiera verlos. Sumida en una depresión las cosas parecen mejorar cuando conoce a Jorge, un refugiado paraguayo. Ambos se enamoran e intentan formar una familia. Pero los "servicios sociales" están al acecho, y en el momento en que nace el primer hijo inician los trámites para retirar la custodia, lo que finalmente llevan a cabo. Lo mismo ocurre con el segundo niño de la pareja. De este modo, los llamados servicios de asistencia social presentados en el filme no procuran ningún tipo de asistencia precisamente a una de las personas que más necesita de ella. Lo que en teoría debería configurarse como un instrumento del Estado para proveer de ayuda a los más desfavorecidos es en cambio una implacable máquina burocrática que declara no apta como madre a Maggie y la marca a perpetuidad con dicho estigma, sin entrar a valorar la posibilidad de que las condiciones que motivaron el fallo inicial hayan variado.

Las circunstancias empujan a los personajes de las películas de Loach hacia la margina-

Derecho y Cine. El Derecho visto por los géneros cinematográficos

326

lidad social. Acuciados por una situación económica alarmante, donde el sueldo miserable del obrero no da para mantener una familia, ni siquiera para alquilar un apartamento (el protagonista de *Riff-Raff* se instala como okupa en un bloque abandonado). Y eso en el mejor de los casos, pues la situación del parado aún es más urgente. Así ocurre con Bob en *Lloviendo piedras* (*Raining Stones*, Ken Loach, 1993) y Joe en *Mi nombre es Joe* (*My name is Joe*, Ken Loach, 1998). El primero lleva meses en paro y por si fuera poco, le roban la furgoneta con la que hacía las pequeñas chapuzas con las que conseguía ganarse unas libras. Sin embargo Bob, ferviente católico, no esta dispuesto a permitir que su hija pequeña no tenga el vestido de comunión como las demás niñas pese a que ello supone un desembolso por encima de sus posibilidades. Por su parte Joe es un ex-alcohólico, también desempleado, y su auténtica pasión es el equipo de fútbol de chicos del barrio al que entrena. La vida en estas condiciones no es fácil para ninguno de los dos. Pese a todo, queda patente que, ante la dificultad, lo mejor y lo peor del ser humano salen a relucir. En el caso de *Lloviendo piedras* asistimos a una comunidad donde cada uno aporta lo que puede, el intercambio mediante dinero se suple con el de favores mutuos. Pero eso en una economía de mercado no es suficiente y Bob termina por pedir un préstamo, el cual a su vez será comprado por un mafioso que le exigirá el pago amenazando a su familia. Ante esta situación Bob se enfrenta al extorsionador y en la trifulca éste muere. De nuevo, sin embargo, encontrará el apoyo en un miembro de la comunidad, el sacerdote, un hombre que sabe lo que es la vida en el suburbio. Mientras, Joe se ve enfrentado a diario a la realidad de la miseria y la marginación. Un mundo de desamparo donde las personas son empujadas en dos direcciones: el crimen o la droga (y muchas veces ambas). En estas circunstancias un hombre íntegro como él o Sarah, la enfermera de la que se enamora, se convierten en referentes de la comunidad. Pero ni siquiera ellos pueden escapar a la realidad que amenaza con aplastarles.

El Estado social está de nuevo ausente de la imagen. Es más, cuando Joe decide ganarse un dinero empapelando la casa de Sarah, es vigilado por un inspector del paro con cámara telescópica que deja constancia del trabajo "ilegal" realizado. El Estado pues no sólo no invierte medio alguno en fomentar el empleo sino que esos medios los destina a impedir que el trabajador en paro obtenga dinero con el que subsistir.

No olvida tampoco Ken Loach en sus películas la situación del inmigrante ni la de la mujer trabajadora, y es claro ejemplo sin duda *Pan y Rosas* (*Bread and roses*, Ken Loach, 2000), reflejo de las penurias que han de padecer los inmigrantes latinos en Estados Unidos, a través de la historia de Maya, una joven mexicana que entra ilegalmente en el país para reunirse con su hermana Rosa, afincada en Los Angeles y casada con un norteamericano, donde encontrará trabajo de limpiadora. Retrata la película todas las dificultades a las que se ha de enfrentar quien se ve obligado a abandonar el hogar en busca de un futuro mejor. En primer lugar, las mafias que hacen negocio con seres humanos, convertidos en mera mercancía que se transporta por un precio. Pasado el primer escollo las cosas no serán mucho mejores. La falta de papeles condiciona la búsqueda de trabajo convirtiendo al inmigrante en presa predilecta de explotadores sin escrúpulos. Así en el caso de Maya será contratada bajo la promesa de conseguirle papeles que regularicen su situación, siempre y cuando ceda un porcentaje de su sueldo al capataz que le consigue el empleo. Las condi-

ciones de trabajo son absolutamente indignas, careciendo de todo tipo de derechos, desde el de subsidio por enfermedad al de sindicación. La queja supone el despido y con la amenaza de la deportación como espada de Damocles sobre su cabeza el individuo se encuentra desamparado recurriendo al delito o a la prostitución. La aparición de Sam, un sindicalista idealista y batallador concienciará al grupo de limpiadores de la necesidad de la lucha colectiva, recuperando el grito de "Queremos Pan y Rosas" empleado por las mujeres trabajadoras americanas a principios del siglo XX y que alude a la exigencia no solo de un sueldo con el que vivir sino de unos derechos que garanticen la dignidad de esa vida.

Resulta interesante la imagen que esta película traslada del punto de evolución del Derecho Laboral en el Estado americano, pues si no fuera por la modernidad que se percibe en el entorno, podría pensarse que el filme esta ambientado en los inicios de siglo. No se reconoce el más mínimo derecho al trabajador, ni siquiera el de asociación, ¿Qué ha sido del fruto de más de cien años de lucha obrera? El Estado no interviene para obligar a que garantice los derechos de sus empleados, más aún, envía a la policía para que proteja a la gran empresa y en última instancia detenga a los alborotadores... el

neoliberalismo del siglo XXI nos ha devuelto al XIX.

7. Costa-Gavras y el cine de Derechos Humanos

Costantin Costa-Gavras (Lutra-Iraias, 1933) encarna probablemente la figura más representativa dentro del cine de compromiso. Pese a su origen griego, su carrera profesional está ligada a Francia, ostentando de hecho la nacionalidad de dicho país. Durante los años 60 se convertirá junto con personajes de la talla de Jorge Semprún o Yves Montand (a la postre su auténtico actor fetiche en la primera etapa de su filmografía) en cabeza visible de esa intelectualidad francesa comprometida que, en conjunción con la comunidad estudiantil y sindical, provocarían el terremoto de mayo del 68. Pese a realizar películas tales como *Mad City* (Constantin Costa-Gavras, 1998), alegato contra la capacidad manipuladora de los medios de comunicación, o su reciente *Arcadia* (*Le couperet*, Constantin Costa-Gavras, 2005), en donde lleva a cabo su particular incursión al cine obrero, la gran mayoría de su obra gira en torno a los crímenes de Estado con las consiguientes violaciones masivas de los Derechos Humanos que de ellos se derivan.

Si bien por el mero hecho de adoptar los Derechos Humanos como referente temático sería ya suficiente motivo para considerar su obra como jurídica, lo cierto es que muchas de sus películas tienen en dicho sentido un carácter más acentuado si cabe en tanto que se desarrollan en el marco de procesos judiciales, sin que ello suponga adoptar el esquema clásico del cine de juicios, a excepción quizás de *La Caja de música* (*Music box*, Constantin Costa-Gavras, 1989) como más adelante veremos. Así pues ocurre con *Z* (Constantin Costa-Gavras, 1969), cuya repercusión internacional fue tal y cosechó tal número de premios (incluido el Oscar a la mejor película extranjera) que supuso el impulso definitivo al cine político. La trama versa sobre el asesinato de un parlamentario griego, líder carismático de la izquierda pacifista. Las autoridades policiales y militares así como las políticas intentan dar rápido carpetazo al asunto camuflándolo como un desgraciado accidente. Sin embargo el joven juez de instrucción encargado de investigar el caso resulta ser la única manzana del cesto que no está podrida, y, con una imparcialidad e integridad dignas de admiración, consigue ir poco a poco desvelando la turbia conspiración que se esconde detrás, en la que resultan implicados altos cargos del ejército en connivencia con una organización de extrema derecha. Desgraciadamente, un hombre solo poco puede hacer frente a la inmensa maquinaria de un Estado corrupto y los culpables serán condenados a penas irrisorias. Únicamente al final del filme sabremos que como consecuencia de dicho proceso los coroneles griegos se alzaron en armas para instaurar una dictadura que entre otras muchas aberraciones impondrá una serie interminable de prohibiciones. La enunciación de las mismas es tan absurda (Sófocles, el pelo largo, Los Beatles,...incluso la letra Z que en griego clásico significa "estoy vivo") que, si no fuera por lo trágico de la realidad, provocaría las mismas carcajadas que aquel nuevo canon de leyes del triunfante revolucionario de *Bananas* donde se contenían obligaciones tales como la de cambiarse de ropa interior cada media hora, debiendo vestirse

esta por fuera para asegurar el cumplimiento de la ley.

Sin embargo Z no se centra en el régimen dictatorial de los coroneles sino en la débil y corrompida democracia que le precedió. Costa-Gavras aborda por primera vez el tema del Estado de Derecho, que será una constante en sus demás obras como veremos. Contrasta de este modo en la película la actitud de respeto hacia el derecho y los cauces establecidos para la resolución de conflictos por parte del juez así como de los partidarios del líder asesinado (antes de que acaben con su vida este les recordará que "Nuestra fuerza está en la calma y en el respeto de las leyes") frente a la vulneración que de este llevan a cabo las propias autoridades de las que ha emanado. Por ello, cuando el magistrado ha obtenido pruebas suficientes para inculpar a altos cargos del Ejército, es llamado al orden por sus superiores que le recuerdan que su deber es salvaguardar el honor de las fuerzas y cuerpos de seguridad, augurándole un negro futuro profesional en caso contrario. No se trata pues de hacer justicia ni de garantizar los derechos de los ciudadanos, sino de perpetuar el orden social establecido tal y como argumenta la crítica marxista.

Paradójicamente, el Derecho cumple esa misma función en los Estados donde impera la dictadura del proletariado como denuncia el director en *La confesión*. Ambientada en la antigua Checoslovaquia de los años 50 se centra en el proceso llevado a cabo en el marco de las purgas estalinistas contra altos dirigentes del Partido Comunista Checo (todos ellos brigadistas internacionales durante la Guerra Civil Española), acusados de troskistas así como de proporcionar información a espías norteamericanos. Los individuos son detenidos por la policía secreta, y, sin ser notificados de acusación alguna o informados de los derechos legales que les asisten, trasladados a un centro de detención donde serán retenidos. Allí, se les someterá a condiciones infrahumanas (privación de sueño y de alimento o bebida, obligado a mantenerse constantemente en pie sin dejar de caminar,...) con el objeto de quebrar su voluntad y obligarles a firmar una confesión autoinculpatoria. La crueldad sólo es superada por el cinismo (así, en el curso de un "interrogatorio" el protagonista será compelido a confesar pues "la confesión es la más alta forma de autocrítica; y la autocrítica es el primer deber del buen comunista". En el curso de un programa de impla-

cable eliminación de toda oposición política, tal aseveración no puede sonar más que a mofa). Una vez que todos han "confesado" pasan a manos del juez. Sin embargo el juicio es una farsa aún mayor. Los procesados son obligados a aprenderse de antemano las respuestas que habrán de dar a las preguntas que les sean formuladas, por supuesto para corroborar su inculpación, siendo advertidos de que ante cualquier intento de salirse del guión los micrófonos serán cortados de modo que su voz no llegue al país que se encuentra todo él pendiente del proceso, al mismo tiempo que supondrá un incremento en la severidad de la pena. Incluso cuando finalmente todos ellos son condenados a penas de muerte o presidio de por vida, sus abogados "defensores" les recomiendan que acaten la sentencia pues de otro modo no existirá posibilidad alguna de clemencia.

La historia y el cine están llenos de ejemplos de juicios-pantomima donde la imparcialidad brilla por su ausencia (en estas mismas hojas ya se ha hecho mención a algún caso como el de *Sacco y Vanzetti*), pero sin duda ningún caso tan flagrante de parodia judicial como en *La confesión*. La película le granjeó severas críticas a Costa-Gavras dentro de algunos círculos izquierdistas, sin embargo no constituye la película una censura a posturas marxistas (el propio protagonista, liberado tras el trascendental Congreso de 1956 donde fueron revelados los crímenes de Stalin, y exiliado en Francia, sigue declarándose comunista, si bien aún habrá de sufrir un postrer desengaño con los tanques rusos arrasando la primavera de Praga) sino una denuncia del totalitarismo, independientemente del signo que éste ostente, sobre la que seguirá incidiendo en el resto de sus películas.

Tras *La confesión*, Costa-Gavras cruzará el charco para interesarse por la situación en Latinoamérica. Así durante 1973 rodará *Estado de Sitio* (*État de siège*, Constantin Costa-Gavras, 1973), acerca del secuestro en Uruguay por parte de los Tupamaros de un oficial americano de la Agencia para el Desarrollo Internacional. El secuestrado no es otro que un agente estadounidense enviado para adiestrar a la policía uruguaya en la lucha contrarrevolucionaria, pues "la policía es la primera línea de defensa de la sociedad" (si bien en realidad quiere decir del sistema). El filme cuenta con numerosos puntos de interés jurídico. Así por ejemplo ya desde un inicio destaca el uso interesado del lenguaje; la palabra "tupamaro"

está prohibida por ley, pues no se trata más que de "terroristas". De nuevo el problema ya apuntado de la arbitrariedad a que da lugar el término por el hecho de no existir un concepto internacional del mismo.

Como todo filme en el que se plantean cuestiones como la lucha armada, su legitimidad y la respuesta contra ésta del Estado, está presente también el debate entre los medios y los fines. Contrastan de este modo las técnicas de tortura en las que son instruidos los policías uruguayos por el Sr. Santore, con el interrogatorio al que éste será sometido durante su secuestro por los insurgentes, donde no sólo no sufre maltrato alguno sino que es tratado con respeto y educación. No aprueba sin embargo el filme los medios tupamaros, pues éstos, tras no serles concedida la petición de intercambio entre los retenidos y los presos políticos encarcelados en las prisiones del país (al contrario, el Gobierno llevará a cabo la detención de más células del grupo), decidirán por votación la ejecución del Sr.Santore.

La cuestión principal que se plantea sin embargo en *Estado de Sitio*, no es otra que la del intervencionismo norteamericano. Santore, el cual había estado presente anteriormente en Brasil y Santo Domingo, "casualmente" durante los golpes de Estado que tuvieron lugar en dichos países, no es un caso individual, sino el integrante de un programa estadounidense, desarrollado a raíz del triunfo de la Revolución Cubana, para evitar más salidas de madre en su cuarto trasero. El control del Cono Sur se realiza de múltiples formas, de las cuales el golpe militar sólo constituye el último recurso, siendo el principal la economía, pues las principales fábricas funcionan gracias a las inversiones americanas, como explica un diputado en el filme "no pido que entienda la ideología sino la geografía". El eterno problema de América Latina, tan lejos de Dios y tan cerca de Estados Unidos.

La película fue filmada en Chile, con la ayuda del Gobierno de la Unidad Popular. Los azares del destino (y la alargada mano de Kissinger, probablemente el premio Nobel más vergonzante de la Historia) quisieron que, apenas unos meses después de que el equipo de rodaje hubiera abandonado el país, las mismas fuerzas intervencionistas denunciadas en el filme provocaron el golpe de Estado que llevó al general Pinochet al poder y con él a la instauración de una de las más sanguinarias dictaduras del siglo. Costa-Gavras tenía pues una deuda con el país andino, y

sin duda la saldó, en la que considero que es su mejor película hasta la fecha: *Missing* (Constantin Costa-Gavras, 1982).

Basada en el libro de Thomas Hauser, "La ejecución de Charles Horman", narra la epopeya de un respetable y conservador americano de clase media (magníficamente interpretado por Jack Lemmon) que viaja a Chile poco después del golpe en busca de su hijo, un joven periodista de ideales progresistas que ha desaparecido. Una vez allí, acompañado de su nuera poco a poco averiguará la terrible verdad, derrumbándose a cada paso no sólo sus esperanzas sino sus propias convicciones. Al horror de una ciudad sembrada de cadáveres y asediada por el miedo y la desesperación de los sueños rotos se le unirá el desengaño de descubrir la implicación del gobierno norteamericano en la preparación y ejecución del golpe así como en la brutal represión posterior.

Jurídicamente, *Missing* permite una nueva aproximación a la noción de Estado de Derecho. ¿Merece dicho calificativo el régimen impuesto por la Junta Militar? Hans Kelsen, el jurista más reconocido del siglo XX supedita la existencia de éste a una mera cuestión de obediencia, reconociendo la legitimidad del Gobierno que alcanza el poder a través de medios no democráticos (una revolución, un golpe de Estado,...) desde el momento en que consigue que las normas por él impuestas sean obedecidas. No es esta la opinión de Costa-Gavras, pues el Derecho es un instrumento construido por y para los seres humanos debiendo encontrar su propio límite en el respeto a la dignidad a estos inherente. La dictadura pinochetista no puede recibir el calificativo de Estado de Derecho pues no impera éste allí ("—Norteamericanos, siempre suponen que hay que hacer algo para que lo detengan a uno.— ¿Y no es lógica esa suposición? — Aquí no") como no puede serle reconocido a ningún Estado que fomente o ignore el sufrimiento humano.

Los máximos responsables de los abominables crímenes cometidos en Chile jamás han sido jurídicamente condenados, si bien los procesos a los que debió enfrentarse Pinochet al final de su vida suponen cuando menos un triunfo moral de sus víctimas. La cuestión de la impunidad en los casos de crímenes contra la humanidad es un aspecto fundamental en la dialéctica de los Derechos Humanos. Este es el objeto de *La caja de música*, la última película del director greco-francés a la que haré referencia. Se trata de un clásico filme

de juicios centrado en el caso de Lazslo, ciudadano húngaro nacionalizado estadounidense, cuya extradición es solicitada por su país de origen acusado de ser un criminal nazi. Lazslo será defendido por su hija, abogada, la cual en el curso de su investigación tendrá que afrontar el horror de descubrir los terribles delitos cometidos por su padre con el consiguiente dilema moral que se le planteará.

El caso que se nos presenta en esta película es bastante representativo y permite reflexionar en profundidad acerca de la persecución de los crímenes contra la humanidad y la cuestión de la impunidad. Los sistemas penales modernos se articulan por lo general sobre una doble orientación de la prevención: general y especial. Conforme a la prevención general la pena estaría en última instancia fundamentada en su poder disuasorio, de modo que la amenaza de la misma prevenga a la mayoría de la Sociedad de la intención de delinquir. Desde el punto de vista de la prevención especial, por contra, se incide en la peligrosidad del individuo delincuente de modo que la pena le es impuesta para evitar que cometa nuevos delitos. Por último, todo el ordenamiento se halla presidido por el principio de reinserción social y por tanto el conjunto del sistema penitenciario se orienta, presumiendo el comportamiento asocial de la persona que ha delinquido, a su reeducación para que pueda volver a integrarse con normalidad en la Sociedad.

Sin embargo, este esquema no está tan claro cuando se trata de crímenes tales como el genocidio. En primer lugar, por la "cualificación" de estos delitos en tanto que son cometidos desde una posición de poder, lo cual limita la eficacia de la prevención general, pues difícil es la intimidación contra quien ostenta la fuerza. En segundo lugar porque en muchos casos el genocida, una vez apartado del poder, pierde los medios para continuar la comisión de sus crímenes, cesando su peligrosidad a efectos de prevención especial, e integrándose perfectamente en la sociedad. Así ocurre con Lazslo convertido en un venerable abuelo, como ocurrió con Pinochet o con muchos de los responsables de tantas torturas y asesinatos cuando los sistemas criminales que los promovieron tocan a su fin mediante la transición a un sistema democrático (quedando siempre sus espaldas cubiertas a través de leyes de punto final que aseguren su impunidad).

La persecución y condena de estos delitos sólo puede fundamentarse por tanto en la simple retribución, en la idea más kantiana de Justicia. Deben ser castigados porque de otro modo no podríamos seguir llamándonos civilizados. La dignidad como esencia fundamental del ser humano y todos los derechos que giran en torno a ella constituyen la piedra angular de todo nuestro sistema moral, social y jurídico. Por ello, dejar su violación impune supone vaciar de todo contenido los Derechos Humanos y con ellos también la democracia que sobre su respeto se asienta. No debe pues haber perdón jurídico para el genocida (lo que no tiene que suponer, ni mucho menos, el obviar que nuestro sistema ha de guiarse en todo momento por su humanidad, incluso para con aquellos que la desconocen), ni tampoco olvido para sus crímenes. De lo primero habrá de encargarse la Comunidad Internacional, lo segundo siempre será más fácil mientras siga existiendo un cine comprometido.

8. Bibliografía consultada

HOOKS, Bell: *Reel to real. Race, sex and class at the movies*. London: Routledge, 1996.

RIVAYA, Benjamín y DE CIMA, Pablo: *Derecho y cine en 100 películas*. Valencia: Tirant lo Blanch, 2004.

URIS, Pedro: *360° en torno al cine político*. Badajoz: Colección cine, Diputación de Badajoz, 1999.

WAYNE, Mike: *Political Film. The dialectics of third cinema*. London: Pluto Press, 2001.

El Derecho y el documental

"No hay más que un medio para llegar a la verdad: dudar siempre de ella".
Landrú (Claude Chabrol, 1962)

1. Buscando certezas

El proceso de socialización que experimenta el mundo del espectáculo a lo largo del siglo XIX tendrá dos principales focos de atención: lo mágico y esotérico, lo del más allá y otros mundos; y la representación de la vida, de esa realidad encorsetada en las variables de espacio y tiempo que hasta la llegada de la fotografía se limitaba a la simulación. Es muy probable que en algún momento de ese proceso de recreación simulada de nuestra realidad, el hombre fuera consciente de la posibilidad de engaño a sus sentidos y surgiera un verdadero interés por la verdad. Uno de esos momentos se produjo a fines de 1878 cuando el fotógrafo Eadweard Muybridge recibió el encargo del ex gobernador de California, Leland Stanford, de buscar instrumentos que explicaran el movimiento exacto de sus caba-llos, más allá de los imperfectos dibujos de sus colaboradores que transmitían a los entrenadores un conocimiento impreciso del galope. Muybridge investigó nuevos procedimientos de sofisticación de la fotografía y colocó un grupo de cámaras — doce de inicio y después, veinticuatro— a lo largo de la pista de carreras del rancho de su mecenas. Les sujetó unos hilos que atravesaban horizontalmente la pista de forma que, cuando el caballo corriendo contactaba con ellos, hacía saltar el obturador de cada cámara tomando una instantánea. Mediante su exposición sucesiva, las fotografías acabaron suministrando una información real, verdadera, sin subjetividades, sin el temblor físico o psicológico del hombre. La repetición a gran velocidad de los fotogramas transmitía objetivamente cada fase del galope, los movimientos de pata del animal y los del jockey, lo que consiguió una verdad sobre la que trabajar y optimizar el rendimiento de los caballos. Por primera vez se plasmaba una realidad en movimiento que se acercaba al anhelo de lo verdadero.

Durante los primeros años el nuevo espectáculo cinematográfico se limitó prácticamente a registrar hechos ocurridos bajo el formato de breves noticiarios para entretener. Pero esa innovadora sucesión de imágenes despertaba recelos. Por eso también había que lograr la confianza del espectador, la fiabilidad de su mirada. De hecho, los operadores del cinematógrafo de Lumiere que extendieron el aparato por todo el mundo, recibieron la consigna de filmar escenas de los países donde se exhibía, y proyectarlas con la idea de que el público local no considerara un engaño el nuevo invento de imágenes en movimiento. Así *Las carreras de Melbourne, La llegada de los toreros, La calle 59 frente a Central Park* o L*a coronación del zar Nicolas II* (todas de 1896), probaron, certificaron con imágenes conocidas para australianos, españoles, neoyor-

kinos o rusos, que aquellos aparatos proyectaban realidad[1].

Pero muy pronto el cine también empezará a simular con las ficciones de Meliés, aparcando lo conocido. Cineastas y productores franceses, italianos y estadounidenses se lanzan a una carrera comercial por conquistar al público mediante el uso de la cámara al servicio del entretenimiento con aventuras, amores y risas en una creciente producción ficticia en estudios. Esta deformación del entorno y de los acontecimientos humanos conlleva una nueva reacción contra el engaño de los sentidos que hace a Robert J. Flaherty abandonar la representación de la naturaleza en los estudios de Hollywood y buscarla, sin artificios, en las estribaciones del Polo Norte o Samoa. Por su parte, en plena revolución soviética de 1917, Dziga Vertov pone en marcha sus noticiarios *Kino Pravda* (cine verdad) que registran la vida "tal como es" para después sacar conclusiones. Como otro aldabonazo a la renovación política y social revolucionaria, las artes también deben regenerarse y así, la realidad inmediata, cercana a los trabajadores, tie-

---

[1]   Sobre la historia de las primeras representaciones documentales resulta muy interesante: BARNOUW, Erik: *El documental. Historia y estilo*. Barcelona: Gedisa, 2002.

ne que filmarse. Este cine documental sin actores propugna una fórmula para organizar la vida real: la superioridad de la filmación de los hechos frente a la dramatización.

Paralelamente a esos primeros cuestionamientos de la ficción surge un carácter esencial para la historia del cine: Desde Griffith y los cineastas de la Unión Soviética (principalmente, Kulechov, Eiseinstein y Pudovkin) esa divertida forma de guardar imágenes y sueños, esa atracción de feria para pasar el rato, adquiere naturaleza de lenguaje. El cine, tanto el de ficción como el documental, se convierte en vehículo de expresión de ideas, de concienciación y, por tanto, de control. A partir de aquí, casi un siglo después podemos concluir que una gran mayoría de documentales y documentalistas buscarán un objetivo: representar la verdad con una intención. Por ello, desde muy temprano el documental excluirá la certeza; inevitablemente busca la toma de posición del espectador y una actitud consecuente. Cualquiera que sea la temática: científica, histórica, de promoción, de investigación, de información o de denuncia, tiene siempre como referencia el trasmitir al espectador una idea de lo cierto, lo veraz, "las cosas como son" y todas esas nociones que configuran algo tan relativo como "la realidad". Por supuesto que "su" realidad; ya sea con fines comerciales, políticos o divulgativos, se pretende convencer al espectador de que lo que ve es cierto, que asuma la certeza de las imágenes y del mensaje que transmiten. Pero además, Vertov propugna incluso una nueva forma de filmar la realidad trascendiendo hasta lo que el ojo humano no puede ver. Por primera vez, su grupo de cineastas del cineojo cuestiona la percepción del espectador del documental y de sus imágenes recibidas directamente por la cámara, lo que le generará no pocos problemas con el sistema socialista al que empezó sirviendo. En 1929 Vertov había rodado *El hombre de la cámara* (*Celovek´s Kinoapparatom*), auténtico tratado universal de las posibilidades del cine como vehículo para ofrecer la realidad social. Siguiendo su estela, en la Europa Occidental de los años treinta será John Grierson y su escuela documental británica los que pongan en marcha toda una industria de filmación de la escena viva, del relato cercano frente a los fondos artificiales para narraciones actuadas. Previamente, *Berlín, sinfonía de una gran ciudad* (*Berlin: Die Sinfonie der Großstadt*, Walter Ruttman, 1929) inicia el acercamiento de los europeos al umbral de su casa. Como señala Grierson: "Representaba, tenuemente, el retorno del romance a la realidad"[2]. Posteriores títulos de Jean Vigo, Joris Ivens o Buñuel ahondarán más en el carácter social de ese nuevo cine que se acercaba a la cotidianidad de los espectadores. Éstos ya no comparan su imaginación con la realidad exótica representada por el documental naturalista, sino que cotejan las imágenes con lo que ven sus ojos al abrir las ventanas de casa.

Después de que los documentalistas soviéticos, especialmente el cine de fiscalía del tren cinematográfico de Medvedkin, o Leni Riefenstahl en la Alemania nazi, demuestren su valía como instrumento al servicio de los totalitarismos, ese poder propagandístico del documental se extenderá muy pronto a los contendientes en la Segunda Guerra Mundial.

El neorrealismo italiano de posguerra supondrá un aliado para la evolución de cierto tipo de documentalismo hacía una marcada óptica humana y objetiva. El compromiso ético de este movimiento cinematográfico surgido de las ruinas de Italia tras la Segunda Gran Guerra,

calará en muchos directores que a mediados de los cincuenta y, sobre todo, en los años sesenta virarán el sentido del documental hacía una búsqueda del individuo para ofrecer la verdad de su comportamiento. Los postulados del *cinéma vérité* advierten de la posibilidad de acceder a la realidad con el registro mecánico de lo cotidiano confiando en que el individuo ante la cámara, acaba mostrándose "como es". Sobre todo en Francia (Chris Marker), su versión canadiense del *Candy Eye* (ojo inocente) representada por Colin Low, y los *filmmakers* de la *Drew Associates* en Estados Unidos, aspiran a ofrecer la rutina, marginalidad o angustia del individuo común. La incorporación de las pequeñas cámaras de 16 mm. y de los micrófonos corbata que utilizaba la televisión canadiense, permite en ese país, junto a estadounidenses y galos, poner en marcha el cine en la calle. La definitiva "democratización" del documental llega a mediados de los sesenta con las innovaciones técnicas que permiten individualizar las películas, abaratarlas y extraerlas de las necesidades de producción costosa. Estas nuevas posibilidades abren el objetivo de la cámara a temas próxi-

---

[2]   Cit. por ROMAGUERA, Joaquín; ALSINA, Homero: *Textos y manifiestos del cine*. Madrid: Cátedra. 1998, p. 144.

mos al ciudadano por los que transitan jóvenes cineastas con sus equipos ligeros. Los grandes acontecimientos y las celebridades políticas o artísticas dejan cierto hueco al individuo y sus problemas sociales. La cámara se mete en el suceso, se mueve por los acontecimientos para ver y oír la "nueva" realidad cercana. Además, esa exhibición de "lo que ocurre" abandona la losa de la narración en off a partir del cine directo norteamericano. Jonas Mekas reflejaba muy certeramente esos nuevos movimientos en 1962: "Si estudiamos la moderna poesía cinematográfica, descubrimos que aun los errores, los planos desenfocados, los pasos inseguros, los movimientos vacilantes, los fragmentos de mucha o escasa exposición, se han convertido en una parte del nuevo vocabulario del cine y son parte de la realidad psicológica y visual del hombre moderno"[3].

Será *Primarias* (*Primary*, Drew, Leacock, Pennebaker y Al Maysles, 1960) el primer film norteamericano que se lance a la calle a capturar escenas de la vida real, en este caso, las primarias del Partido Demócrata en Wisconsin entre J. F Kennedy y Hubert Humphrey. Es una época de predominio periodístico y cada vez más, televisivo. Según María Luisa Ortega, varios documentales de *Drew Associates* (colectivo de nuevos realizadores coordinados por Robert Drew) van a mostrar las conductas y entrebastidores del periodismo, con lo que se ofrece una visión opuesta, la del cine, a los demás comunicadores de la realidad y se "hacía valer la primacía de sus técnicas para acercar al público al verdadero rostro, sin máscara y sin ensayo, de lo real y sus personajes"[4]. Así, la cámara empieza a ser utilizada como arma de combate por grupos de protesta pacifistas, feministas y defensores de derechos civiles, en un renovado intento de profundizar en problemas sociales y modificar las ideas predominantes que reiteraban los principales medios de comunicación. Con esa expansión creativa al margen de los grandes desembolsos económicos, el documental abandonó definitivamente su condición de género cinematográfico marginal. Pero por otra parte, la invisibilidad de la cámara en los acontecimien-

---

[3] MEKAS, Jonas: *Film Culture*, núm. 24, primavera de 1962.
[4] VV.AA.: *Dentro y fuera de Hollywood. La tradición independiente en el cine americano*. Gijón: Festival Internacional de Gijón, 2004, p. 185.

tos que refleja será una quimera, pues su sola presencia presuponía la alteración de la conducta de los individuos. La veracidad de lo filmado seguía estando en entredicho.

También la televisión ha jugado un papel esencial en la renovación de la verdad. No sólo innovó en formatos y ofreció nuevos procedimientos para su recreación y exhibición, sino que acabó con la hegemonía de los documentales sobre su representación. Durante años el carácter sacro de los noticiarios-telediarios los desbancó como líderes de la "verdad revelada". Además, la inmediatez televisiva superaba siempre a la documental. Como ejemplo, los *ciné tracs* de Godard, informativos de corta duración que filmó entre mayo y junio del 68, fracasaron por su lentitud "de horas" al intentar desbancar la información televisiva de los acontecimientos revolucionarios parisinos de esas semanas. Durante los setenta y los ochenta el monopolio de la representación de la noticia, de la información sobre los hechos, ha sido casi totalmente televisivo. Tuvo que llegar la Guerra del Golfo de 1991 y su "retransmisión en directo" para que se cuestionaran muchas imágenes filmadas en otros lugares y reubicadas sin ningún rubor en Kuwait o Iraq por la CNN y el

resto de televisiones. No obstante, hoy siguen jugando un asombroso papel protagonista en la representación de la realidad, aunque ya ni los propios medios de comunicación televisivos aspiran a alcanzarla.

Dentro de esa tierra de nadie abonada por el eclecticismo de creadores, formatos y contenidos, la plasmación de la verdad en el género documental ha sufrido toda clase de envites y la realidad ha continuado siendo un concepto impreciso vapuleado, entre otros, por ficciones documentales como *La batalla de Argel* (*La battaglia di Algeri*, Gillo Pontecorvo, 1966), el documental de ficción (*Zelig*, Woody Allen, 1983), los falsos documentales —*fakes*— (*Aro Tobulkhin. En la mente del asesino*. Villaronga, Zimmermann y Racine, 2002), o los documentales performativos (*De niños*, Joaquin Jordá, 2003). Incluso las certezas documentales del icono contemporáneo del género, Michael Moore, han sido revisadas, a su vez, por *Manufacturing Dissent* (Caine y Melnyk, 2006) que cuestiona las medias verdades y los dudosos métodos de trabajo del realizador estadounidense.

Es posible que ese proceso tecnológico que democratizó el audiovisual en general y el documentalismo en particular, y lo liberó de la dependencia económica, esté sirviendo también hoy para vigilar, controlar, cada vez más campos de libertad de los ciudadanos mediante la frenética conquista de espacios públicos por parte de los estados y las grandes corporaciones económicas en aras de garantizar una seguridad y protección que, en no pocos casos, ellos mismos han contribuido a quebrar. Se recupera así la vieja idea del *Panopticon* de Jeremy Bentham, esa cárcel cuya distribución permitía a un solo vigilante en la torre central controlar todas las celdas pues al dar a exterior e interior, los presos no tenían espacios de sombra invisibles y cualquiera de sus movimientos era vigilado. Éstos, sintiendo la mirada del vigilante de forma constante, terminaban por interiorizarla y vigilarse a si mismos. El control de datos a través de internet, las cámaras de seguridad hasta en las calles de las ciudades o los cada vez más extendidos servicios preventivos de vigilancia en zonas privadas, incluidas guarderías, nos alejan progresivamente de una sociedad libre mediante la generalización del escandaloso concepto jurídico de peligrosidad. Esta noción implantada en Occidente durante el siglo XIX

vuelve a cobrar protagonismo en el siglo XXI cuando el ciudadano es cada vez más vigilado por su virtualidad, no por sus actos. Se ha normalizado e interiorizado tanto el uso de esos medios de visualización que los vigilados, como los panópticos de Bentham, asumimos con naturalidad la autovigilancia. Así, con una notoria intencionalidad se ha potenciado las filmaciones entre individuos a través del teléfono móvil o la masiva e incontrolada comunicación electrónica por internet, por la que millones de datos e imágenes privadas se mueven todos los días. Quizás, ya no se trata tanto de investigar qué ha pasado o quién lo ha hecho, sino de un examen permanente. En palabras de Foucault: "Es éste un saber que no se caracteriza ya por determinar si algo ocurrió o no, sino que ahora trata de verificar si un individuo se conduce o no como debe, si cumple con las reglas, si progresa o no, etcétera"[5]. La imagen documental, real, parece haber dado su último paso, por el momento, al convertirse en instrumento de control y vigilancia de su propio autor.

Esta sucesión de momentos documentales, más que histo-

5   FOUCAULT, Michel: *La verdad y las formas jurídicas*. Barcelona: Gedisa, S.A, 2005, p. 105.

ria cronológica del género, nos ha acercado a sus formas de aproximación a la certeza. Aunque parece que muchas veces la ha abordado, solo el tiempo se encargó de demostrar que únicamente la bordeaba una y otra vez.

Por último, una advertencia de carácter conceptual se hace necesaria en esta introducción: junto a la ciencia-ficción, probablemente el documental sea el género clásico que más se ha transformado en los últimos cuarenta años. La constante incorporación de soportes visuales a la voluntad de los espectadores, los nuevos conceptos de realidad incorporados por la televisión y la posibilidad de mezcla de formatos con las nuevas tecnologías, incluida la aparición de unidades de producción unipersonales, nos llevan a plantearnos si en vez de documentalismo, lo correcto sería hablar de un género más amplio que empieza a tomar cuerpo: la no ficción. Como señala Antonio Weinrichter "En su negatividad está su mayor riqueza: no ficción = no definición. Libertad para mezclar formatos, para desmontar los discursos establecidos, para hacer una síntesis de ficción, de información y de reflexión. Para habitar y poblar esa tierra de nadie, esa Zona auroral entre la narración y el discurso, entre la Historia y la biografía singular y subjetiva"[6]. Dentro de esa nueva categoría cinematográfica se englobarían desde los *post verité* a los paradocumentales, el cine ensayo, los docudramas, el *cinema verité* o los *fakes*. Item más, estos formatos se mezclan en muchos casos, por lo que la frontera clasificatoria entre unos y otros, amén de no aportar ningún valor cinematográfico en sí, solo sirve para seguir manteniendo esa concepción, urgentemente revisable, de que cada película pertenece a un modelo. No obstante, por cuestiones prácticas en adelante seguiré refiriéndome a todos como "documentales", aunque muchos no tengan tal vitola en sentido estricto.

---

[6] WEINRICHTER Antonio: *Desvíos de lo real. El cine de no ficción.* T&B Editores, 2005, p. 11.

2. La verdad y nada más que la verdad

El encuentro con la verdad es el fin supremo de la justicia. En cualquier tipo de ordenamiento jurídico la aspiración del legislador y del juzgador es siempre una resolución que esclarezca los hechos controvertidos, que suponga una consecuencia equilibrada, equitativa y ecuánime de lo ocurrido, de lo realmente acontecido. No es objeto de este trabajo profundizar en exceso sobre la significación para la Filosofía del Derecho y la práctica judicial, del término verdad, pero sí indagar en el papel del documental como criterio de búsqueda de lo verdadero, como instrumento aglutinador de formas comunes del saber que acerquen al individuo a lo convencionalmente aceptable como certeza. Como señala Erik Barnouw: "Un documental no puede ser "la verdad". Un documental es prueba, testimonio y la diversidad de los testimonios constituye el corazón del proceso democrático"[7].

Cualquier discurso, también el visual, plantea por definición cuestiones relativas a su credibilidad. El documental, tanto en sus años de instrumento político o económico como en las posteriores décadas de cine de denuncia, siempre ha cargado con el estigma de lo tendencioso, de su carácter propagandístico. Al escepticismo que genera ha coadyuvado la naturaleza de tal modo de plasmar la realidad. La representación mediante imágenes de cualquier acontecimiento o problemática desde una filmación tamizada por una cámara y las opciones de su portador, parece llevar a un rechazo previo, a un prejuicio derivado de la posibilidad de engaño o manipulación. Sin embargo, un análisis pausado concluiría de forma muy distinta pues ante la ficción somos vulnerables, recibimos un contenido al que superficialmente consideramos imaginación, fábula, en definitiva, mentira; agradable, terrorífica o excitante, pero mentira. Siempre somos más permeables a recibir mensajes subliminales y subrepticios porque la ficción nos puede invadir y conquistar sin apenas debate interior. Pero

7   BARNOUW, Erik: *El documental. Historia y estilo.* Barcelona: Gedisa, 2002, p. 309.

los documentales nos mantienen en guardia, al espectador se le presupone una postura defensiva: mira, reflexiona y concluye. Por eso, la relación del documental con la realidad jurídica ha sido menor, pero más intensa que en la ficción. Cuando lo que está en juego es dilucidar aquella verdad como prueba para establecer unas consecuencias jurídicas, ya sean patrimoniales o personales, incluida la posibilidad de perder la vida, la claridad de percepción y los criterios interpretativos de las imágenes —los "códigos de lo verosímil" que señala Sánchez Navarro—, adquieren una enorme relevancia para comprobar, o al menos intentarlo, si el resultado es justo o injusto.

En general y sin intención de ser exhaustivos, podemos diferenciar principalmente dos formas de obtención de esa prueba de lo verdadero, de ese testimonio, a través de lo que nos atrevemos a llamar documentales jurídicos: la observación y la indagación.

La primera se dedica casi exclusivamente a poner la cámara delante de los acontecimientos, ocurran en la calle, dependencias policiales, administrativas, penitenciarias o salas de juicio. A primera vista, el cineasta no interfiere en la práctica judicial y su trabajo solo pretende servir

de reproductor de la realidad empírica. El documentalista prescinde de narración explicativa dejando al espectador absoluta libertad de interpretación de determinadas figuras, instituciones o procesos jurídicos. Se supone que lo que vemos hubiera ocurrido aunque no estuviera la cámara. Por supuesto que la inocencia estructural se desvanece cuando el cineasta selecciona casos, escenas o planos y los reubica en el montaje final para provocar un efecto en la audiencia. De hecho, la presunta naturalidad de lo rodado quiebra desde su propia filmación cuando el director pide que se actúe como si la cámara no estuviera, lo que ya supone una postura en sí muy distinta de la habitual si la escena se desarrolla sin filmación. La segunda vía expositiva, la indagación, utiliza procesos de búsqueda del saber, de qué ocurrió, cómo y quién fue el responsable. La mayoría de los documentales judiciales indagatorios pretenden que el espectador sospeche de la versión oficial del suceso, de los testimonios de las partes y de esas evidencias que parecen ser irrebatibles. Pero pocos esclarecen lo realmente ocurrido —no suele ser su objetivo—; dejan la puerta abierta a que sea el espectador el que juzgue, el que desarrolle sus propios mecanismos deductivos a partir de lo que reciben sus sentidos. Intencionalidad también descrita con cierta candidez, pues el documentalista sigue eligiendo el material que exhibe. Por supuesto que ambas fórmulas, tan genéricamente expresadas en este breve estudio, presentan multitud de ejemplos de quiebra o matiz que resaltan la difusa frontera que existe a la hora de cualquier clasificación de propuestas y enunciados de los documentales.

La relación del documental con el mundo del Derecho conlleva una serie de características que lo hacen acercarse de forma cautelosa al concepto tradicional de documental como película que exhibe una realidad con las menores interferencias posibles. En primer lugar, el documental jurídico ha tenido tradicionalmente vocación de verosimilitud en el sentido de presentar la realidad histórica, de ofrecer sin prisma unos determinados hechos judiciales. La cámara y las opciones del director tratan de acercar la representación de situaciones y personajes lo más verídicos posibles a los sentidos del espectador. El mundo de la justicia que se ofrece invoca generalmente un estatuto de verdad, y más cuando hablamos de casos criminales concretos. A pesar de ello, "toda la verdad y nada más que la verdad" no de-

ja de ser una ilusión cinematográfica a la que aspiran algunos documentalistas porque detrás de cada film se esconde, o se sugiere, un intento de persuadir al espectador. Incluso los poquísimos falsos documentales relacionados con la justicia como *Campo de castigo (Punishment Park*, Peter Watkins, 1971), o tangencialmente, *La seducción del caos* (Basilio Martín Patino, 1987) y *Aro Tobulkhin. En la mente del asesino* (Villaronga, Zimmermann y Racine, 2002), no dramatizan en exceso las formas judiciales con el fin de mitigar el espectáculo y profundizar en la reflexión.

La segunda característica, el objetivo de denuncia, se ve condicionada por la primera en cuanto necesidad de los directores de plantear una realidad —su realidad— como elemento de referencia puro para que el espectador pueda sacar conclusiones. Si en el documental en general es básica la atención al problema que aborda, en los judiciales su éxito se considera intrínsecamente unido a que el espectador hable del contenido al final de la película, más que de ella misma. No se trata de que adapte sus credos y conocimientos al estado del mundo que se le ofrece en la pantalla, sino de que hable de ese mundo. Por eso, muchos documentalistas intentan alejarse de cualquier duda sobre la veracidad de su obra y buscan centrar las reflexiones del receptor en el tema denunciado, evitando distraer la atención sobre aspectos formales como el efectismo visual o la ambigüedad con respecto a lo fronterizo entre realidad y ficción.

Pero evidentemente y por mucho que se esfuercen sus autores, no puede existir documental alguno —los jurídicos tampoco—, sin su tercera característica: la de la realidad relativa, que pasa siempre por un montaje, una selección de imágenes y contenidos. En este género siempre encontraremos, más o menos implícita, una posición moral del cineasta. Según Barnouw: "Los documentalistas hacen infinidad de elecciones; eligen el tema, las personas, las vistas, los ángulos, las lentes, las yuxtaposiciones, los sonidos, las palabras. Cada selección es la expresión de un punto de vista, consciente o inconsciente, reconocido o no reconocido"[8]. Sin embargo, como carácter específico, en algunos documentales judiciales la opción del director es no cerrar el mensaje, transmitir datos e imágenes para invitar a la contradicción.

A pesar de las señaladas precauciones que exige este género, en más de una ocasión un documental ha alterado el curso de un proceso judicial. Aunque se le ha señalado como prueba de descargo para la absolución de Randall Adams por el asesinato de un policía en Dallas a fines de 1976, lo cierto es *que La delgada línea azul (The thin blue line,* Errol Morris, 1988) fue rechazado como prueba para la revisión del caso por ser un documento de parte, sujeto a montaje y manipulación. Sin embargo, su contenido sí fue útil para un excepcional proceso de revisión de la causa por el Tribunal Supremo de Texas que, tras once años en la cárcel, puso en libertad a Adams. Otro caso llamativo resulta *Paradise Lost (*Bruce Sinofsky y Joe Berlinger, 1995*)* que investiga el asesinato de tres niños en Arkansas en 1993. El documental fue la causa de una revisión del juicio obtenida por los tres condenados por un presunto pacto de algunos de sus abogados con los cineastas, lo que generó una supuesta indefensión a los mismos. De nuevo resultaron condenados, pero la película sirvió también para crear una organización nacio-

---

[8] *Ibidem*, p. 308.

nal de defensa de los llamados "Tres de Memphis". Hoy en día, catorce años después, Damien Echols sigue en el corredor de la muerte y Miskelly y Baldwin en la cárcel esperando que el *iter* judicial les dé algún día la razón. Mientras, miles de ciudadanos, incluidas celebridades como los integrantes de Metallica, Tom Waits, la actriz Winona Ryder o el escritor Stephen King, siguen luchando por su libertad con conciertos, libros y llamamientos públicos, además de la web *www.threememphis.com*.

3. La prueba documental

En *Furia* (*Fury*, Fritz Lang, 1936), se utilizaba como prueba en el juicio para identificar a los autores del linchamiento de Joe Wilson, el documental rodado mientras se producía el incendio de la cárcel dónde estaba retenido injustamente. Ficción dentro de la ficción. Muchos años después, *Capturing the Friedman´s* (Andrew Jarecki, 1996) constituye un desolador documental sobre la familia del mismo nombre y las circunstancias que rodearon el proceso judicial por pederastas del patriarca Arnold y su hijo Jesse. El director utiliza a lo largo de todo el metraje escenas familiares de las miles de horas que durante años grabaron los Friedman por su afición al cine y al video. Realidad dentro de la realidad. Entre estos dos extremos de "realidades representativas" surge una rica gama de propuestas que mezclan ficción con realidad y realidad con ficción, y que han ido renovando el género documental en su acercamiento al mundo del Derecho a lo largo de los años. Al igual que en nuestra introducción, no se trata de reconstruir una cronología completa de la representación fílmica de los valores jurídicos en la historia del documental, sino de recuperar algunos de los momentos que nos parecen más interesantes para alcanzar nuestra finalidad de conexión entre este género y la justicia en su afán de aproximación al concepto de verdad.

Hablar de documentales jurídicos dependerá del tamaño de enfoque que tengan las diversas formas de acercamiento a las relaciones entre estas dos materias. Si el zoom es muy amplio, incluso las primeras imágenes de la historia del cine recogidas por los Lumière a la salida de los trabajadores de una fábrica representarían intencionadamente relaciones jurídicas. ¿Por qué los obreros parecen salir contentos del trabajo tras una larga y, presumiblemente, dura jornada laboral? Todo es ley, todo es norma, cualquier relación entre los individuos de una sociedad está marcada por multitud de reglas positivas o usos y costumbres que ayudan a organizar la comunidad. Por eso, reduciendo un poco el objetivo y acotando el concepto de documental jurídico a obras de no ficción que aborden directa o indirectamente alguna materia relacionada con el Derecho, curiosamente será el cine español el que nos muestre el primer ejemplo en *El tribunal de las aguas* (Antoni Cuesta, 1905). Este extenso film noticiario describe las actuaciones del tribunal popular de distribución de aguas de la huerta valenciana. Es muy probable que tengamos que acudir a los *Kino Pravda* (noticiarios soviéticos) de Dziga Vertov para ver por segunda vez la reproducción real de una situación jurídica de relevancia. Se trata de los juicios que en 1922 los *soviets* realizaron a antiguos colaboradores revolucionarios, principalmente líderes socialistas y de la iglesia ortodoxa, por actividades contrarrevolucionarias. Esos noticiarios reflejan algunas escenas de los juicios en los que muchos acusados fueron defendidos por

abogados extranjeros de filiación socialista. Aunque en el número 8 hay algunas secuencias judiciales de ficción, los *Kino Pravda* se utilizaron propagandísticamente como ejemplo interno y ante el mundo de la legalidad que respaldaba las actuaciones del nuevo estado proletario. Años después, Medvedkin rueda *La acusación*, uno de los casi setenta documentales cortos que su tren cinematográfico filma, monta y proyecta por toda la URSS durante 1932. La película exhibe el juicio a un vago con un carácter eminentemente ejemplificador hacía la clase trabajadora soviética y las consecuencias de la falta de compromiso con el estado socialista. Pero su cine de fiscalía, como él lo llamó muchos años después, no estaba sujeto al control del aparato del partido por su movilidad geográfica, lo que poco más tarde acabó con el proyecto.

Como ya hemos señalado, un primer cuestionamiento filosófico social del orden establecido en Europa Occidental se originó a principios de los años treinta con un grupo de documentales inconexos geográficamente, pero no materialmente. Tanto *Berlín, sinfonía de una gran ciudad* (*Berlin: Die Sinfonie der Großstadt*, Walter Ruttmann, 1929)*, como *A propósito de Niza* (*À propos de Nice*, Jean Vigo, 1930)*,

Derecho y Cine. El Derecho visto por los géneros cinematográficos

Las Hurdes, tierra sin pan (Luis Buñuel, 1932), *Problemas sociales* (*Housing problems*, Edgar Anstey) o *Cara sucia de carbón* (*Coal face*, Alberto Cavalcanti), ambos de 1935, suponen un primer acercamiento cinematográfico a un mundo próximo lleno de diferencias sociales y miseria. Siguiendo la idea de intencionalidad de los realizadores soviéticos, el documental social se acerca a la realidad cercana y exige una postura a su director: En palabras de Jean Vigo: "Este documental social se diferencia del documental sin más y de los noticiarios semanales de actualidades por el punto de vista defendido inequívocamente por el autor. Este documental exige que se tome postura, porque pone los puntos sobre las íes"[9]. Así, cineastas como Joris Ivens (*Zuiderzeewerken*, 1930) en Holanda, o Henri Stork (*Borinage*, 1933) en Bélgica, pretenden concienciar al espectador de las tremendas diferencias sociales y económicas entre las elites dirigentes y la inmensa masa obrera y desfavorecida de su propio mundo cercano. Se busca la reflexión en una sociedad cuyos resortes, entre ellos las leyes, colaboran en estas desigualdades. Sin embargo, los terribles acontecimientos que se precipitan a lo largo de la década y, sobre todo, la Segunda Guerra Mundial, supondrán una ruptura con esa tendencia socializadora que parecía emerger.

Será durante la década de los cincuenta, como hijo renovado del fotoperiodismo norteamericano de los años cuarenta y su mezcla con las influencias neorrealistas italianas, cuando el documental retoma un tímido desarrolló como herramienta de protesta, como recurso político para cuestionar a las elites económicas, políticas y sociales. La división del mundo en dos bloques enfrentados en la Guerra Fría aceleró esta tendencia ideológica. Desde los *Angry young men* absorbidos por el nuevo *Free Cinema* británico hasta los documentales del *Cinema Novo* brasileño, pasando por la propagandística escuela documental cubana tras la revolución castrista, mucho jóvenes directores airados plantean nuevas formas de afrontar políticamente el cine documental. Se lucha con las imágenes por los derechos de los más desfavorecidos, individuos y pueblos, y por denunciar una realidad no coincidente con la ofrecida por los grandes circuitos cinematográficos y tele-

---

[9]   VIGO, Jean: *Premier Plan*, núm. 19, noviembre de 1961.

visivos occidentales. El cine documental iberoamericano no se acercará al mundo del Derecho más allá de esporádicos títulos relacionados con las desigualdades sociales y laborales antes de la revolución cubana de 1959. Solo rescatamos *El desahucio* (1940, Luis Álvarez Tabío) que narra todos los pasos del desalojo de una familia de la vivienda que tenían alquilada, aunque usaba algunos recursos de la ficción. El intento de expansión de ese cine revolucionario de marcado carácter social y político se verá cercenado por los golpes de estado que recorrerán todo el centro y sur del continente americano a fines de los sesenta y durante los setenta.

En los sesenta, el cine directo estadounidense con su sincronización de sonidos y tomas móviles permite ampliar los contenidos a documentar. En 1963 la *Drew Associates* filmará cámara al hombro dos documentales que pueden considerarse los orígenes norteamericanos del subgénero jurídico: *Crisis: Detrás de un compromiso presidencial* (*Crisis: Behind a Presidential Commitment*) muestra a los hermanos Kennedy (el presidente John F. y el Secretario de Justicia, Robert) y su enfrentamiento con el gobernador de Alabama, George C. Wallace, por la negativa de éste a la admisión de negros e indios en la Universidad Estatal de Montgomery. Ese mismo año, *La silla* (*The Chair*) exhibe la denodada lucha de Louis Nizer y Don Moore al frente de un grupo de hombres para que se conmute la pena de muerte a Paul Crump, condenado a morir en la silla eléctrica[10]. Aquellos esporádicos acercamientos tuvieron nuevos episodios a partir de los años setenta con la expansión del cine documento al introducir los pequeños equipos de filmación dentro del sistema legal norteamericano en todas sus vertientes, desde la prevención criminal a través del papel de la policía hasta las manifiestamente mejorables instituciones penitenciarias, pasando por un proceso penal plagado de inseguridad jurídica y excesivamente permeable a presiones extralegales. En ese ambiente entra en liza otro de los pioneros del documental jurídico, el abogado y profesor universitario Frederick Wiseman que aparcó las leyes para dedicarse a la pro-

---

[10]   Según Mª Luisa Ortega es compleja la atribución de autoría individual de estos filmes, aunque parece que los historiadores cinematográficos norteamericanos los atribuyen prioritariamente a Gregory Shuker.

ducción cinematográfica. Tanto *Ley y orden* (*Law & order*, 1969) como *Tribunal de menores* (*Juvenil court*, 1974) suponen dos acercamientos a las unidades de psiquiatría criminal del Estado de Massachussets y el Tribunal de Menores de Kansas City respectivamente. Por su parte, Peter Watkins filma su desolador falso documental *Campo de castigo* (*Punishment Park*, 1971) que encierra una terrible denuncia contra los estados de excepción jurisdiccional y la arbitrariedad del Estado en defensa de una más que difusa idea de seguridad nacional. Paralela y clandestinamente, el modesto director de cine español Basilio Martín Patino filma en 1971 *Queridisimos verdugos,* cuyos imprescindibles planteamientos van más allá de un simple alegato abolicionista de la pena de muerte.

A partir de la década de los ochenta y conforme van desapareciendo las dictaduras del cono sur americano, se produce una verdadera explosión de cine documental en toda esa zona con un marcado fondo de reivindicación de los derechos humanos. Pero será sobre todo en los noventa cuando podamos hablar de un cine de recuperación de la memoria vinculado a esos derechos fundamentales del individuo. La argentina *Tierra de Avellaneda* (Daniele Incalcaterra, 1995), la chilena *La memoria obstinada* (Patricio Guzmán, 1997) o la uruguaya *Por esos ojos* (Arijón y Martínez, 1997) tratan de rescatar la barbarie militar, la tortura y desapariciones o, como en esta última, el proceso judicial de recuperación de una menor secuestrada tras asesinar a sus padres. En el año 2004, Miguel Rodríguez Arias dirige *El Nuremberg argentino* devolviendo a su pueblo las imágenes del juicio a las juntas militares que las presiones políticas le hurtaron en 1985. Mientras en América del Sur los cineastas se debaten entre lo relatable, las censuras y el peligro de polarización que supone recuperar un pasado tan reciente, en el Norte el documental de indagación experimenta un gran impulso por la permisividad de los jueces estadounidenses para filmar los juicios. Así *La delgada linea azul* (*The thin blue line*, Errol Morris, 1988), *Capturing de Freidmans* (Andrew Jarecki, 1996) o *Paradise lost* (Bruce Sinofsky y Joe Berlinger,1996), exhiben ante la opinión pública las carencias de un débil sistema procesal en el que las presiones extralegales y prejuicios sociales siguen triunfando sobre las garantías procesales.

En el resto de países la producción de documentales jurídicos será inconexa, individual y esporádica. Quizás esta precaria situación sea consecuencia, o al menos esté condicionada, por la opacidad del acceso a las fuentes judiciales en el viejo continente y Latinoamérica, y la tradicional resistencia de los jueces a permitir filmar, investigar o tan siquiera palpar el mundo de "sus" juzgados —es curiosa la coincidencia de manifestaciones de Raymond Depardon (*Delitos flagrantes*, 1994 y *Sala de Instancia 10*, 2003), Joaquín Jordá (*De niños*, 2003) o María Ramos (*Justicia*, 2003) sobre las dificultades que tuvieron para obtener permisos de filmación de juicios en tribunales de París, Barcelona o Río de Janeiro—.

4. Numerus apertus

El esencial objeto de divulgación de esta obra unido al desconocimiento y marginalidad de los documentales judiciales en los circuitos habituales de distribución, lleva a considerar indispensable un epígrafe de reseñas que se pretende sirva como punto de partida para futuros estudios más amplios. Sin la intención de ser exhaustivos, apuntamos algunos de los más significativos títulos de este género que se acercan a la justicia y su entorno.

4.1. *Campo de castigo* (*Punishment Park*)

El realizador británico Peter Watkins dirige en 1971 esta fábula para denunciar la deriva militarista del gobierno Nixon en plena escalada del conflicto de Vietnam. El *fake* —falso documental— cuenta cómo el presidente activa el Acta de Seguridad Interna de 1950, el Acta McCarran, que permite a las autoridades federales preservar la seguridad nacional mediante detenciones y confinamientos preventivos y juicios sumarios. En el campo de castigo de Bear Mountain (California) el grupo de detenidos 638 es juzgado, mientras el grupo 637 tiene setenta y dos horas para encontrar una bandera nacional en medio del desierto, sin víveres y perseguido por la policía. Esta película trata de provocar una reacción fulminante del espectador mediante una puesta en escena violenta, directa. Alguno de los postulados situacionistas que Angel Quintana encuentra en *The Gladiators* (1968)[11], la obra inmediatamente anterior del mismo director, lo apreciamos intensamente en *Campo de castigo*, al plantear la nueva relación entre el individuo y las instituciones de violencia que puede surgir a través del espectáculo como sistema de representación. Así, su estreno generó una tremenda polémica por los continuos detalles represivos como cadenas y porras, la primacía total de la policía en las escenas introductorias o unas imágenes a las que se difuminó el color y la definición para enfatizar el realismo de la violencia estatal.

Watkins trata de equiparar los dos simulacros de justicia que encubren la arbitrariedad y parafascismo de las autoridades norteamericanas. En secuencias paralelas hace avanzar tanto el juicio sumarísimo al grupo de detenidos 638 como el brutal castigo impuesto al grupo 637 ("elegido" por ellos, pues la otra opción era diez años de prisión). Presenta una disección de la sociedad americana polarizada en unos dominadores —tribunal de

senadores en el juicio, policías y militares en el desierto— frente a los que solo tienen la palabra para defenderse, como desertores, pacifistas o activistas de derechos civiles. La lucha entre ambos órdenes morales se desarrolla en un microcosmos ajeno a la legalidad y a los derechos humanos, en el que solo puede triunfar la ley de la fuerza. La fuerza de la ley está suspendida por la supuesta amenaza a la seguridad nacional. En esa tremenda actualidad radica lo más escandaloso del documental puesto que treinta y siete años no han ayudado a que las autoridades norteamericanas desarrollen mecanismos legales más acordes con la normativa internacional de derechos humanos para combatir a sus enemigos. *Bear Mountain* parece un trasunto del limbo procesal de Guantánamo dónde supuestos terroristas islámicos han sido confinados indefinidamente, con detenciones preventivas sin las más mínimas garantías procesales, sin asistencia legal y con una legislación procesal y penal que se va creando *ad hoc* para justificar unos juicios sumarios. *Campo de castigo* ya anunciaba esos espacios de actuación gu-

---

[11] WATKINS, Peter: *Historia de una resistencia*. Gijón: Festival de cine de Gijón, 2004, p. 19.

bernativa fuera de una legislación preestablecida y del control judicial del gobierno. En este caso, el paso del tiempo ha convertido en realidad el cine de política ficción de Watkins.

En el juicio, los diferentes inculpados del grupo 638 van rechazando la actitud del Estado y de una sociedad satisfecha. Subyace el deseo de que esa sociedad empiece a abordar sus problemas antes de que surja la agresión del entorno; los espectadores deben abandonar la evasión de los problemas colectivos en tiempos de bienestar para evitar la violencia que, de otro modo, llegará irremediablemente ante el conflicto. Por su parte, el grupo 637 recibe la promesa de libertad si alcanzan una bandera nacional a ochenta y cinco millas de distancia en un área desértica. Como única forma de que alguno se salve, los pacifistas deciden dividirse en tres grupos: los que se rendirán cuando la policía los alcance, los que buscarán escapar del área marcada para la prueba y los que intentarán llegar a la bandera. Con una puesta en escena cargada de improvisación, dramatismo, cine directo con cámara al hombro y acción, se percibe el proceso de deterioro físico y mental que van sufriendo los perseguidos como consecuencia de la pérdida de facultades derivada de las altas temperaturas y la falta de agua y alimentos. Cuando llegan a las situaciones límites de enfrentamiento con los guardias, ya han asimilado el mecanismo de la violencia para resolver sus conflictos. La respuesta policial será brutal. Resulta revelador el uso de la figura de los periodistas que, cámara en mano, siguen las evoluciones de los tres grupos. Ante la brutalidad o el asesinato policial, la impotencia del reportero enfatiza la inmoralidad de la situación. Pero el código periodístico le impone recoger todo lo que ocurra interfiriendo lo menos posible. Cuando la violencia estalla, su disyuntiva moral— profesional sobre si actuar o no, se desvanece a posteriori exigiendo explicaciones por los asesinatos a policías y militares. Éstos parecen tener miedo a las palabras, cuya función resolutoria de problemas desconocen, y en su enfrentamiento con los periodistas se refugian en la obediencia y el deber cumplido sin plantearse la moralidad e incluso la legalidad de las órdenes. Ante esta actitud, el único arma del reportero será el testimonio fílmico.

El documental finaliza con la "elección" del grupo 638 del campo de castigo para escapar de largas condena de prisión. La maquinaria ilegal se vuelve a poner en marcha.

4.2. El Derecho Internacional en el documental

Decidirse a reseñar *La batalla de Argel* (*La battaglia di Algeri*, Gillo Pontecorvo, 1966) dentro del género documental plantea esas dudas sobre los formatos que alimentan la difusa frontera entre ficción y realidad. Esta película de ficción nos acerca al Derecho Internacional a través de las luchas urbanas que entre 1955 y 1958 desarrolló el Frente de Liberación Nacional en Argel para conseguir la independencia de la metrópolis francesa, y la respuesta que recibe de la potencia colonial. El gran acierto de Pontecorvo es conseguir equilibrar la balanza de atrocidades y no caer en el maniqueísmo que la producción de la película por sectores izquierdistas italianos hubiera podido presuponer. Exhibe con igual dureza tanto la barbarie terrorista contra inocentes y la utilización de mujeres y niños para sus fines, como los métodos de tortura y destrucción seguidos por los paracaidistas del coronel Mathieu cuando llegan a Argel, como única fórmula para detener la sangría de los guerrilleros. Polemiza sobre los métodos de insurgencia urbana como el uso de la matanza indiscriminada, la huelga general o la limpieza de indeseables de su propio territorio. Enfrente, los procedimientos de tortura para obtener información, el asesinato selectivo y la restricción de la libre circulación de la *Kasbah* a la zona europea de la ciudad, se ofrecen como únicas alternativas del ejercito galo para que Argelia siga siendo francesa. En el exterior, la ONU aplica la política de no injerencia en asuntos internos, como siempre, condicionada por el veto de las potencias vencedoras de la Segunda Guerra Mundial o China.

Con un montaje tan periodístico como político, pero alejado del cine militante de izquierdas de su época, la intención pedagógica del realizador es poner sobre la mesa una realidad que lleva años transcurriendo en muchos países de Africa y del subcontinente asiático. Mientras las grandes potencias mundiales reinterpretan, eluden o directamente vulneran las normas de Derecho Internacional que ellos mismos se habían dado tras la Segunda Guerra Mundial, los movimientos de liberación de los diferentes territorios coloniales asumen su impotencia y anonimato en el tablero de ajedrez mundial que se disputan occidentales y soviéticos con una ONU impotente y capitidisminuida en sus posibilidades de intervención, prácticamente desde su creación. Ese es el pa-

Emilio G. Romero

norama que el director exhibe mediante el uso metonímico de Argel como representación de toda Argelia, y de Argelia como ejemplo de guerra colonial moderna en Africa y Asia.

Muchos años después, encontraremos otra marginal incursión del documental en esta rama del Derecho con la segunda parte del tríptico *La espalda el mundo* (Javier Corcuera, 2000). *La palabra*, una de las partes olvidadas de esa espalda de nuestro mundo, documenta la situación de Medhni Zena y su mujer Leyla desde fines de los años ochenta. El dirigente kurdo que lleva muchos años exiliado en Estocolmo por su oposición al gobierno de Turquía, narra a la cámara su experiencia política

y familiar, entrecruzadas, interrelacionadas inexorablemente a causa de la lucha por la independencia del Kurdistán. Este pueblo sin estado de cuarenta millones de personas fue el más perjudicado en la división y el reparto del imperio otomano que realizaron los ganadores de la Primera Guerra Mundial. La escuadra y el cartabón occidentales decidieron que los kurdos no serían estado y se deberían integrar en Iraq, Irán, Turquía y Siria. Su mujer cumple quince años de cárcel por hablar en kurdo en el Parlamento de Ankara en 1994. No sólo una familia está rota y sus derechos fundamentales pisoteados, sino que una comunidad entera sigue sin derechos.

4.3. Documental, indagación y Derecho penal

A pesar de que a lo largo de los años noventa el documental estadounidense de investigación penal se convirtió en la estrella por excelencia, resulta curioso que uno de los pioneros vuelva a ser un film español. En 1978 la película de Gonzalo Herralde, *El Asesino de Pedralbes* nos cuenta la historia de José Luis Cerveto dividida en tres partes guiadas por una extensa entrevista al condenado. En la primera analiza la terrible infancia de niño

abandonado por la familia, maltratado por las monjas y sometido a abusos por los educadores del reformatorio. En la segunda, narra las peripecias en torno al asesinato del matrimonio Roig-Recolons: cómo entró a trabajar para ellos, el tipo de labor, el despido y el crimen, todo ello a través de los testimonios del primer chófer y personas allegadas, incluida la entrada en escena de su abogado y un periodista judicial. En la última parte, la del

Derecho y Cine. El Derecho visto por los géneros cinematográficos

juicio, *t*odos los entrevistados remarcan la frialdad procedimental y las distancias en la sala del tribunal. Cerveto rechaza la psiquiatría forense en cadena de montaje *"Me vio cinco minutos ¿Y ya sabe como estoy? Yo quiero ayuda"*. Tremendo el plano desenfocado en el que rechaza el sistema psiquiátrico forense, la cámara se difumina a la vez que el discurso del preso, la aparente pericia de los profesionales científico-forenses parece cuestionada no solo por el protagonista aunque el efecto fue casual. La singularidad de este curioso documental reside principalmente en la personalidad de su protagonista. Desde el primer plano el convicto se sabe importante y le coge gusto a la cámara. La intensidad y profusión de detalles de su vida y el trasfondo de su psicología nos alumbra una duda sobre si en algunos momentos no está actuando. Condenado a dos penas de muerte, le son conmutadas por 30 años de prisión lo que le lleva a renegar de la sentencia y pedir su ejecución. Resulta impactante la calificación de la justicia que hace el reo una vez conmutada la pena capital: *"Si yo he matado que me maten, lo acepto, pero cuando veo la sentencia, bueno no le echo ni cuenta, la justicia es un mecanismo de lucimiento personal de jueces, fiscales, abogados y psi-*

quiatras.". Aunque quería cumplir la pena de muerte, no tuvo suerte y en 1987 fue liberado a pesar de su advertencia: *«Si no me matan, ustedes serán los responsables de lo que pase»*.

Probablemente como resultado de la escandalosa quiebra de las garantías procesales en el sistema judicial estadounidense, en el que se condena con tanta ligereza como permiten débiles pruebas incriminatorias circunstanciales y sólidos prejuicios raciales o económicos, la reacción de una parte de la propia sociedad norteamericana y de algunas productoras de cine, fundamentalmente la HBO especializada en documentales jurídicos, ha dado lugar a una verdadera escuela documental que cuestiona de forma continuada el vulnerable hilo judicial que puede llevar a condicionar hasta límites insospechados la vida de cualquier ciudadano estadounidense. De esto es prueba un conjunto de documentales indagatorios sobre juicios penales que en unos casos han sido reconocidos como error judicial y, en otros, siguen planteando hoy muchas dudas sobre el desarrollo procesal y la virtualidad de las pruebas para vencer la presunción de inocencia. Los prejuicios raciales y sociales, el miedo cerval de la policía a ser considerada incompetente, los argumentos sentimentales por encima de los jurídicos, o la falta de garantías en la obtención de pruebas, son situaciones demasiado presentes en muy diversas comunidades a lo largo de Estados Unidos. Esto es lo que ocurrió en *La delgada línea azul* (*The thin blue line*, Errol Morris, 1988). La noche del 29 de noviembre de 1976 un policía es asesinado en un control rutinario de carretera cerca de Dallas. La policía de la ciudad se dio cuenta de que habían asesinado a un compañero pero no tenían ninguna pista. Días después, David Harris acusa del crimen a Randall Adams, un individuo que había conocido horas antes del asesinato. Estremecedor resulta el testimonio del agente que reconoce que lo declarado por el joven Harris (en libertad bajo fianza por robo), *"coincidía con lo que necesitábamos"*. Con la única base de ese testimonio la policía cree tener a su criminal. En el juicio, unos testigos poco creíbles, contradictorios y muy necesitados de notoriedad y dólares de recompensa, un psiquiatra que había visto a Adams quince minutos haciendo dibujos, pero que estuvo dos horas declarando, y una policía joven condicionada por su entorno profesional, consiguen la condena a muerte. Según la abogada de Adams, matar a un policía

en Texas exige un caso de pena de muerte y Harris solo tenía 16 años (no ejecutable, por tanto, en dicho estado) mientras que Adams tenía 28. Invita a reflexionar la posición del juez y del jurado, que deciden sobre la vida con una conclusión supeditada a una justicia que no se caracteriza por su carácter investigador. A pesar de las irregularidades en los interrogatorios de Adams y de las "necesidades de encontrar un culpable", Errol Morris no parece tener un especial interés en atacar a la policía; la considera un síntoma más, quizás el primer eslabón de un problema social mucho más profundo: La comunidad que paga la policía, necesita resultados y confiar en el buen uso de sus impuestos. Por eso, resulta inaceptable que las fuerzas de seguridad no sean capaces ni de protegerse a si mismas. La muerte de un policía exige un culpable aunque a esa misma comunidad no parece importar mucho el precio a pagar en derechos constitucionales. Aterradoras resultan las declaraciones del juez sobre la necesidad de especial protección de la delgada línea azul que representa la policía como metáfora de la separación entre orden publico y anarquía. Adams es juzgado y condenado a muerte, pero al perder la apelación la pena capital le es conmutada por cadena perpetua.

La simulación que el cineasta hace del asesinato del policía desde distintos puntos de vista según sean agentes, testigos o acusado los que se manifiestan, no pretende atraer hacia la historia, sino potenciar nuestra reflexión sobre la verdad probada. Este recurso retórico cuestiona todo el proceso de recuperación de los hechos al ofrecer varios asesinatos, aunque fue solo uno; al visualizar lo que los diferentes agentes intervinientes en el caso consideran hechos reales. Morris prescinde de la reconstrucción liberadora al uso mediante una única toma que probara la inocencia de Adams, y reproduce, una y otra vez, la escena del crimen con las diversas versiones de abogados, testigos, policías, etc. Aunque la teoría que recorre el film nos lleva a la más que razonable inocencia del acusado, el director pretende relativizar toda certeza. Con estas reconstrucciones ficticias la realidad documental se desvía hacia el escepticismo del espectador que percibe el vestuario, la iluminación, los actores y, en definitiva, toda la puesta en escena como un elemento discordante en el proceso de indagación jurídica sobre el crimen. La autenticidad del resto del documental pierde su carácter absoluto, probable-

mente es la opción del artista, que pretende ofrecer una realidad sometida a montaje, a unas convicciones inexorablemente subjetivas. Al final del documental una grabadora presenta la que parece ser una conversación real con el testigo de cargo Harris y que de alguna manera exculpa a Adams. Nos encontramos ante el único documental que ha sido útil para la excarcelación de un inocente. Aunque no fue admitido como prueba, provocó una revisión excepcional del caso y tras once años en prisión, Adams fue puesto en libertad. No obstante Harris nunca reconocerá que cometió el crimen, aunque rectificó su testimonio inicial y exculpó a Adams antes de ser ejecutado en 2004 por un asesinato cometido en 1985.

Otro ejemplo de documental indagatorio es *Paradise lost* (Bruce Sinofsky y Joe Berlinger, 1995) en el que se investiga el asesinato de tres niños de ocho años en West Memphis (Arkansas), el 5 de mayo de 1993. Damien Echols, Jessie Misskelley Junior y Jason Baldwin fueron acusados del crimen tras una confesión de Jessie obtenida de forma poco regular. Los directores construyen un documental cargado de intencionalidad para cuestionar un proceso y un jurado muy influenciable que ponen en peligro la seguridad jurídica individual. Partiendo de la concepción de bichos raros de unos chicos que escuchan a Metallica, leen a Stephen King y van con camisas negras —su líder se declara practicante de la religión Wicca—, son procesados por la confesión del pequeño Misskelley de 16 años de edad, con un coeficiente de inteligencia ínfimo y por una declaración de la que solo se grabaron los últimos cuarenta minutos tras doce horas de interrogatorios. La presión social y mediática lleva a la policía, una vez más, a encontrar rápidamente a unos culpables para apaciguar las exigencias vecinales, fruto de una histeria colectiva que condenó a los sospechosos desde el principio. A pesar de un juicio cargado de imputaciones dudosas, prejuicios por las formas de vestir, música y lecturas ocultistas, y testimonios poco fiables, son condenados a muerte el primero y a cadena perpetua los otros dos. La cascada de testimonios y deducciones —incluida la sospecha sobre el Sr. Byers, padre de uno de los niños asesinados— va ofreciendo un reguero de pruebas o, al menos indicios, de la imposibilidad de culpa de los acusados. No son parte de una narración, sino que lo visto y oído se conforman como pruebas ante el jurado espectador. De hecho, cuatro años después,

en 1999, el mismo equipo de la HBO filma *Paradise Lost 2. Revelations*, la segunda parte en la que la extraña muerte de la esposa del Sr. Byers y la apelación de los chicos basándose, entre otras cosas, en el perjuicio que dos de los abogados habían hecho a la defensa por pactar con HBO la filmación del primer documental, generan aun más dudas. En esta continuación un mesiánico Sr. Byers cobra tremendo protagonismo como sospechoso documental del crimen pero la mayoría de sus intervenciones están condicionadas al haber cobrado por volver a salir en el film. Salvando las majaderías del personaje, resulta muy interesante el paralelo grupo de apoyo a los Tres de Memphis que surge desde muchos puntos del país. También escenifica el papel de "los chicos de la prensa", sobre todo la televisiva, que no parecen interesados en averiguar que ocurrió, sino en la parte de espectáculo sensacionalista que tiene el caso. Informativos con datos sesgados e indagaciones irrelevantes, programas grabados que después no se emiten, todo más orientado al entretenimiento que a la información. Hoy en día, Damien en el corredor de la muerte y los otros chicos en la cárcel, continúan esperando justicia y la revisión de su juicio.

Caso aparte resulta *Capturing the Friedman´s* (Andrew Jarecki, 1996) en el que se investiga la detención y procesamiento de Arnold Friedman y su hijo Jesse por presuntos abusos sexuales a alumnos de su escuela informática. Junto a la victimización colectiva que se desata en la lujosa comunidad de Great Neck (Long Island) según la que cuanto más veces han violado a tu hijo, mayor relevancia tienes en el caso, se genera un sentimiento de pertenencia al grupo si estás contra los Friedman. Los testimonios de los vecinos, incluso el de su mujer, revelan unas escalofriantes alucinaciones sobre las monstruosidades de los dos peligrosos pederastas. Todo construido a partir del recibo por Arnold de un envío de pornografía desde Holanda, tras el que las declaraciones de uno críos menores de diez años siembran la alarma. Además, la policía ayudó a crear ese estado de cosas, lo que corrobora el anónimo padre de un niño al reconocer que los interrogatorios eran inductivos: no preguntaban: *"¿Qué pasó?"*, sino: *"Pasó esto ¿verdad?"* Los pequeños, manipulables e intimidables, solo querían acabar cuanto antes el interrogatorio como reconocen dos de ellos años después. Ese ambiente de presunción de culpabilidad también se ve potenciado por la esposa de Arnold que, paralelamente al caso judicial, escenifica el proceso de desintegración familiar. Es normal que ante este tipo de situaciones la familia haga piña, postergue sus conflictos y todos trabajen en la defensa del miembro acusado, pero en los Friedman el frágil hilo afectivo de la matriarca con los hombres de la casa se derrumba descarnadamente. Para ese proceso destructivo sirven de guía las grabaciones familiares realizadas por ellos mismos durante años y que siguen filmando durante el proceso. Tanto la comunidad como muchos medios de comunicación les han condenado de antemano por lo que, bajo recomendación de sus abogados, se declaran culpables para evitar sentencias mucho más duras. Las condenas a treinta años del padre y diecisiete de Jesse acaban con el suicidio de Arnold en prisión y el cumplimiento integro del joven. Sin una sola prueba de lesiones físicas, denuncias o tan siquiera chismorreos de los alumnos durante los dos años que duraron los presuntos abusos, estos ciudadanos fueron condenados por la histeria colectiva y una policía y justicia incompetentes y permeables a presiones extralegales.

Otro documental indagatorio en el que brillan por su ausencia las garantías procesales piso-teadas por un primario racismo es *Un culpable ideal* (*Un coupable idéal*, Jean-Xavier Lestrade, 2001), en el que un adolescente negro es acusado de la muerte de un turista blanco en Jacksonvi-lle, Florida. Los poco ortodoxos métodos policiales y un tribunal cargado de prejuicios están cer-ca de costar la vida a un inocen-te. Por su parte, *Los juicios de Darryl Hunt* (*The trials of Darryl Hunt*, Ricki Stern y Anne Sun-dberg, 2006) exhibe el caso de Darryl Hunt, un joven negro de-tenido en Winston-Salem, Caro-lina del Norte, en 1984, acusado de violar y asesinar a una chica blanca, y que pasó veinte años en la cárcel a lo largo de los que tuvo tres juicios. Hasta el año 2003 en que las pruebas de ADN y la confesión de Williard Brown vencieron la presunción de cul-pabilidad, no fue reconocido el error judicial, puesto en libertad y compensado con 350.000 dóla-res por el estado de Carolina del Norte. Ese fue el precio de unos testimonios falsos, unos prejui-cios raciales en una comunidad dónde sobreviven elementos del Ku Klux Klan, y la necesidad po-licial de encontrar rápidamente a un culpable, mucho menos molesto si es de color.

Al contrario de lo que podría pensarse, la pena de muerte no ha tenido mucho protagonismo en este tipo de documentales de investigación. Ese campo concreto del derecho penal, tan dramático como atractivo para el cine de ficción, no ha encon-trado muchas reflexiones en el formato documental. Con la de-cadencia del franquismo parale-la a la salud del dictador, Basilio Martín Patino nos enseña una España rural, olvidada, mise-rable, para reflexionar sobre la pena capital en *Queridísimos verdugos* (1971*)*. En este docu-mental la denuncia se realiza a través de las entrevistas a tres verdugos que durante décadas han monopolizado el ejercicio de la violencia estatal ejecutan-do sus sentencias. Este campo representativo predominante se alterna en el documental, por un lado, con los diferentes sucesos criminales que les "dan trabajo" y, por otro, con toda una suerte de alusiones históricas y testi-monios de las diferentes instan-cias que intervienen en el pro-ceso judicial hasta la ejecución. Martín Patino deja hablar a los verdugos; las entrevistas, los so-nidos reales que las envuelven, las descripciones de ejecuciones en los lugares históricos dan voz a los ejecutores para retratar la inmensa miseria que les lleva a ser verdugos o ajusticiados, y las de ese cruel y abyecto modo de matar. Los testigos directos de las ejecuciones (funcionarios de prisiones, abogados, etc) parecen reflejar esa naturaleza supuestamente consustancial al género documental como representativo de la realidad sin artificios. Incluso el hecho del fallecimiento de uno de los tres verdugos y su sustitución por un familiar parece coadyuvar a un retrato histórico y veraz de los ejecutores. De hecho, años después el director declararía sobre este film: *"En el fondo, mi trabajo consistió en observar la realidad y captarla, aunque fuera en planos furtivos, que luego utilicé en el montaje"*[12]. Pero esas cándidas intenciones a posteriori, pronto dejan paso a la elección del propio director cuando, verbigracia, exhibe expresamente el vino en primera línea de varios planos en los que los protagonistas narran sus historias, llegando en alguna ocasión incluso a aparecer una mano sirviéndolo como auténtico símbolo de una realidad sospechosa por la influencia de muchos factores, en este caso, el alcohol. Ahí radica una de las riquezas del documental pues los verdugos, los criminales, los abogados, psiquiatras, todos existen: son. Las opciones de Patino durante

el rodaje y la introducción en el montaje posterior de imágenes fijas, insertos de prensa escrita, reconstrucciones ficticias o contrapuntistas declaraciones de los "técnicos en justicia" y de los verdugos, realzan, mitigan o contradicen la barbarie y sus protagonistas. A la vez, como mecanismo recíproco, la propia película parece dar a los verdugos una nueva identidad ficticia, cinematográfica, más allá de sus previas existencias, con lo que el estatuto verista sufre una nueva quiebra.

También otros documentales abordarán este tema de la pena de muerte como *La Vida*, tercera parte de *La espalda del mundo* (Javier Corcuera, 2000*)*, en la que se muestran conversaciones con Thomas Miller, que sufre la angustia del corredor de la muerte en una cárcel de Texas. El reo negro ya ha sufrido la posposición de diez fechas de ejecución y ha conocido a ciento veinte ejecutados; la frialdad del alcaide, el capellán protestante y otros funcionarios de la cárcel convierten el documento en un alegato implacable contra la pena capital.

---

[12]   BELLIDO LÓPEZ, Adolfo: *Basilio Martín Patino. Un soplo de libertad.* Valencia: Filmoteca de la Generalitat Valenciana, 1996, p. 201.

4.4. Trabajo y documental

Harlan County (Bárbara Kopple, 1976) es un documental en el que se relatan los trece meses de huelga de los mineros de Borrokside (Condado de Harlan, Kentucky) para mejorar sus condiciones de trabajo y vida entre finales de 1973 y 1974. El equipo cinematográfico convivió mucho tiempo con las familias de los mineros y tuvo que ser protegido día y noche de las continuas amenazas. A pesar de que no sirvió para que la Eastover Mining Company cediera mucho en su enfrentamiento con los obreros por el nuevo convenio colectivo, sí supuso una estela a seguir por documentales posteriores que abordarán diferentes huelgas y la situación de grandes masas de trabajadores estadounidenses que seguían sin participar del sueño americano. *Willmar 8* (L. Grant, 1981) centrada en la huelga iniciada por ocho trabajadoras en el Citizen National Bank de Willmar (Minnessota) en 1976, o *Collision Course* (A. Gibney, 1988) sobre una huelga de trabajadores de líneas aéreas en Texas, son buenos ejemplos[13].

Por su parte *Roger y yo (Roger and me,* 1989) es el primer documental de Michael Moore, en el que relata las consecuencias de la deslocalización empresarial en Flint (Michigan), ciudad natal del realizador. La General Motors traslada una fábrica a lugares con menos costes de producción mientras miles de trabajadores se quedan sin salario y la ciudad se hunde. Paralelamente, Moore persigue a Roger Smith, presidente de la compañía, para pedirle explicaciones; los políticos de Michigan se embarcan en disparatados proyectos de recuperación de la ciudad y la justicia comienza a desahuciar a cientos de familias que no pueden pagar los alquileres. El capitalismo no entiende de sentimientos y la ciudad que durante años fue uno de los motores de la empresa automovilística, se convierte en un fantasma.

En España *Numax presenta* (Joaquín Jordá, 1979) describe

---

[13] MONTERDE, José Enrique.: *La imagen negada, representaciones de la clase trabajadora en el cine.* Valencia: Filmoteca Generalitat Valenciana. 1997, p. 34.

la autogestión de los trabajadores de una fábrica barcelonesa de electrodomésticos como respuesta al intento de cierre irregular por parte de los propietarios. Los propios trabajadores lo produjeron para testimoniar su lucha con las últimas pesetas de la caja de resistencia. La introducción de escenas bufonescas por la compañía de Mario Gas y la idea de fracaso que revolotea sobre el final del documental, ayudaron a su fría recepción incluso por los partidos más proletarios en una época en la que el cine militante no encontró el eco esperado. Por otro lado, la primera parte de *La espalda del mundo* (Javier Corcuera, 2000), *El niño,* refleja las terribles condiciones laborales y personales de los niños picapedreros de un barrio marginal de Lima. Estos pequeños crecen sin derecho a una educación plena, a la salud, a jugar, y en definitiva, a una infancia, hurtada por las necesidades de supervivencia. Con terribles esfuerzos físicos, sin ninguna medida de seguridad ni protección administrativa para exigir el cumplimiento de la prohibición de trabajar a edades tan tempranas, Guinder Rodríguez dedica a la escuela sólo el tiempo que le sobra de su jornada laboral. Por otra parte, a raíz del cierre de *Sintel,* empresa

filial de Telefónica, se filmaron en España varios documentales que reflejaban la lucha de los trabajadores por evitar el paro y el desamparo. Así, mientras *El efecto Iguazú* (Pere Joan Ventura, 2002) o *Alzados del suelo* (Andrés Linares, 2004) retratan la convivencia de los trabajadores en el campamento que instalaron en el Paseo de la Castellana, centro financiero madrileño, *200 Kilómetros* (VV.AA., 2003) recoge la marcha que casi dos años después de levantarse el Campamento de la Esperanza en Madrid, llevan a cabo la mayoría de los ex trabajadores de Sintel desde diferentes puntos de España para encontrarse en la capital el día 1 de mayo.

Por último, cabe destacar que en el año 2005 el austríaco Michael Glawoogger filma *Workingman's death,* documental que ofrece diferentes situaciones laborales a lo largo de todo el planeta. Así, tanto en unas minas de sulfuro indonesias como en un matadero nigeriano, en una siderurgia china, en Alemania, Pakistán o Ucrania, se demuestra el triunfo del capitalismo más duro que lleva las relaciones laborales a los máximos extremos de explotación y beneficio que la coyuntura sociopolítica y la legislación de cada país permite.

4.5. Observación y proceso

Tras unos documentales relacionados con entidades psiquiátricas y sanitarias, *Delitos flagrantes* (*Délits flagrants*, 1993) es la primera incursión en el sistema judicial galo del fotógrafo y documentalista Raymond Depardon. En el palacio de justicia de París los detenidos por delitos flagrantes son conducidos por la policía a presencia de los sustitutos fiscales que, tras interrogarlos, deciden si pasan a prisión provisional o quedan en libertad condicional hasta el juicio. Estamos ante un verdadero documental de observación en el que la cámara se sitúa fija en el eje central que separa los dos campos sociales en los que se desarrolla la labor judicial. En el margen izquierdo, los delincuentes, los habitantes del submundo parisino, desorientados, frágiles, derrotados por una sociedad que les rechaza, resignados a su suerte. A la derecha, los profesionales de la ley, con su superioridad intelectual y técnica, su frialdad y su verborrea burocrática, en no pocos casos, desconsiderada hacia su interlocutor. De fondo, unas dependencias judiciales sin ornamentos, con paredes desnudas y el mobiliario esencial para ejercer las funciones procesales. La cámara no se mueve duran-

te los interrogatorios y la continuidad de declaraciones con sus preguntas rituales y sus respuestas no menos ceremoniales, nos presenta un sistema judicial parecido a una cadena de montaje donde primero la policía, después el sustituto (ayudante del fiscal) y, por último, el abogado de oficio o el psicólogo de turno, parecen engranajes mecánicos de una fabrica de procesos judiciales. Y realmente trascendente resulta esa distancia del triángulo cámara-director, inculpado y fiscal. Todos están cerca, muy cerca, la justicia acaricia al espectador con sus sonidos, su lenguaje, sus gestos y sus inexorables trámites. A esa cadena de actos de la representación judicial contribuye la continua referencia a los tres primeros pasos tras la detención: la declaración ante la policía —fuera de campo, pero continuamente recordada por los sustitutos como punto de partida de sus interrogatorios—, el propio interrogatorio fiscal y las entrevistas con el abogado de oficio de los que quedan en prisión provisional hasta el juicio.

Junto a la carga de verdad del París marginal de los delincuentes, de esa realidad absorbida por una cámara neutral que no ha buscado, sino que solo capta, aparecen multitud de historias que nos cuenta. Las narraciones están cargadas de ficción como demuestran las continuas contradicciones y retractaciones. Uno de los grandes logros de Depardon está en ofrecer una película de no ficción en la que parecen contenerse muchas historias inventadas. Cobra así gran importancia el concepto de teatralidad judicial. El abogado de Muriel le indica que olvide la estrategia de una mentira inverosímil, es preferible dramatizar su declaración con algo de verosimilitud, no de verdad. La presencia de una verdad jurídica en el juicio ante el tribunal requiere una reformulación del discurso en el que lo ocurrido, el hecho delictivo en sí, pasa a un papel secundario. La frágil verdad de la acusada se debe transformar en verosimilitud de su situación personal. La máscara de la ficción en el escenario de justicia se enfrenta a la realidad que el cineasta pretende recabar. Por último, destacar esa especie de metáfora de la incertidumbre que supone el fin de los interrogatorios fiscales. Cuando el detenido se levanta, el equilibrado plano se desestabiliza, las manos de un policía fuera de campo le ponen las esposas o le acompañan a la libertad condicional. Pero más allá del oscuro horizonte penal de estos pequeños delincuentes,

lo cierto es que el otro, el personal, se nos ofrece también lleno de incertidumbres.

El mismo director filmará la segunda parte de su díptico judicial: *Sala 10 de instancia* (*10e chambre, instants d´audience*, 2003) continuando dónde terminó la primera, a las puertas del juicio de esos delincuentes comunes que pueblan la ciudad de Paris. Entre mayo y julio del año 2003 rodó con dos cámaras de soporte fijo en el mismo lugar de la sala de juicios. La recorre alternando planos, primeros casi siempre, de acusado, víctima, y profesionales de la justicia. No se nos presentan grandes juicios, no hay titulares de prensa, ni crímenes cargados de fuerza dramática; se trata de leves infracciones de circulación, pequeños traficantes de droga o amenazas familiares, es el día a día de nuestro entorno más cercano. Sin embargo, esta experiencia permite observar el funcionamiento de algunos engranajes de la sociedad contemporánea Así se proyecta una idea del pequeño delito, generalmente abortado cuando se produce, por la que casi todos los encausados van a ser declarados culpables. Incluso tienes la impresión de culpabilidad del único que es absuelto, y lo es por falta de pruebas, por falta de la verdad jurídica, no de verosimilitud, lo que en muchos casos favorece al acusado en función del principio de presunción de inocencia. A través de estos comportamientos cotidianos la comunicación entre la locuaz juez y los encausados se desarrolla en torno a lo que se debe o no hacer, lo que perjudica o pone en peligro a otros individuos o al inculpado mismo. La norma como esquema vital; en definitiva, los códigos legales no son más que un guión que debemos seguir los ciudadanos para tener una sociedad medianamente organizada: no puedes conducir bebido, amedrentar a tu antigua novia, saltarte semáforos, andar sin identificación, etc.

En el año 2003 el cineasta español Joaquín Jordá rueda *De niños (De nens)*, documental sobre el juicio a varios pederastas en el llamado Caso del Raval de Barcelona. Más observando que indagando, a lo largo de todo el film se exhibe el Derecho como instrumento de violencia de las clases dominantes contra los dominados, generalmente pobres, o clases marginadas, gentes con problemas o simple mala suerte, todo ello para conseguir perpetuar sus fines, en este caso estrictamente lucrativos. La película añade una peculiaridad —muy presente en la filmografía del cineasta—, pues inserta fragmentos de ficción teatral del grupo *La vuelta* y la música susurrada de Albert Plá con la idea de intervenir en el juicio a través de los personajes. La presión mediática y social parece haber dictado previamente sentencia. En realidad podríamos incluso afirmar que Jordá proyecta el prejuicio del tribunal, que ya está juzgada la culpabilidad de Xavier Tamariz, principal acusado. Impagables resultan en este punto los planos de los jueces dormitando mientras declara; el realizador, descarnadamente, parece interpelarnos: ¡mirad su actitud mientras declara un ciudadano al que se le solicitan más de 70 años de cárcel! Además acrecienta la sensación de impunidad que parecen sentir los magistrados que dormitan aún sabiendo que están siendo filmados.

Otro elemento esencial que pulula por todo el documento es el papel de la prensa. Siguiendo la corriente social muy sensibilizada con la pederastia, sobre todo tras los casos del club *Arny* de Sevilla y del pederasta belga Dutroux, nos sugiere una especie de "moda" periodístico-social pasajera. En realidad el juicio previo de la prensa ha interferido en la creación de un estado de opinión predispuesto contra los encausados. Además de aparecer sin capacidad de investigación propia o crítica reflexiva, la película denuncia la relación de los medios de comunicación con el mundo policial y judicial de forma simplemente reproductiva; reciben material y lo lanzan a la opinión pública sin necesidad de contrastarlo. La conclusión es también en este aspecto demoledora: la prensa hoy ha abandonado el papel de contrapoder y se ha sumado al poder; los jóvenes periodistas utilizan medios cada vez más sofisticados, pero se muestran nihilistas en cuanto al abordaje de la noticia. La excepción la representa Arcadi Espada, periodista y profesor de la Universidad Pompeu Fabra, autor del libro *"Del amor a los niños "*que sirvió como espoleta para que Jordá se interesara por hacer una película del caso. El sí ha investigado, se ha preocupado por saber qué ocurrió realmente y ofrecerlo a la opinión pública. Cuando testifica en el juicio, los acusadores y jueces están más interesados en conocer cómo accedió a la información, que en su contenido. Por supuesto, las administraciones son algunos de esos acusadores desde arriba; el Ayuntamiento de Barcelona y la Generalitat están muy interesados en la condena, aunque paralelamente a la intervención de sus letrados, la cinta revela una posible trama urbanística con dos asociaciones vecinales

peleadas, siendo dirigente de la escindida y contraria a la rehabilitación del Raval a cualquier precio, el propio Tamariz. Éste entendía que ese valor inmobiliario sería bajo para los que tienen que abandonar sus casas de toda la vida y alto en la venta posterior que realicen los promotores. El cineasta lanza la teoría del colaboracionismo de la maquinaria judicial con este orden de cosas, contaminada por la prensa, la hipocresía social y las maquinaciones de la policía y de los organismos asistenciales de la administración. En el desenlace, lo que se presentó al inicio del documental en una alocución radiofónica como *"la más grande red internacional de pederastia"* queda reducida a la condena de dos individuos absolutamente marginales e insignificantes para todo el sistema. Casi como metáfora de los propios condenados, el devenir posterior del film ha sido también la condena al ostracismo y la marginalidad en los circuitos de exhibición.

En *Justicia* (*JustiÇa*, María Ramos, 2004) la cámara se sitúa frente a las actuaciones de un tribunal penal de Río de Janeiro. Desplazando el protagonismo del documental de un detenido a un juez y de éste a una abogada, la realizadora brasileña nos exhibe sin mucho diálogo la frialdad de los tribunales, la dificultad del lenguaje judicial o el terrible hacinamiento de los presos en unas cárceles pocilgas, a la misma vez que discurren las vidas ordenadas del juez, la abogada o los familiares de uno de los detenidos. Las formas, los rituales, los discurso de profesionales de la justicia y de delincuentes, no difieren mucho de un continente a otro.

4.6. Los derechos humanos en el documental

Cualquier documental sobre el holocausto judío, como *Shoah* (Claude Lanzmann, 1985), el genocidio de Pol Pot en Camboya entre 1975 y 1979 de *S-21: La máquina de matar de los jemeres rojos (S21, la machine de mort khmère rouge,* Rithy Panh, 2003), o las decenas de documentos televisivos sobre las barbaries de las guerras de los Balcanes de los noventa, podrían servir para testimoniar toda una línea de denuncia de la vulneración histórica de los derechos más elementales de pueblos, razas o credos individuales. Pero para alumbrar la relación entre el género y los derechos humanos hemos seleccionado *El Nuremberg argentino* (Miguel Rodríguez Arias, 2003). Más que de recuperación de la memoria histórica, lo ocurrido en Argentina a partir de 1983, cuando cayó la dictadura militar, se podría denominar "reconstrucción de la memoria" puesto que no había dado tiempo a olvidar. Las heridas seguían a flor de piel,

los recuerdos se presentaban continuamente ante los secuestrados y la barbarie no había podido eliminar lugares, testigos y responsables. Muy pronto comenzó el cine, tanto el ficticio como el documental, a mostrar a los argentinos y al mundo uno de los episodios más siniestros de la historia de la humanidad: el secuestro, tortura, vejación y desaparición de más de treinta mil personas mediante un sistemático programa de eliminación de disidentes. Pero esos acercamientos cinematográficos no apuntarán directamente a los responsables de tales atrocidades hasta este documental que reproduce, por primera vez, el juicio a las juntas militares en 1985. Esas imágenes se habían hurtado a los argentinos porque se prohibió su retransmisión televisiva y solo breves extractos sin audio se pudieron ver en los noticiarios de la época, aunque la prensa escrita sí lo cubriera ampliamente. Junto a los testimonios de muchos secuestrados e imágenes de los años de la dictadura, el director construye un *collage* del terror cuyo esqueleto narrativo se sostiene con diferentes momentos de las veintisiete semanas de juicio. Pero por encima del Derecho argentino, la película supura delitos de lesa humanidad, vulneración sistemática de los más elementales derechos humanos y repugnancia por situaciones que van más allá del *ius* positivismo o de los derechos naturales del hombre. Las revelaciones de cómo los secuestradores llevaron a torturados a celebrar la victoria argentina en el Mundial de Fútbol de 1978, o las excéntricas salidas a cenar con las secuestradas, hacen difícil un análisis jurídico ponderado de lo ocurrido. El esperpento, el absurdo, lo cómico y lo obsceno se confunden ante tanto horror.

El juicio transcurre entre impactantes testimonios, algún exceso del fiscal Strassera y la actitud hierática e impasible de los acusados, que se refugian permanentemente en el deber bélico cumplido. Sin embargo, esa supuesta guerra se manifiesta en realidad como una "caza de conejos" desarmados e indefensos incluso ante la Convención de Ginebra. La eliminación de los revolucionarios lleva a la de sus colaboradores, después caen los sospechosos y, por último, los indiferentes. Miles de personas fueron sedadas y arrojadas al Océano Atlántico, cientos de madres murieron asesinadas tras dar a luz un hijo que era entregado a afectos al régimen, detenidos sin ninguna garantía legal convertidos en esclavos... Por primera vez en la historia de Latinoamérica unos militares golpistas que dirigieron un país durante años eran sentados en el banquillo. Pero ese juicio no fue un Nuremberg, no se creó *ad hoc* un tribunal excepcional, sino que fue un tribunal civil con todas las garantías de un estado y con un carácter ordinario que le dio un valor extraordinario.

De especial interés para nuestro estudio resultan las revelaciones sobre la maquinaria judicial ordinaria durante aquellos años. La justicia colaboró con su omisión, con la falta de impulso de oficio de las denuncias de desapariciones y torturas. Se relata como los familiares denunciaban una desaparición y el juez de turno dirigía oficio a todos los cuerpos de seguridad, que sistemáticamente contestaban que no tenían noticia alguna y que las indagaciones resultaban infructuosas. A pesar de ello, como señala en su entrevista Jorge Torlasco, uno de los jueces del proceso, ni un solo acto de ajusticiamiento privado, ni un momento de enajenación mental llevó a un padre, esposo o hijo, a agredir o asesinar a ninguno de los responsables del genocidio. Argentina dio una lección al mundo y a los verdugos con un proceso justo, con garantías, un ordenamiento jurídico aprobado legalmente y una justicia pública que eclipsó cualquier venganza.

5. Algunas consideraciones finales

La primera conclusión nos lleva inexorablemente a una nueva prueba de la profusa y profunda relación entre el cine y el Derecho. Verificar cómo más de veinte películas de no ficción han podido ser reseñadas, aunque sea mínimamente por la naturaleza de este libro, confirma que incluso un género que parece a simple vista tan apartado de nuestros estudios interdisciplinares, puede aportar un sinfín de títulos, representaciones y reflexiones sobre la justicia. Una vez más, las posibilidades del cine como instrumento para acercarse al Derecho se muestran extremadamente ricas. Pero como hemos visto, aquel cándido argumento de Muybridge y los criadores de caballos de carreras sobre el *status* único, sin interferencias y objetivo de la imagen fotográfica continuada, quedó muy pronto eclipsado como visión de la realidad. Por lo tanto, parece evidente que, al contrario de lo que se podría presuponer por su aparente superioridad representativa frente al cine de ficción, el documental tampoco ha encontrado la verdad. En no pocas de las películas reseñadas estamos más cerca de la realidad representada que de la representación de la realidad. Quizás, a lo más que hayan aspirado sea a cierta verosimilitud, casi siempre condicionada. Como señala Bill Nichols: "Lo que funciona en un momento determinado y lo que cuenta como una representación realista del mundo histórico, no es sencillamente cuestión de progreso hacía una forma definitiva de verdad, sino de luchas por el poder y la autoridad dentro del propio campo de batalla histórico"[14]. Es posible

---

[14] NICHOLS, Bill: *La representación de la realidad..* Barcelona: Paidós, 1997, p. 67.

que sean esas las coordenadas dialécticas a las que deban quedar reducidas nuestras conclusiones. Da la impresión de que a cada intento de acercamiento a la certeza, se ha producido una reacción cuestionando la veracidad de lo que recibían nuestros sentidos y generando otras formas de expresión que, a su vez, volvían a ser cuestionadas años después. Como en aquella preocupación del gobernador Stanford sobre la información errónea de los dibujos de sus caballos, la inquietud generada por la vertiginosa innovación de los mecanismos de reproducción audiovisual a lo largo del siglo ha desembocado en un interés renovado por las formas de engañar a nuestros sentidos. En consecuencia, esa comunidad de individuos consensuada en una interpretación similar de hechos y condiciones que objetiven la verdad, no deja de ser una entelequia. Pero además, con la extensión a cada vez más capas sociales del acceso a la cultura y la información, el espectador ha ido sufriendo modificaciones en su estatuto receptivo, con lo que el discurso del documentalista, por mucho que haya intentado subvertir las formas previas de acercamiento a la certeza, también debe contar con esa renovación de las formas de mirar. Para el espectador, el documen-

tal sólo debe suponer una herramienta más para intentar acercarse a esa verdad

Cuestionadas las nociones sobre el término "certeza" y los formatos aproximativos al mismo, el observador del documental jurídico debe mantenerse alerta sobre los mecanismos de representación de la actividad judicial. La autoridad de expertos entrevistados, la fiabilidad de la documentación de hechos históricos o la pretendida equidad en la exposición de posturas, no deben adormecer nuestra curiosidad, nuestra inquietud por acercarnos a la realidad histórica mediante su continuo cuestionamiento. Incluso en los documentales de observación en los que se pretende la inexistencia de mediadores entre el objeto de la mirada, la cámara y el espectador, resulta procedente cuestionar la credibilidad de la imagen. Junto a estas vías de reflexión sobre las formas del documental judicial, al espectador le queda, como mínimo, otra labor: el acceso a la justicia en todas sus expresiones, incluida la cinematográfica, implica procesos de conocimiento e intercambio de comunicaciones sometidos a unos códigos, a unas leyes que organizan un sistema social. El receptor de esas imágenes no solo tiene que escrutar la realidad en función de esas normas, sino que debe articular un discurso que las cuestione; su origen, naturaleza y función también son objeto de abordaje fílmico, la ley o su aplicación pueden ser reaccionarias o liberales, totalitarias o humanistas, y ese debate entronca continuamente con la finalidad buscada por el director de cine documental relacionado con la justicia.

Por último, muchos de los documentales aquí comentados invitan a la acción. Al contrario de la información que recibimos ordinariamente, más objeto de consumo que de preocupación, la mayoría de estas películas nos sugieren la necesidad de cambios sociales y legales. Aunque con recursos dramáticos, algunas manipulaciones e incluso una subjetividad explícita, la no ficción judicial resulta un estimulante instrumento de partida para implicarse, dejar de observar, y comenzar a participar. El ejemplo ya comentado de *Paradise Lost* (Bruce Sinofsky y Joe Berlinger, 1995) es sumamente significativo de cómo a partir de un film puede surgir un movimiento internacional de reivindicación de los derechos humanos.

6. Bibliografía directa

BARNOUW, Eric: *El documental. Historia y estilo.* Barcelona: Gedisa, S.A, 2002.

BELLIDO LÖPEZ, Adolfo: *Basilio Martín Patino. Un soplo de libertad.* Valencia: Filmoteca de la Generalitat Valenciana, 1996.

FOUCAULT, Michel: *La verdad y las formas jurídicas.* Barcelona: Gedisa, S.A, 2005.

MONTERDE, José Enrique: *La imagen negada, representaciones de la clase trabajadora en el cine.* Valencia: Filmoteca Generalitat Valenciana. 1997.

NICHOLS, Bill: *La representación de la realidad.* Barcelona: Paidós, 1997.

ROMAGUERA, Joaquín y ALSINA, Homero: *Textos y manifiestos del cine.* Madrid: Cátedra. 1998.

VV.AA: *Dentro y fuera de Hollywood. La tradición independiente en el cine americano.* Gijón: Festival Internacional de Gijón, 2004.

WEINRICHTER, Antonio: *Desvíos de lo real. El cine de no ficción.* T&B Editores, 2005.

7. Bibliografía indirecta

BRESCHAND Jean: *El documental. La otra cara del cine.* Barcelona: Paidos, 2004.

CASSIDY, Julie: *The enemy on trial.* Northern Illinois University Press. 2000.

GÓMEZ GARCÍA, Juan Antonio: *Valores jurídicos y derechos humanos en el cine.* Madrid: UNED, 2002.

GUBERN, Román: *Historia del cine,* Vols. I y II. Barcelona: Lumen, 1971.

PÉREZ MILLÁN José Antonio: *La memoria de los sentimientos. Basilio Martín Patino y su obra audiovisual.* Valladolid: Festival internacional de cine de Valladolid, 2002.

PINTORE Anna: *El Derecho sin verdad.* Madrid: Dyckinson, 2005.

RIAMBAU Esteve: *Orson Welles, el espectáculo sin límites.* S.A. Rambla de Cataluña, 1990.

RIVAYA, Benjamín; DE CIMA, Pablo: *Derecho y cine en 100 películas.* Valencia: Tirant lo Blanch. 2004.

ROMERO, Emilio G.: *Otros abogados y otros juicios en el cine español.* Barcelona: Laertes, 2006.

SÁNCHEZ-NAVARRO, Jordi; HISPANO, Andrés: *Imágenes para la sospecha. Falsos documentales y otras piruetas de la no-ficción.* Ediciones Glénat S.L.,2001.

SÁNCHEZ NORIEGA, José Luis: *Diccionario temático del cine.* Madrid: Cátedra, 2004.

VV. AA.: *Antología crítica del cine español.* Madrid: Cátedra, 1997.

VV. AA.: *Cine documental en América latina.* Málaga: Festival de Málaga, 2003.

VV. AA.: *Documental y vanguardia.* Madrid: Cátedra, 2005.

VV. AA.: *Una introducción cinematográfica al Derecho.* Valencia: Tirant lo Blanch. 2006.

WATKINS, Peter: *Historia de una resistencia.* Gijón: Festival de cine de Gijón, 2004.

8. Revistas y artículos de periódicos

NOSFERATU. Revista de Cine, Cine y Derecho. núm. 32, enero 2000.

OTROS TÍTULOS DE LA COLECCIÓN